SCORPIO

Wolfgang Funke

SELBST
VERSORGUNG

Unabhängig, nachhaltig
und gesund leben

———————

Aussaat – Anbau
Konservierung – Vorratshaltung

SCORPIO

© 2011 Scorpio Verlag GmbH & Co. KG, Berlin · München
Umschlaggestaltung und Umschlagmotiv: David Hauptmann,
Hauptmann & Kompanie Werbeagentur, Zürich
Alle Zeichnungen im Innenteil: Gisela Rüger, München
Fachliche Beratung: Frank von Berger
Satz: Fotosatz Amann, Aichstetten
Druck und Bindung: CPI – Clausen & Bosse, Leck
ISBN 978-3-942166-51-5

Alle Rechte vorbehalten.

www.scorpio-verlag.de

Inhalt

Einleitung 15

Die Welt, in der wir leben 15

Verantwortung global und regional 17 – Selbstversorgung heißt Selbstverantwortung 18 – Zurück zur Natur? 19 – Befriedigung durch das einfache Leben 20 – Ein Loblied auf den Garten 20 – Was brauche ich wirklich? 21 – Die Sehnsucht nach dem einfachen Leben 22 – Gemeinsam stark 24 – Einen guten Start! 25

1 Der Garten 27

Wie viel Land will ich bewirtschaften? 27

Balkon und Terrasse 28 – Der Hausgarten 28 – Der eigene Hof 29 – Wie viel wovon? 30

Der phänologische Kalender 30

Gärtnerische Grundlagen 31

Auf den Boden kommt es an 32 – Sauer oder basisch? 32 – Ein guter Boden ist keine Konstante 33 – Die Schlämmprobe 35 – Die Fingerprobe 36 – Test auf Staunässe 36

Kompost, aber richtig 37
Standort 37 – Miete oder Behälter? 38 – Die Rotte 39 – Wurmkompost 40 – Schnellkomposter 41 – Verwendung von Kompost 41

Düngemittel aus eigener Herstellung 42
Gründüngung 43 – Pflanzenjauchen 45 – Holzasche 46 – Kleintiermist 46 – Mist und Gülle 46

Aussaat und Vermehrung 47
Hybrid-Saatgut 48 – Genetische Vielfalt erhalten 48 – Samen ernten 49 – Keimprobe 50 – Geschützte Vorkultur 51 – Aussaaten im Freiland 52 – Breitwürfig, in Reihen oder Horsten säen 52 – Aussaat im Frühbeet 54

Das richtige Werkzeug 54
Werkzeuge für klassische Gartenarbeiten 54 – Bodenbearbeitung 55 – Säen und pflanzen 56 – Schneiden und sägen 57 – Fegen 57 – Zubehör 58 – Maschinen 58 – Werkzeugpflege 59

Pflanzenschutz: Arbeiten mit der Natur 60
Vorbeugen ist besser als kurieren 60 – Am Anfang steht die Diagnose 62 – Wirksame Pflanzenjauchen und -brühen 63 – Nützlinge 64

Mischkultur für reiche Ernte 65
Das Prinzip 66 – Stark-, Schwach- und Mittelzehrer 67 – Was ist Fruchtwechsel? 67

Spezielle Beetformen 68
Das Hochbeet 68 – Das Hochbeet füllen 69 – Die Bepflanzung eines Hochbeets 70 – Hügelbeete für eine üppige Ernte 71 – Hügelbeete bepflanzen 72 – Kraterbeete 72

Was ist Permakultur? 73
Natürliche Ökosysteme 74 – Permakultur-Praxis 74 – Pflanzen in der Permakultur 75 – Permakultur: ein Wald als Garten 76 – Tiere in der Permakultur 76 – Aquakultur in einer Permakultur 77

Gewächshaus und Frühbeet 78

Warm- oder Kalthaus? 79 – Frühbeete 79 – Nutzung eines warmen Frühbeets im Jahreslauf 82 – Nutzung eines kalten Kastens im Jahreslauf 82 – Der Mistbeetkasten 83 – Ein Mistbeet bepflanzen 84 – Folien zur Ernteverfrühung 84 – Bodenabdeckung mit Vlies 85 – Folientunnel 85

2 Von der Wildpflanze zur Nutzpflanze 87

Wildpflanzen in unserer Ernährung 88 – Was beim Sammeln zu beachten ist 89 – Naturschutzvorschriften beachten! 90

Köstliches aus Wald, Feld und Flur 91

Bärlauch *(Allium ursinum)* 91 – Brennnessel *(Urtica dioica)* 93 – Brombeere *(Rubus fruticosus)* 95 – Eberesche *(Sorbus aucuparia)* 96 – Gänseblümchen *(Bellis perennis)* 97 – Knoblauchsrauke *(Alliaria petiolata)* 98 – Löwenzahn *(Taraxacum officinale)* 100 – Sauerampfer *(Rumex acetosa)* 102 – Spitzwegerich *(Plantago lanceolata)* 103 – Waldmeister *(Galium odoratum)* 104

3 Gemüse und Salat aus dem eigenen Garten 107

Lohnt sich das wirklich? 107

Exkurs: Nitrat in Salat und Gemüse 108 – Vorüberlegungen und Planung 109 – Multikulti im Kochtopf 111 – Auf den Inhalt kommt es an 113 – Exkurs: Klimawandel im Garten 114 – Fakten zum Klimawandel 114

Welche Arten und Sorten? 115

Wichtig: biologisches Saatgut 115

Aussaatkalender 117

Die wichtigsten Salate 122

Chicorée 122 – Endiviensalat 123 – Feldsalat 123 – Kopfsalat 124 – Pflücksalat 125 – Zuckerhutsalat 125 – Weitere Salate 126

Die wichtigsten Gemüsesorten 126
Mangold 126 – Spinat 127

Kohlgewächse 128
Blumenkohl 129 – Brokkoli 130 – Chinakohl 130 – Grünkohl 131 – Kohlrabi 132 – Pak Choi 133 – Rosenkohl 133 – Weißkohl, Rotkohl und Wirsing 134

Hülsenfrüchte 134
Buschbohnen 135 – Dicke Bohnen 136 – Erbsen 136 – Feuerbohnen 137 – Stangenbohnen 137

Zwiebeln und Lauch 138
Frühlingszwiebeln und Schalotten 139 – Knoblauch 140 – Porree 140 – Zwiebeln 141

Wurzelgemüse 142
Fenchel 143 – Knollensellerie 144 – Mairübchen 144 – Meerrettich 145 – Möhren 146 – Pastinaken 147 – Radieschen 147 – Rettich 148 – Rote Bete 149 – Schwarzwurzeln 149 – Staudensellerie 150 – Steckrübe 151 – Topinambur 151

Die Kartoffel – eine tolle Knolle 152
Kartoffeln richtig pflanzen 153 – Starthilfe 153 – Düngen und Pflege 154 – Frühe Sorten, späte Sorten 154 – Kartoffeln ernten 155

Fruchtgemüse 156
Artischocke 157 – Aubergine 158 – Gurken 159 – Kürbis 159 – Paprika 160 – Rhabarber 161 – Tomaten 162 – Zucchini 164

4 Obst und Beeren 165

Konzeption eines Obstgartens 165
Was ist wann zu tun? 166

Kernobst 167
Äpfel 168 – Birnen 169 – Mispeln 170 – Quitten 171 – Speierling 172

Steinobst 173
Aprikosen 173 – Kirschen 174 – Pflaumen 176 – Pfirsiche 177

Beerenobst 178
Brombeeren 179 – Erdbeeren 179 – Heidelbeeren 180 – Himbeeren 181 – Holunder 182 – Johannisbeeren 183 – Preiselbeeren 184 – Sanddorn 184 – Stachelbeeren 185 – Tafeltrauben 186

Spezialitäten 188
Apfelbeeren 188 – Feigen 189 – Goji-Beeren 190 – Kaki 191 – Kapstachelbeeren 192 – Kiwi 192 – Papau, Indianerbanane 193

5 Sonderkulturen und Spezialitäten 195

Pilze 195
Austernpilze 197 – Braunkappen 197 – Champignons 198 – Grünspargel 198 – Shiitake 199 – Spargel 199

Getreide 200
Dinkel 201 – Gerste 202 – Mais 202 – Reis 203 – Roggen 203 – Weizen 204 – Zuckermais 205

Nüsse und Nussartige 205
Esskastanien 206 – Haselnüsse 207 – Mandeln 208 – Walnüsse 209

6 Kräuter und Gewürze 211

Anlegen eines Kräutergartens 211
Die Kräuterspirale 212

Kräuter für die Küche 213
Basilikum 214 – Bohnenkraut 215 – Borretsch 215 – Dill 216 – Estragon 216 – Fenchel 216 – Kerbel 217 – Koriander 217 – Kümmel 218 – Liebstöckel 218 – Majoran 219 – Oregano 219 – Petersilie 220 – Rosmarin 220 – Salbei 221 – Sauerampfer 222 – Schnittlauch 222 – Thymian 223 – Wermut 223

Kräuter für die Gesundheit 224
Arnika 224 – Johanniskraut 224 – Kamille 225 – Pfefferminze 225 – Zitronenmelisse 226

Kräuter für die Schönheit 227
Echte Aloe 227 – Garten-Ringelblume 228 – Nachtkerze 228 – Lavendel 228

Kräuter als Haushaltshelfer 229
Acker-Schachtelhalm 229 – Seifenkraut 230

Färberpflanzen 231
Eichengallentinte 231 – Färberdistel 231 – Färberwaid 232

7 Tierhaltung 233

Welches Tier für welchen Zweck? 233

Hausschlachtung 235 – Schafe halten 235
Gründe für die Anschaffung von Schafen 236 – Von Leihböcken und Respektspersonen 237 – Schafrassen 238

Ziegen halten 239
Stallhaltung 240 – Ziegenrassen 241

Schweine halten 242
Stall und Unterstand 242 – Die Freilaufhaltung 243 – Intelligente Allesfresser 244 – Krankheiten und Gesundheit 245 – Schweinerassen 246

Rinderhaltung 247
Viel Milch, viel Fleisch, viel Mist 247 – Stall 248 – Rinderrassen 249

Das liebe Federvieh 250
Der Hühnerstall 250 – Der Auslauf 251 – Die Fütterung 251 – Vor- und Nachteile eines Hahns 252 – Die Brut 252 – Hühnerrassen 253 – Gänse und Enten 253 – Weidehaltung bei Gänsen 255

Kaninchenhaltung 255
Kaninchen artgerecht halten 256 – Fütterung 256 – Freilauf 257

Bienenhaltung 258
Rent a Bee 258 – Von Bienen und Blumen 259

8 Konservieren und haltbar machen 260

Konservieren mit Zucker und Hitze 260
So wird's gemacht 261 – Schraubgläser 262 – Gelee und Sirup 263

Einwecken – das Grundprinzip 263
So wird's gemacht 264 – Fleisch einwecken 264 – Obst einwecken 265 – Gemüse einwecken 266

Tiefgefrieren 267
Tipps aus der Praxis 268

Trocknen und Dörren 270
Kräuter trocknen an der Luft 270 – Obst und Gemüse trocknen 271 – Der Solardörrschrank 272 – Trocknen mit schwarzer Folie 273

Pökeln 273
Fleisch in Salzlake konservieren 274 – Trockenpökeln 275 – Fisch pökeln 276 – Salzheringe 276

Kräuter, Gemüse und Eier konservieren 277
Kräuter einsalzen 277 – Bohnen und Tomaten einsalzen 278 – Soleier 278

Räuchern 279
Kalträuchern 279 – Warmräuchern 280 – Heißräuchern 280 –
Der Räucherofen 280 – Das Geheimnis des Räucherns 281 –
Fleisch an der Luft trocknen 282

Vergären und Fermentieren 283
Sauerkraut 284 – Für die Feinschmecker 285 – Sauergemüse 285 –
Multitalent Essig 286 – Kräuteressig 287 – Chutney 287 –
Ketchup 288 – Eier in Würzessig 288

Konservieren in Öl 289
Kräuteröle 289 – Pesto 290

9 Ernten und lagern 291

Richtig ernten 291
Der richtige Zeitpunkt 292 – Obst und Beeren ernten 293

Vorratshaltung und Lagerung 294

Lagern im Haus 294
Kontrollieren und lüften 295 – Einrichtung des Lagerraums 296

Lagermöglichkeiten außerhalb des Hauses 297
Erdkeller – ein Muss für Selbstversorger 298 –
Überlegungen vorab 298 – Der Bau 299 – Das Prinzip
des Erdkellers 299 – Gemüse in Erdmieten lagern 300 –
Lagern in Erdfässern 301 – Lagern im leeren Hochbeet 301 –
Lagern in Sandkisten 302 – Kartoffeln lagern 302 –
Obst lagern 303 – Gemüse lagern 305 – Getreide lagern 306 –
Hülsenfrüchte lagern 308 – Walnüsse 308 – Haselnüsse 309 –
Esskastanien 310 – Geeignete Vorratsgefäße und -behälter 310

Kühlen ohne Kühlschrank 311

Was gehört in den Notvorrat 312

10 Selbstversorgung für Genießer 316

Milch und Milchprodukte 316
Butter – die traditionelle Methode 317 – Butter haltbar machen 318 – Joghurt ansetzen 319 – Käse aus eigener Herstellung 320 – Wie stelle ich Käse her? 321 – Hart- oder Weichkäse? 322 – Käse für Veganer – einfach und genial 324

Essig selbst herstellen 324

Senf selbst gemacht 326
Senfvariationen 327

Wein aus eigener Herstellung 328
Saft gewinnen 328 – Die Gärung starten 329 – Die Gärphase 330 – Die Klärung 330 – Abfüllen 331 – Weinvariationen 331

Bier brauen 332
Hopfen 333 – Malz 334 – Bier brauen 334

Wursten 336
Die Füllung macht's 336 – Wurst, Wurst, Wurst … 337

Brot backen 338
Der Backofen 339 – Einfacher geht es nicht 339 – Hefeteig 340 – Sauerteigbrot 340 – Der Sauerteigstarter 341 – Sauerteigbrot backen 342

11 Energie- und Wasserversorgung 343

Selbstversorgung mit Wasser 343
Regenwasser nutzen 344 – Grundwasser nutzen 345 – Quell- und Flusswasser nutzen 346 – Abwasser entsorgen 346 – Wasser sparen 348 – So funktioniert eine Komposttoilette 348

Selbstversorgung mit Strom 350
Strom sparen 350 – Strom sparen im Alltag 351 – Kochen in der Kochkiste 352 – Strom aus Sonnenenergie 353 – Warmwasser mit Sonnenenergie 354 – Kochen mit Solarenergie 354 – Solarputz 355 – Strom aus Windkraft 355

Heizen 356
Wärme aus dem Grundwasser 357 – Luft-Wärme-Pumpen 357 – Erdwärme 358 – Abwärme aus dem Komposthaufen 358 – Energie aus Biogas 359 – Bioreaktoren 359 – Heizen mit Gas und Öl 360 – Heizen mit Holz 360 – Holzheizungen 362

Abfall vermeiden – verwerten – entsorgen 363
Beispiele zum Vermeiden von Müll 364 – Überschüsse vermarkten 365

Anhang 367

Die Hitliste für den Selbstversorger 367
Gemüse und Kräuter im Garten 367 – Teekräuter 368 – Würzkräuter 370

Verarbeitung von Kräutern 373
Kräuter zum Einfrieren 373 – Kräuter zum Kandieren 373 – Kräuter zum Einsalzen 373 – Kräuter für Butter 373 – Kräuter für Speiseessig 374 – Kräuter für Speiseöle 374 – Kräuter für Honig 374

Ernten in Natur und Garten rund ums Jahr 375
Erntekalender für den Januar 375 – ... für den Februar 375 – ... für den März 376 – ... für den April 377 – ... für den Mai 378 – ... für den Juni 380 – ... für den Juli 382 – ... für den August 383 – ... für den September 385 – ... für den Oktober 387 – ... für den November 388 – ... für den Dezember 389

Begriffe und gärtnerische Grundlagen 390

Literatur 394 · Register 397

Einleitung

Die Welt, in der wir leben

Aprikosen und Erdbeeren mitten im Winter, Mangos und Ananas aus Indien, Äpfel aus Südamerika, exotische Gewürze, Kräuter und Lebensmittel aus der ganzen Welt. Dazu prall gefüllte Warenhäuser und Marktstände, die das ganze Jahr über sämtliche Gemüse im Angebot haben. Kochen ist Event und Leidenschaft. Das Ausprobieren exotischer Leckereien hat Hochkonjunktur. Wir leben in einer Sorglosigkeit, da scheinbar alles jederzeit zur Verfügung steht und jederzeit erhältlich ist. So weit, so gut. Wozu also über Selbstversorgung nachdenken?

Doch so, wie die Liebhaber eines Bratens oder Grillhähnchens verdrängen, dass ihr Hühnerbein in Senf-Sahne-Soße auf dem Teller einmal Bestandteil eines durchaus lebendigen Huhns war, das voller Hingabe mit ebendiesem Bein im Mist gekratzt hat – sofern es das Glück hatte, einigermaßen artgerecht seinem frühen Ende entgegensehen zu dürfen –, so verdrängen wir auch, dass unser allzeit erhältliches und in den Auslagen knackig arrangiertes Gemüse zwar sehr gesund ist, aber Tonnen an Pflanzenschutzmitteln über sich hat ergehen lassen müssen und bisweilen eine Weltreise hinter sich hat. Und auch, dass zur Befriedigung des Bedarfs an Obst und Gemüse in manchen Ländern ganze Landschaften unter Glas verschwinden, wie etwa im Süden von Spanien – mit gravierenden Konsequenzen für den Wasserhaushalt und das natürliche Ökosystem dieser Regionen.

Die Welt ist sprichwörtlich ein Dorf geworden, und alle kaufen aus dem gleichen Regal. Aber welchen Preis bezahlen wir dafür, da ja bekanntermaßen nur der Tod umsonst ist? Der Preis ist in der Regel der totale Verlust an Kontrolle über die wirkliche Herkunft der Lebensmittel und die Umstände, unter denen sie entstanden sind.

Lebensmittelskandal folgt auf Lebensmittelskandal, mehr und mehr Menschen verdirbt es den Appetit, wenn sie von Gammelfleisch lesen oder Bilder im Internet sehen, die in Käfige gepferchte Hühner oder Kaninchen zeigen oder das industrielle professionelle Abschlachten von bis dahin quicklebendigen Schweinen und Kühen – und dazu Bilder von unbeteiligt dreinschauenden Metzgern, die ihren »Job machen«, und zwar am Fließband. Verdrängen ist Bestandteil der Natur des Menschen. Offenbar. Skandale werden vergessen, Umweltkatastrophen, selbst Kriege müssen mühsam in Erinnerung gehalten werden.

Und die Ereignisse im Sommer 2011 haben gezeigt, dass selbst das gesündeste aller Nahrungsmittel – unser Gemüse – nicht frei von Gefahren ist: EHEC, ein geheimnisvoller Krankheitserreger, lässt sogar harmlose Gurken und Sprossen zu einer potenziellen Bedrohung für die Gesundheit werden.

Wem kann man noch vertrauen? Wie oft weicht der verantwortungsvolle Umgang mit der Lebensgrundlage des Menschen der Profitgier oder beugt sich wirtschaftlichen Zwängen?

Ein wichtiger Schritt im Zuge der Vertrauensbildung ist die Ausweisung der Produktionsstätten, die idealerweise aus der Region stammen und daher im Zweifelsfalle besucht werden können. Doch reicht das aus? Auch ein Bauer, der Kälber mästet, muss das Futter und die Medikamente zukaufen, und auch er ist darauf angewiesen, dass alles seine Richtigkeit hat und die Angaben des Lieferanten vertrauenswürdig sind. Und auch der Lieferant kauft wiederum von Lieferanten, die ebenfalls nicht selbst produzieren, sondern als Zwischenhändler auftreten. Wer blickt hier noch durch?

Kann man die Region noch einigermaßen überblicken und durch bewusstes Einkaufen und kritisches Hinterfragen der Angaben auf Etiketten bereits einiges an seiner eigenen Versorgungslage verbessern, so entzieht sich spätestens das globale Umwelt- und Klimageschehen jeder Kontrolle. Das Erdbeben in Japan im März 2011 und die folgende Havarie der Atomanlage in Fukushima schüren weltweit wieder Ängste vor dem globalen Super-GAU.

Tschernobyl steckt uns noch in den Knochen und strahlt wie eh und je – was viele schlichtweg verdrängt hatten –, die Gegend um Fukushima wird für Jahrhunderte nicht mehr bewohnbar sein. Irrationale Ängste? Nein. Eine konkrete Bedrohung, so hat man uns versichert, kann eigentlich gar nicht eintreten – und nun ist es doch passiert. Und wieder diese bohrende Ungewissheit und der Verlust an Vertrauen in Regierungen und Konzerne. Es ist mehr als verständlich, dass viele Menschen in einer solchen Situation den dringenden Wunsch verspüren, wieder mehr Kontrolle auszuüben über das, was sie als tägliche Nahrung zu sich nehmen. Zumindest einen kleinen Raum haben, der Sicherheit bietet. Insbesondere Mütter kleiner Kinder spüren die Verantwortung, ihren Kindern eine gesunde Ernährung zu bieten, die ihnen eine optimale Entwicklung garantiert.

Verantwortung global und regional

Alle wissen es, manche regen sich auf, doch in der Regel sind nur wenige Menschen bereit, etwas zu ändern, da sie denken, es ist ja eh sinnlos, und solange es alle machen, spielen meine Bemühungen keine Rolle. Falsch. Beispiel Sushi: Durch den enormen Beliebtheitsgrad, den das Trendgericht Sushi weltweit erfahren hat, sind innerhalb weniger Jahre die Thunfischbestände in Gefahr geraten. Eine Spezialität der japanischen Küche, von der vor 20 Jahren bestenfalls Japanreisende wussten, ist nun in unzähligen Ländern fester Bestandteil des Angebots in Restaurants und Supermärkten. Wäre es dabei geblieben, dass man Sushi nur in Japan isst, ginge es den Thunfischbeständen vermutlich besser. Mit diesem kleinen Beispiel will ich lediglich aufzeigen, dass die bewusste Beschränkung auf Lebensmittel und Spezialitäten, die in der Region produziert wurden, durchaus sinnvoll ist. Nun mag ich niemandem den Appetit auf Sushi verderben, leben wir doch in einer Zeit, die von Events, Abwechslung und Neugierde auf Neues geprägt ist. Kritisch ist aber der Umstand zu bewerten, dass im gleichen Moment, in dem sich etwas als verkaufsträchtig herausstellt, ganze Industrien aus dem Boden gestampft werden und ein Eigenleben entfalten, das kaum mehr zu stoppen ist. Die Frage nach Ressourcen spielt da nur noch eine untergeordnete Rolle, das Thema Verantwortung für zukünftige Generationen

erst recht nicht. Es geht nur noch darum, in möglichst kurzer Zeit möglichst viel Profit zu machen. Und die traditionellen Hersteller und Kleinbetriebe schauen in die Röhre, da sie bei den Preisdiktaten der Großunternehmen kaum noch Gewinn machen können.

Nun, bis hierher nichts Neues. Und auch die Tatsache, dass die Lebensmittelproduktion weltweit von immer weniger Großkonzernen kontrolliert wird, Kartoffeln und Lachse patentiert werden oder genmanipulierte Pflanzen im Handel sind, ist sattsam bekannt, bereiten aber der Masse der Konsumenten offenbar keine großen Sorgen. Hier muss jeder für sich die Grenze finden, an der die Schwelle zum persönlichen Unbehagen überschritten wird und man eine ernsthafte Bedrohung seiner Gesundheit oder moralischen Integrität befürchtet. Aber es geht nicht nur um die eigene Gesundheit, es geht auch darum, ein deutliches Signal zu setzen. Wer genmanipuliertes Soja kauft, stimmt damit dieser Technologie zu. Es ist, wie eine Pille zu schlucken, die einem ein Unbekannter auf der Straße anbietet mit den Worten: »Probier mal, ist gesund!«

Und dies bestärkt natürlich die Produzenten in ihrem Tun, ein neuer Markt entsteht, wächst, entfaltet sein eigenes Leben und wird immer mächtiger – und irgendwann denkt niemand mehr nach, weil es allgegenwärtig und damit normal wird. Und, es ist ja nichts Schlimmes passiert – noch nicht. Wie Fukushima gezeigt hat.

Selbstversorgung heißt Selbstverantwortung

Wen wundert es also, dass immer mehr Menschen darüber nachdenken, einen eigenen Garten zu haben, vielleicht sogar einen kleinen Hof zu bewirtschaften, um eigene Lebensmittel zu produzieren, also den Schritt in die Selbstversorgung wählen und selbst die Verantwortung übernehmen für das, was auf den Tisch kommt.

Was aber bedeutet Selbstversorgung? Nun, erst einmal meint es das korrekte Einschätzen der eigenen Bedürfnisse und dessen, was wirklich benötigt wird. Die Betonung liegt hierbei auf *wirklich*, da vieles Liebgewonnene sich plötzlich als durchaus verzichtbar erweist. Hinzu kommen die Motivation und die Zeit, die ich in der Lage bin zu investieren, beispielsweise in einen großen Gemüsegarten oder in das Brauen von Bier.

Zurück zur Natur?

Selbstversorgung meint nicht, einem romantisch verklärten Bild vom Landleben im Allgemeinen und vom Gärtnern im Besonderen nachzuhängen. Trotz deutlicher Fortschritte auf dem Gebiet der Landmaschinen bleibt der Landbau im wahrsten Sinne des Wortes eine Ackerei, um nicht zu sagen: eine schweißtreibende Angelegenheit. Ich ziehe den Hut vor unseren Vorfahren, die sich unter den damals herrschenden Bedingungen von ihrer eigenen Hände Arbeit ernährt haben. Diese Umstände können wir uns nur mehr schwer vorstellen: was es heißt, mit bloßer Muskelkraft ein Stück Wald zu roden, den Boden urbar zu machen, zu pflügen und dann zu hoffen, dass sämtliche Wettergötter dem Unterfangen gnädig gestimmt sind. Manche Familie verlor ihre Existenzgrundlage nach einem einzigen heißen, trockenen Sommer, nach einer Naturkatastrophe und natürlich auch aufgrund politischer Entscheidungen in fernen Hauptstädten.

Das Leben auf dem Lande war also alles andere als romantisch, die Hauptarbeit wurde oft von Frauen geleistet, die sich infolgedessen nur wenig den Kopf darüber zerbrachen, welche Schuhe sie zum Shopping anziehen sollen und ob die neue Faltencreme die noch fast unsichtbaren Verwitterungserscheinungen im Augenwinkel verbergen helfen kann. Es war ein prall gefüllter Arbeitstag: Als Erstes in aller Früh das Vieh zu füttern, dann den Haushalt, die Familie und den Garten versorgen. Auch Pflügen war mancherorts Frauenarbeit, das Einbringen der Ernte, das Konservieren und Haltbarmachen – möglichst, ohne dabei einen Fehler zu machen. Und ganz nebenbei zogen sie noch die Kinder groß. Nicht, dass die Männer dabei Däumchen gedreht hätten, sie waren vollauf beschäftigt mit der Instandhaltung von Haus und Hof, der Feldarbeit, der Ernte, Holz zu machen, Bäume zu roden und vielem mehr.

Befriedigung durch das einfache Leben

Wie kommt es aber, dass wir ein derart romantisch verklärtes Bild vom Leben auf dem Lande haben? Auch heute, trotz modernster Landmaschinen, leiden Bauern ihre Nöte, sei es aufgrund diverser EU-Verordnungen, Preisvorgaben oder dass sich die Suche nach einem Menschen, der die Mühen mit dem Bauern teilen will, als sehr schwierig gestaltet. Ganz davon abgesehen, dass Landwirte sicher nicht den Löwenanteil der überall durch die Welt streifenden Touristen ausmachen. Im Gegenteil: Um Urlaub zu machen, muss erst ein Kuh- oder Schweinesitter gefunden werden, und meist gibt es draußen immer etwas zu tun, selbst der Winter bietet viele Arbeiten, die erledigt werden müssen: Brennholz machen, Maschinen, Zäune und Gebäude reparieren oder die Vorräte vor hungrigen Mäusescharen verteidigen. Eines ist klar: Wer mit der Natur arbeitet, muss sich an ihre Gesetzmäßigkeiten und Rhythmen halten und sein Leben diesen unterordnen.

Was motiviert uns also, all dies auf uns zu nehmen? Nun, die Befriedung beim Anblick des Stapels Holz am Abend verschafft gerade Stadtmenschen Erfolgserlebnisse, die meist spät von der Arbeit kommen, völlig erschöpft und gestresst, ohne zu wissen, was sie eigentlich getan haben, und die nichts wirklich Greifbares vorzuzeigen haben – selbst Erfolgserlebnisse bleiben virtuell. Und nicht zu vergessen: Die eingangs erwähnte wiedergewonnene Kontrolle über das, was ich meinem Körper einverleibe, wenn ich eine Mahlzeit zu mir nehme, das gute Gefühl, etwas für meine Gesundheit zu tun und damit mir und der Welt ein Signal zu setzen. Und vielen Menschen ist es wichtig, sich und der Welt zu beweisen, dass sie von der eigenen Hände Arbeit leben können, und etwas aufzubauen und auch für die nächste Generation zu hinterlassen.

Ein Loblieb auf den Garten

Doch muss es ja nicht gleich eine eigene Landwirtschaft sein. Auch ein Garten ist schön, ein Garten ist Trend, ein Garten ist wunderbar. Aber auch hier

gilt: Bitte nicht sich selbst in die Tasche lügen und genau überlegen, was man zu leisten in der Lage bereit ist. Der Preis für einen gepflegten Garten ist hoch, ständig muss gezupft und gerupft werden, damit nichts das perfekt inszenierte Bild stört. Das ist eine Frage des Anspruchs und des persönlichen Geschmacks. Da ist Biogärtnern schon »einfacher«, da man hier auch einmal etwas Mut zur Unordnung zeigen kann. Wieso, erkläre ich später ausführlicher. Bleiben lästige Insektenbisse, abgebrochene Fingernägel oder der Dreck, der einem in die Augen spritzt, wenn man mit Schwung eine Brennnessel aus der Erde reißt. Und dann die Hände, die nach getaner Arbeit erst mal eingeweicht werden müssen, um wieder in ihre alte Form zu finden. Von Quaddeln am Bein, Zeckenbissen, Mückenstichen, Kratz- und Schürfwunden, Rückenschmerzen und den Attacken allerlei gefräßiger Garten-Mitbewohner auf die potenzielle Ernte gar nicht zu reden. Nun, zweifellos ist Bewegung an der frischen Luft nicht schlecht für die Gesundheit, und auch Gemüse aus dem eigenen Garten schmeckt sogar Kindern, die das Salatblatt und die Gurkenscheibe vom Hamburger nehmen, weil diese ja Vitamine enthalten könnten.

Was brauche ich wirklich?

Lange Rede, kurzer Sinn: Das Maß der Dinge ist entscheidend. Reichen mir ab und zu einige Tomaten, die ich stolz von einer Tomatenpflanze im Kübel abpflücke, oder versetzt mich ein Eimer selbst geernteter Kartoffeln oder der einzige Apfel aus dem eigenen Garten in einen Freudentaumel? Oder möchte ich zuverlässig einen gewissen Prozentsatz an frischem Obst und Gemüse aus dem Supermarkt durch solches aus dem eigenen Garten ersetzen und idealerweise noch einige Vorräte anlegen, damit im Winter nicht alles zugekauft werden muss? Oder will ich sogar noch weiter gehen und auch Käse, Brot und Wein aus eigener Herstellung auf den Tisch stellen? Und wer es ganz weit treiben mag, wird auch darüber nachdenken, wie sich die Kosten für Heizen, Wasser und Strom deutlich senken lassen. Hier muss jeder für sich entscheiden, was gewünscht und was möglich ist. Ein Vollausstieg in unserer komplexen Welt ist nicht nur aufgrund globaler Vernetzungen, sondern auch aufgrund nationaler Gesetzgebung nicht einfach. Hier gibt es

vieles zu beachten, und Menschen, denen dies glückt, sind deutlich in der Minderheit.

Am Anfang einer Selbstversorgung mit Augenmaß sollten Sie sich die folgenden Fragen offen beantworten:
- Welche Motivation habe ich?
- Was ist mein Ziel?
- Wie sieht es mit meinen Ressourcen und Fähigkeiten aus?
- Was sind die Rahmenbedingungen?

Selbstversorgung meint also auf keinen Fall den Einstieg in den Ausstieg, wie es besonders in den 70er- und frühen 80er-Jahren im Rahmen einer »Zurück zur Natur«-Welle propagiert worden ist. Am Anfang jeder Selbstversorgung steht erst einmal die Einsicht, dass wir in einer Welt leben, in der alles global vernetzt ist: Gegen verschmutzten Regen und radioaktiven Fallout hilft auch der gesündeste und liebevoll bearbeitete Boden im Biogarten nichts.

Der Weg in die Selbstversorgung heißt auch, kritisch zu reflektieren, was man eigentlich wirklich braucht, worauf man Wert legt, und sich klar zu werden, was genau man eigentlich täglich zu sich nimmt, getreu dem Motto: Der Mensch ist, was er isst, oder wie es in den uralten Schriften des Ayurveda zu lesen ist: Der Mensch ist, was er verdaut.

Die Sehnsucht nach dem einfachen Leben

Menschen, die es aus den Städten des reichen Westens in ferne Länder trieb, wo sie eine neue, einfache Existenz gründen wollten, werden oft als Wohlstandsflüchtlinge verspottet. Was bedeutet dies? Ist Wohlstand bedrohlich? Sicher, wir haben alles, alles ist geregelt, in fünf Minuten steht im Zweifelsfall der Notarzt vor der Türe, der Müll wird weggezaubert, zur Gewissensberuhigung stopfen wir leere Flaschen in Glascontainer und trennen unseren Müll akribisch. Die Welt ist wie ein großes Kino, und die Katastrophen spielen sich im Fernsehen ab. Wenn es zu viel wird, schaltet man einfach ab, oder gar nicht erst ein, weil die schlechten Nachrichten einem die Tageslaune verderben könnten. Auf einem zehnminütigen Spaziergang durch die Fußgängerzone einer mittelgroßen Stadt können wir Spezialitäten aus der

ganzen Welt naschen, und es werden Bedürfnisse geweckt, von denen wir am Morgen noch gar nichts geahnt haben. So weit der Alltag in einer Wohlstandsgesellschaft. Fehlt da nicht noch etwas?

Sicher, die Angst um den Arbeitsplatz, das schleichende Hineinwachsen in immer größere Abhängigkeiten, die einfach Geld kosten. Was tun, wenn der Strom abgestellt wird? Was tun, wenn der Automat die Karte nicht mehr hergibt oder die Kassiererin im Supermarkt einen darauf hinweist, dass die Kreditkarte gesperrt ist? Was tun, wenn die Belastung zu groß wird, der Druck einem den Schlaf raubt, die Gesundheit in Schieflage gerät? Burnout – die neue Volkskrankheit. Stress, Ausnutzung, das Entmenschlichen der Arbeitswelt und immer mehr Arbeit, die auf immer weniger Schultern verteilt wird – derjenigen, die sich »glücklich« schätzen können, eine Anstellung zu haben. Das Karussell dreht sich immer schneller – aber wo ist die Lebensqualität? Für manche mag es Lebensqualität sein, das Jahr über täglich zehn Stunden arbeiten zu müssen, um sich einen zweiwöchigen Urlaub finanzieren zu können – mit fragwürdigem Ergebnis.

Und dann noch etwas: Dreht sich dieses Leben nur um die Erfüllung materieller Bedürfnisse? Wo sind die Glücksmomente? Immer mehr Menschen erreichen einen Punkt in ihrem Leben, an dem die innere Leere schmerzt und sich die Frage nach den Prioritäten stellt. Und hinzu kommt vielleicht die Einsicht, dass ein simples Butterbrot genauso satt und zufrieden macht wie ein teures Essen im feinsten Restaurant. Aus all dem resultieren vielleicht die Sinnfrage und das Verspüren einer Sehnsucht tief innen nach dem Schlichten, Ursprünglichen und Einfachen. Im urbanen Leben sind wir tagein, tagaus mit völlig aberwitzig künstlichen Dingen beschäftigt, die weder Befriedigung bringen noch irgendeiner Sinnfrage standhalten – Stress auf hohem Niveau: Der Absatz des Designerschuhs bricht ab, die Drehtür funktioniert nicht, die Rolltreppe steht still, das Auto ist kaputt, der Zug hat Verspätung, der Bargeldautomat ist leer, das Ersatzteil nicht mehr lieferbar, das Wartezimmer voll, die Rotphase der Ampel zu lang, der Preis für Benzin schon wieder gestiegen, der Winterdienst arbeitet zu langsam, das Huhn in der Frischtheke des Supermarkts hat das Verfallsdatum überschritten, mein Lieblingskäse ist ausverkauft, der Wein korkt, die Lieferung des neuen Sofas dauert skandalöse acht Wochen, der Fahrstuhl ist stecken geblieben, die Straße gesperrt, ein Brief vom Finanzamt im Briefkasten ... – und dann?

Einfachheit bedeutet, sich mit den grundsätzlichen Dingen zu befassen, mit bodenständigen Arbeiten wie Unkraut jäten, spülen, Holz sägen, den Boden

bearbeiten und sich an den einfachen Dingen zu freuen, die, wie schon gesagt, oft die besten sind. So habe ich vielleicht nur die Wahl zwischen zwei Sorten Käse statt zwischen mehreren Dutzend, das Brot schmeckt jedes Mal etwas anders, aber immer gut, Fleisch ist die Ausnahme und nicht die Regel.

Mich faszinieren die einfachen Dinge. Etwa, wie man aus Mehl und Wasser einen Teig knetet, aus dem sich Fladenbrote formen lassen. Oder wie aus wenigen Samenkörnern große, stattliche Pflanzen heranwachsen. Oder wie aus Milch Quark, Käse, Joghurt, Molke und Sahne hergestellt werden kann. Wie aus Trauben und Früchten Wein entsteht und wie gut eine simple, in der Sonne gereifte Tomate schmecken kann oder wie intensiv Thymian duftet. Stille und Einfachheit. Verbunden mit Achtsamkeit bei allem, was man tut, auch mit sich selbst. Mit einem feinen Gespür und Bewusstsein in der Stille wieder auf die eigene innere Stimme hören. Und nicht im Straßenlärm stehen, der alles übertönt, oder Bedürfnissen nachzujagen, deren Befriedigung mehr Geld kostet, als man verdient, und die nicht einmal nachhaltiges Glück versprechen. Das wahre Leben ist ein entschleunigtes Leben, ein selbstbestimmtes Leben als Selbstversorger. Ich versorge mich selbst, mit **allem**, was ich wirklich brauche und was mir wichtig ist. Mit **allem**, was wirklich zählt. Und das sind nicht nur die materiellen Dinge.

Das Leben können wir nicht beliebig verlängern, aber wir können es vertiefen. Und wir können die Qualität der Erfahrungen, die wir sammeln wollen, selbst bestimmen. Und dabei helfen uns der Umgang und das Beschäftigen mit der Natur und ihren Gesetzmäßigkeiten.

Gemeinsam stark

Höfe wurden früher von ganzen Familien samt Knechten und Erntehelfern bewirtschaftet. Selbst heute, unter Zuhilfenahme aller modernen Errungenschaften und Maschinen, ist es nicht möglich, alles allein zu machen. Niemand wird es schaffen einen Garten zu pflegen, Getreide anzubauen, sein eigenes Brot zu backen, Wein und Bier und nebenbei auch noch Käse und Marmelade selbst herzustellen, seine Kleider selbst zu nähen und sich um die Tiere zu kümmern. Selbstversorgung mit Augenmaß bedeutet daher auch, sich seiner Interessen und Fähigkeiten bewusst zu werden und viel-

mehr auf Netzwerke zu setzen. Ohne dass ein Mehrwert produziert wird, der normalerweise von Zwischenhändlern als Gewinn einbehalten wird, können Güter oder Dienstleistungen untereinander getauscht oder direkt an den Konsumenten veräußert werden. Solche Netzwerke waren früher gang und gäbe und sind heute wieder eine attraktive Alternative zum Einzelkämpfer-Dasein. Im Idealfall entwickeln sich dann Gemeinschaften, in denen jeder von jedem profitieren kann. Beispiele hierfür gibt es immer mehr, nicht zuletzt auch als Reaktion auf die fragwürdige Altersversorgung, der die geburtenstarken Jahrgänge entgegenblicken und der konkreten Lebenssituation vieler alleinstehender älterer Menschen, aber auch alleinerziehender Mütter, die davon profitieren können, dass die Kinder gut versorgt sind, während sie ihrer Arbeit nachgehen. Mit Sicherheit wird ein solches Leben in Gemeinschaften eine wichtige Lebensform der Zukunft sein, die es vielen ermöglicht, in Würde zu altern und in einer Gemeinschaft zu leben, in der sie sich aktiv einbringen können und auch gebraucht werden.

Einen guten Start!

Was gibt es noch zu sagen? Sie sind sich nun Ihrer Motivation bewusst, der Ort der Handlung steht fest, die Rahmenumstände sind geklärt, und Sie haben sich erst einmal vorgenommen, das eine oder andere auszuprobieren und anzufangen. Auch der finanzielle Rahmen ist gesichert. In diesem Buch finden Sie reichlich Informationen und praktisches Know-how zur Selbstversorgung, wie sie funktioniert und was überhaupt machbar ist. Leicht, anschaulich und einfach erklärt und unterfüttert mit eigener, langjähriger Erfahrung. Und auch meine Bemühungen waren nicht immer nur von Erfolg gekrönt, doch Umwege erhöhen die Ortskenntnisse, und Rückschläge schärfen das Profil.

Wonach immer Ihnen der Sinn steht, fangen Sie an und probieren Sie aus, wo und wann Sie an Ihre Grenzen stoßen. Eines ist ganz sicher: Aus Stadtmenschen werden nicht über Nacht Biobauern, da fehlt es bisweilen schlichtweg an der Erfahrung im Umgang mit Pflanzen und Tieren. Aber Schritt für Schritt können Sie sich dem annähern, was Ihnen vorschwebt und was immer Sie sich vorgenommen haben. Und aufhören können Sie jederzeit,

Geheimnisse des guten Gärtnerns

Gärtnern ist ganz einfach. Es gehören dazu etwas Risikofreude, Experimentierlust, das Verständnis vom Wesen einer Pflanze und Intuition. Mir hat mal jemand gesagt, dass er sich in den Baum hineinversetzt, bevor er ihn pflanzt. So kann ich fühlen wie der Baum, seine Bedürfnisse spüren und abwägen, ob ein bestimmter Ort geeignet ist für ihn oder nicht.

»Verkopfen« Sie nicht zu sehr. Natürlich kann man alles auf die Spitze treiben im Streben nach Perfektion, um auch das letzte Radieschen aus der heimischen Scholle herauszuquetschen. Doch dies ist meist nicht nötig, und der Einsatz moderner Düngemittel kostet nicht nur Geld, sondern führt auch zur Produktion von Überschüssen, die dann sogar entsorgt werden müssen oder die Marktpreise verderben – von gesundheitlichen Gründen ganz zu schweigen.

Und Pflanzen können unglaublich zäh sein und überleben unter Umständen an Orten, wo dies niemand für möglich gehalten hätte. Und sie wachsen dort, wo sie wachsen wollen. Also ist jede Beschäftigung mit dem Garten und seinen Pflanzen eine Art Teamwork mit der Natur. Ein behutsames Miteinander-Umgehen, Aufeinander-Hören, ein aufmerksames Beobachten und Sichhineinfühlen.

wenn Sie erkennen: Hier ist meine Grenze erreicht und ich gebe mich mit dem Erreichten zufrieden.

In diesem Sinne wünsche ich allen Lesern dieses Buchs, dass sie viele Anregungen finden werden, die etwas zum Vertiefen des eigenen Lebens beitragen können, und dass sie den Mut haben, den Schritt vom Denken zum Tun zu vollziehen, und dafür mit vielen, auch einfachen Glücksmomenten belohnt werden.

1 Der Garten

Wie viel Land will ich bewirtschaften?

Am Anfang stellt sich natürlich die Frage, wie viel Land ich bestellen muss, um beispielsweise eine vierköpfige Familie zu versorgen. Diese Frage lässt sich nicht pauschal beantworten, da hier unterschiedliche Faktoren eine Rolle spielen. Bei geschickter Planung und strengem Einhalten von Fruchtfolgen, gestaffelten Saatterminen und der Vorkultur im Gewächshaus lässt sich der Ertrag auch eines kleinen Gartens deutlich steigern.

Im nächsten Schritt spielt es eine Rolle, wie der Garten geplant wurde – und natürlich, welche Gemüse angebaut werden. Hügelbeete z. B. vergrößern insgesamt die Anbaufläche, Spaliere und Bohnenzelte erschließen eine zusätzliche Dimension.

Kurzum: Je sorgfältiger die Planung und intensiver die Bearbeitung, umso höher der Ertrag. Ein Familiengarten von nur 100 m² kann in einem solchen Fall schon ausreichen, um eine Grundversorgung über die Gartensaison mit Salaten, ausgewähltem Gemüse, Kräutern und auch Obst zu gewährleisten.

Soll Überschuss produziert und eingelagert bzw. veräußert werden, sind natürlich entsprechend größere Flächen nötig, und spätestens, wenn man einen eigenen Hof bewirtschaftet, steht der hundertprozentigen Selbstversorgung nichts mehr im Wege – Erfahrung und Know-how vorausgesetzt.

Balkon und Terrasse

Grundsätzlich kann schon ein kleiner Balkon einen Ertrag von mehreren Kilogramm Obst und Gemüse bringen. Kräuter gedeihen hier problemlos, sogar manche Beerensträucher und Obstbäume sind balkontauglich.

Eine Neuheit auf dem Markt und ideal für Balkon und Terrasse ist das Zwergobst. Es ist für einen dauerhaften Stand im Kübel geeignet und wird in Zehnliterkübeln angeboten. Mit diesen Obstzwergen lässt sich also auch auf der Terrasse ein Obstgarten anlegen. Es gibt inzwischen Zwergäpfel, -birnen, -kirschen, -nektarinen und Zwergpfirsiche. Zwergobstbäume werden in der Regel nur etwa 1 bis 1,2 m hoch, das Kronenvolumen entspricht dem eines Zwergbäumchens. Die leckeren Früchte wachsen einem sozusagen direkt in den Mund.

Der Miniaturwuchs ist genetisch bedingt, weshalb kaum ein Schnitt notwendig ist. Wichtig ist nur, dass Staunässe vermieden wird. Den Winter über empfiehlt es sich, den Kübel gut einzupacken, um die Wurzeln vor Frost zu schützen. Natürlich kann man die Minibäume auch im Garten auspflanzen.

Eine Idee für Balkongärtner ist ein Beet, das einfach aus einem Kultursack mit Pflanzerde besteht, so wie man ihn im Gartencenter kauft. Diesen legt man auf die Erde, sticht einige Löcher hinein und setzt hier hinein beispielsweise Tomaten – aber auch Erbsen, Salat oder Bohnen können so gezogen werden. Selbst Kartoffeln kann man auf dem Balkon ernten: zwei bis drei Saatkartoffeln in einen mit Erde gefüllten Eimer gesetzt, bringen bereits einige Kilogramm Ertrag.

Der Hausgarten

Im Regelfall sind unsere Hausgärten klein, Grund und Boden sind teuer, und es zählt oft jeder Quadratmeter. Doch mithilfe einer guten Planung können

Sie das Beste aus Ihrem Garten herausholen, die nötigen Informationen hierzu finden Sie in diesem Kapitel.

Legen Sie zunächst fest, was Sie überhaupt anbauen wollen. Kartoffeln brauchen viel Platz und sind vielleicht günstiger beim Bauern zu haben. Sind Kartoffeln das absolute Lieblingsgemüse der Familie, dürfen sie natürlich nicht fehlen. Also: Zunächst eine Liste erstellen und überlegen, was sinnvoll ist und was auch wirklich von allen gegessen wird. Informationen und Entscheidungshilfen zu den unterschiedlichen Obst- und Gemüsearten finden Sie ab Seite 115.

Steht einmal fest was angebaut werden soll, geht es an die Gartenplanung. Überlegen Sie, wo Beete angelegt werden sollen und wie groß diese sein sollen (siehe Seite 68ff.). Es ist immer besser, mehrere kleine Beete zu planen, als ein großes. Kleine Beete sind leichter zu pflegen und zu bearbeiten, außerdem behalten Sie besser den Überblick, wenn es um die Planung der Fruchtfolgen oder einer Mischkultur geht (siehe Seite 65ff.).

Nun kommt das Schwierigste, und zumindest beim ersten Mal wird man sich schwertun: Erstellen Sie eine detaillierte Planung, wann Sie mit den Aussaaten beginnen, vermerken Sie in Ihrem Arbeitskalender Termine für die Nachsaat und legen Sie fest, was Sie auf welchem Beet als Vor-, Haupt-, Zwischen- und Nachfrucht anbauen möchten. Je detaillierter die Planung, umso besser. Als Hilfe dient ein Aussaatkalender (siehe Seite 117), aber auch das Einbeziehen der Mondphasen und entsprechende Gartenkalender aus dem Handel sind sinnvoll.

Der eigene Hof

Der Unterschied zwischen einem Hausgarten und einem Hof liegt darin, dass der Garten Gemüse für den Eigenbedarf liefert und der Hof eine Überschussproduktion ermöglicht. Hier können im großen Maßstab Gemüse und auch Getreide angebaut werden. Mehr Land bedeutet aber auch mehr Arbeit und am Anfang auch mehr Investitionen. Dazu gehören Stallgebäude, Hecken und Zäune, die gewartet und gepflegt werden wollen, auch entsprechende Maschinen und Geräte müssen angeschafft werden.

Grundsätzlich gilt auch für den Hof alles bereits oben Gesagte. Der Gemüsegarten will genauso sorgfältig geplant, angelegt und gepflegt werden, hinzu kommen ein größerer Obstgarten und abgezäunte Bereiche für Weidevieh oder Schweine, samt den dazugehörigen Stallgebäuden. Auch für ein größeres Gewächshaus und Frühbeete ist Platz. Nach oben ist der Größe eines Hofs keine Grenze gesetzt, diese hängt davon ab, was Sie in der Lage sind zu bearbeiten und welche Feldfrüchte in welchem Umfang angebaut werden sollen.

Wie viel wovon?

Bei den Gemüseporträts ab Seite 122 finden Sie Angaben, wie viel Ertrag unter normalen Bedingungen von einer Pflanze erwartet werden kann. Sicherlich lässt sich dies nicht präzise beziffern, da zu viele unterschiedliche Parameter eine Rolle spielen. Die Vorbereitung des Bodens, das Gießen und Düngen haben wir noch selbst in der Hand, doch allzu häufig machen einem das Wetter oder Pflanzenkrankheiten einen Strich durch die Rechnung. Auch hängt die Ertragshöhe vom gewählten Anbauverfahren ab. Ein Hügelbeet bringt in der Regel mehr als ein Flachbeet, Tomaten unter optimalen Bedingungen im gut gelüfteten Gewächshaus bringen eine sicherere Ernte als Tomaten im Freiland.

Nutztiere spielen im Hausgarten eine eher untergeordnete Rolle. Platz für einige Hühner und Kaninchen findet sich immer, vielleicht reicht es auch noch für ein Schaf. Informationen zur Haltung von Nutztieren finden Sie ab Seite 223.

Der phänologische Kalender

Da Wetter und Klima nicht überall gleich sind, empfehle ich, sich nach dem phänologischen Gartenkalender zu richten. Dieser unterteilt das Jahr in neun Jahreszeiten, wobei Beginn und Ende einer Jahreszeit durch das Erscheinen bestimmter Pflanzen, Blüten oder Früchte definiert sind. Sie können beispielsweise sicher sein, dass mit der Blüte der ersten Schneeglöckchen in Ihrer

Region das Frühjahr bald sicher Einzug halten wird. Auf diese Art lassen sich Saattermine und auch der Zeitpunkt für bestimmte Gartenarbeiten besser festlegen – das ist besonders in Zeiten von Klimawandel und Wetterkapriolen eine unschätzbare Hilfe für den Gärtner.

Jahreszeit	beginnt mit
Vorfrühling	Haselnussblüte oder Schneeglöckchenblüte
Erstfrühling	Forsythienblüte oder Blattentfaltung der Stachelbeere
Vollfrühling	Apfelblüte
Frühsommer	Blüte des Schwarzen Holunders
Spätsommer	Fruchtreife von Frühapfel oder Eberesche
Frühherbst	Fruchtreife des Schwarzen Holunders
Vollherbst	Fruchtreife der Rosskastanie
Spätherbst	Blattverfärbung von Stieleiche oder Rosskastanie
Winter	Vegetationsruhe

Gärtnerische Grundlagen

Säen, Pflanzen, Düngen, Pflegen und Vermehren – man braucht nicht unbedingt den sprichwörtlichen »grünen Daumen«, damit im Garten etwas wächst. Mit den nötigen Kenntnissen und etwas Geduld kann jeder die Früchte seiner Arbeit ernten. Und damit die Pflanzen nicht von Krankheiten und Schädlingen hinweggerafft werden, helfen nützliche Tipps gegen die allgegenwärtigen Plagen. Natürlich werden Misserfolge nicht ausbleiben, aber wie heißt es so schön: Aus Erfahrung wird man klug – und der eigene Garten ist das beste Terrain, um Altbewährtes und Neues auszuprobieren und eigene Erfahrungen zu sammeln!

Auf den Boden kommt es an

Grundlage allen Wachstums ist ein guter, fruchtbarer und gesunder Boden. Aber was ist Boden eigentlich? Boden besteht aus winzigen Partikeln verwitterter Gesteinsarten sowie organischem Material, dem sogenannten Humus. In und auf diesen organischen Substanzen leben zum Teil mikroskopisch kleine, pflanzliche und tierische Organismen. In der Regel besteht ein guter Boden aus etwa 45 Prozent mineralischer Substanz. Hinzu kommen rund 7 Prozent Humusanteile, 23 Prozent Wasser und 25 Prozent Luft. Je nach Standort kann es jedoch erhebliche Schwankungen in der Zusammensetzung geben:

Leichter Sandboden ist gut durchlüftet, leicht zu bearbeiten und erwärmt sich schnell. Nachteilig ist, dass er Nährstoffe und Wasser nur unzureichend speichern kann und einen geringen Humusanteil aufweist. Man kann leichten Sandboden durch Unterarbeiten von Kompost und Lehm bindiger machen, sodass er mehr Nährstoffe und Wasser speichert und sich besser für den Anbau von Nutzpflanzen eignet.

Mittelschwerer Lehmboden kann Nährstoffe und Wasser gut halten. Er erwärmt sich zwar nur langsam, kann aber durch regelmäßiges Einarbeiten von Kompost und Gründüngung dauerhaft fruchtbar erhalten werden. Für den Nutzpflanzenanbau ist dies ein idealer Boden.

Schwerer Tonboden speichert zwar in hohem Maße Wasser und Nährstoffe, aber er ist oft verdichtet, sauer und lässt sich nur schwer bearbeiten. Mitunter tritt auch Staunässe auf, weil das Wasser nicht in tiefere Schichten versickern kann. Für den Nutzpflanzenanbau eignet sich solch ein Boden nur bedingt. Durch Kalkgaben sowie Einarbeiten von Kompost und Sand lässt sich schwerer Tonboden durchlässiger und fruchtbarer machen.

Sauer oder basisch?

Die chemische Zusammensetzung entscheidet darüber, ob ein Boden eher sauer ist (pH-Wert unter 6,5) oder basisch (pH-Wert über 7,0). Ein basischer Boden wird auch als alkalisch oder kalkhaltig bezeichnet. In sauren

Böden gedeihen nur wenige Nutzpflanzen gut. Besser sind neutrale bis leicht alkalische Böden. Auf stark alkalischen Böden kann es zu Blattbleiche (Chlorose) und anderen Mangelerscheinungen bei den Pflanzen kommen. Ob ein Bodentyp eher sauer oder kalkhaltig ist, kann man leicht durch einen handelsüblichen Schnelltest herausfinden. Saure Böden können durch Einarbeiten von Algenkalk, stark alkalische durch Kompostgaben verbessert werden.

Ein guter Boden ist keine Konstante

Ob ein Boden fruchtbar ist oder nicht, hängt nicht allein von der Natur ab. Durch den Anbau von Nutzpflanzen werden dem Boden laufend Nährstoffe entzogen. In jedem Kubikzentimeter Boden laufen ständig zahlreiche dynamische Prozesse ab, die durch Nutzung und Pflegemaßnahmen beeinflusst werden. Deshalb ist ein genutzter Boden keine konstante Größe, mit der man fest rechnen kann. Damit der Boden fruchtbar bleibt, muss er gepflegt werden. Man sollte ihn wie einen guten Freund behandeln, denn wenn er sich wohlfühlt, hilft er einem bei der Gartenarbeit! Man sagt auch, dass der Boden immer nur so gut ist wie die Bodenpflege, die man betreibt. Hier einige Grundregeln:
- Nach Möglichkeit sollte die Oberfläche – außer im Frühjahr zur Zeit der Aussaat – immer bedeckt sein, etwa durch eine Mulchschicht, Bodendecker oder Gründüngung.
- Der Boden darf nie völlig austrocknen.
- Eine tiefe Bodenbearbeitung sollte nur in dringend nötigen Fällen erfolgen, weil sie die Bodenflora und -fauna zerstört.
- Nach einem Regen durchweichte, nasse Böden sollten erst wieder betreten und bearbeitet werden, wenn sie etwas abgetrocknet sind, um Verdichtungen zu vermeiden.
- Der fruchtbare Oberboden darf – z. B. bei Umpflanzarbeiten oder bei der Bodenbearbeitung – nicht mit dem Unterboden vertauscht oder untergegraben werden.
- Dünger wird nur in Maßen verabreicht. Eine leichte Unterversorgung mit Dünger ist besser (und gesünder) als ein überdüngter Boden.

- Fruchtfolge und Mischkultur beugen Bodenmüdigkeit und der Ausbreitung von Pflanzenkrankheiten vor.
- Und schließlich ein wichtiger Tipp: Jeder braucht mal eine Auszeit. Das gilt auch für den Boden. Wenn er alle paar Jahre eine Brachzeit mit einer Gründüngung zugestanden bekommt, kann er sich auf natürlichem Weg regenerieren.

Umgraben oder nicht?

Über das Thema Umgraben gibt es viele Meinungen. Nach alter Tradition wurde früher im Herbst spatentief umgegraben, damit die Schollen durch den Frost zerfallen (»Frostgare«), Unkrautsamen und Schädlinge erfrieren und die Erde im folgenden Frühjahr feinkrümelig ist. Durch das Umgraben wird aber die oberste Bodenschicht, in der sich zahlreiche dynamische Prozesse abspielen, gehörig durcheinandergewirbelt. Mikroorganismen und nützliche Bodenlebewesen wie Springschwänze, Regenwürmer und andere leiden, die luftdurchlässige Struktur der Humusschicht wird zerstört und fruchtbarer Oberboden mit unfruchtbarem Unterboden vermischt.

In der naturnahen, biologisch ausgerichteten Landwirtschaft wird deshalb weitgehend auf das Umgraben verzichtet. Eine Lockerung und Pflege des Bodens erfolgt hier durch Gründüngung, Mulchen und schonendes Lüften mit einem Sauzahn oder der Grabegabel. Nur bei Neuanlagen, in denen verwilderte Brachflächen in Gartenland umgewandelt werden, muss der Boden meistens umgegraben werden. Durch eine anschließende gezielte Bodenpflege kann dann eine gesunde Humusschicht aufgebaut werden.

Die beste Zeit für Maßnahmen zur Bodenverbesserung ist das Frühjahr. Mit den steigenden Temperaturen erwacht das Bodenleben. Kompost und andere Bodenverbesserer können dann optimal aufgeschlossen werden und stehen den später ausgesäten bzw. ausgepflanzten Nutzpflanzen als Nährstoffe zur Verfügung. In der Vegetationsperiode hilft eine Mulchschicht aus zerkleinerten, angewelkten Pflanzenresten oder Grasschnitt, die Feuchtigkeit im Boden zu halten. Die Mulchschicht darf nur wenige Zentimeter dick sein, damit sich weder Fäulnis noch Schimmel entwickeln. Da die Mulchdecke nach und nach verrottet, muss immer wieder organisches Material nachgestreut werden. Im Winterhalbjahr schützt eine 3 bis 8 cm dicke Mulchschicht die abgeernteten Beete vor starker Frosteinwirkung. Im folgenden Frühjahr werden übrig gebliebene Mulchreste abgeharkt, bevor in die »gare« und feinkrümelige Erde gesät und gepflanzt wird.

Die wichtigsten Bodenarten im Überblick

Bodenart	Merkmale/Bearbeitung
Sandboden	Rinnt schnell durch die Finger, nicht formbar, scharfkantig. Tongehalt bis 10 %. Verbesserung durch Einarbeiten von lehmiger Erde und Kompost.
Lehmiger Sand	Klebrig, die Sandkörner sind deutlich fühlbar, er krümelt beim Formen. Tongehalt ca. 20 %. Mit Humus gemischt, ergibt er einen guten Gartenboden.
Sandiger Lehm	Formbar, zerfällt aber rasch. Tongehalt bis 30 %. Ergibt mit Humus gemischt einen guten Gartenboden.
Lehm	Knirscht beim Reiben, viele Sandanteile. Backt zusammen, solange er feucht ist. Tongehalt bis 40 %. Ständige Humuszufuhr wichtig.
Schwerer Lehm	Schmiert beim Reiben, formbar. Tongehalt bis 60 %. Verbesserung durch die Zugabe von Sand und Humus.
Tonboden	Fein, glatt und seifig. Tongehalt über 60 %. Gut formbar. Tiefes Umgraben, Dränage sowie Sand- und Humuszufuhr notwendig.
Kalk- und Mergelboden	Schmiert bei Nässe. Besteht aus verschiedenen Bodenarten und Kalkstein.
Humusboden/ Moorboden	Enthalten mindestens 30 % organische Substanz. Kalk, Lehm und Sand verbessern die Bodenqualität.

Die Schlämmprobe

Geben Sie ein Drittel Erde aus der Oberbodenschicht in ein Glas mit zwei Dritteln Wasser, rühren Sie gut um und lassen Sie das Gemisch einige Zeit stehen. Die Bodenbestandteile setzen sich nun in Schichten am Boden des Gefäßes ab:

- Sand sinkt am schnellsten zu Boden.
- Lehm löst sich und setzt sich über der Sandschicht als Schlamm ab.
- Ton ist schwerer löslich und bildet feine Klümpchen.
- Humusanteile können bis zu drei Wochen im Glas schweben, bevor sie sich absetzen.

Auf diese Art können Sie leicht die Volumenanteile der Bodenbestandteile erkennen.

Die Fingerprobe

Ebenfalls einfach durchzuführen ist die Fingerprobe. Nehmen Sie eine Handvoll feuchter Erde und drücken Sie diese fest zusammen:
- Sandboden lässt sich weder formen noch kneten.
- Im Humusboden sind faserige, organische Teile gut erkennbar.
- Tonhaltige Böden lassen sich gut kneten und werden beim Trocknen hart.
- Schluff- und Lehmboden lässt sich ebenfalls gut kneten, hat aber eine gröbere Struktur. Er zerbröselt beim Trocknen schneller.

Test auf Staunässe

Staunässe tritt auf, wenn Sperrschichten aus verdichtetem Lehm oder Ton das Versickern des Regenwassers verhindern. Die Folge ist ein Sauerstoffmangel, und die Pflanzenwurzeln sterben ab.
- Graben Sie ein etwa 50 cm tiefes Loch.
- Füllen Sie dieses mit Wasser.
- Wenn das Wasser nicht nach kurzer Zeit versickert ist, sind Maßnahmen erforderlich.

Kompost, aber richtig

Organische Reststoffe aus dem Garten und der Küche können durch Verrotten zu einem wertvollen Dünger umgewandelt werden, der die Bodenfruchtbarkeit fördert. Damit der Rotteprozess vollständig vollzogen wird und ein krümeliges, fruchtbares Substrat entsteht, kommt es auf die richtige Vorgehensweise an. Im Grunde ist es ganz einfach, denn in der Natur vollzieht sich die Umwandlung von organischem Material in fruchtbaren Humus seit Urzeiten. Im Garten kann man den Rotteprozess jedoch beschleunigen und gleichzeitig für eine hohe Qualität des Endprodukts sorgen.

Standort

Am praktischsten ist es, wenn der Kompostplatz in der Nähe des Hauses angelegt wird, damit Küchenabfälle unkompliziert und ohne weite Wege entsorgt werden können. Gleichzeitig muss ein Kompost weit genug von den Wohnräumen entfernt sein, sodass keine Geruchsbelästigung entsteht. Ideal sind vor Wind und Sonne geschützte Standorte, etwa unter hohen Bäumen. Alternativ kann man den Kompost mit einem Weidenrutenzaun einfassen oder ihn mit Gehölzen wie Beerenobststräuchern umpflanzen. Planen Sie den Kompostplatz großzügig, denn erfahrungsgemäß fallen mehr organische Reststoffe an, als man zunächst glaubt. Pro 100 m² Nutzgarten rechnet man 3 bis 4 m² Kompostfläche. Hinzu kommt der Platz für die Wirtschaftswege zwischen den einzelnen Haufen. Wichtig ist ein gewachsener Boden als Untergrund, damit Würmer, Insekten wie Asseln und Springschwänze sowie Mikroorganismen von dort zuwandern können, die bei der Rotte helfen.

Miete oder Behälter?

Für die Kompostbereitung gibt es verschiedene Methoden. Die einfachste ist eine etwa 1,5 m breite Miete. Dafür wird das zerkleinerte organische Material schichtweise aufgesetzt. Die unterste Lage besteht am besten aus grobem, sperrigem Material (Gehölzschnitt o. Ä.), das den Mietenfuß vor Vernässung oder Fäulnis schützt. Eine gute Durchmischung von »grünem Material«, wie Rasenschnitt, und »braunem Material«, wie welkem Laub und Ernteresten, gewährleistet, dass der Kompost nicht schimmelt oder vertorft. Gröbere Teile werden vor dem Aufschichten zerkleinert, Gehölzschnitt am besten geschreddert. Küchenabfälle deckt man möglichst ab, um eine Geruchsbelästigung zu vermeiden. Das aufgeschichtete organische Material sackt anfangs recht schnell zusammen. Wenn die Kompostmiete eine Höhe von etwa 1,2 m erreicht hat, deckt man sie mit einer Schicht aus Stroh, Laub, altem Heu, Vlies oder gelochter Folie ab, um sie vor Austrocknung und Übernässung zu schützen. Prüfen Sie während der Rotte gelegentlich, ob der Kompost ausreichend feucht ist und die Rotte in Gang kommt. Guter Kompost fühlt sich feucht, aber nicht matschig an. Gründe für eine schlechte oder ausbleibende Rotte sind zu feuchter oder zu trockener Kompost, zu grobe Pflanzenteile, eine ungenügende Durchmischung der Materialien oder mangelnde Durchlüftung.

Manche Gärtner bevorzugen das Kompostieren in Behältern. Sie sind platzsparender als Mieten, vermindern die Geruchsbelästigung und haben ein ordentlicheres Erscheinungsbild. Auch sie müssen eine Verbindung mit dem gewachsenen Unterboden haben, damit Kleinstlebewesen zu- und abwandern können. Eine Luftzufuhr muss gewährleistet sein. Dazu genügen schmale Schlitze zwischen den Brettern oder Löcher im Kunststoff- bzw. Metallsilo. Solche Kompostbehälter gibt es fertig im Fachhandel zu kaufen. Selbstversorger bauen sie natürlich selbst. Die einfachste Form ist eine Kompostlege aus Brettern, die um vier Pfosten genagelt oder zusammengesteckt werden. Andere Behälter bestehen aus Drahtgitter, Metall oder Kunststoff. Besonders dauerhaft und stabil sind an drei Seiten gemauerte Kompostbehälter mit einer abnehmbaren Vorderfront aus Holzbrettern. Das Befüllen erfolgt nach dem gleichen Prinzip wie das Aufschichten einer Miete, also mit einer guten Durchmischung zerkleinerter organischer Reststoffe.

Die Rotte

Nach dem Aufschichten beginnt die Rotte, die in fünf Phasen abläuft und je nach Witterung und Außentemperatur mehrere Monate bis zu einem Jahr dauern kann:

Abbauphase: Der auch als »Heißrotte« bezeichnete Prozess dauert etwa zehn Tage. Dabei entstehen im Inneren des Komposts Temperaturen bis zu 70 °C. In dieser Phase nimmt das Volumen des aufgeschichteten Materials stark ab.

Umbauphase: Diese Phase dauert etwa zwei Wochen. Die Temperatur sinkt auf etwa 35 °C ab, das Pilzwachstum nimmt zu, der Abbau von Holz und Zellulose beginnt.

Aufbauphase: Die Temperatur des Komposts pendelt sich bei 20 °C ein. Diese Phase dauert je nach Witterung und Außentemperatur mehrere Monate. Kleinstlebewesen, wie Milben, Springschwänze, Tausendfüßler, Asseln und Würmer, besiedeln den Kompost und setzen das organische Material um. Es bilden sich stabile Humusformen.

Reifung: Die Temperatur des Komposts gleicht sich der Umgebung an, die Struktur wird erdig-krümelig, noch immer sind Kleinstlebewesen im Kompost aktiv.

Vererdung: Die meisten Kleinstlebewesen verlassen den reifen Kompost, Regenwürmer siedeln sich an. Der Kompost bekommt eine feinkrümelige Struktur und duftet angenehm nach frischer Walderde.

Was gehört auf den Kompost?

Organische Abfälle aus dem Garten, z. B. Grasschnitt, Erntereste, Unkraut, Laub, Heckenschnittgut, geschredderte Zweige und Äste, Küchenabfälle, Eierschalen, Tee- und Kaffeesatz, Stall- und Kleintiermist, Holzasche in kleinen Mengen, Stroh, Sägemehl und organisches Kleintierstreu. Papier und Pappe verrotten ebenfalls, wenn sie vorher zerrupft und in Wasser eingeweicht werden. Bunt bedrucktes Papier sollte man jedoch meiden.

> **Was gehört nicht auf den Kompost?**
>
> Unkraut, das bereits Samenstände ausgebildet hat, von Welkepilzen oder Kohlhernie befallene Pflanzenteile, Schalen von Zitrus- und anderen Südfrüchten, sofern sie nicht aus biologischem Anbau stammen, Fleisch, Fisch und gekochte Speisereste, verschimmeltes Brot und Obst, Kohleasche und mineralisches Kleintierstreu sowie Schnittgut von Lebensbaum *(Thuja)*, Eibe *(Taxus)* und Holunder *(Sambucus)*, da sie Stoffe enthalten, die eine effektive Rotte verzögern.

Wurmkompost

In jedem normalen Komposthaufen tummeln sich einige Würmer, die das Verrotten des Rohmaterials durch ihre Stoffwechseltätigkeit unterstützen. Im Wurmkomposter kann man diese kleinen Helfer dazu nutzen, das Verfahren der Rotte zu beschleunigen und zu optimieren. Der Wurmkomposter ist besonders gut geeignet für kleine Gärten, bei denen zu wenig organisches Restmaterial anfällt, um eine Miete aufzuschichten und eine konventionelle Rotte in Gang zu bringen. Man kann ihn sogar für wenige organische Abfälle auf dem Balkon verwenden.

Wurmkomposter gibt es im Fachhandel fertig zu kaufen. Man kann sie aber auch leicht selbst herstellen. Dazu nimmt man einen Plastikeimer mit Deckel, bringt ein Dränageloch mit Verschlusspfropfen etwas über Bodenhöhe an und bohrt in die Seitenwände viele kleine Luftlöcher, damit die Würmer atmen können. Auf den Boden des Eimers legt man drei Ziegelsteine und darauf ein Sieb aus ummanteltem, rostfreiem Maschendraht. Zuunterst kommt nun eine Lage feuchter Rasensoden, darüber eine Schicht nährstoffreicher Gartenerde. Dann setzt man die Würmer ein. Kompostwürmer bekommt man im Fachhandel oder über das Internet. Man findet sie auch im Garten. Dazu legt man eine feuchte Pappe auf den Erdboden und sammelt einige Stunden später die rötlichen Würmer ein, die sich dort versammelt haben. Sie vermehren sich im Wurmkomposter recht schnell.

Sind die Würmer im Eimer, kann's losgehen: Nach und nach gibt man zerkleinerte Küchen- und Gartenabfälle in den Eimer. Jede Lage wird dünn mit

Erde bestreut und mit Wasser besprüht. Der Wurmkomposter darf nie austrocknen. Einmal wöchentlich werden noch einige zermahlene Eierschalen hinzugefügt. Wenn der Eimer voll ist, lässt man ihn entweder so lange stehen, bis das gesamte Material von den Würmern zu fruchtbarer Erde verarbeitet wurde, oder man nimmt die oberste Schicht vorsichtig ab und beginnt mit diesem »Impfmaterial« eine neue Kultur. Überschüssige Flüssigkeit lässt man einmal wöchentlich durch das Dränageloch abfließen. Verdünnt ist dieses Sekret ein hervorragender Flüssigdünger.

Schnellkomposter

Man kann die Rotte mithilfe eines Schnellkomposters beschleunigen, sodass bereits nach sechs bis acht Wochen reifer Kompost zur Verfügung steht. Damit das klappt, muss das Rohmaterial gründlich zerkleinert und vermischt werden. Außerdem kommt es auf einen optimalen Luft- und Wasserhaushalt an. Je mehr Sauerstoff in die Mitte des Kompostguts gelangt, desto rascher laufen die Rotteprozesse ab. Im Fachhandel gibt es spezielle Schnellkomposter (meist aus Kunststoff), die neben einem »Reaktor«, in dem sich die Rotte vollzieht, auch eine Bröckelzone, Gleitvorrichtungen für das Nachrutschen von fertigem Kompost, Lüftungsregler und eine Entnahmeklappe für reifen Kompost haben. Flüssige oder pulverförmige Zusätze (»Kompostbeschleuniger«) auf der Basis von Tonmineralien, Kräutern und Bakterien aus dem Fachhandel können die Dauer der Rotte ebenfalls verkürzen.

Verwendung von Kompost

Manche Gärtner sieben ihren reifen Kompost vor dem Ausbringen durch ein grobmaschiges Sieb. Das ist jedoch nicht unbedingt nötig und besonders bei großflächiger Anwendung sehr aufwendig. Will man den Kompost für Gewächshauskulturen oder Zimmerpflanzen verwenden, empfiehlt es sich jedoch, ihn zu sieben und anschließend durch Erhitzen (z. B. im Backofen eine halbe Stunde bei 120 bis 150 °C) zu sterilisieren, damit keine Krankheiten und Schädlinge in die sensiblen Kulturen eingeschleppt werden.

Um die humose Struktur und Fruchtbarkeit des Gartenbodens zu erhalten, sind auf 100 m² Garten etwa 1 bis 2 m³ Kompost nötig. Als Faustregel gilt: Eine Schicht von etwa 1 bis 2 cm reifem, auf dem Boden verteiltem Kompost sorgt für eine optimale Bodenfruchtbarkeit. Die beste Zeit zum Ausbringen des Komposts ist zwischen Frühjahr und Herbst. Wird vor einer Gemüsepflanzung Kompost in den Boden eingearbeitet, muss darauf geachtet werden, dass sich im Kompost keine Schnecken oder deren Eier befinden. Bei der Neupflanzung von Gehölzen mischt man Kompost gründlich mit der vorhandenen Erde in der Pflanzgrube.

Man kann auch bereits den nur halb verrotteten Frischkompost verwenden, wenn ein hoher Bedarf an Nährstoffen besteht, etwa bei Starkzehrern im Gemüsegarten, wie Tomaten, Kürbis, Gurken und Zucchini. Auch auf Baumscheiben kann halbreifer Kompost verteilt werden. Er wirkt wie eine Mulchdecke, hält Feuchtigkeit im Boden und gibt seine Nährstoffe nach und nach an die Nutzpflanzen ab.

Düngemittel aus eigener Herstellung

In einem nach ökologischen Prinzipien ausgerichteten Gartenbau verzichtet man selbstverständlich auf mineralische Dünger konventioneller Hersteller. Wenn der Betrieb kein reiner Selbstversorger ist, kann man stattdessen auf organische Dünger, wie Algen, Blut-, Fisch-, Horn- und Knochenmehl, getrockneten Viehdung, oder mineralischen Dünger in Form von Gesteinsmehl zurückgreifen. Bei einem reinen Selbstversorgerbetrieb kommen derartige Düngemittel nicht infrage. Hier ist es vor allem das »Schwarze Gold des Gärtners«, der Kompost, der für dauerhafte Bodenfruchtbarkeit sorgt. Doch außer dem Kompost gibt es noch weitere Düngemittel, die leicht selbst hergestellt werden können oder bei der Nutztierhaltung als

Beiprodukt anfallen. Neben Gründüngung, Mist und Jauche dienen die aus Pflanzen bereiteten Jauchen zum Düngen der Nutzpflanzen.

Gründüngung

Eine bewährte und zuverlässige Methode, die Bodenfruchtbarkeit zu erhalten, ist die sogenannte Gründüngung. Durch diese Methode kann der Boden mit organischen Stoffen angereichert werden, die wertvollen Humus bilden und das Wachstum der Nutzpflanzen fördern. Die Gründüngungspflanzen sorgen außerdem mit ihren tief reichenden Wurzeln dafür, dass der Boden gelockert wird. Zugleich werden Nährstoffe aus den tieferen Schichten nach oben befördert und stehen den Pflanzen der Nachkultur zur Verfügung. Bei Pflanzen aus der Familie der Schmetterlingsblütler *(Fabaceae)* kommt hinzu, dass sie durch die symbiotisch lebenden Knöllchenbakterien an ihren Wurzeln Stickstoff aus der Luft im Boden binden.

Die Praxis der Gründüngung ist ganz einfach: Bestimmte, besonders gut zur Gründüngung geeignete Pflanzen, wie Luzerne, Weißer Senf, Buchweizen oder Bienenfreund, werden breitwürfig auf einem Beet ausgesät. Man kann auch eine Mischung verschiedener Pflanzen verwenden, etwa das handelsübliche »Landsberger Gemenge«, eine Mischung aus Zottelwicke *(Vicia villosa)*, Inkarnatklee *(Trifolium incarnatum)* und Welschem Weidelgras *(Lolium multiflorum)*. Kurz vor dem Beginn der Blüte mäht man die Gründüngerpflanzen ab und gräbt sie unter. Frühestens nach zwei bis drei Wochen Wartezeit, in der die untergearbeiteten Pflanzenteile verrotten, können die Nutzpflanzen ausgesät oder gepflanzt werden.

Gründüngung kann als Hauptfrucht, Untersaat oder Zwischenfrucht angebaut werden. Beim Anbau als Hauptfrucht muss auf eine eigentliche Ernte im Anbaujahr verzichtet werden. Als Untersaat – z. B. im Weinbau oder beim Anbau von Mais und Getreide – dient die Gründüngung als Bodenbedeckung und zur Unterdrückung von Unkraut. Als Zwischenfrucht ist sie ein wertvoller Stickstofflieferant.

In milden Regionen hat es sich bewährt, die Gründüngungspflanzen bereits im Herbst auszusäen und den Winter über auf den Beeten stehen zu lassen. So wird das Aufkommen von Unkräutern im Winterhalbjahr verhindert, der Boden gelockert, und die Beete bleiben in der Anbausaison den eigentlichen Nutzpflanzen vorbehalten.

Hinweis: Wenn Pflanzen aus der Familie der Kreuzblütler *(Brassicaceae)*, wie Raps, Ölrettich oder Weißer Senf, als Gründüngung angebaut werden, dürfen als Hauptkultur wegen der Gefahr von Kohlhernie keine kohl- oder rettichartigen Gemüse angebaut werden.

Gründüngung hat die Vorteile, preiswert und effektiv zu sein, das Bodenleben zu fördern und eine gute Bodenstruktur zu schaffen. Nachteilig an der Gründüngung ist die Tatsache, dass sie raumintensiv ist, da auf einem mit Gründüngung bestellten Beet in dieser Zeit keine anderen Nutzpflanzen wachsen können, und dass sie arbeitsintensiver ist als andere Düngemethoden, da sie mehr Zeit in Anspruch nimmt.

Für die Gründüngung geeignete Pflanzen (Auswahl):

Acker-, Sau- oder Puffbohne *(Vicia faba)*
Bienenfreund, Büschelschön *(Phacelia tanacetifolia)*
Bockshornklee *(Trigonella foenum-graecum)*
Buchweizen *(Fagopyrum esculentum)*
Futter- oder Saatwicke *(Vicia sativa)*
Hopfenklee *(Medicago lupulina)*
Inkarnatklee *(Trifolium incarnatum)*
Lupine *(Lupinus angustifolius)*
Luzerne oder Alfalfa *(Medicago sativa)*
Ölrettich *(Raphanus sativus* ssp. *oleiformes)*
Raps *(Brassica napus)*
Roggen *(Secale cereale)*
Rotklee *(Trifolium pratense)*
Sonnenblume *(Helianthus annuus)*
Weißer Senf *(Sinapsis alba)*
Welsches Weidelgras *(Lolium italicum)*

Pflanzenjauchen

Selbst angesetzte Pflanzenjauchen sind ein kostenloser, in den Sommermonaten leicht selbst herzustellender Flüssigdünger, der in der Regel verdünnt ausgebracht wird. Zum Verjauchen eignen sich besonders Beinwell *(Symphytum officinale)*, Brennnessel *(Urtica* spec.) und Farnkräuter, weil sie rasch nachwachsen und reich an Stickstoff, Phosphor und Kalisalzen sind.

Man kann die Jauche mit oder ohne Zugabe von Wasser herstellen. Bei der Produktion ohne Wasser wird das zum Verjauchen bestimmte Pflanzenmaterial fest in einen Behälter aus Kunststoff oder Steingut gestopft, der am Boden ein Loch zum Abtropfen der Jauche hat. Metallbehälter werden von der Jauche angegriffen. Die Pflanzenteile werden mit Ziegelsteinen beschwert. Unter den Behälter wird ein Auffangbehälter gestellt, in dem sich die fertige Jauche sammelt. Die Zersetzung der Pflanzen dauert bei sommerlichen Temperaturen etwa zehn Tage. Die im Auffangbehälter gesammelte braunschwarze Flüssigkeit wird in eine Flasche abgefüllt und an einem kühlen, dunklen Ort aufbewahrt. Weil die Flüssigkeit gären könnte, darf die Flasche nicht fest verschlossen werden. Zum Düngen wird das Konzentrat im Verhältnis 1:15 oder 1:20 mit Wasser verdünnt. Die Rückstände im Jauchebehälter können kompostiert werden.

Bei der Produktion von Pflanzenjauche mit Wasser werden 100 g frische Pflanzenteile pro 1 l Wasser gerechnet. Man stopft die Pflanzenteile nicht zu fest in einen ausreichend großen Behälter und übergießt sie mit der entsprechenden Menge Wasser. Weil die Mischung gärt und schäumt, darf der Behälter nicht bis oben hin gefüllt werden. Nach einigen Tagen beginnt die Mischung zu gären und zu stinken. Einmal wöchentlich muss umgerührt werden. Die Zugabe von Gesteinsmehl kann die Gerüche vermindern. Wenn beim Umrühren keine Blasen mehr aufsteigen und sich kein Schaum mehr bildet, ist die Jauche fertig. Sie wird abgeseiht und im Verhältnis 1:10 mit Wasser verdünnt als Dünger ausgebracht. Bei Jungpflanzen verdünnt man im Verhältnis 1:20. Die abgeseihten Reste können kompostiert werden. Wegen der intensiven Geruchsentwicklung sollte man die Produktion von Pflanzenjauche an einem weit von Wohnräumen und Nachbarn entfernten Ort durchführen.

Hinweis: Hülsenfrüchte und Zwiebelgewächse vertragen keine Pflanzenjauchen!

Holzasche

Viele kennen noch die Düngung mit Holzasche, wie sie auch seit alters her beim Brandrodungsfeldbau betrieben wird. Von einem großzügigen Einsatz von Holzasche als Dünger ist heutzutage aber eher abzuraten. Der Grund dafür sind Schwermetalle und andere Umweltgifte, die sich durch Industrieabgase und andere Umweltverschmutzung in den letzten Jahrzehnten im Holz der Bäume abgelagert haben. Beim Verbrennen verbleiben sie als Rückstände in der Asche und kontaminieren den Boden zusätzlich zur normalen Umweltbelastung. Wohlgemerkt ist nichts dagegen einzuwenden, wenn gelegentlich Holzasche, die beim Heizen mit Holz entsteht, auf den Kompost wandert. Nur zu großzügig sollte man diesen Dünger nicht einsetzen.

Kleintiermist

Wenn Kleintiere wie Geflügel oder Kaninchen zur Eier- und Fleischproduktion gehalten werden, fällt automatisch ein hochwertiger Dünger in Form von Kleintiermist an. Dieser ist, je nach Herkunft und Zusammensetzung, extrem »scharf« und zu intensiv, um ihn direkt auf die Nutzpflanzenkulturen auszubringen. Am besten vergärt man ihn unter Zusatz von reichlich Wasser eine bis drei Wochen lang und bringt ihn dann im Verhältnis 1:15 oder 1:20 mit Wasser verdünnt als Flüssigdünger aus. Man kann Kleintiermist auch mit Gartenabfällen vermischt kompostieren.

Mist und Gülle

Der bei der Haltung von Nutzvieh, wie Pferden, Kühen, Schweinen, Ziegen oder Schafen, anfallende feste Mist sowie die flüssige, urinhaltige Gülle (Jauche) haben den Vorteil, dass sie kostenlos und in großen Mengen leicht

verfügbar sind. Sie stellen eine gute Möglichkeit dar, natürlichen »Abfall« sinnvoll und nutzbringend zu verwerten. Am wertvollsten ist der reine Dünger, der möglichst frisch im Herbst in die obere Bodenschicht eingearbeitet wird, um dort bis zum folgenden Frühjahr unter Einfluss von Sauerstoff zu verrotten und nahrhaften Humus zu bilden. Zu tief eingearbeiteter Mist vertorft und bildet keinen Humus. Mit Stroh oder Sägespänen vermischter Mist ist minderwertiger, weil diese Zuschlagstoffe nur schwer verrotten und Gerbsäure in den Boden bringen, die auf die Nutzpflanzen eine wachstumshemmende Wirkung haben.

Problematisch ist, dass Mist und Gülle bei der Viehhaltung ständig anfallen, aber nicht jederzeit ausgebracht werden können. Während der Vegetationsperiode sollten aus Hygienegründen kein frischer Mist und keine Gülle auf die Kulturen gebracht werden, weil unter anderem die darin enthaltenen Kolibakterien und andere Keime eine Gesundheitsgefahr darstellen. Deshalb müssen bei der Viehhaltung ausreichende Speicherkapazitäten eingeplant werden, um anfallende Fäkalien sicher und umweltneutral zu lagern und später einzusetzen.

Düngen im Winter?

Das Ausbringen von Mist und Gülle im Winterhalbjahr ist nicht empfehlenswert. Die Vegetation kann in der kalten Jahreszeit die Nährstoffe nicht verwerten. Wichtige Nährstoffe werden daher ausgeschwemmt und belasten das Grundwasser.

Aussaat und Vermehrung

Als echter Selbstversorger kauft man sein Saatgut nicht jede Saison neu, sondern lässt einen Teil der Früchte ausreifen und erntet deren Samen. Neue Samen müssen nur dann zugekauft werden, wenn eine neue Pflanzenart oder -sorte Einzug in den Garten halten soll. Oft kann man aber auch unter Freunden und Bekannten Samen tauschen und so die Artenvielfalt im Garten vergrößern. Allerdings können nicht alle Nutzpflanzen durch Samen vermehrt werden. Bei manchen, etwa Beerensträuchern, würde die Entwicklung von der Aussaat bis zur Ernte zu lange dauern, andere, wie z. B. viele Gemüsesorten, sind Hybriden, die bei der Vermehrung durch Aussaat allerlei Überraschungen bescheren – und nicht immer die besten. In diesen Fällen ist eine vegetative (ungeschlechtliche) Vermehrung durch Stecklinge, Wurzelschnittlinge, Ausläufer oder Ableger empfehlenswert.

Hybrid-Saatgut

Wenn man heutzutage Gemüsesaatgut im Handel erwirbt, bekommt man in der Regel ertragreiche, widerstandsfähige oder sogar gegen Krankheiten und Schädlinge resistente Sorten mit großen, wohlschmeckenden Früchten. Das liegt daran, dass Züchter verschiedene Sorten miteinander gekreuzt haben, um bestimmte positive Eigenschaften hervorzuheben. Am besten und schnellsten gelingt die Zucht solcher »Supersorten« durch Hybridisierung, also durch das Kreuzen zweier genetisch unterschiedlicher Elternformen. Die daraus resultierenden Bastarde sind mischerbig. Hybrid-Saatgut eignet sich daher nicht zur Weitervermehrung im eigenen Anbau. Die im Handel mit dem Zusatz »F1« gekennzeichneten Sorten sind nur in der ersten Generation sortenecht, d. h., nur die Aussaat der Originalsamen garantiert die charakteristischen Sorteneigenschaften. Die aus den Früchten dieser ersten Generation gewonnenen Samen sind in der nächsten Generation nicht mehr sortenrein. Sie schlagen zurück in die Elternsorten, was mitunter zu unliebsamen Überraschungen führt. Wenn man Saatgut selbst vermehren möchte, dann sollte man unbedingt darauf achten, dass die Ausgangssorten keine Hybriden sind.

Genetische Vielfalt erhalten

Bei der Samenvermehrung zahlt es sich aus, wenn man immer wieder Saatgut mit anderen Selbstversorgern tauscht, weil dadurch eine genetische Vielfalt garantiert wird, die das Auftreten von Erbkrankheiten und degenerativen

Erscheinungen verringern. Information über Samenbörsen gibt es im Internet und bei Verbänden, die sich schwerpunktmäßig der Bewahrung der Kulturpflanzenvielfalt widmen.

Samen ernten

Das Sammeln und ernten ist nicht schwer, aber es kommt auf den richtigen Zeitpunkt an. Ideal ist ein warmer, trockener Tag mit wenig Wind. Nasse Samen laufen Gefahr, im Lager zu verrotten oder von Pilzen befallen zu werden. Wichtig ist außerdem, dass die Samen wirklich reif sind. Unreife Samen keimen nicht. Man erkennt den richtigen Zeitpunkt meist daran, dass sich die Samenbehälter, also die Schoten, Kapseln oder Hülsen, bräunlich oder strohgelb verfärben und aufplatzen. Leicht zu erkennen ist das z. B. bei Hülsenfrüchten wie Erbsen und Bohnen. Andere Nutzpflanzen, darunter viele Kräuter, bilden dolden-, ähren- oder rispenförmige Samenstände, oder die Samen stehen wie bei Sonnenblumen in körbchenförmigen Tellern zusammen. Bei Zwiebelpflanzen bildet sich meist ein kugelförmiger Fruchtstand mit vielen kleinen Einzelsamen. Die Samenreife kann in diesen Fällen schwerer zu erkennen sein. Manche Nutzpflanzen bilden auch Fruchtstände, bei denen die Samen von einer fleischigen Hülle umgeben sind. Dazu gehören u. a. Gurken, Kürbisse, Paprika, Tomaten und natürlich viele Obstarten. Beim Entfernen der fleischigen Hülle muss vorsichtig vorgegangen werden, damit man die Samen nicht beschädigt. Natürlich können auch Obstarten wie Äpfel, Birnen, Pflaumen und Pfirsiche ausgesät werden, allerdings sind diese Sämlinge dann meist wenig ertragreiche Wildlinge mit kleineren Früchten. Solche Sämlinge müssen durch Pfropfung veredelt werden, wenn man schmackhafte Früchte ernten will.

Wenn der Zeitpunkt der Samenreife eintritt, könnte es in manchen Fällen schon fast zu spät zum Sammeln sein, weil die Samen dann oft bereits von selbst herausgefallen sind. Um das zu verhindern, kann man eine Papiertüte, einen alten Nylonstrumpf oder ein feinmaschiges Gazesäckchen um die reifenden Samenstände binden, sobald sie anfangen, sich zu verfärben. Herausfallende Samen werden dann in der Tüte aufgefangen. Statt die Tüte zu öffnen, schneidet man den Stängel mitsamt Samenstand und Tüte ab, hängt ihn kopfüber an einem trockenen Ort auf und wartet, bis alle Samen aus dem Samenstand ausgefallen sind. Dann lässt man die Samen noch nachtrocknen, entfernt alle Pflanzenrückstände und Verunreinigungen und gibt sie in einen luftdicht schließenden Behälter. Jeder Behälter erhält ein Etikett mit Art, Sorte und Erntezeitpunkt. Kleinere Samenmengen können auch in beschriftete Kuverts gefüllt werden, die man dann gemeinsam in einem größeren, luftdichten Behälter aufbewahrt. Samen behalten ihre Keimfähigkeit nur, wenn sie sachgerecht gelagert werden. Am besten bewahrt man sie in luftdicht schließenden Schraubgläsern an einem trockenen, kühlen und dunklen Ort auf. Ein beigefügtes Trocknungsmittel wie Kieselgel gewährleistet, dass die Samen wirklich trocken lagern. Es kann nach Gebrauch im Backofen bei 80 bis 100 °C getrocknet und wiederverwendet werden. Bei allem, was mit dem Sammeln und Aufbewahren von Samen zu tun hat, gilt: Nur äußerste Hygiene gewährleistet, dass das Saatgut gesund und keimfähig bleibt.

Keimprobe

Die Samen verschiedener Nutzpflanzen haben eine unterschiedliche Haltbarkeit. Manche Arten, wie etwa Lauch und Schwarzwurzeln, behalten ihre Keimfähigkeit meist nur ein bis zwei Jahre lang, andere, wie Kohl, Mais, Kürbisse, Gurken, Tomaten und Rote Bete, können auch nach mehreren Jahren mit Erfolg ausgesät werden. In der Regel behalten die Samen von Kräutern und Nutzpflanzen ihre Keimfähigkeit etwa zwei bis drei Jahre lang. Um die Keimfähigkeit von gelagertem Saatgut zu prüfen, macht man im Winter eine Keimprobe, sodass man rechtzeitig zu den Aussaatterminen im Frühjahr Gewissheit hat, ausreichend frisches Saatgut zu haben. Für die Keimprobe braucht man eine Schale, Watte oder Küchenkrepp und Klarsichtfolie oder eine Glasscheibe. Watte oder Küchenkrepp werden in die Schale gelegt, gut angefeuchtet und darauf 10 bis 20 Samen ausgelegt. Klarsichtfolie oder eine Glasscheibe verhindern das Austrocknen. Warm aufgestellt, sollten die Samen entsprechend der Art oder den Angaben des Saatgutherstellers innerhalb einer bestimmten Frist keimen. Wenn mindestens die Hälfte der Samen keimen, kann das Saatgut bedenkenlos verwendet werden. Keimen weniger, muss im Frühjahr entweder dichter ausgesät oder neues Saatgut beschafft werden.

Geschützte Vorkultur

Kälteempfindliche Nutzpflanzenarten, wie Gurken, Tomaten oder Paprika, und solche mit einer langen Keim- und Kulturdauer, wie Knollensellerie oder Petersilie, sät man früh im Jahr unter geschützten Bedingungen (»unter Glas«) aus. Das kann, je nach Größe der Kultur, ein einfaches Fensterbrett sein, aber auch ein beheiztes Gewächshaus. Eine relativ gleichbleibende Temperatur und viel Licht sind wichtig, aber keine pralle Sonne. Bei starken Temperaturschwankungen kann die Keimung stocken, und die Aussaat misslingt. Bekommen die Sämlinge zu wenig Licht, werden sie lang, blass und schlapp und überstehen den Wechsel ins Freiland nur schwer.

Ausgesät wird in gründlich gereinigten Saatschalen mit feinkrümeliger, gut durchlässiger, möglichst keimfreier Aussaaterde, die wenige Nährstoffe enthält, damit die Sämlinge rasch viele Wurzeln bilden. Die meisten Samen keimen bei Temperaturen zwischen 18 und 20 °C. Wärmer mögen es Auberginen, Paprika und Gurken. Sie brauchen etwa 20 bis 25 °C. Die Aussaat erfolgt je nach Größe der Samen breitwürfig, in Reihen oder als Einzelsaat. Lichtkeimer werden nur angedrückt, andere Samen werden mit einer dünnen Erdschicht bedeckt (Faustregel: Die Deckschicht ist so hoch, wie das Samenkorn dick ist). Nach dem Andrücken feuchtet man die Aussaaten an (am besten mit einer Sprühflasche) und deckt das Aussaatgefäß mit einer transparenten Folie oder einer Glasscheibe ab, damit die Aussaaten nicht austrocknen. Sobald die Saat aufgelaufen ist, kann die Abdeckung entfernt werden. Die Sämlinge dürfen anfangs nicht der prallen Sonne ausgesetzt werden. Sie bleiben so lange in der Aussaaterde, bis sich außer den Keimblättern das erste echte Blattpaar gebildet hat. Dann werden die Sämlinge in Schalen mit nährstoffreicherem Substrat umgepflanzt und wenn nötig

Aussaaterde selbst gemacht

Selbstversorger können ihre Aussaaterde leicht selbst herstellen: Ein Drittel Gartenerde, ein Drittel Laubkompost und ein Drittel Sand vermischen, anschließend eine halbe Stunde lang im Backofen bei 120 bis 150 °C sterilisieren. Nach dem Abkühlen durchsieben.

vereinzelt (»pikiert«). In diesen Schalen wachsen die Sämlinge heran, bis sie ausgepflanzt werden können. Das ist in der Regel ab Mitte Mai der Fall, wenn keine Nachtfröste mehr drohen.

Hygiene ist bei der Aussaat in geschützter Vorkultur besonders wichtig, weil sich im feuchtwarmen Milieu unter Glas auch Pilze und Bakterien wohlfühlen.

Aussaaten im Freiland

Robuste Nutzpflanzen und solche, die ein Umpflanzen nicht vertragen, wie Möhren oder Rettiche, werden gleich ins Freiland gesät. Das erspart ein Umsetzen, das für die Pflanzen stets einen Schock und eine Wachstumsverzögerung bedeutet. Vor der Aussaat muss der Boden vorbereitet werden. Die oberste Bodenschicht sollte unkrautfrei, feinkrümelig und eben sein. Am besten bereitet man die Saatbeete einige Tage vor der geplanten Aussaat vor, damit sich die Erde noch etwas setzen kann. Man kann beim Vorbereiten der Saatbeete auch etwas gesiebten reifen Kompost als Dünger unterarbeiten.

Breitwürfig, in Reihen oder Horsten säen

Eine breitwürfige Saat empfiehlt sich u. a. im Frühbeet und bei der Aussaat von Gründüngung. Dazu werden die Samen mit lockerem Schwung auf das Beet geworfen, sodass sie möglichst gleichmäßig verteilt liegen. Anschließend harkt man die Saat leicht in den Boden ein, siebt etwas Erde darüber und drückt das Beet mit einem Brett fest an.

Wenn bestimmte Pflanzabstände eingehalten werden sollen, empfiehlt sich die Reihensaat. Das erleichtert auch die Pflege, weil man zwischen den Reihen leichter hacken kann. Für die Reihensaat zieht man mit einem Stock möglichst gerade, 2 bis 4 cm tiefe Saatrillen in dem für die jeweilige Art richtigen Abstand. Eine an zwei Pflöcken über das Beet gespannte Schnur erleichtert die Anordnung der Reihen. Salate, Möhren und Lichtkeimer brauchen flachere Saatrillen. Große Saatkörner, wie die von Erbsen, Bohnen und Mais, legt man einzeln in den richtigen Abständen in die Saatrillen. Kleine Samen, wie die von Möhren, Rettichen, Salaten usw., sät man direkt aus der Tüte. Ganz feine Samen kann man vorher mit Sand vermischen, das macht die Aussaat einfacher. Nach der Aussaat zieht man mit dem Rechen etwas Erde über die Saatrille und drückt sie an.

Die Horstsaat empfiehlt sich für alle dicken Samen wie die von Bohnen, Kürbissen und Zucchini. Hierbei legt man an einer Stelle jeweils drei bis fünf Samen in die Erde.

Nach der Aussaat gießt man die Beete vorsichtig an, damit die Samen nicht weggeschwemmt werden. Wenn Vogelfraß droht, schützen Netze die Kulturen. In den folgenden Tagen und Wochen dürfen die Samen nicht austrocknen. Die Keimung dauert je nach Art und Witterung zwischen fünf (Gurken und Kürbisse) und 25 bis 30 Tagen (Auberginen, Petersilie und Sellerie). Wenn sich die Keimlinge zeigen, können zu dicht stehende Pflanzen auf die richtigen Abstände verzogen werden.

Besondere Ansprüche

Die Samen vieler Nutzpflanzen keimen problemlos im Dunkeln wie im Hellen, Hauptsache, sie liegen ausreichend feucht und warm. Es gibt aber auch Pflanzen, die zum Keimen besondere Bedingungen brauchen. Diese müssen unbedingt berücksichtigt werden, weil man sonst vergeblich auf eine Keimung wartet und der Samen verfault oder verschimmelt.

Lichtkeimer brauchen, wie der Name schon sagt, Licht zum Keimen. Deshalb wird der Samen nach der Aussaat nicht oder nur sehr dünn mit Erde bedeckt. Typische Lichtkeimer sind viele Kräuter und Salat.

Dunkelkeimer können nur dann erfolgreich keimen, wenn sie wirklich ganz im Dunkeln liegen. Deshalb bedeckt man ihre Samen zwei bis viermal so hoch mit Erde, wie sie groß sind. Zu den Dunkelkeimern gehören Kürbis, Mais und Weizen.

Kaltkeimer, früher auch Frostkeimer genannt, sind Pflanzen aus gemäßigten Klimazonen, deren Samen vor dem Keimen einige Wochen lang eine feuchte Umgebung und Temperaturen unter 5 °C brauchen. Erst dann erwachen sie aus der Keimruhe. Sie werden in der Regel im Herbst im Freiland ausgesät und wachsen im folgenden Frühjahr. Man kann die Keimhemmung überlisten, indem man die Samen in Schalen aussät und einige Wochen in den Kühlschrank stellt. Typische Kaltkeimer sind u. a. viele Rosengewächse, Lauch, Bärlauch, der Gründünger Bienenfreund und die Haselnuss.

Aussaat im Frühbeet

Empfindliche Nutzpflanzen, die später ins Freiland ausgepflanzt werden sollen, kann man im Frühbeetkasten aussäen und vorziehen. Die Aussaat kann entweder direkt auf den Boden des Frühbeets erfolgen oder in Saatschalen, die man ins Frühbeet hineinstellt. Wichtig ist das regelmäßige Lüften sowie, vor dem Umsetzen ins Freiland, eine langsame Abhärtung und Gewöhnung der Jungpflanzen an das direkte Sonnenlicht.

Das richtige Werkzeug

Keine Frage, mit dem richtigen Werkzeug geht die Arbeit leichter und zügiger von der Hand. Welches Werkzeug und welche Maschinen man als Selbstversorger braucht, hängt von der Größe des genutzten Grundstücks, von der Art der Kulturen und von den eigenen Fähigkeiten und Kapazitäten ab. Für einen kleinen Gemüsegarten hinter dem Haus braucht man nicht viele Werkzeuge. Wenn jedoch ein Acker bewirtschaftet und Nutzviehhaltung betrieben wird, kann die Anschaffung von mehr Werkzeug und sogar einigen Maschinen nötig werden. Fallen manche Arbeiten nur einmal oder selten an, lohnt eine Anschaffung kostspieliger Werkzeuge oder eines Maschinenparks nicht. In diesem Fall kann man benötigte Geräte oder Maschinen auch bei Bekannten oder Nachbarn ausleihen. Auch Gartenbauvereine, Baumärkte oder der Fachhandel verleihen gegen eine geringe Gebühr entsprechende Maschinen.

Werkzeuge für klassische Gartenarbeiten

Für die gängigen Arbeiten im Nutzgarten steht eine Auswahl wohlbekannter und bewährter Gerätschaften zur Auswahl. Der Fachhandel bietet inzwischen für fast jede Gartenarbeit Spezialwerkzeuge an, von der Teleskopsäge über die Ratschenschere bis hin zum Rasenkanten-Schneidroller. Nicht alles ist für jeden nötig und wirklich sinnvoll, aber ein paar Klassiker sollten schon in jedem Geräteschuppen vorhanden sein. Bei der Anschaffung steht die Qualität im Vordergrund. Hochwertige Produkte aus Edelstahl mit stabilen Griffen aus lackiertem Hartholz und geschraubten statt genieteten Verbindungen sind zwar teurer als Billigware aus dem Sonderangebot, sie sind jedoch langlebiger und schonen daher Ressourcen und letztendlich auch den Geldbeutel. Bei Schneidwerkzeugen sollte man darauf achten, dass die Klingen entweder auswechselbar sind oder sich leicht nachschärfen lassen.

Bodenbearbeitung

Unentbehrlich zum Graben, Pflanzen und Abstechen ist ein **Spaten**. Das Blatt ist immer rechteckig, der Griff kann variieren. Bewährt hat sich der »T«-Griff mit einem Querholz am oberen Ende des Stiels oder der »D«-Griff, beide nach ihrer Form benannt. Sie liegen sicher und fest in der Hand.

Fast ebenso wichtig ist die **Grabegabel**. Sie kann sowohl zum Umgraben als auch zum schonenden Lockern des Bodens verwendet werden. Außerdem hilft sie beim Ausgraben von Gewächsen.

Eine **Schaufel** dient zum Umschichten von Erde, Sand und anderen Materialien. Der Stiel muss lang und am unteren Ende leicht gekrümmt sein.

Zum Auflockern schwerer Böden und zum Zerkleinern aufliegender Erdbrocken dient ein **Krail**. Das ist ein Werkzeug mit vier bis fünf parallel angeordneten, rechtwinklig gekrümmten Zinken an einem langen Stiel, mit dem man im Stehen arbeitet.

Kürzere Zinken in größerer Zahl hat ein **Stahlrechen**, mit dem man die Bodenoberfläche fein planieren kann, etwa vor Aussaaten.

Kultivatoren haben drei bis fünf krallenartig gekrümmte Zinken. Sie dienen dazu, Erde zu zerkrümeln, den Boden zu lockern und gleichzeitig Unkraut herauszuziehen.

Verschiedene Geräte mit gezähnten Laufrädchen an einem langen Stiel nennt man **Kombikrümler** oder **Gartenwiesel**. Man bereitet mit ihnen den Boden für die Aussaat vor.

Hacken gibt es in verschiedenen Ausführungen. Blatt-, Schlag- oder Stoßhacken (Schuffel) haben ein rechteckiges oder dreieckiges Blatt mit einer Schnittfläche. Sie werden in kurzen Stößen schräg über den Boden geführt, lockern verkrustete Oberflächen und kappen Unkraut, ohne allerdings dessen Wurzeln herauszuziehen.

Eine **Spitzhacke** (Pickel) ist sinnvoll, wenn man z. B. Baumwurzeln ausgraben muss. Im normalen Hausgarten kommt sie eher selten zum Einsatz.

Nicht nur im Biolandbau hat sich ein sogenannter **Sauzahn** bewährt. Dieser flache, gekrümmte Bogen mit einer kleinen Schar am Ende wird durch den Boden gezogen. Dabei werden lockere Böden gelüftet, ohne dass das Bodenleben durcheinandergerät.

Ein **Unkraut-** oder **Distelstecher** zum Jäten von Pfahlwurzeln sieht aus wie eine sehr schmale Pflanzkelle. Er ist zwar nur ein kleines Handwerkzeug, leistet aber unschätzbare Dienste beim Kampf gegen bekanntermaßen hartnäckige Wurzelunkräuter.

Säen und pflanzen

Das gute alte »Schäufelchen«, also die **Pflanzkelle**, ist ein wichtiger Helfer beim Pflanzen. Es muss gut in der Hand liegen und stabil sein. Mit einem kegelförmigen, spitz zulaufenden **Pflanzholz** kann man rasch Löcher für Setzlinge in lockere Erde drücken, schwere Böden werden allerdings dadurch verdichtet. Mit einem **Hohlpflanzer** stanzt man Löcher für Zwiebeln in die Erde. Für die Aussaat gibt es schmale **Aussaatschäufelchen** zum leichteren Portionieren des Saatguts. Größere Mengen Saatgut bringt man am besten mit einem **Streuwagen** aus, mit dem auch pulverförmiger oder granulierter Dünger verteilt werden kann. Zum leichteren Pikieren (Vereinzeln von Sämlingen) empfiehlt sich ein **Pikierblech** oder **Pikierholz**.

Schneiden und sägen

Immer zur Hand sein sollte eine Universal-**Gartenschere** (Rosenschere, Rebschere). Sie schneidet verholzte Stiele bis 1 cm Durchmesser. Es gibt viele Modelle, u. a. mit Rollgriffen. Für Zweige mit einem Durchmesser bis 2,5 cm benutzt man eine **Astschere** mit langen Griffen und kräftigem Schnittkopf. Modelle mit Ratschenautomatik durchtrennen auch Zweige bis 5,5 cm Durchmesser. Für alle Äste, die etwas stärker sind, benutzt man eine **Garten-Allzwecksäge** mit einem schmalen, wendigen Blatt. Dickere Äste bewältigt man mit einer **Bügelsäge**. Ähnlich unentbehrlich wie die Universal-Gartenschere ist ein zusammenklappbares **Messer**. Bewährt hat sich die **Hippe** mit nach unten gebogener Klinge. Auch hier kommt es darauf an, dass es gut und sicher in der Hand liegt. Eine **Heckenschere** leistet beim Schnitt von hohem Gras, Hecken und Bodendeckern gute Dienste. Wer sein Brennholz selbst macht, kommt um die Anschaffung einer motorbetriebenen **Kettensäge** und einer **Kreissäge** nicht herum. Viel Kraft spart auch die Anschaffung eines **Holzspalter**s.

Fegen

Ein federnder **Fächerbesen** mit langem Stiel und Metall- oder Kunststoffzinken dient zum Zusammenkehren von Schnittgut, Herbstlaub und anderen Materialien. Die kleinere Variante ist als **Handfächerbesen** praktisch, um z. B. Mulchmaterial zwischen den Pflanzen zusammenzukehren. Mit einem **Rechen** aus Holz oder Metall können im Herbst Gartenabfälle zusammengekehrt werden. Je breiter und je mehr Zinken er hat, desto schneller geht die Arbeit. Auf einen konventionellen **Besen**, mit dem man Wege, Sitzplätze und Terrassen abfegt, kann man in keinem Garten verzichten.

Zubehör

Neben den oben beschriebenen Geräten zur Bodenbearbeitung, Aussaat, Pflanzung und Pflege gibt es noch eine Reihe anderer Dinge, die das Arbeiten im Garten und rund ums Haus sicherer, leichter und angenehmer machen. Dazu zählen **Handschuhe**, feste **Gummistiefel** und möglichst wasserdichte, bequeme **Gartenschuhe** mit fester Sohle. Ein **Sonnenhut** schützt vor intensiven Sonnenstrahlen. Für die Ernte, aber auch für Dünger, gejätete Pflanzen und vieles andere sind eine Anzahl verschieden großer **Körbe** aus Weide, Draht oder Kunststoff unentbehrlich. Auch ein **Eimer** für Flüssigkeiten wird oft gebraucht. Eine **Schubkarre** entlastet den Rücken beim Transport von schweren Dingen und leistet beim Ausmisten von Ställen gute Dienste. Für das Umschichten des Komposts ist eine **Kompost-** oder **Mistgabel** praktisch, die auch zum Ausmisten von Viehställen benutzt werden kann. Zum Ausbringen von Spritzbrühen braucht man eine **Gartenspritze**. In normal großen Hausgärten genügt eine rein mechanisch-pneumatisch arbeitende Druckluftspritze mit 5 l Fassungsvermögen. Für größere Flächen lohnt die Anschaffung eines Profimodells. In jedem Garten gibt es etwas, das eine Stütze braucht. Deshalb sollte man stets eine Auswahl verschieden langer **Bambusstäbe** oder Haselruten und **Bindematerial** aus Naturfasern (Bast, Hanf, Kokosfaser oder Baumwolle) vorrätig haben.

Maschinen

Ein **Rasenmäher** ist unverzichtbar, wenn Pflegewege zwischen den Beeten begehbar gehalten werden sollen. Bei Wiesen, die nur ein- oder zweimal im Jahr gemäht werden müssen, empfiehlt sich ein **Balkenmäher**. In fast jedem Garten fällt auch Gehölzschnitt an. Ein **Gartenhäcksler** zerkleinert grobes Material und macht es besser kompostierbar. Laubsauger und Gartensauger sind zwar in den letzten Jahren in Mode gekommen, aber im Grunde tut es – bis auf wenige Ausnahmen – der gute alte Fächerbesen genauso gut und schont dabei die Umwelt und die Nerven. Weitere Maschinen für die Bodenbearbeitung, Aussaat, Pflege und Ernte sind nötig, wenn nicht nur ein Garten, sondern auch Felder bewirtschaftet werden. Auch bei der Nutztierhaltung kommt man um den Einsatz von Maschinen nicht herum, wenn mehr als eine Kuh oder ein Schaf gehalten werden und eine effektive Arbeitsleistung erbracht werden soll. Bei allen Maschinen gilt: Sicherheit hat Vorrang. Achten Sie beim Kauf auf Prüfsiegel für sichere Arbeitsgeräte und beachten Sie die Sicherheitshinweise der Hersteller. Wo Schutzkleidung empfohlen wird, sollte diese auch wirklich angelegt werden!

Wie sinnvoll sind Kombisysteme?

Bei Kombisystemen passt ein Stiel für mehrere Werkzeuge. Er kann mit wenigen Handgriffen ausgewechselt werden. Die Vorteile: Man spart Geld für die Anschaffung mehrerer Werkzeuge und Platz bei der Aufbewahrung. Die Nachteile: Wenn mehrere Werkzeuge parallel benutzt werden, kann das ständige Auswechseln schnell lästig werden. Stark beanspruchte Werkzeuge, die mit viel Krafteinsatz benutzt werden, sind mit einem festen Holzstiel stabiler und langlebiger. Sinnvoll sind Kombisysteme eher dann, wenn man sie für selten benutzte Werkzeuge anschafft.

Werkzeugpflege

Nur gut gepflegte Werkzeuge halten, was sie versprechen. Damit sie jederzeit einsatzbereit sind, müssen Werkzeuge und Maschinen gepflegt und bei Bedarf umgehend repariert werden. Während der Saison genügt es, die Werkzeuge nach dem Gebrauch zu reinigen und bewegliche, mechanische Teile gelegentlich zu ölen. Klingen von Messern, Scheren und Mähern müssen regelmäßig nachgeschärft werden, damit sie tatsächlich schneiden und nicht rupfen oder quetschen. Bevor die Werkzeuge und Maschinen für den Winter eingeräumt werden, reinigt man sie noch einmal gründlich, bessert Schäden aus, schärft Klingen und ölt alle Metallteile ein, damit sie nicht rosten. So steht im Frühjahr bei Saisonbeginn alles gebrauchsfertig zur Verfügung. Ein guter Aufbewahrungsort für Werkzeuge und Maschinen ist ein trockener, möglichst frostfreier Raum. Metallteile beginnen bei Feuchtigkeit rasch zu rosten. Frost kann Maschinen schaden. Pflanzenschutzmittel und Dünger müssen unbedingt frostfrei in abschließbaren Schränken gelagert werden, damit sie nicht verderben oder in fremde Hände gelangen.

Pflanzenschutz: Arbeiten mit der Natur

Fast alle Nutzpflanzen können von Schädlingen und Krankheiten befallen werden. Dennoch gibt es keinen Grund, den Kopf in den Sand zu stecken, wenn sich Blattläuse, Schnecken oder Pilzerkrankungen wie Mehltau an den Pflanzen zeigen. Es gibt viele Mittel, den Plagen auf den Leib zu rücken und die Pflanzen mit natürlichen Mitteln zu stärken. Am besten ist es jedoch, durch gute Kulturbedingungen dafür zu sorgen, dass die Nutzpflanzen erst gar keine Angriffsfläche für Krankheiten und Schädlinge bieten.

Vorbeugen ist besser als kurieren

Pflanzenschutz beginnt bei der Vorbeugung. Durch eine falsche Standortwahl, Pflegefehler oder eine mangelnde Nährstoffversorgung werden Nutzpflanzen geschwächt. Solche Exemplare sind leichte Opfer für Schädlinge aller Art und können auch Krankheiten kaum etwas entgegensetzen. Deshalb ist die bedachte Standortwahl die erste vorbeugende Maßnahme. Eine gute Bodenpflege sorgt dafür, dass die Pflanzen gesund und widerstandsfähig heranwachsen und sich keine Schadorganismen im Boden einnisten. Eine bedarfsgerechte Düngung tut ein Übriges für die Pflanzengesundheit. Bei der Planung kann durch Mischkultur und eine bedachte Fruchtfolge die Tatsache genutzt werden, dass manche Pflanzen sich gegenseitig vor Krankheiten und Schädlingen schützen.

Gesunde Pflanzen

Ein Garten ganz ohne Schädlinge und Krankheiten bleibt ein frommer Wunsch! Aber Sie können einiges tun, damit diese nicht zum Problem werden. Grundsätzlich gilt: Gesunde und kräftige Pflanzen werden mit Schädlingen und Krankheiten in der Regel allein fertig. Hauptvoraussetzung dafür ist ein gesunder Boden und vor allem ein nicht überdüngter Boden. Weitere Punkte, die für gesunde Pflanzen wichtig sind:

- Die Standortansprüche der Pflanzen in Hinblick auf Luft, Licht, Schatten, Trockenheit, Feuchtigkeit und pH-Wert des Bodens müssen erfüllt sein.
- Geben Sie widerstandsfähigen und krankheitsresistenten Sorten den Vorzug.
- Die Pflanzen dürfen nicht zu eng gesetzt werden. Wasser muss gut abtrocknen können.
- Regelmäßiges Hacken belüftet den Boden optimal und schafft beste Voraussetzungen für gesundes Pflanzenwachstum. Außerdem können Sie dabei gleich aufkommende Unkräuter entfernen.
- Zu viel Stickstoffdünger schadet den Pflanzen. Kompost, organischer Langzeitdünger und Algenkalk versorgen den Boden mit den notwendigen Nährstoffen, sodass Sie auf chemischen Dünger verzichten können.
- Sorgen Sie für Vielfalt, denn Schädlinge und Krankheiten breiten sich eher dort aus, wo Monokulturen vorherrschen. Mischkultur und die richtigen Nachbarpflanzen sind der beste Schutz.

Regelmäßige Kontrollen sorgen dafür, dass eventuell auftretende Plagen früh erkannt werden. Im Anfangsstadium können sie leichter bekämpft werden als später, wenn sie sich ausgebreitet und die Pflanzen noch weiter geschwächt haben. Wenn man die Kulturen regelmäßig auf Eigelege, Larven, Raupen, Blattveränderungen (Verfärbungen, Miniergänge oder Fraßspuren) absucht, kann man durch Absammeln der Schädlinge oder das Ausschneiden befallener Pflanzenteile die massenhafte Ausbreitung eines Befalls im Frühstadium verhindern. Gartenhygiene ist eine weitere Vorbeugungsmaßnahme. Abgestorbene Pflanzenteile, dürre Zweige und Fruchtmumien müssen regelmäßig entfernt werden. Sie sind potenzielle Ausbreitungsherde für Krankheiten und Schädlinge. Auch das Absammeln von Nacktschnecken am Abend und bei feuchter Witterung verhindert allzu große Verluste durch die nimmersatten Plagegeister. Nicht zuletzt ist die Wahl robuster oder resistenter Sorten ein maßgeblicher Faktor für gesunde Erträge aus dem eigenen Garten.

Integrierter Pflanzenschutz

Eine gute Möglichkeit, gefährdete Kulturpflanzen zu stärken sowie Krankheiten und Schädlinge fernzuhalten, ist der integrierte Pflanzenschutz. Dieser stellt eine Kombination von verschiedenen Maßnahmen dar, bei denen biologische, biotechnische, pflanzenzüchterische sowie anbau- und kulturtechnische Methoden kombiniert werden und den Einsatz von Pflanzenschutzmitteln auf ein notwendiges Maß reduzieren. Zu den oben erwähnten Maßnahmen können noch Pflanzenstärkungsmittel hinzukommen, die man leicht selbst herstellen kann. Solche Mittel haben keine direkte Wirkung auf Krankheiten und Schädlinge, sondern erhöhen die Widerstandskraft der Pflanzen gegen einen Befall. Zu den bekanntesten Pflanzenstärkungsmitteln gehören Ackerschachtelhalm- und Farnbrühe, Knoblauchtee und andere Kräuterauszüge. Im Fachhandel kann man zusätzlich Algenextrakte, Gesteinsmehle, Öle, Wachse, Pilze oder Pflanzenhormone sowie homöopathische Präparate erwerben.

Am Anfang steht die Diagnose

Um einem Befall möglichst effektiv zu begegnen, muss der Feind zunächst genau bestimmt werden. Nur so kann man minimalinvasiv und gezielt gegen Krankheiten und Schädlinge vorgehen. Das spart nicht nur Arbeit, sondern senkt auch die Kosten für die eingesetzten Präparate und schont das ökologische Gleichgewicht im Garten. Um eine genaue Diagnose zu erstellen, muss man kein Pflanzenschutzexperte sein. Es genügen ein genaues Hinsehen und die Beantwortung von ein paar grundlegenden Fragen:
– Sind einzelne Pflanzenteile auffällig verfärbt? Um welche Pflanzenteile handelt es sich?
– Sind an den Pflanzen Beläge oder Überzüge erkennbar? Wenn ja, sind diese großflächig oder nur partiell vorhanden? Sind sie klebrig, pelzig, glänzend oder pudrig? Lassen sie sich abwischen oder abspülen? Sind Schädlinge an der Pflanze oder in der Nähe sichtbar?
– Zeigen die Pflanzen ein verändertes Wachstum, Kümmerwuchs oder Deformationen?
– Welche Pflanzenteile sind betroffen? Sind Schädlinge sichtbar?

- Sind Verletzungen erkennbar? Handelt es sich um Einstiche, Fraß- oder Schlagverletzungen (Hagel)? Befinden sich die Verletzungen am Blattrand oder in der Blattmitte? Sind Schädlinge auf der Pflanze oder in der Nähe sichtbar?
- Sterben nur einzelne Pflanzenteile ab, oder zeigt die ganze Pflanze Welkesymptome?
- Bei kränkelnden Pflanzen kann die Ursache auch versteckt im Boden liegen. Sind die Wurzeln betroffener Pflanzen auffällig verfärbt, matschig oder angefressen, riechen sie faulig? Sind Raupen, Larven oder Engerlinge sichtbar?

Je nach Befund kann der Schädling oder die Krankheit anhand von Bestimmungsbüchern leicht identifiziert werden. Im Zweifelsfall und bei Fragen kann man sich an die örtlichen Pflanzenschutzämter wenden. Manche Krankheiten wie der gefürchtete Feuerbrand sind meldepflichtig. Gegen Parasiten und »Mitesser« wie Raupen, Schnecken, Blattläuse und anderes Getier hilft an erster Stelle das sofortige Absammeln. Vergessen Sie auch die Blattunterseiten nicht! Bei einem starken Befall können Pflanzenjauchen und -brühen eingesetzt werden. Sie vergraulen oder vernichten die Schädlinge. Wichtig ist eine mehrmalige Anwendung im Abstand von mehreren Tagen, da die Eigelege und Larven bei der ersten Behandlung oft nicht mit erfasst werden.

Wirksame Pflanzenjauchen und -brühen

Kaltwasserauszüge werden aus frischem Kraut hergestellt, das man 24 bis 36 Stunden in kaltem Wasser einweicht. Nach dem Abseihen wird der Auszug meist im Verhältnis 1:5 bis 1:10 verdünnt angewendet.

Tees bereitet man aus kochendem Wasser, das über frisches oder getrocknetes Kraut gegossen wird. Nach einer Stunde kann abgeseiht werden. Tees werden meist unverdünnt angewendet.

Brühen bereitet man, indem man das Kraut mindestens drei bis vier Stunden einweicht, jedoch nicht länger als 24 Stunden. Danach lässt man alles 15 Minuten sanft köcheln, seiht die Feststoffe ab und lässt die Brühe abkühlen. Brühen werden meist unverdünnt angewendet.

Jauchen lassen sich aus vielen Pflanzen bereiten. Wie das geht, wurde bereits im Abschnitt über Dünger erwähnt. Jauchen werden je nach Intensität pur oder verdünnt angewendet.

Welche Kräuter wogegen?

- Ackerschachtelhalmbrühe wirkt pflanzenstärkend und gegen Monilia-Befall an Obstbäumen.
- Beinwell bzw. Comfrey wirkt als Tee oder Jauche allgemein pflanzenstärkend.
- Farnkraut (Wurm- oder Adlerfarn) wird als Brühe oder Jauche gegen Blatt- und Schildläuse eingesetzt.
- Knoblauch wird als Kaltwasserauszug gegen Milben an Erdbeeren sowie gegen Pilzerkrankungen eingesetzt.
- Meerrettich wird als Tee gegen Monilia-Pilz an Obstbäumen gespritzt.
- Rhabarber wird als Kaltwasserauszug gegen Lauchmotten und Bohnenblattläuse eingesetzt.
- Ein Sud von Schwarzem Holunder wird gegen Wühlmäuse in deren Gänge gegossen.
- Tomatenblätter wirken als Kaltwasserauszug gegen Kohlweißlingsraupen.
- Zwiebeln werden als Kaltwasserauszug oder als Tee gegen Möhrenfliegen und Pilzerkrankungen eingesetzt.
- Rainfarn wird als Tee, Brühe oder Jauche gegen Schädlinge, Rost und Mehltau eingesetzt.
- Wermutjauche wird unverdünnt gegen Blattläuse, Säulenrost an Johannisbeeren sowie gegen Raupen und Ameisen verwendet.
- Brennnessel wird als Kaltwasserauszug unverdünnt gegen Blattläuse gespritzt.

Nützlinge

Die meisten Gärtner kennen ihre nützlichen Helfer bei der Abwehr von Schädlingen und versuchen, ihnen einen Platz im Garten einzuräumen. Marienkäfer, Flor- und Schwebfliegen, Ohrwürmer, Laufkäfer und Schlupfwespen sind wichtige Verbündete im Kampf gegen Schädlinge. Auch Vögel,

Spitzmäuse, Igel, Blindschleichen, Erdkröten und andere Wirbeltiere haben Nacktschnecken, Raupen und Blattläuse auf ihrem Speisezettel. Geeignete Versteck-, Brut- und Überwinterungsplätze im Garten helfen dabei, diese nützlichen Tiere anzulocken oder im Garten zu halten. Ein schönes »Extra«, das sich fantasievoll gestalten lässt, ist ein sogenanntes Insektenhotel. Man kann solch ein Refugium für nützliche Insekten leicht selbst bauen. Kanthölzer dienen als Rahmen, der dicht mit natürlichen Materialien wie Baumscheiben, gebündelten Schilfrohren, Holzwolle, Reisig, Torf- und Lehmpackungen sowie mit porösen, durchlöcherten Backsteinen bestückt wird. Wichtig: Das Insektenhotel muss, geschützt vor Wind, mit der Einflugschneise an einer dem Wetter abgewandten Seite aufgestellt und mit einem regendichten Dach versehen sein. Für andere Tiere, wie Laufkäfer, Erdkröten und Eidechsen, sind Trockenmauern ein geeigneter Lebensraum. Natürlich dürfen auch Nistkästen für Meisen und andere Singvögel in keinem Garten fehlen.

Im gewerbsmäßigen Nutzpflanzenanbau werden auch gezielt Nützlinge aus Zuchtbetrieben zur Schädlingsbekämpfung eingesetzt, etwa Nematoden, Raubmilben und Schlupfwespen, die meist auf einen bestimmten Schädling spezialisiert sind. Der Einsatz solcher Organismen ist jedoch teuer und lohnt sich vor allem bei Kulturen unter Glas. Als Selbstversorger ist es sinnvoller, den bei uns in freier Natur vorkommenden Nützlingen einen geeigneten Lebensraum zu bieten und sich auf das Zusammenspiel der natürlichen Kräfte zu verlassen.

Mischkultur für reiche Ernte

Als Mischkultur bezeichnet man den gleichzeitigen Anbau von zwei oder mehr Gemüse- und Kräuterarten auf einem Beet. Diese, von der Natur abgeschaute Praxis bietet zahlreiche Vorteile:
- Manche Gemüsearten wurzeln flach, andere schicken ihre Wurzeln tief in die Erde. Da sie Wasser und Nährstoffe aus unterschiedlichen Bodenschichten entnehmen, treten sie in Mischkultur nicht in Konkurrenz und können so optimal gedeihen.
- Die Nährstoffansprüche der kombinierten Arten sind sehr unterschied-

lich, entsprechend wird der Boden nicht einseitig ausgelaugt, bleibt fruchtbar und muss weniger gedüngt werden.
- Schädlinge, die sich in Monokulturen ungebremst vermehren, treten in Mischkulturen seltener auf.
- Erträge und Geschmack verbessern sich durch die positive Wechselwirkung der Pflanzen.
- Pflanzen können sich gegenseitig positiv im Wachstum beeinflussen, gute Nachbarschaften führen zu einem besseren Wachstum.

Das Prinzip

In der Mischkultur schützen sich die meisten Gemüse und Kräuter mithilfe von Duftstoffen und anderen Substanzen gegenseitig vor Schädlingen und Krankheiten. Knoblauch und Zwiebeln beispielsweise vertreiben die Möhrenfliege, Kerbel hält Ameisen fern und Sellerie den Kohlweißling.

Dill, Koriander, Kamille oder Schafgarbe wirken stärkend auf die Pflanzengesundheit. Tagetes verhindert die Vermehrung der schädlichen Bodenälchen, wenn sie mindestens drei bis vier Monate auf einem Beet verbleiben können.

Selbst der Geschmack von Gemüse kann durch Mischkultur positiv beeinflusst werden. Bohnenkraut fördert das Aroma von Buschbohnen, Dill das von Gurken, Koriander das von Kartoffeln, Kresse das von Radieschen, Petersilie dagegen beeinträchtigt den Geschmack von Kopfsalat.

Je mehr durcheinander, umso besser. Die Wechselwirkungen sind mannigfaltig und entsprechen den Verhältnissen in der Natur, die keine Monokulturen kennt. Achten Sie lediglich darauf, dass allen Pflanzen genügend Licht und Wasser zur Verfügung stehen. Eine tabellarische Zusammenstellung »Guter Nachbarschaften« finden Sie auf Seite 111f.

Salat in Mischkultur

Kopfsalat braucht ebenfalls kein eigenes Beet – er kann gut in Lücken gepflanzt werden. Ideale Nachbarn sind Bohnen, Erdbeeren, Kohl, Kohlrabi, Radieschen, Tomaten und Zwiebeln. Dadurch, dass man immer nur kleine Stückzahlen in die Lücken setzt, kann man den ganzen Sommer über frischen Salat ernten.

Stark-, Schwach- und Mittelzehrer

Entsprechend ihrem Nährstoffbedarf, unterscheidet man zwischen Stark-, Schwach- und Mittelzehrern. Die Kenntnis über die Nährstoffansprüche helfen, die Mischkultur zu optimieren, indem sich während der Gartensaison Stark- und Schwachzehrer zeitlich und räumlich abwechseln. Wo zuerst ein Starkzehrer stand, folgt ein Mittelzehrer und zuletzt ein Schwachzehrer. Mit dieser Anbaumethode können Sie auch aufwendige Düngemaßnahmen auf ein Minimum reduzieren.

Starkzehrer sind Blumenkohl, Brokkoli, Fenchel, Gurken, Kartoffeln, Kohlrabi, Kürbis, Lauch, Mangold, Rhabarber, Rotkohl, Sellerie, Tomaten, Weißkohl, Wirsing und Zucchini.

Mittelzehrer sind Auberginen, Chicorée, Fenchel, Knoblauch, Kohlrabi, Kopfsalat, Möhren, Paprika, Radieschen, Rettich, Rosenkohl, Rote Bete, Schwarzwurzeln, Spinat und Zwiebeln.

Zu den **Schwachzehrern** gehören Buschbohnen, Erbsen, Feldsalat, Kräuter, Stangenbohnen und die Winterendivie.

Was ist Fruchtwechsel?

Pflanzen Sie nie dasselbe Gemüse zwei Jahre hintereinander auf denselben Platz! Ein Fruchtwechsel hungert auf eine Gemüseart spezialisierte Schaderreger aus und bewahrt den Boden vor Auslaugung. Im Boden lebende Schädlinge vermehren sich umso stärker, je öfter hintereinander ihre Lieblingspflanze auf dem Beet steht. Dieses Anbauverbot gilt übrigens für alle Mitglieder einer Pflanzenfamilie. Ein Beispiel für einen Fruchtwechsel ist:
  – im ersten Jahr Kohl (Fam. Kreuzblütler),
  – im zweiten Möhren (Fam. Doldenblütler),
  – im dritten Tomaten (Fam. Nachtschattengewächse),
  – im vierten Gurken (Fam. Kürbisgewächse),
  – im fünften Zwiebeln (Fam. Lauchgewächse),
  – im sechsten Salat (Fam. Korbblütler).

Nach Ablauf des fünften Jahres können Sie in derselben Reihenfolge wieder von vorne beginnen. Fruchtwechsel kann auch innerhalb einer Gartensaison erfolgen, wobei z. B. Puffbohnen, Salat, Kohlrabi und Spinat innerhalb des Jahres auf einem Beet folgen.

Spezielle Beetformen

Mithilfe spezieller Beetformen können Sie die Standortbedingungen für Gemüse optimieren (siehe auch »Permakultur«, Seite 73ff.). Besonders die Anlage von Hoch- und Hügelbeeten bringt gleich mehrere Vorteile: Sie steigern den Ertrag Ihrer Gemüsekultur über mehrere Jahre und Sie können die Schnittabfälle verwerten.

Das Hochbeet

Durch den besonderen Aufbau der Hochbeete wird mehr Wärme gespeichert als in einem flachen Beet. Da das Hochbeet aus verschiedenen Schichten verrottbaren Materials aufgebaut ist, entsteht bei der Verrottung zusätzliche Wärme, die den Pflanzen zugutekommt: ungefähr 4 bis 5 °C im ersten Jahr gegenüber dem Flachbeet. Nach und nach sackt das Hochbeet zusammen, sodass Sie es nach fünf bis sechs Jahren ausräumen und neu aufschichten sollten.

Hochbeete ermöglichen ein rückenschonendes Arbeiten, sodass auch ältere oder behinderte Menschen bequem im eigenen Garten arbeiten und ernten können.

Ein weiterer Vorteil des Hochbeets ist, dass durch das Setzen des Füllmaterials jedes Jahr mit Kompost nachgefüllt werden kann. Dadurch spielt die Fruchtfolge, die sonst berücksichtigt werden muss, keine entscheidende Rolle.

Die Ernte kann durch Folientunnel oder ein Vlies usw. verfrüht werden (siehe auch Seite 84f.). Wird das Hochbeet an eine Südwand angelehnt, erwärmt sich das Beet noch weiter.

Einziger Nachteil: Das Hochbeet trocknet in heißen Sommermonaten rasch aus, deshalb muss relativ viel gegossen werden.

So wird ein Hochbeet gebaut: Um das Sonnenlicht optimal ausnutzen zu können, sollte das Hochbeet immer in Nord-Süd-Richtung angelegt werden. Heben Sie zunächst eine spatentiefe, 20 bis 30 cm tiefe und 150 bis 160 cm breite Grube aus. Die Breite richtet sich nach der Armlänge der Benutzer. Man muss bequem mit einer Armlänge bis über die Mitte kommen. Die Länge richtet sich nach dem vorhandenen Platz, sollte aber mindestens 3 m betragen. Die ausgestochenen Grassoden legen Sie auf zunächst an die Seite, da sie später noch benötigt werden.

Der Rahmen: Nun beginnen Sie mit dem Bau der Umrahmung des Hochbeets. Das klassische Material hierfür ist Holz, z. B. Rundbohlen oder kräftige Kanthölzer. Dabei ist die Auswahl der Holzarten sehr wichtig. Besonders langlebig sind Hölzer aus Robinie oder Eiche, die allerdings recht teuer sind. Ihr Vorteil ist, dass sie völlig ohne vorherige Imprägnierungsmaßnahmen verbaut werden können. Günstigere Hölzer aus Kiefer oder Fichte sollten zumindest kesseldruckimprägniert sein, sonst ist ihre Lebensdauer sehr begrenzt. Um noch eine bessere Haltbarkeit des Holzes zu erlangen, ist es ratsam, die Innenwände mit einer Plastikfolie auszukleiden. Außerdem vermindert diese Maßnahme die Austrocknung und Verdunstung.

Von unbegrenzter Haltbarkeit sind Umrandungen aus Stein. Ihre Herstellung ist allerdings recht aufwendig, außerdem ist eine spätere Demontage nicht so einfach möglich.

Ganz wichtig und ein großer Vorteil von Hochbeeten: Um Wühlmäuse vom Hochbeet fernzuhalten, legt man den Boden mit einem engmaschigen Drahtgitter aus.

Das Hochbeet füllen

Der innere Kern wird mit Ästen und Zweigen gebaut. Damit ist für eine gute Durchlüftung des Beets gesorgt und die Verrottung des aufgeschichteten Materials gewährleistet. Gut bewährt hat sich eine Mischung aus grob gehäckseltem Material und ganzen Ästen. Als Nächstes werden die Grassoden, die Sie beim ersten Aushub zur Seite gelegt haben, über den Holzkern verkehrt aufgelegt. Sie können auch noch zusätzlich grobe Gartenabfälle untermischen. Es folgt eine ca. 30 cm dicke Laubschicht, darauf kommt noch eine ca. 15 cm dicke Schicht aus Grobkompost. Den Abschluss bildet eine 25 cm dicke Schicht aus Feinkompost und Gartenerde.

Zwischen die einzelnen Schichten wird etwas Urgesteinsmehl gestreut.

1 zerkleinerte Zweige und Äste
2 Grassoden
3 verrottetes Laub und Gartenabfälle
4 halbreifer Kompost oder Stallmist
5 Gartenerde und Feinkompost

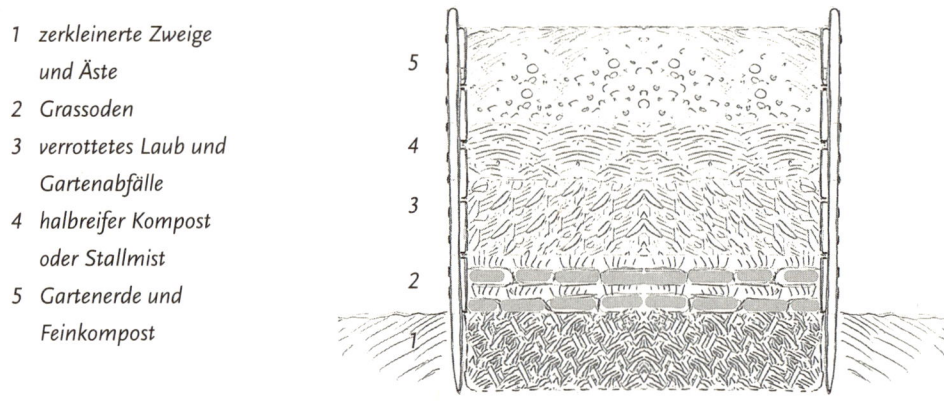

Die Bepflanzung eines Hochbeets

Am besten wird das Hochbeet im Herbst oder zeitig im Frühjahr angelegt. Bei seiner Bepflanzung ist es ratsam, nach den Regeln der Mischkultur vorzugehen. Diese Methode bringt eine gute Ernte auf kleinem Raum. Bei der Mischkultur schützen sich die Pflanzen gegenseitig. Auch Kräuter, die zwischen Gemüse gepflanzt werden, können viel Gutes bewirken, z. B. als Abwehr gegen Schädlinge. In den ersten beiden Jahren pflanzen Sie Starkzehrer, wie Tomaten, Kohl, Sellerie, Lauch, Gurken und Zucchini, in das Hochbeet, die von dem reichlich vorhandenen Dünger profitieren. Schwachzehrer wie Salat und Spinat folgen daher erst ab dem dritten Jahr.

Hügelbeete für eine üppige Ernte

Schnittgut fällt während der Wintermonate im Garten reichlich an. Sinnvoll ist es, aus groben Zweigen und Schreddermaterial ein Hügelbeet anzulegen und sich auf diese Art und Weise für die nächsten Jahre schmackhaftes Gemüse anzubauen. Die wichtigste Voraussetzung für ein Hügelbeet sind ein sonniger Standort und ausreichend Schnittgut.

Das Hügelbeet wird im Gegensatz zum Hochbeet ohne seitliche Rahmenkonstruktion aufgebaut. Weil mit der Zeit das verrottende Material zusammensinkt, ist die Lebensdauer dieses Beets begrenzt. Für die Anlage des Hügelbeets müssen Sie zunächst den Platz abstecken. Achten Sie darauf, dass sich das Hügelbeet von der Länge in Nord-Süd-Richtung erstreckt, damit die seitlichen Pflanzflächen gleichmäßig besonnt werden.

Heben Sie nun mit dem Spaten die Erde etwa 15 cm tief aus. Dabei sollten Sie die Erde gesondert an die Seite legen, damit Sie später eine Erddecke auf dem Hügel ausbreiten können. Gegen Wühlmäuse legen Sie einen sehr feinmaschigen Draht aus, bevor Sie das Material folgendermaßen aufeinanderschichten: 30 cm grobes Strauchmaterial, 10 bis 15 cm Grassoden (mit der Grasnarbe nach unten legen), 20 cm Staudenreste, Stroh oder Laub, 15 cm Stallmist, 15 cm Frischkompost und 15 cm Gartenerde. Auf der Mitte des Hügels wird eine sogenannte Gießrinne geformt, damit der Hügel gut bewässert werden kann, ohne dass das Gießwasser gleich seitlich abläuft.

1 zerkleinerte Zweige und Äste
2 Grassoden
3 verrottetes Laub und Gartenabfälle
4 halbreifer Kompost oder Stallmist
5 Gartenerde und Feinkompost

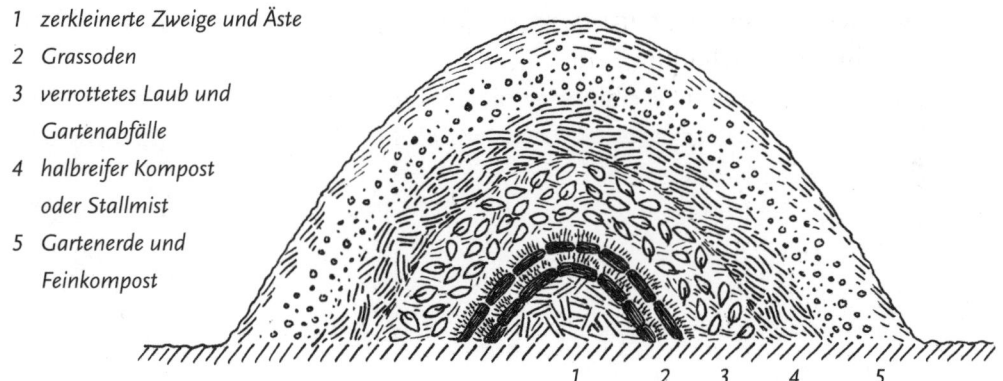

Hügelbeete bepflanzen

Mit der Bepflanzung sollten Sie nicht lange warten, damit die Erde nicht von einem der Frühjahrsgüsse heruntergespült wird. Wählen Sie für die erste Bepflanzung Gemüse, das keine allzu tiefen Wurzeln bildet. Schließlich ist bei einem frischen Hügelbeet die durchwurzelbare Schicht noch recht gering. Kopfsalat, Tomaten, Zwiebeln, Radieschen und Kohlrabi sind im ersten Jahr optimal. Auf der Kuppe lassen sich Tomatenstöcke ziehen. Als Zwischenfrucht können Sie im Herbst Feldsalat, Spinat oder Pflücksalat aussäen. Im zweiten Jahr werden Karotten, Erbsen, Rote Bete, Buschbohnen und Rettich ausgesät. Ab dem dritten Jahr empfiehlt es sich, für zwei Jahre Erdbeeren anzubauen. Sie können aber auch bei den bewährten Gemüsesorten bleiben und eventuell Kräuter dazupflanzen. Im vierten Jahr geht der Nährstoff-Haushalt so weit zurück, dass sich der Boden jetzt nur noch für den Anbau anspruchsloser Kartoffeln eignet, die auf dem lockeren Boden gut gedeihen. Anschließend müssen Sie einen neuen Hügel anlegen.

Kraterbeete

Kraterbeete sind annähernd rund und haben eine vertiefte Mitte. Solche Beete schützen vor kalten Winden und speichern die Wärme. Lockerer, humoser Boden und eine sonnige Lage sind beste Voraussetzungen. Man zieht mithilfe eines Pflocks und einer Schnur einen Kreis von etwa 2 m Durchmesser. Mit der Hacke wird die Erde von der Mitte nach außen gezogen, bis die Kegelspitze etwa 15 cm tiefer liegt als die ursprüngliche Erdoberfläche und außen herum ein Wall von etwa 30 cm Höhe entstanden ist. Ein Ring aus Steinen sorgt für zusätzlichen Halt.

Die Kratersohle wird nun etwa weitere 30 cm tief bearbeitet, bis der Boden sehr locker ist, z. B. mit einer Grabegabel, die vor- und rückwärts bewegt wird. Anschließend wird reifer Kompost oberflächlich eingearbeitet.

Damit Sie das Kraterbeet für die Bearbeitung begehen können, legen Sie einige Trittsteine ein. Basaltsteine sind besonders günstig, da sie tagsüber viel

Wärme speichern. Auch außen herum können zur besseren Begehbarkeit Trittsteine gelegt werden.

Kraterbeete eignen sich gut für den frühen Anbau von Radieschen, Salat und Spinat. Später können Gurken oder Tomaten mit Buschbohnen rundherum gesetzt werden. Die wärmeliebenden Pflanzen, wie Auberginen, Gurken, Melonen, kommen immer an die tiefste Stelle. Bei Frostgefahr wird das Beet einfach mit Vlies oder Folie abgedeckt.

Was ist Permakultur?

Eine genaue Beschreibung der Permakultur würde ein eigenes Buch füllen, daher beschränke ich mich auf die wesentlichen Aspekte.

Permakultur ist nicht einfach eine besondere Anbaumethode, dahinter steht auch eine Weltanschauung. Permakultur setzt den konventionellen landwirtschaftlichen Methoden mit ihren flächenfressenden Monokulturen bewusst etwas entgegen. In vielen Teilen der Welt wird sie seit jeher praktiziert und ist als traditionelles System weit mehr als nur biologischer Gartenbau.

Um erfolgreich eine Permakultur zu betreiben, ist es notwendig, mit der Natur zu arbeiten, anstatt zu versuchen, ihr unseren Willen aufzuzwingen. Eine gute Beobachtungsgabe gehört genauso dazu wie das Verständnis natürlicher Kreisläufe und die Fähigkeit, sich in eine Pflanze hineinzuversetzen, um deren Bedürfnisse zu erspüren. Permakultur arbeitet stets nach den Prinzipien und Gesetzmäßigkeiten der Natur, und das Ziel ist es, dauerhafte ökologische Kreisläufe zu schaffen, die sich selbst erhalten und dann im Idealfall auch keiner weiteren Pflegemaßnahmen mehr bedürfen – eigentlich der Traum aller Selbstversorger. Dies heißt: Wir versuchen, die natürlichen Kreisläufe so gut wie möglich zu nutzen und unsere Anlage so nahe wie möglich an natürliche Ökosysteme heranzuführen, wobei Nutzpflanzen und -tiere an die Stelle von Wildpflanzen und wild lebenden Tieren treten.

Permakultur schafft intakte Lebensräume, von Menschen für Menschen geplant und geschaffen. Und das geht auch auf kleinem Raum, ein gutes Beispiel ist eine Kräuterspirale, die Kräutern mit unterschiedlichsten Standortansprüchen Raum bietet.

Natürliche Ökosysteme

Natürliche, intakte Ökosysteme besitzen eine hohe Biodiversität, d.h., es koexistieren viele Tier- und Pflanzenarten auf einem begrenzten Raum. Außerdem ist ein intaktes Ökosystem weitgehend in der Lage, sich selbst zu regulieren und so auf Einflüsse von außen zu reagieren. Wichtig zu wissen ist darüber hinaus, dass in der Natur keine wertvollen Ressourcen verschwendet werden und alles wieder in den natürlichen Kreislauf der Nährstoffe eingespeist wird – also gewissermaßen recycelt. Auch Wasser wird in der Natur nicht verschwendet und unterliegt einem natürlichen Kreislauf. In der Natur braucht es weder Gärtner noch Wildhüter, da die Systeme sich selbst regulieren. Die Herausforderung besteht nun darin, mit Nutzpflanzen und Nutztieren ein solches System zu planen und zu etablieren.

Permakultur-Praxis

So weit die Theorie. Am Anfang einer Permakultur steht immer die sorgfältige Planung. Es werden Zonen ausgewiesen, die intensiver oder weniger intensiv bearbeitet und beerntet werden müssen, wie etwa ein Obstgarten. Letztere können weiter weg vom Haus angelegt werden oder in den Randbereichen der geplanten Anlage integriert werden. Wichtig ist auch die Bestandsaufnahme aller Gegebenheiten wie Bodenbeschaffenheit und Lichtverhältnisse vor Ort. Zu guter Letzt sollte man nicht vergessen, sich die Frage zu stellen, wie viel Obst und Gemüse überhaupt benötigt werden.

Am Anfang einer Permakultur steht oft erst einmal ein Bagger, mit dessen Hilfe das Gelände modelliert wird. Hügelbeete bieten optimale Bedingungen für das Wachstum von Gemüsen (siehe auch Seite 72), dazwischen platzierte große Felsbrocken schaffen zusätzlich ein günstiges Mikroklima und speichern die Sonnenwärme, um sie über Nacht wieder abzustrahlen. Ist das Grundstück größer, können auch natürliche Gegebenheiten mit einbezogen werden, beispielsweise ein Südhang oder Felswände, die nach Süden gerichtet sind.

Damit wäre der erste Schritt getan – mit Steinen und Beeten sind die

Wachstumsvoraussetzungen für etliche Pflanzen geschaffen. Nun ist dafür zu sorgen, den Boden vor Erosion zu bewahren, zunächst durch eine Mulchschicht, später übernimmt die geschlossene Pflanzendecke diese Funktion.

Pflanzen in der Permakultur

Die in der Permakultur eingesetzten Pflanzen sind natürlich in erster Linie Nutzpflanzen, wobei diese nach den Regeln der Mischkultur angepflanzt werden. Besonderes Augenmerk ist darauf zu richten, dass tief wurzelnde, niedrig wurzelnde und flach wurzelnde Arten kombiniert werden. Tief wurzelnde Pflanzen holen Mineralien und Wasser aus der Tiefe, was wiederum anderen Pflanzen zugutekommt. Großblättrige Arten spenden Schatten und nutzen so den Flachwurzlern, da der Boden nicht so schnell austrocknet. Sie bieten auch Lebensraum und Unterschlupf für viele wertvolle Nutzinsekten.

> **Idealfall Permakultur**
>
> In einer gut eingespielten Permakultur muss weder gegossen noch zusätzlich gedüngt werden, auch Pflanzenschutzmittel erübrigen sich, da das System sich selbst reguliert und es nicht zu einer Massenvermehrung von Schädlingen kommen wird. Und wer von vornherein einen Teil der Erträge als »Verlust« einplant, ist eh auf der sicheren Seite. So hat es sich bewährt, auch Pflanzen anzubauen, die beispielsweise von Wühlmäusen oder Rehen lieber gefressen werden als diejenigen, auf die wir besonderen Wert legen. Ein Beispiel ist Topinambur, der von Wühlmäusen lieber gefressen wird als die Wurzeln von Obstbäumen. Auf diese Art sind alle zufrieden.

Ein weiteres wichtiges Ziel ist es, dass die Pflanzen sich durch Selbstaussaat vermehren und sich daher dauerhaft etablieren können (siehe auch Seite 47ff.). Damit kommen wir der Vorstellung eines »Garten Edens« schon recht nahe, in dem wir nur noch ernten und nicht mehr pflanzen müssen. Freilich dauert es einige Zeit, bis eine Permakultur derart eingewachsen ist – und ganz ohne Hilfe geht es oft doch nicht. Immer wieder hört man von

Berichten, dass Permakultur-Anlagen aufgelassen wurden, weil sie nicht den gewünschten Ertrag brachten oder sich doch als arbeitsintensiv herausstellten. Ich kann nur daran appellieren, Geduld zu bewahren, hier und da korrigierend einzugreifen und darauf zu achten, dass alles, was dem System entnommen wird, in Form von Mulch, Kompost oder anderem organischem Material ihm auch wieder zurückgegeben wird.

Permakultur: ein Wald als Garten

Orientieren Sie sich am Vorbild der Natur, ein gutes Beispiel ist das Ökosystem Wald: Hier gibt es eine Baumkronenschicht, Sträucher, Krautpflanzen und Bodendecker sowie Kletterpflanzen, die sich an den Bäumen dem Licht entgegenwinden. Auf die Permakultur übertragen, heißt dies, wir pflanzen Obstbäume und dazwischen Beerensträucher oder andere fruchttragende Büsche. Am »Waldrand« gedeihen Kräuter und Gemüse. An den Bäumen empor ranken sich Kiwi oder Wein, aber auch andere kletternde Beerensträucher eignen sich, und selbst Bohnen sind einen Versuch wert. Solange die Bäume noch klein sind, kann auch die Wurzelscheibe mit Hülsenfrüchten bepflanzt werden – diese gedeihen dort problemlos und versorgen die jungen Baumwurzeln mit Stickstoff aus eigener Produktion. Wer möchte, kann unter den Sträuchern und im Schatten noch Pilze züchten (siehe Seite 195ff.). An diesem Beispiel wird der Grundgedanke der Permakultur besonders deutlich: Mit etwas Schummeln schaffen wir ein Ökosystem zu unserem Nutzen, das uns im Gegenzug mit Obst und Gemüse versorgt.

Tiere in der Permakultur

In einem Ökosystem spielen natürlich auch Tiere eine entscheidende Rolle, da ein Gleichgewicht zwischen allen Lebensformen herrscht und pflanzliches Leben ohne tierisches Leben nicht möglich ist und umgekehrt. Hierzu

zählen in erster Linie unzählige kleine Helfer, wie Regenwürmer, etliche Insektenarten, Igel, Vögel, Fledermäuse oder Spitzmäuse, die einen entscheidenden Beitrag leisten für die Stabilität des Systems. Voraussetzung ist lediglich, ihnen kleinräumig möglichst vielfältige Strukturen und Nischen zur Verfügung zu stellen, in denen sie sich dann ganz von allein einfinden werden. Dies sind beispielsweise Reisighaufen, Trockenmauern, Steinhaufen, Hecken und vieles mehr.

Natürlich spielen auch unsere Haustiere eine Rolle im System, ja sie können sogar aktiv im Garten helfen, beispielsweise Gänse und Laufenten, die fleißig Schnecken vertilgen. Auch Schweine sind ausgezeichnete Gartenhelfer: Lässt man sie eine Weile auf ein eingezäuntes Land, das neu bestellt werden soll, werden sie es mit ihren Schnauzen aufwühlen und ganz nebenbei allerlei Schädlinge fressen und einen lockeren, gedüngten Boden hinterlassen, auf dem nur noch gesät werden muss. Auch Hühner helfen, den Boden zu bereiten. Nach einigen Wochen des Scharrens und Pickens ist jeder Krautbewuchs entfernt, sie müssen nur noch kalken, lockern und säen. Hühner und Schweine helfen uns außerdem tatkräftig dabei mit, Haushaltsabfälle zu vertilgen.

Wenn Sie Nutztiere halten wollen, dann planen Sie dafür einen Garten im Garten, in dem Futterpflanzen für das Vieh wachsen. Besonders anspruchslos sind Hühner in Freilandhaltung, sie fressen so gut wie alles, allerdings natürlich auch unsere Gemüsepflanzen. Ihnen ist besser damit gedient, in einem Freilandgehege mit Klee, Wegerich, Seggen, Hirtentäschelkraut und anderen Pflanzen versorgt zu werden.

Aquakultur in einer Permakultur

In einer Permakultur-Anlage darf ein Teich nicht fehlen, der natürlich einige Besonderheiten aufweist. Es wird sich selbstverständlich nicht um ein Becken handeln, in dem z. B. nur Forellen gemästet werden. Ein Permakultur-Teich hat unterschiedliche Tiefenzonen, bietet Rückzugsmöglichkeiten für Jungfische und beinhaltet mehrere Fischarten, einen Hecht inbegriffen. Alles, was man hierzu wissen muss, ist, welche Ansprüche die unterschiedlichen Arten haben, wo sie sich bevorzugt aufhalten und wie sie in der Natur leben. Wir fischen dann sozusagen nur noch den Überschuss ab, während Raubfisch neben Friedfisch koexistiert – ganz wie in einem natürlichen Gewässer.

Der Teichrand und die Sumpfzone können zusätzlich genutzt werden, um dort essbare Pflanzen anzubauen, beispielsweise Brunnenkresse, Wasserspinat oder Wasserkastanien. Aber auch nützliche Gräser, wie Schilf, Binsen und Flatterbinsen, zieren das Ufer und nützen dem Selbstversorger.

Auch im Teich kommen wieder große Steine zum Einsatz, die, ins Wasser gelegt, wie eine Heizung wirken und verhindern, dass er über Nacht zu schnell auskühlt. So lässt sich im Jahresmittel die Durchschnittstemperatur im Teich erhöhen und stabilisieren, was allen Teichbewohnern zugutekommt.

Ein Fischteich sollte natürlich eine ausreichende Größe haben, damit sich eine komplexe Artengemeinschaft etablieren kann. Folienteiche scheiden aus Kosten- und Umweltgründen aus. Bewährt haben sich Teiche, deren Grund abgedichtet wurde, indem mithilfe einer Baggerschaufel feines Sediment aufgewirbelt wird, das sich wieder absetzt und die feinen Poren im Boden verstopft. Auf diese Art wird der Teich abgedichtet und hält das Wasser – ein kostengünstiges Verfahren, das auch die Anlage großer Teichanlagen ermöglicht.

Gewächshaus und Frühbeet

Gewächshäuser und Frühbeete ergänzen sich auf ideale Weise und dürfen im Garten nicht fehlen. Der Grund ist einfach: Sie können die Ernte etlicher Gemüsepflanzen verfrühen und sich daher länger im Jahr an Salaten, Gemüse und Kräutern aus eigenem Anbau erfreuen.

Gewächshäuser bieten zudem den Vorteil, dass Sie hier die Saatschalen mit den angezogenen Sämlingen unterbringen können und nicht alle Fensterbänke im Haus damit vollstellen müssen oder nachts und bei Regengüssen wieder alles einräumen müssen.

Es gibt unterschiedliche Gewächshaustypen in den unterschiedlichsten Materialien zu kaufen. Wichtig ist, dass sie ausreichend groß sind, also mindestens 10 m² Grundfläche haben und eine Firsthöhe, die es erlaubt, bequem

darin zu stehen. Auch die Türe sollte ausreichend breit sein, sodass Sie mit dem Schubkarren bequem hineinfahren können.

Wer über ausreichend handwerkliches Geschick verfügt, kann sein Gewächshaus auch selbst bauen, beispielsweise aus ausgedienten Fenstern.

Der ideale Platz für das Gewächshaus ist vollsonnig, Profigewächshäuser werden in Ost-West-Richtung aufgestellt, damit die Sonne lange auf die Dachseiten einwirken kann. Ein Standort in der Nähe großer Bäume ist zu vermeiden. Nicht nur Lichtmangel wirkt sich negativ aus, auch herabfallende Äste könnten das Glas oder die Folie, aber auch Kunststoffplatten beschädigen, und Wurzeln das Fundament heben.

Warm- oder Kalthaus?

In der Regel ist ein Kalthaus ausreichend, ein beheiztes Gewächshaus bietet natürlich mehr Möglichkeiten, kostet aber Geld und Energie. Im einfachsten Fall können Sie Wärme auch mit Mist oder mit schwarzen Folienschläuchen erzeugen. Unter der Handelsbezeichnung »Beta-Solar-Wärmespeicher« werden schwarze PE-Schläuche von etwa 7 cm Durchmesser angeboten. Man füllt sie mit Wasser und legt sie im Abstand von etwa 20 cm zwischen die Pflanzen oder die Saat. Auf diese Weise entsteht ein preiswerter Sonnenkollektor, der es ermöglicht, auch bei spärlicher Sonneneinstrahlung beachtenswerte Wärmeenergie im Wasser der Schläuche zu speichern, selbst diffuses Licht an bewölkten Tagen reicht auf. Beides – auch das Heizen mit Mist – ist nur bei gut isolierten Gewächshäusern wirksam.

Frühbeete

Ein Frühbeet ist gewissermaßen die kleine Schwester des Gewächshauses und schnell gebaut. Maßstab war früher die Norm der Frühbeete aus gängigen Fensterflügeln (1,5 × 1 m oder 1,5 × 0,8 m). Als Tiefe (Breite) haben sich 1,5 m bewährt.

Holz ist der gebräuchlichste Werkstoff, wobei es natürlich nur mit pflanzenverträglichen Mitteln imprägniert werden darf. Eine Isolierung der Wände innen mit Styroporplatten schützt das Innere vor Kälte. Die Höhe des Kastens sollte mindestens 30 cm betragen, die Länge ist beliebig. Es ist günstiger, wenn die Rückwand etwas höher ist als die Vorderwand, damit das Wasser schnell abläuft und die Sonne die Pflanzen besser bescheinen kann. Als Abdeckung des Kastens eignen sich ausrangierte Fenster, die dann die Größe vorgeben. Auch mit Luftpolsterfolie bespannte Rahmen sind praktisch. Wichtig: Leichte Fenster müssen mit Türscharnieren gesichert werden. Zwischen Fenster und Erde sollte ein etwa 25 cm freier Raum bleiben, denn dann hat auch Salat genug Platz.

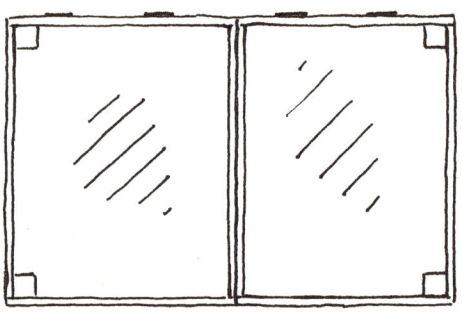

Für den Standort wird eine sonnige, geschützte Lage gewählt. Sind im zeitigen Frühjahr oder im Herbst Fröste zu erwarten, wird der Kasten über Nacht noch zusätzlich geschützt. Rohrmatten, auch als Mistbeetmatten bekannt, oder eine Wolldecke und eine zusätzliche Noppenfolie sind dafür bestens geeignet.

Ein Frühbeet im Eigenbau

Ein Doppel-Frühbeetkasten zu bauen ist nicht schwer. Die Maße richten sich dabei nach dem verfügbaren Platz. Sie können diese auch bereits vorhandenen Fensterscheiben anpassen.

Sie benötigen:
- mindestens 2 cm starke Bretter aus Fichten, Tanne oder Lärche,
- Fichtenholzleisten von 3 × 8 cm für die Fensterrahmen,
- alte Fenster, selbst gebaute Fenster oder mit Folie bespannte Rahmen,
- Schrauben und Nägel aus nicht rostendem Metall,
- Kanthölzer von mindestens 8 × 8 cm Querschnitt,
- Scharniere zur Befestigung des Fensterrahmens.

So wird es gemacht:
- Streichen Sie das Holz mit einem ungiftigen Holzschutzmittel.
- Die Rückwand ist 20 bis 25 cm höher als die Vorderseite. Schneiden Sie die Seitenwände entsprechend zu.
- Nageln oder schrauben Sie die Seitenwände, Vorder- und Rückwand an die vier Eckpfosten. Die Pfosten ragen mindestens 30 cm über die Bretter hinaus, damit sie im Boden guten Halt finden. Die Enden müssen bündig mit den Oberkanten der Bretter abschließen. Je nach Länge des Beets werden in der Mitte an den Innenwänden zwei zusätzliche Pfosten angebracht.
- Sind keine Fenster oder Kunststoffabdeckungen vorhanden, so bauen Sie aus den Leisten Rahmen, die so bemessen sind, dass sie auf der Oberkante des Kastens aufliegen. Schraublöcher müssen vorgebohrt werden. Quersprossen und Metallwinkel erhöhen die Stabilität.
- Bespannen Sie die Rahmen mit einer UV-beständigen Kunststofffolie. Ideal ist die Befestigung mit Deckleisten, die gewährleisten, dass die Folien straff sitzen und windbeständig sind.
- Damit das Regenwasser ablaufen kann, wird die untere Leiste seitlich am Rahmen angebracht.
  - Befestigen Sie den Rahmen mit Scharnieren am Frühbeetkasten.

Die Nutzung des Frühbeets unterscheidet sich nicht wesentlich von der Nutzung des unbeheizten Gewächshauses – sobald der Boden frostfrei ist, geht es los. Stand das Frühbeet im Winter ohne Abdeckung, darf anfänglich nur wenig gegossen werden. Lüften regelt die Temperatur, im Februar kann es unter Glas auch bei noch kühler Außenluft schon recht warm werden. Früher war für das Frühbeet ein Lüftungsholz gebräuchlich, das ist ein etwa 30 cm langes Stück Dachlatte. Je nachdem, ob es lang, quer oder hoch unter das Fenster gebracht wurde, entstand ein Spalt von 4, 6 oder 30 cm. Entsprechend viel oder wenig Luft wurde zugeführt. Das ist auch heute noch eine praktische Einrichtung.

Nutzung eines warmen Frühbeets im Jahreslauf

Mitte Februar bis Ende April	Kohlrabi, Kopfsalat, Kresse, Möhren, Radieschen, Schnittsalat
Mai bis Anfang September	Buschtomaten, Gurken, Paprika
September bis Mitte Dezember	Buschbohnen, Kohlrabi, Kopfsalat, Radieschen, Rettich, Spinat, Winterendivie

Nutzung eines kalten Kastens im Jahreslauf

Mitte Februar bis Ende April	Buschbohnen, Jungpflanzenanzucht, Möhren
Mai bis Anfang September	Buschbohnen, Buschtomaten, Kastengurken, Möhren, Paprika
September bis Mitte Dezember	Feldsalat, Kohlrabi, Kopfsalat, Radieschen, Rettich, Spinat

Der Mistbeetkasten

Einst waren Frühbeete ohne eine wärmende Pferdemistpackung kaum denkbar. Das Herrichten und Packen der Mistbeetkästen macht zwar Arbeit, doch gibt es viele gute Argumente für die Verwendung von Mist.

Der natürliche, mit Stroh vermischte Rohstoff aus Pferdeäpfeln enthält viele Bakterien, die sich heftig vermehren, vom Mist leben und ihn zersetzen. Dabei erhitzt sich die Masse auf 65 bis 70 °C. Dies entspricht der Temperatur beim Pasteurisieren, Unkrautsamen und Schadpilze werden abgetötet. Im Verlauf einer Woche kühlt der Kasten ab, jetzt finden Frühgemüse-Aussaaten ideale Temperaturen vor. Auch der reichlich vorhandene Kohlenstoff lässt die Pflanzen schneller wachsen. Später, wenn aus Mist fruchtbare Mistbeeterde geworden ist, dient dieser gehaltvolle Humus der Düngung von Blumen- und Gemüsebeeten, vor allem wenn stark zehrende Arten wie Kohl, Lauch und Tomaten angebaut werden sollen.

Pferdemist gibt es – sofern Sie nicht selbst ein Pferd oder einen Esel

So wird ein Mistbeet gepackt:

- Zuunterst eine dünne Schicht Herbstlaub geben.
- Der mit Stroh vermengte Mist wird jetzt »gepackt«, d. h., eine 40 bis 50 cm dicke Schicht in den Kasten gefüllt und durch Antreten verdichtet. Das Stroh im Mist ist dabei die Hauptnahrung der Bakterien. Beim Zersetzen desselben und bei ihrer Vermehrung erzeugen die Mikroben Wärme. Die Wärmeentwicklung kann man steuern: Braucht man mehr Wärme, etwa dann, wenn der Kasten früh im Jahr gepackt wird, sollte der Strohmist etwas lockerer liegen. Tritt man den Mist sehr fest, vermehren sich die Bakterien nicht so schnell, und die Wärme entwickelt sich langsamer. Sehr trockener Mist wird am besten während des Einbringens mit warmem Wasser angegossen.
- Über die Strohmistschicht kommt eine dünne Schicht aus gut gereiftem Kompost, wie z. B. Mistbeeterde vom vergangenen Jahr. Anschließend folgt eine 10 bis 15 cm starke Schicht guter Gartenerde.
- Zum Schluss den gepackten Kasten abdecken und den Mikroben drei bis vier Tage Gelegenheit geben, mit ihrem destruktiven Werk zu beginnen.

halten – umsonst in Pferdehöfen und Reitställen, die sogar froh sind, wenn sie auf diese Art ihren Abfall reduzieren können. Mit Isoliermatten geschützt, kann der Kasten schon ab Mitte Februar gepackt werden.

Ein Mistbeet bepflanzen

Für die Erstbepflanzung eines Mistbeetkastens eignen sich Feldsalat, Kerbel, Petersilie, Portulak, Radieschen, Rettich, Rucola, Salat oder Spinat. Gesät wird direkt in den vorbereiteten Kasten, es können aber auch vorgezogene Jungpflanzen verwendet werden. Später kommen dazu: Kohl, Paprika und Tomaten. Das Gepflanzte kräftig eingießen, den Kasten zudecken und nur noch aufpassen, dass es bei starker Sonneneinstrahlung unter dem Glas nicht zu heiß wird.

Folien zur Ernteverfrühung

Unter einer Abdeckung mit Vlies oder Folien werden die für das Wachstum der Keimlinge nötigen Temperaturen schneller erreicht als im Freiland, und nachts sinken sie nicht so tief wie im Freien. Durch das Abdecken kann der Erntevorsprung etwa 14 Tage betragen.

Besonders gut zur Ernteverfrühung geeignet sind Lochfolien. Durch die Öffnungen kann Feuchtigkeit abziehen, Fäulnis und Schimmel werden so vermieden.

Breiten Sie die Folien locker über das Beet und befestigen Sie sie an den Rändern. An warmen Tagen muss die Folie gelüftet werden, sonst steigt die Innentemperatur zu sehr an, und die Pflanzen nehmen Schaden. Lüften Sie am besten vormittags und breiten Sie die Folie nachmittags wieder aus. Die Folie wächst mit den Pflanzen mit und wird dabei hochgehoben. Es können automatisch mehr Luft und Regenwasser eindringen. Sie wird etwa drei Wochen vor Ernte entfernt.

Die Schlitzfolie ist im Gegensatz zur Lochfolie dehnbarer und elastischer.

Sie passt sich optimal den wachsenden Pflanzen an und kann bis zum Ende der Kultur auf den Pflanzen belassen werden. Unter der Folie stellen sich von allein die idealen Luft-, Temperatur- und Feuchtigkeitsbedingungen für ein optimales Wachstum ein. Sie brauchen weder zu lüften noch die Folie zum Gießen abzunehmen, da das Wasser durch die Schlitze in den Boden eindringt, ohne ihn zu verschlämmen.

Bodenabdeckung mit Vlies

Bei Vliesen handelt es sich um lockere Gespinste aus Polyethylen oder Polypropylen. Im Gegensatz zu Loch- und Schlitzfolien ist hier aber die gesamte Oberfläche wasser- und luftdurchlässig. Wie Schlitzfolien braucht man sie nicht abzunehmen, sie sind aber nicht so elastisch und müssen daher lockerer verlegt werden.

Weitere Vorzüge sind die hohe Reißfestigkeit und das besonders geringe Gewicht. Außerdem schützen Vliese besser vor kurzfristigem Frost bis etwa −7 °C.

Im Frühsommer helfen sie empfindlichem Gemüse, wie Gurken oder Melonen, kühle Perioden unbeschadet zu überstehen; im Herbst schützen sie späte Kulturen vor Austrocknung und Frost.

Folientunnel

Folientunnel lassen sich leicht und schnell aufbauen und haben eine ähnliche Wirkung wie ein Gewächshaus. Sie können der Beetgröße angepasst werden und haben einen geräumigen Innenraum, in dem sich hoch wachsende Gemüse wie Zwiebeln ungestört entwickeln. Fast alle Gemüsearten lassen sich unter einem Folientunnel um etwa drei Wochen verfrühen.

Wer Kosten sparen will und einigermaßen handwerklich geschickt ist, kann sich ohne großen Aufwand selbst einen Folientunnel bauen:

- Biegen Sie 3 bis 5 mm starke, kunststoffummantelte Eisendrähte und stecken Sie die Enden etwa 30 cm in den Boden. Der Abstand sollte 1 bis 2 m, die Firsthöhe etwa 60 bis 80 cm betragen.
- Zur Stabilisierung können Sie entlang des Firsts einen Stützstab oder Draht befestigen.
- Spannen Sie nun eine 0,1 bis 0,2 mm starke, gelochte Folie über die Konstruktion.
- Befestigen Sie die Folie mit Klammern an den Bügeln. Die Folienenden werden mit Steinen beschwert, sodass die Konstruktion bei Wind nicht davonfliegt.

2 Von der Wildpflanze zur Nutzpflanze

Besonders interessant für Selbstversorger sind natürlich Pflanzen, die uns die Natur einfach so zur Verfügung stellt und die wir nur sammeln müssen. Rund um das Jahr finden sich in der Natur schmackhafte Kräuter, Beeren und Nüsse. Diese können einen wertvollen Beitrag zur eigenen Ernährung leisten.

Beim Anblick eines prächtigen Blumenkohls oder eines Maiskolbens kommt wohl kaum jemand spontan auf die Idee, dass auch diese üppigen Gemüse von unscheinbaren Wildpflanzen abstammen, die bestenfalls noch eine entfernte Ähnlichkeit mit unseren heutigen Gemüsesorten aufweisen.

Blumenkohl, Brokkoli, Rosenkohl, Rotkohl, Weißkohl und Wirsing sind beispielsweise Spielarten einer einzigen Ausgangspflanze, des Wildkohls (*Brassica oleraceae*), der heute noch in seiner ursprünglichen Form an steinigen Standorten der Mittelmeer- und Atlantikküsten zu finden ist.

Die Gattung *Brassica* zählt zur Familie der Kreuzblütler, die sich durch eine hohe erbliche Variabilität auszeichnet, was eine ungeheure Anpassungsfähigkeit an die unterschiedlichen Lebensräume der Erde zur Folge hat. Ca. 3000 Arten weltweit sind bekannt. Menschen erkannten schnell den Vorteil, den diese Vielfalt bot. So wurde auch bei uns der Wildkohl bereits früh in Kultur genommen.

Im Rahmen des frühen Kohlanbaus richtete sich die Auswahl – das sogenannte Zuchtziel – auf die Blattbildung, aus denen schließlich durch fortgesetzte, gleichgerichtete Zuchtwahl die unterschiedlichen Sorten hervorgegangen sind. Bei der Selektion werden nur die Samen derjenigen Varianten ausgewählt, die der Vorstellung des Züchters am nächsten kommen. Über unzählige Generationen hinweg wurden durch diesen Prozess der Zuchtwahl erwünschte Eigenschaften von Nutztieren und Nutzpflanzen verstärkt, negative und ungewollte immer mehr eliminiert. Diesen Vorgang nennt man Domestizierung.

Durch viele Wiederholungen dieses Auswahlverfahrens erhält man schließlich eine in den gewünschten Merkmalen stabile neue Form oder Sorte. Dieser scheinbar simple Vorgang ist die Grundlage für die große Vielfalt der uns heute zur Verfügung stehenden Nutzpflanzensorten und Varietäten.

Wildpflanzen in unserer Ernährung

Gemessen an der Zahl der wild wachsenden Pflanzen, die für den Menschen genießbar sind – allein in unseren Breiten sind es über 100 –, haben jedoch nur relativ wenige Gewächse den Sprung in die Küche und einen dauerhaften Platz in unseren Kochbüchern erreicht. Dies hat einen konkreten Grund. Es besteht nämlich ein wesentlicher Unterschied zwischen Wildpflanzen und unseren Kulturpflanzen, denen unerwünschte Eigenschaften ja durch die Zuchtwahl genommen wurden.

Im Laufe ihrer Jahrmillionen dauernden Geschichte haben Pflanzen zahllose Strategien zum Überleben entwickelt. Eine der erfolgreichsten ist es, Fraßgifte zu produzieren, die sie vor ungewolltem Verzehr zu schützen. Andere chemische Substanzen schrecken potenzielle Feinde ab, vergiften sie oder verderben ihnen den Appetit. Auch untereinander pflegen Pflanzen rüde Umgangsformen wie die chemische Kriegsführung. Die Wurzeln von Bärlauch produzieren beispielsweise eine Substanz, die jedes andere Pflanzenwachstum in der Umgebung verhindert und zu großen Bestandsbildungen führt.

Mit anderen Worten: Wildpflanzen verfügen über diejenigen Eigenschaften, die Kulturpflanzen im Laufe ihrer gezielten Domestizierung zum Teil oder ganz verloren haben. Kulturpflanzen verfügen nur noch in abgeschwächter Form über Mechanismen und Substanzen zur Abwehr von Fressfeinden.

Zweifellos stellen Wildpflanzen in jeder Hinsicht eine Bereicherung unseres Speisezettels dar und sind unentbehrliche Helfer in der Medizin. Aber Vorsicht: Bereits Paracelsus erkannte, dass die Dosis das Gift macht. Konkret: Auch wenn manche Pflanzen der Gesundheit förderlich sind, sollte man sie nicht im Übermaß verzehren. Und auch Pflanzen, die für medizinische Zwecke eingesetzt werden, sind nur gezielt für eine Therapie zu verwenden und dürfen keinesfalls unüberlegt zur Vorbeugung oder in zu hoher Dosierung eingesetzt werden.

Daher sei jedem geraten, sich intensiv mit den Pflanzen auseinanderzusetzen, die er für den Verzehr bestimmt hat. Viele sind gesund, vitaminreich und stellen eine wesentliche Bereicherung dar. Wer weiß normalerweise schon, woher die Lebensmittel stammen, was im Fleisch genau enthalten ist und ob die Eier dioxinbelastet sind oder nicht. Von unseren selbst gesammelten Wildkräutern ist der genaue Herkunftsort wenigstens bekannt, und man kann sich genau über eventuelle Inhaltsstoffe informieren.

Im Vergleich zu unseren Vorfahren, die noch eines gewissen Pioniergeists und einer Aufopferungsbereitschaft bedurften, um dem bestehenden Speisezettel die eine oder andere Frucht oder einen neuen Pilz hinzuzufügen, können wir uns heute glücklicherweise eines reichhaltigen Wissensschatzes bedienen, der im Laufe von Generationen zusammengetragen worden ist. Zahlreiche Pflanzen sind bis ins letzte Detail bekannt, und die Inhaltsstoffe werden gezielt für pharmazeutische Zwecke verwendet.

Was beim Sammeln zu beachten ist

Im Gegensatz zu in Kultur gehaltenem Gemüse, das in Glashäusern oder unter kontrollierten Bedingungen herangezogen worden ist, ist bei Wildkräutern die Frage der Herkunft von großer Bedeutung. Es sollte sich von selbst verstehen, dass Sie keine Pflanzen sammeln, die am Straßenrand oder innerhalb der Stadt wachsen. Die Belastung durch Autoabgase etc. ist hier zu hoch. Nehmen Sie sich daher einen langen Spaziergang vor und laufen oder radeln Sie sich erst frei, bevor Sie mit dem Sammeln beginnen. Das Gleiche gilt auch für intensiv genutzte landwirtschaftliche Flächen. Pflanzen, die hier wachsen, sind ebenfalls tabu für den Speisezettel.

Die wohl wichtigste Grundregel lautet: Reißen Sie die Pflanzen nicht einfach aus dem Boden und rupfen Sie sie nicht ab. Verwenden Sie vielmehr eine scharfe Schere oder ein scharfes Messer. Die geernteten Pflanzenteile transportiert man am besten in einem Korb oder in einem Leinenbeutel. Handelt es sich um empfindliche Blätter, die schnell austrocknen, ist eine Plastiktüte geeigneter, da sich hier die Feuchtigkeit länger hält. An warmen Tagen dürfen die Pflanzen natürlich nicht zu lange in der Tüte verbleiben, da sie sonst schnell verderben.

Naturschutzvorschriften beachten!

Viele Pflanzen sind im deutschsprachigen Raum streng geschützt. Sammeln Sie nur diejenigen, die ausdrücklich erlaubt sind, und keine Pflanzen, die Sie nicht kennen. Die Gefahr, auch einmal eine giftige Pflanze zu erwischen, besteht immer.

Dieser Rat gilt vor allem für Pilzsammler: Spezialisieren Sie sich auf einige wenige Pilze, die Sie genau identifizieren können und zweifelsfrei kennen. Gehen Sie gezielt vor. Viele Pilzsammler stellen oft erst zu Hause fest, dass vieles vom Gesammelten ungenießbar ist. Für den Pilz kommt hier jede Hilfe zu spät, und manchmal auch für den Sammler, der sich nicht richtig informiert hat.

Die in diesem Buch vorgestellten Pflanzen unterliegen keinen strengen Naturschutzvorschriften und können daher bedenkenlos gesammelt werden. Dort, wo sie vorkommen, wachsen sie ohnehin in großen Mengen und können die Entnahme einer Portion ohne Weiteres verkraften. Und hier gleich der nächste Grundsatz: Nie mehr sammeln, als Sie wirklich benötigen. Im Geschäft kaufen Sie ja auch nur so viel, wie gerade gebraucht wird oder verarbeitet werden kann. Bremsen Sie daher Ihren Jäger- und Sammlertrieb angesichts all der Leckereien auf Wiese, Feld und Flur.

Die vorgestellten Pflanzen sind so beschrieben, dass sie problemlos identifiziert werden können. Im Zweifelsfall ziehen Sie noch einen Naturführer oder Spezialliteratur zurate, von denen einige im Anhang genannt sind. Dann können Sie sich ein detailliertes Bild von der jeweiligen Pflanze machen und auf Nummer sicher gehen. Ab und zu hilft auch der Blick in den eigenen Garten oder über den Zaun zum Nachbarn.

Generell sei noch darauf hingewiesen, dass von den meisten Heil- und Gewürzpflanzen Gartenformen existieren. Sollten Sie auf die eine oder andere Pflanze nicht mehr verzichten wollen, besteht also immer noch die Möglichkeit, das jeweilige Gewächs im eigenen Garten zu kultivieren. Bei hohem Verbrauch stellt dies auch eine Maßnahme zum Schutz von Wildbeständen dar.

Köstliches aus Wald, Feld und Flur

Bärlauch (*Allium ursinum*)

Der Bärlauch ist ein echtes Geschenk für all diejenigen, die sich mit dem Verzehr von Knoblauch aufgrund einer möglichen Geruchsbelästigung und der daraus resultierenden sozialen Vereinsamung schwertun. Bärlauch schmeckt knoblauchwürzig – und das ohne die allseits gefürchteten Nebenwirkungen.

Woran erkennt man Bärlauch? Im zeitigen Frühjahr werden Sie ihn riechen, bevor Sie ihn überhaupt zu Gesicht bekommen. Sogar auf der Autobahn kann man bei Tempo 120 und geöffnetem Fenster im Vorbeifahren Bärlauchbestände erschnuppern. Bärlauch bildet nämlich dort, wo er an seinen natürlichen Standorten – auf feuchtem, humusreichem Waldboden – vorkommt, gewaltige, flächendeckende Bestände. Dies liegt unter anderem daran, dass seine Wurzeln eine Substanz ausscheiden, die das Wachstum anderer Pflanzen der Umgebung hemmt und unterdrückt. Dies sollten Sie bedenken, bevor Sie beschließen, Bärlauch in Ihrem Garten auszupflanzen.

Apropos: Der Bärlauch erhielt seinen Namen nicht von ungefähr. Er stand wohl auf der Liste der Lieblingspflanzen von Bären, die sich nach dem Erwachen aus dem Winterschlaf an ihm gütlich taten.

Merkmale und botanische Informationen: Bärlauch ist ein Zwiebelgewächs und gehört zur Familie der Liliaceae. Damit ist er ein naher Verwandter von Zwiebeln, Knoblauch und Schnittlauch.

Typisch für ihn sind die breiten, lanzettförmigen Blätter. Die schneeweißen, sternförmigen Blüten bilden eine wunderschöne kugelige Blumenkrone.

Die Blätter werden von März bis Juni gesammelt, am schmackhaftesten sind sie kurz vor der Blüte. Nach der Blüte verliert Bärlauch etwas an Intensität, man kann ihn aber trotzdem in Salaten verwenden oder auch dünsten.

Verwechslungsmöglichkeiten: Eine Verwechslungsgefahr besteht eigentlich nur mit den Blättern vom giftigen Maiglöckchen (*Convallaria majalis*) und der Herbstzeitlosen (*Colchicum autumnale*), doch eine Geruchsprobe wird Sie die Pflanze sicher identifizieren lassen. Zerreiben Sie dazu ein Blattstück zwischen den Fingern, und Sie werden schnell merken, um welchen Kandidaten es sich handelt. Der typische, unverwechselbare Knoblauchgeruch lässt keine Verwechslungsmöglichkeit zu.

Verwendung in der Küche: Mit ein wenig Fantasie und Bärlauch lassen sich erstklassige kulinarische Kreationen für jeden Geschmack zaubern. Als naher Verwandter von Zwiebel und Knoblauch – mit dem er auch seinen Geschmack gemeinsam hat – lässt er sich prinzipiell in der Küche wie Schnittlauch, Zwiebelrohr oder auch Knoblauch verwenden.

Die zarten Blätter verfeinern Salate, Suppen, Soßen, Brotaufstriche und Omeletts. Gedämpft ergeben sie ein schmackhaftes Gemüse. Die geschlossenen Knospen eignen sich fein gehackt als Zugabe zu Salatsoßen. Die Zwiebeln schließlich lassen sich wie Knoblauch verwenden und ergeben ein hervorragendes Pesto oder Kräuterbutter. Auch als Pizzabelag oder in Teigwaren verarbeitet, zeigt er sich von seiner besten Seite. Man möchte fast bedauern, dass er nur für wenige Monate im Jahr zur Verfügung steht. Hier kann man sich aber mit einem Trick behelfen. Dazu werden Blätter und Stiele fein püriert, gut mit Erdnussöl vermischt und in kleinen Gläsern im Kühlschrank verschlossen aufbewahrt. Man gibt hierzu auf 100 g Blätter etwa 100 ml Öl und einen gestrichenen Teelöffel Salz. Die Paste hält sich über Monate und kann auch wie Pesto zu Spaghetti gegessen werden. Bärlauchpulver aus luftgetrockneten Blättern lässt sich als Würzmittel verwenden, doch reicht das Pulver nicht an den aromatischen Geschmack frischen Bärlauchs heran.

Brennnessel (Urtica dioica)

Die Brennnessel ist eine Pflanze, der man größten Respekt zollen muss. Dies liegt nicht etwa daran, dass man vor ihren Brennhaaren auf der Hut sein sollte. Nein, kaum eine Pflanze ist so vielseitig einsetzbar wie die Brennnessel. Sie ist eine uralte Kulturpflanze, aus deren Stängeln vor der Einführung der Baumwolle Fasern gewonnen wurden, die zu groben Stoffen verarbeitet worden sind. Getrocknet gibt sie einen hervorragenden Tee, der Bestandteil einer Fasten- oder Frühjahrskur sein kann. Rheumakranke erfahren Linderung, wenn sie die betreffenden Hautpartien mit Brennnesseln belegen, denn das als sehr unangenehm empfundene Brennen fördert die Durchblutung der Haut, was wiederum einige positive Wirkungen nach sich zieht. Aus den Wurzeln bereitet man auch einen Tee, der gegen Prostatabeschwerden eingesetzt wird.

Der Vollständigkeit halber soll darauf hingewiesen werden, dass die Brennnessel Nahrungsgrundlage für zahlreiche Insekten- und Schmetterlingslarven ist, die sogenannten Nesselfalter. Hierzu zählen z. B. unsere bekanntesten Tagfalterarten, wie Admiral, Tagpfauenauge, Kleiner Fuchs und Landkärtchen, deren Raupen an Brennnesseln heranwachsen. Der immense ökologische Wert der Pflanze ist also nicht zu unterschätzen. Und Biogärtner schwören auf die nährstoffreichen Jauchen und Brühen, die auf vielfältige Weise im naturnahen Garten zum Einsatz kommen.

Beschimpfen Sie die Brennnessel daher nicht als Unkraut, wenn sie ungebeten in Ihrem Garten erscheint, sondern nutzen Sie ihre vielfältigen Möglichkeiten.

Merkmale und botanische Informationen: Brennnesseln gehören zur Pflanzenfamilie der Urticaceae und kommen bei uns in zwei Arten vor: die Große Brennnessel *(Urtica dioica)* und die Kleine Brennnessel *(Urtica urens)*. Die Große Brennnessel, um die es im Folgenden gehen wird, wird 30 bis 150 cm hoch. Die winzigen Blüten sitzen in locker herabhängenden Blütenständen. Eine weitere Beschreibung erübrigt sich, da die Brennnessel aufgrund der bereits erwähnten unangenehmen Eigenschaften jedem Kind bekannt sein dürfte. Die beiden Arten unterscheiden sich bestenfalls darin, dass die Kleine Brennnessel noch stärker brennt als die große. Übrigens: Bei den Nesselhaaren handelt es sich um ausgesprochen raffinierte Konstruktionen. Jedes Brennhaar besteht aus einer einzelligen, auf einem Zellpolster stehenden Röhrenzelle, deren oberer Teil hart und spröde wie Glas ist und in einem leicht zur Seite gebogenen Köpfchen endet. Bei der leisesten Berührung bricht dieses Köpfchen ab, die Bruchstelle ist stets schräg und bildet so eine scharfe Spitze, die in die Haut eindringt und eine Wunde erzeugt, in die sich der Zellinhalt ergießt.

Brennnesseln sind Stickstoffzeiger und wachsen auf feuchten, sehr nährstoffhaltigen Böden mit hohem Nitratgehalt. Ein uneingeschränkter Verzehr kann daher nicht empfohlen werden. Ihre natürlichen Standorte sind Ufersäume und feuchte, nährstoffreiche Auwälder.

Verwechslungsmöglichkeiten: Verwechselt werden können Brennnesseln von der Blattform her allenfalls mit Taubnesselarten, Taubnesseln besitzen jedoch keine Brennhaare. Die Kleine und die Große Brennnessel sind gleichwertig in der Verwendung zum Verzehr als auch in der Heilkunde.

Verwendung in der Küche: Beide bei uns vorkommenden Brennnesselarten eignen sich für den Verzehr. Verwendet werden die jungen, kleinen und zarten Pflanzen. Von ausgewachsenen Exemplaren lassen sich bestenfalls die Blätter verwenden, da die Stängel bereits über einen hohen Faseranteil verfügen, der sie recht schwer bekömmlich macht. Bevorzugt erntet man die obersten, noch kleinen Blätter.

Um den Genuss nicht zu schmälern, empfiehlt sich die Verwendung von Haushaltshandschuhen bei Ernte und Verarbeitung.

Allen Zweiflern sei hiermit garantiert, dass gegarte Brennnesseln nicht mehr brennen. Die feinen Brennhaare samt der darin enthaltenen Ameisensäure werden beim Erhitzen vollkommen zerstört. Sie werden sich also nicht den Mund verbrennen.

Im Geschmack kommen besonders junge, frische Brennnesseln dem Spinat sehr nahe und können auch wie dieser zubereitet werden. Hier liegt ein Schlüssel zu ihrer Verwendung in der Küche. Sie können im Prinzip ein beliebiges Spinatrezept verwenden und den Spinat durch zarte, junge Brennnesseln ersetzen.

Brombeere (Rubus fruticosus)

Der Genuss von Brombeeren ist schon aus der jüngeren Steinzeit belegt. Doch nicht nur ihre kulinarischen Vorzüge waren den Menschen bereits sehr früh bekannt. Der römische Arzt Galenos verordnete Brombeeren gegen Zahnfleischbluten, mittelalterliche Ärzte setzten Blätter, Sprosse und Wurzeln gegen Durchfall ein.

Ebenfalls im Mittelalter anzusiedeln ist der Brauch, unter herabhängenden Zweigen durchzukriechen. So glaubte man, lästige Krankheiten loszuwerden und sich vor Dämonen zu schützen, die sich im Gestrüpp verheddern.

Bei der Ernte der Beeren sollte man Handschuhe tragen. Vermeiden Sie Brombeeren aus Bodennähe, da diese mit dem Fuchsbandwurm infiziert sein könnten, der beim Menschen zu schweren Leberschäden führen kann.

Merkmale und botanische Informationen: Wie die meisten unserer heimischen Obstarten gehört die Brombeere zur Familie der Rosengewächse (Rosaceae). Der oft wintergrüne, stachelige Strauch mit seinen drei bis fünfzählig gefiederten Blättern dürfte den meisten bekannt sein, da er auch überall an Wegrändern und Feldwegen wächst. Die wild wachsende Brombeere ist zudem eine ausgesprochen resistente und hartnäckige Pflanze. Wo sie sich einmal ausgebreitet hat, ist sie so schnell nicht mehr kleinzukriegen, da sie innerhalb weniger Wochen neue »Kabel« bildet. Für den Garten empfehlen sich daher dornenlose Kultursorten.

Blütezeit ist Mai bis Oktober. Die bei der Reife schwarz glänzende Frucht ist aus zahlreichen Steinfrüchten zusammengesetzt.

Verwechslungsmöglichkeiten: Brombeeren sind vor der Fruchtreife bestenfalls mit der Himbeere zu verwechseln, ein Versehen, das sicherlich nicht besonders tragisch ist.

Verwendung in der Küche: Der Geschmack der Blätter lässt sich durch eine sogenannte Fermentation verbessern, die man leicht selbst durchführen kann: Nach dem Abwelken werden die Blätter zwei bis drei Tage getrocknet, mit einem Nudelholz gewalkt und zerquetscht, dann etwas befeuchtet und in einem Tuch eingeknotet oder in einer Kunststofftüte zwei bis drei Tage an einem warmen Ort verwahrt. Dabei entwickelt sich ein rosenartiger Duft. Diese Blätter trocknet man und verwahrt sie in einer gut schließenden Blechdose auf. Der Tee kann wie Schwarztee zubereitet werden.

Die Früchte erntet man vom Sommer bis in den Herbst. Aus ihnen lassen sich köstliche Wildfruchtmarmeladen, Gelees, Saft, Liköre und Wein zubereiten. Sie schmecken als Kompott, Kuchenbelag und im Rumtopf.

Eberesche (Sorbus aucuparia)

Die Eberesche ist ein Baum der germanischen Mythologie und war dem Gewittergott Donar geweiht. Folgerichtig glaubte man bis ins Mittelalter, dass Zweige und Früchte, über der Türe befestigt, gegen Blitzschlag helfen sollen.

Der Name »Vogelbeerbaum« kommt auch nicht von ungefähr. Hierfür gibt es sogar gleich zwei Erklärungsmöglichkeiten. Früher dienten die Früchte als Lockmittel beim Vogelfang in Vogelschlingen (Amseln und Rebhühner). Die Beeren sind aber auch Hauptnahrungsmittel für eine Reihe von Zugvögeln, z. B. Drosseln, die einen Baum über Nacht vollständig plündern können.

Das Holz der Eberesche ist schön gemasert und eignet sich gut für Drechslerarbeiten.

Merkmale und botanische Informationen: Die Eberesche gehört zur großen Familie der Rosengewächse (Rosaceae). Wild wachsend ist sie ein Pioniergehölz auf Waldschlägen und an Straßenrändern. Sie wächst auch in lichten Laub- und Nadelwäldern.

Die Eberesche ist ein sommergrüner, bis zu 15 m hoher Baum. Die Rinde ist glatt, bei älteren Exemplaren jedoch schwarzgrau und rissig. Die am Rand scharf gesägten Blätter sind wechselständig und unpaarig gefiedert. Die Blüten erscheinen von Mai bis Juni in einer doldenartigen Rispe. Am markantesten sind die leuchtend roten, kugeligen Früchte, die ab September reifen. Man pflückt die Beeren frühestens ab Oktober. Am besten schmecken sie, wenn sie etwas Frost abbekommen haben.

Verwechslungsmöglichkeiten: Gelegentlich wird die Eberesche mit dem Speierling *(Sorbus domestica)* verwechselt. Bei diesem ist der Blütenstand jedoch nur eine sechs bis zwölfzählige Doldentraube. Die Verwechslung ist aber unbedenklich, da auch der Speierling zur Mostbereitung verwendet wird und damit genießbar ist.

Verwendung in der Küche: Die rohen Früchte sind giftig und können Durchfall oder Erbrechen hervorrufen. Ursache hierfür ist die schleimhautreizende Parasorbinsäure, die aber beim Kochen vollständig zerstört wird. Man kann die Früchte auch durch ein 24-stündiges Magermilchbad entbittern. Mit Äpfeln und Birnen gekocht, ergeben sie ein schmackhaftes Kompott, das besonders als Beilage zu Rehbraten hervorragend schmeckt.

Gänseblümchen *(Bellis perennis)*

Ovid schilderte die kleine Pflanze mit den Sternenblüten als Attribut der Venus, da sie in ihrer Jahreszeit erscheint. Von Plinius erhielt sie ihren Namen »bellis«, was hübsch oder schön bedeutet.

Im Volksglauben war das Gänseblümchen ursprünglich der germanischen Göttin Freya gewidmet, später, mit dem aufkommenden Christentum, wurde es dann der Jungfrau Maria zugeordnet. Nach einer alten Legende sind die Blüten Marias Tränen, die sie auf der Flucht nach Ägypten weinte. Gerne wird das Gänseblümchen auch als Sinnbild der Unschuld Marias abgebildet.

Merkmale und botanische Informationen: Das Gänseblümchen gehört zur Familie der Korbblüter (Asteraceae). Es ist sehr anspruchslos und wächst auf nahezu jedem Boden. Die Laubblätter sind klein, spatenförmig und rosettig angeordnet. Blütezeit ist von März bis Oktober. Die Blütenköpfchen selbst sind gelb und von einem Kranz weißer Zungenblüten umstanden, die unterseits leicht rötlich angehaucht sind. Nachts schließen sich die Blütenkörbchen, sie gehen sozusagen schlafen. Bei Sonnenlicht öffnen sie sich wieder.

Verwechslungsmöglichkeiten: Gänseblümchen sind so einmalig und allgemein bekannt, dass eine Verwechslung ausgeschlossen ist.

Verwendung in der Küche: Frische Blätter, die das ganze Jahr über geerntet werden können, sind Bestandteil einer Frühjahrskur mit frischen Wildkräutern.

Blüten und Blätter schmecken aber auch gedünstet als Gemüse oder roh als Beimischung in Salaten, Suppen, Kräutermixgetränken und Quarkspeisen. Die jungen, noch nicht behaarten Blütenknospen haben einen angenehmen, fast nussartigen Geschmack.

Knoblauchsrauke (Alliaria petiolata)

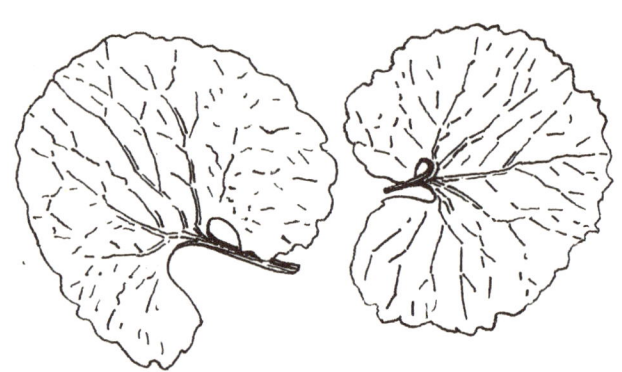

Die Knoblauchsrauke begegnet uns als eher unscheinbare Pflanze, die es aber in sich hat. Ökologisch gesehen, spielt sie insofern eine bedeutende Rolle, als sie Nahrungspflanze für die Raupen von Aurorafalter und Rapsweißling ist. Diese haben offenbar bereits frühzeitig erkannt, dass es sich bei der zarten, feinwürzigen Pflanze um eine Delikatesse handelt.

Merkmale und botanische Informationen: Die Knoblauchsrauke gehört zur Familie der Kreuzblüter (Brassicaceae), einer Familie, die es kulinarisch betrachtet in sich hat und durchweg Vertreter mit interessanten Aromen aufweist. Ihr entstammen sämtliche Kohlsorten, wie Grünkohl, Weißkohl, Rotkohl, Spitzkohl, Brokkoli und Blumenkohl, und auch Meerrettich und Raps gehören dazu. Weitere nahe Verwandte sind die Brunnen- und Gartenkresse.

Typisch für die Knoblauchsrauke ist der Knoblauchgeruch, wenn man das frische Kraut zwischen den Fingern zerreibt. Die Blätter sind herzförmig spitz. Der kantige, etwa 50 cm hohe Stängel ist unten behaart, die Grundblätter sind groß und nierenförmig. Die vielen kleinen weißen Kreuzblüten erscheinen von Mai bis Juli wie in einer Traube.

Die Knoblauchsrauke wächst bevorzugt im Halbschatten auf nährstoffreichen, frischen Böden.

Verwechslungsmöglichkeiten: Vom Äußeren her ist die Knoblauchsrauke bei oberflächlicher Betrachtung leicht mit Brennnesseln zu verwechseln. Der Test zur Unterscheidung liegt auf der Hand: Entweder es riecht nach Knoblauch oder es brennt.

Ebenfalls zu verwechseln ist sie mit dem Scharbockskraut *(Ranunculus ficaria)*, das leicht giftig ist, sobald es blüht. Im Frühjahr und Herbst könnte man die Knoblauchsrauke auch mit Gundermann *(Glechoma hederacea)* und Echter Nelkenwurz *(Geum urbanum)* verwechseln. Doch die beiden Pflanzen sind ungiftig und für den Verzehr geeignet, sodass keine Gefahr besteht.

Verwendung in der Küche: Wie der Name bereits verrät, riecht und schmeckt die Knoblauchsrauke nach Knoblauch. Die Blättchen können zum Aromatisieren und Verfeinern der verschiedensten Gerichte verwendet werden. Besonders zart und würzig schmecken sie, wenn man sie noch vor der Blüte sammelt.

Erntezeit ist April bis Juni. Gesammelt wird am besten vormittags. In einem verschlossenen Topf hält sich das Kraut über mehrere Tage frisch.

Wie beim Bärlauch dienen die Blätter als Würze in Füllungen und als Beigabe zu Salaten, Gemüse und Suppen sowie Soßen, z. B. auch zu Lammfleisch. Dazu werden die fein gehackten Blättchen mit Zwiebeln in Butter angedünstet, mit etwas Zucker gebräunt und mit Mehl bestäubt. Nun mit trockenem Rotwein ablöschen und mit Salz und Kräutern nach Belieben abschmecken.

Ebenfalls empfehlenswert sind die in Pfannkuchenteig ausgebackenen Blätter.

Fein gehackt mit Butter und Salz vermischt, erhält man eine passable Kräuterbutter. Das Mischungsverhältnis beträgt etwa 100 g der frischen Pflanze auf 100 g Butter.

Als Brotaufstrich empfiehlt sich eine Mischung aus Edelpilzkäse, Knoblauchsrauke, Käse, etwas steif geschlagener Sahne und Walnüssen.

Löwenzahn *(Taraxacum officinale)*

Für Hobbygärtner ist er zwar ein schier unausrottbares Unkraut, doch viele Menschen nutzen seine vielfältigen Anwendungsmöglichkeiten.

Löwenzahn ist eine Pflanze, die in jedem Fall einer ausführlicheren Würdigung bedarf. Insbesondere für Kinder ist sie wohl der Inbegriff der Blume schlechthin. Aus den Blüten werden gerne Kränze geflochten, und die Samenstände, besser bekannt als Pusteblume, sind den meisten ein Begriff. Löwenzahn ist übrigens nicht giftig und kann daher bedenkenlos kreativ verarbeitet werden. Die aus den hohlen Stängeln austretende Milch kann jedoch schwarze Flecken auf der Haut hinterlassen.

Die Popularität der Pflanze, die im Frühjahr überall zu finden ist, kommt auch darin zum Ausdruck, dass im gesamten deutschen Sprachgebiet über 500 Volksnamen bekannt sind, davon allein in der Schweiz 150.

Der französische Name »piss-on-lit« gibt in dramatischer Weise die harntreibende Wirkung wieder, der volkstümliche Name »Bettseicher« spielt auf die gleiche Eigenschaft an.

Merkmale und botanische Informationen: Löwenzahn gehört zur Familie der Korbblüter (Asteraceae) und ist ein bei uns heimisches, häufig vorkommendes Ackerunkraut. Er ist weltweit verbreitet und nahezu an jedem Standort anzutreffen, da er außerordentlich anpassungsfähig ist. Seinem Standort entsprechend, sieht er dabei in Anpassung an die unterschiedlichen Umweltbedingungen immer etwas anders aus: Mal sind die Blätter groß, mal klein, mal sind sie derb und mal zart.

Kaum eine Pflanze besiedelt dabei so viele verschiedene und ausgefallene Standorte, manchmal sehr zum Leidwesen der Gärtner. Doch nach Ausprobieren der folgenden Rezepte wird sich deren Leid hoffentlich ins Gegenteil kehren.

Typisch für Löwenzahn sind die sehr unterschiedlich gezähnten Blätter, die bereits im zeitigen Frühjahr als zarte Rosetten erscheinen. Die Knospen besitzen einen Kranz von abstehenden Blättchen. Aus den Blütenstängeln tritt nach dem Abbrechen ein weißer Milchsaft aus.

Verwechslungsmöglichkeiten: Verwechseln kann man Löwenzahn allenfalls mit dem Wiesenpippau *(Crepis biennis)*, der jedoch im Gegensatz zum Löwenzahn behaarte Blätter hat. Der Wiesenpippau ist übrigens ungiftig, sodass keine Gefahr besteht.

Verwendung in der Küche: In Frankreich hat sich Löwenzahn schon lange einen Namen als feines Blattgemüse gemacht, auch bei uns wird er mehr und mehr in Fachgeschäften angeboten.

Im zeitigen Frühjahr findet man die noch verschlossenen Löwenzahnknospen, die etwas beschwerlich zu sammeln sind, da sie noch tief im Herzen der Pflanze sitzen. Sie schmecken ähnlich wie Rosenkohl und werden nur kurz in heißer Butter geschwenkt und mit Salz, Pfeffer und Zitronensaft abgeschmeckt.

Für eine Hauptmahlzeit reichen pro Person etwa zwei Handvoll Knospen. Paniert und in heißem Fett, am besten in Erdnussöl, gebacken, ergeben sie eine schmackhafte Hauptmahlzeit. Die Knospen können auch wie Kapern in Essig eingelegt werden und schmecken gut zu Salat.

Auch die jungen, hellen Blätter lassen sich als Gemüse oder Salat zubereiten und sind Bestandteil von Suppen und Soßen. Wer den bitteren Geschmack nicht mag, kann die Blätter zuvor mit heißem Wasser blanchieren. Sollen sie als Salat verwendet werden, helfen auch Einlegen in kaltes Wasser und gründliches Abspülen, um den Bittergeschmack etwas abzumildern.

Löwenzahnblüten passen zu Salaten und lassen sich zu Gelees, Likören und Sirup verarbeiten. Legt man 30 g Blütenblätter in 0,5 l 38-prozentigen Korn ein und filtert ihn nach einer Woche ab, erhält man einen wunderbaren Löwenzahnschnaps. Blütensirup wird dagegen wie folgt hergestellt: 200 g Blütenzungen in 1 l Wasser kochen, absieben und die Flüssigkeit mit 1 kg Zucker zu Sirupdicke einkochen.

Der älteren Generation dürfte auch Löwenzahnkaffee noch ein Begriff sein, der besonders in der Zeit nach dem Zweiten Weltkrieg weitverbreitet war. Hierzu verwendet man die Wurzeln, die gut gewaschen und klein geschnitten an einer Leine aufgefädelt zum Trocknen aufgehängt werden. Eilige können sie auch im Backofen trocknen. Die getrockneten Wurzeln werden dann bei etwa 250 Grad für 10 bis 15 Minuten im Backofen geröstet und gemahlen als Kaffeeersatz verwendet. Man nimmt für eine Tasse einen Teelöffel voll.

Sauerampfer (Rumex acetosa)

Sauerampfer zählt zu den kulinarisch vielseitig einsetzbaren Pflanzen. Es ist eine der wenigen Wildpflanzen, die mancherorts auch heute noch einen festen Platz in der regionalen Küche einnimmt. Verschiedene Gartenformen für den Verzehr sollten in keinem Hausgarten fehlen.

Sauerampfer ist auch Bestandteil der berühmten »Frankfurter Grünen Soße«, die sich aus immerhin neun Wildgemüsesorten und Kräutern zusammensetzt: Sauerampfer, Pimpinelle, Kerbel, Schnittlauch, Petersilie, Dill, Borretsch, Brennnessel und Salbei. Selbstverständlich gibt es auch andere Mischungen, aber Sauerampfer darf auf keinen Fall fehlen.

Merkmale und botanische Informationen: Sauerampfer gehört zur Familie der Knöterichgewächse (Polygonaceae) und kommt in ganz Eurasien und Nordamerika vor. Er bildet dünne, stark verzweigte Pfahlwurzeln und Büschel mit dunklen, pfeilförmigen Blättern. Die Blätter sind dicklich, etwas fleischig und von stark saurem Geschmack.

Ab Mai erscheinen die rosa Blütenrispen. Die einzelnen Blüten sind unscheinbar grün und etwas rötlich überlaufen. Die Frucht ist dreikantig und auffallend rot.

Sauerampfer wächst häufig auf feuchten Wiesen, an Waldrändern und Gebüschen sowie in Gräben.

Verwechslungsmöglichkeiten: In Europa sind etwa 50 Rumexarten bekannt, die leicht verwechselt werden können. Viele schmecken ebenfalls säuerlich und können bedenkenlos verzehrt werden.

Verwendung in der Küche: Sauerampfer passt zu Frühlingssuppen und Salaten, zusammen mit Spinat kann er auch als Gemüse zubereitet werden. Am besten schmecken die Blätter übrigens in den Monaten März und April, wenn sie noch klein und zart sind und er noch nicht geblüht hat.

Vor allem in der französischen Küche wird Sauerampfer gerne verwendet, wo er eine lange Tradition als Frühlingsgemüse, Salat- und Suppenwürze hat.

Ebenfalls nicht wegzudenken ist der Sauerampfer aus der russischen Küche. In offenen Gläsern gestampft und eingekocht, lässt er sich monatelang aufbewahren und bereichert den Speisezettel im Winter mit Vitaminen.

Wer den sauren Geschmack nicht mag oder sehr viel Sauerampfer isst, sollte beim Kochen etwas Milch zugeben. Diese bindet die Oxalsäure und wandelt sie in eine unlösliche Form um.

Spitzwegerich *(Plantago lanceolata)*

Die Wegericharten haben im Mittelalter eine gewisse Berühmtheit erlangt und wurden zu allerlei Quacksalbereien missbraucht. Wollte man von einem Leiden erlöst werden, gleich welcher Art, musste man beispielsweise eine Wegerichpflanze, die an einem Kreuzweg gewachsen war, mit allen 77 Wurzeln ausgraben und zwölf Stunden auf dem Rücken tragen. Dann hatte man sich auf eine Brücke mit dem Gesicht gegen den Lauf des Wassers zu stellen und den Wegerich unter Aufsagen eines Spruchs dort hineinzuwerfen, aber ohne sich umzudrehen. Hatte man den richtigen Spruch gewählt, so verschwand die Erkrankung, hatte man den falschen Spruch gewählt, musste man die Prozedur noch einmal wiederholen. Man darf mutmaßen, dass bis zum Eintreten der Wunderheilung der behandelnde Kräuterkundige in aller Ruhe das Weite suchen konnte – Vorauszahlung inbegriffen.

Merkmale und botanische Informationen: Der zur Familie der Wegerichgewächse (Plantaginaceae) gehörende, mehrjährige, bis zu 30 cm hohe Spitzwegerich ist überall anzutreffen. Bevorzugt wächst er auf Fettwiesen, Rasenflächen und an Wegrändern. Er bildet eine Rosette mit lanzettförmigen Blättern, auf denen die drei bis sieben Blattadern deutlich hervortreten. Die Blätter sind ganzrandig oder weisen vereinzelt Zähne auf. Die walzenförmige Blütenähre ist bräunlich und wird von hellen Staubgefäßen überragt.

Verwechslungsmöglichkeiten: Spitzwegerich wird häufig mit den beiden anderen bei uns heimischen Wegericharten verwechselt, dem Mittleren Wegerich *(Plantago media)* und dem Großen Wegerich *(Plantago major)*. Ersterer hat breitere, zähere und hellere Blätter sowie längliche und rosafarbene Blütenstände. Der Große Wegerich besitzt ovale und gestielte Blätter und wächst auf verfestigten Böden. Die Blütenähren sind bei ihm lang, linealwalzlich und von grüner Farbe. Beide Arten werden auch als Heilpflanze genutzt und sind essbar.

Verwendung in der Küche: Die jungen Blätter werden zu Wildgemüse, Salaten und Kräuterquark verarbeitet. Die Bitterkeit kann man mildern, wenn man sie für etwa 15 Minuten in warmes Wasser einlegt.

Spitzwegerich muss schnell getrocknet werden. Sollte er sich beim Trocknen schwarz verfärben, ist er wertlos.

Waldmeister *(Galium odoratum)*

Volksheilkundlich betrachtet, ist der Waldmeister eine eher unbedeutende Pflanze, und die mittelalterlichen Kräuterbuchautoren berichten nur wenig über ihn.

So ist nur zu erfahren, dass ein getrocknetes Waldmeistersträußchen im Zimmer aufgehängt Unholde und böse Geister fernhält. Eine praktischere Anwendung scheint aber die zu sein, das Sträußchen mit etwas Honigklee im Kleiderschrank aufzubewahren und das Ungeziefer und vor allem die Motten zu verscheuchen.

Der Waldmeister ist eher jedem Kind als glibberige Süßspeise ein Begriff. Die Intensität der Grünfärbung von »Wackelpudding« ist aber sicherlich nicht auf die Pflanze allein zurückzuführen.

Merkmale und botanische Informationen: Waldmeister gehört zur Familie der Rötegewächse (Rubiaceae). Er wird etwa 10 bis 30 cm hoch und hat vierkantige, aufrechte Stängel, an denen sechs bis acht stiellose, lanzettliche Blätter quirlförmig angeordnet sind. Er wächst bevorzugt in schattigen Wäldern, besonders in Buchenwäldern. Blütezeit ist April bis Mai. Typisch ist der beim Zerreiben der Blätter frei werdende Waldmeistergeruch.

Verwechslungsmöglichkeiten: Verwechselt werden kann der Waldmeister allenfalls mit einigen Labkrautarten. Der bereits oben erwähnte typische Waldmeistergeruch dient der Unterscheidung.

Verwendung in der Küche: Berühmt ist die Waldmeister- oder Maibowle. Hierzu genügt es, ein kleines Sträußchen der Pflanze in 2 l Weißwein zu hängen, und zwar so, dass die Schnittstellen nicht vom Wein bedeckt werden. Dieses Rezept ist uralt und bereits aus dem Jahr 854 überliefert. Für die Bowle werden ausschließlich Pflanzen verwendet, die kurz

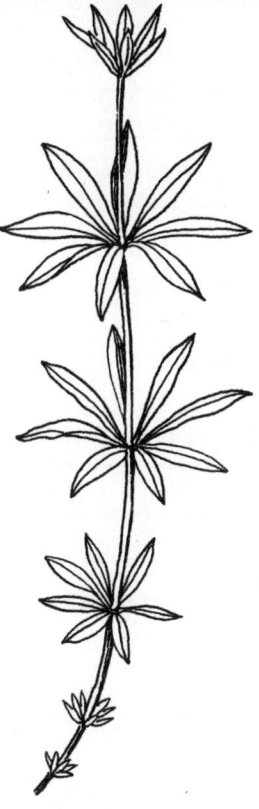

Kulinarische Schädlingsbekämpfung

Auch andere Wildkräuter schmecken gut. Giersch z. B. – auch Baumtropf, Geißfuß oder Zipperleinskraut genannt. Viele Gartenbesitzer zucken schon zusammen, wenn sie nur einen dieser Namen hören. Seit ich mich mit Gärten befasse, werde ich gefragt, was man gegen dieses hartnäckige Beikraut tun kann. Giersch entspringt einem stark wuchernden Rhizom, das stets neue Triebe nach oben schickt. Das Schlimmste, was man tun kann, ist harken. Dann vermehrt er sich explosionsartig. »Einfach aufessen«, habe ich jeweils salopp geantwortet. Schließlich wurde Giersch im Mittelalter als Gemüse sowie als Heilpflanze gegen Gicht angebaut und hat einen angenehm milden Petersiliengeschmack. Über längere Zeit eingenommen, entgifte er den Körper, las ich in einem Heilpflanzenbuch. »So ersparen Sie sich weitere Frühjahrskuren!«, ermutigte ich also jeden, der mit dieser Pflanze ein »Problem« hatte.

vor der Blüte stehen. Damit die Blättchen ihr volles Aroma entfalten können, lässt man das Sträußchen etwas anwelken, bevor es in die Bowle gehängt wird. Statt 2 l Wein kann man auch eine Flasche Weißwein und eine Flasche Sekt verwenden. Zucker wird nach Belieben zugesetzt. Man lässt alles mindestens eine Stunde ziehen.

Waldmeister ist außerdem Bestandteil verschiedener Kräutertees und verleiht Süßspeisen eine pfiffige Geschmacksnote.

3 Gemüse und Salat aus dem eigenen Garten

Lohnt sich das wirklich?

Sicherlich drängt sich vielen die Frage auf, ob der Anbau von Gemüse im eigenen Garten sich wirklich lohnt, in Anbetracht der Auswahl auf den Märkten und den oft sehr niedrigen Preisen für frisches Obst und Gemüse. Doch ist der Anbau von eigenem Obst, Salat und Gemüse weitaus rentabler, als allgemein angenommen. Eine Studie an der Landwirtschaftskammer Hannover hat gezeigt, dass ein Sechspersonenhaushalt mit 65-prozentiger Selbstversorgung aus dem eigenen Garten etwa 800,– Euro im Jahr durch den Gemüseanbau im eigenen Garten sparen kann. Hierfür müssen lediglich 60 Arbeitsstunden investiert werden.

Doch sind wir uns ja auch einig, dass nicht nur der ökonomische Aspekt im Vordergrund steht. Geld sparen und vielleicht sogar mit Überschüssen etwas dazuzuverdienen ist das eine, der Gesundheitswert von frischem Obst und Gemüse mit Herkunftsgarantie das andere. Salat und Gemüse frisch aus dem eigenen Garten haben einen höheren Gehalt an Mineralstoffen und Vitaminen als gekaufte Ware, vorausgesetzt, der Boden stellt der Pflanze alle wichtigen Nährstoffe zur Verfügung.

Entscheidend ist auch, dass wir selbst den Zeitpunkt der Ernte bestimmen können. Sprich: Der optimale Erntezeitpunkt und die sofortige Verarbeitung garantieren das Maximum an Geschmack und wertvollen Inhaltsstoffen – und es gibt keine Verluste durch lange Transportwege und damit verbundene Lagerzeiten. Gemüse und besonders Obst werden oft in unreifem Zustand geerntet. Es reift dann in Kisten oder Lagerhäusern nach, und das ohne den Einfluss von Licht, Luft und Wärme. Dies hat einen deutlichen Effekt auf den Geschmack, wie jeder weiß, der in Gewächshäusern gezogene Tomaten – die oft fast grün geerntet werden – vergleicht mit in der Sonne ausgereiften und frisch gepflückten.

Was spricht für eigenes Gemüse?

- Kontrolle über den Boden und die Nährstoffzufuhr
- Bestimmung des optimalen Erntezeitpunkts
- Bedarfsgerechte Ernte
- Garantie, dass keine chemischen Substanzen zum Einsatz gekommen sind
- Freie Sortenwahl, jeder kann seine Lieblingssorten anbauen oder mit neuen experimentieren
- Ernte nach Bedarf
- Geldersparnis

Exkurs: Nitrat in Salat und Gemüse

Wieso ist es von Bedeutung, den Erntezeitpunkt selbst zu bestimmen? Zum einen natürlich, um den Zeitpunkt zu wählen, an dem der Gehalt an gesundheitsfördernden Inhaltsstoffen und der Geschmack optimal sind, zum anderen aber auch, um den Gehalt an Nitraten so gering wie möglich zu halten. Wie das?

Pflanzen decken ihren Stickstoffbedarf in Form von Nitrat, das mithilfe von Bodenbakterien aus über Düngemittel zugeführten Stickstoffverbindungen gebildet wird. Stickstoff kann also von den Pflanzen nur in Form von Nitrat aufgenommen und weiterverwertet werden. Überdüngte Pflanzen nehmen mehr Nitrat auf, als sie verarbeiten können. Es wird in den Zellen eingelagert und kann unsere Gesundheit schädigen, denn im Magen-Darm-

Trakt können krebserregende Nitrosamine entstehen. Wie viel davon in der Pflanze eingelagert wird, hängt zum einen ab von der zugeführten Menge an Dünger, zum anderen aber auch davon, wie die Pflanze es weiterverarbeitet. Besonders Kopfsalat, Möhren, Rauke, Rote Bete und Spinat lagern viele Nitrate in ihren Zellen ein.

Die oberste Regel: Maßvoll düngen, erst recht im Herbst und Frühjahr. Ein Zuviel, besonders an Stickstoff, führt zu einer Schwächung der Pflanze. Sie wächst zu schnell, und das weiche Gewebe kann Schädlingen und Krankheiten nicht mehr viel entgegensetzen.

Eine entscheidende Rolle im Nitratstoffwechsel der Pflanze spielt das Licht. In der Nacht nehmen die Pflanzen über die Wurzeln Nitrat auf und setzen es im Laufe des Tages unter Lichteinfluss in Eiweißverbindungen um. Pflanzen können das aufgenommene Nitrat also nur verarbeiten, wenn sie ausreichend Sonnenlicht erhalten. Kopfsalat beispielsweise hat im Sommer, wenn er genügend Licht erhält, einen Nitratgehalt von 1000 bis 2000 mg/kg, im Herbst und Winter, bei deutlich weniger Lichteinwirkung, steigt der Nitratgehalt auf über 3000 mg/kg an.

Wie kann man einen hohen Nitratgehalt vermeiden?

- Es ist ratsam, die letzten Tage vor der Ernte jede Düngung einzustellen, am besten schon drei bis vier Wochen vorher.
- Ein guter Erntezeitpunkt ist an sonnigen Tagen um die Mittagszeit, noch besser am Abend.
- Will man Salat oder Gemüse nicht über Nacht im Kühlschrank aufbewahren, sondern frisch verzehren, kann man am Vorabend der Ernte – beispielsweise bei Roter Bete, Möhren oder Kopfsalat – die Erde leicht mit der Grabegabel anheben. Dabei reißen die feinen Faserwurzeln, und über Nacht wird kein weiteres Nitrat aufgenommen.

Vorüberlegungen und Planung

Die Auswahl an Gemüsesorten und Salaten ist riesig, doch welche braucht man und welche sollte man für den Anbau im Garten in Erwägung ziehen?

Natürlich ist erst einmal die eigene Vorliebe für bestimmte Gemüsesorten entscheidend. Hinzu kommen noch die Gegebenheiten vor Ort. Einen sonnigen Platz mag man noch finden, und auch den Boden kann man mit etwas Geschick so verbessern, dass Gemüse optimal gedeihen kann. Das Klima jedoch lässt sich nur wenig beeinflussen. In kalten Hochlagen der Mittelgebirge etwa lassen sich nur schwer Artischocken kultivieren, in regenreichen Gegenden müssen Tomaten und Paprika unbedingt unter einem durchsichtigen Dach gehalten werden.

In meinem Fall habe ich erst einmal überlegt, welche Gemüsearten ich am häufigsten in der Küche benötige. Der nächste Schritt war die Überlegung, wie aufwendig deren Kultur ist und ob sich der Eigenanbau wirklich lohnt. Ein weiterer Aspekt, der bei den Vorüberlegungen zu berücksichtigen ist, ist die Lagerbarkeit. Möhren beispielsweise kann man in größeren Mengen anbauen, da man sie problemlos in Erdmieten oder Sandkisten über einen längeren Zeitraum hinweg lagern kann. Den Anbau von Gemüsesorten, die für den Frischverzehr bestimmt sind, muss ich sorgfältig planen. Pflanzen, deren Ernte in Schüben ansteht, etwa Erbsen oder Dicke Bohnen, müssen auch dann jedes Mal verarbeitet werden. Gemüse, das schnell welkt oder fault, wie Tomaten- oder Paprika oder die leicht zu ziehenden, ertragreichen Zucchini, müssen haltbar gemacht werden. Kräuter gehören übrigens auch in diese Kategorie.

Es ist also ein gut durchdachtes Konzept gefordert, am besten in Form eines Anbauplans über die gesamte Gartensaison hinweg. Man muss schon ein wenig tüfteln, doch unter den drei Aspekten »Lieblingsgemüse, Bedarf und Kulturaufwand« kommt man schnell zu einem plausiblen Ergebnis. Ein bisschen Übung gehört dazu, aber von Saison zu Saison stellt sich mehr Planungssicherheit ein.

Mein Tipp ist es, sich am Anfang auf wenige Arten zu spezialisieren. Die Verlockung, alles im Garten haben zu wollen, ist groß, doch führt das schnell dazu, sich zu verzetteln und mit zu vielen Unwägbarkeiten kämpfen zu müssen. Idealerweise wählt man Pflanzen mit ähnlichen Ansprüchen, sodass man sich zu Beginn mit wenig Aufwand an einer reichen Ernte erfreuen kann. Die Vielfalt stellt sich im Laufe der Zeit von allein ein, sobald man mit den Grundlagen auf sicheren Füßen steht.

Es macht in jedem Fall Spaß, ein wenig zu tüfteln und zu planen, und wir haben ja nicht den Anspruch eines landwirtschaftlichen Betriebs, der nur unter dem Gesichtspunkt der Wirtschaftlichkeit plant (siehe hierzu auch Seite 20ff.).

Multikulti im Kochtopf

Darüber hinaus sollte man die Kombinationsmöglichkeiten, die Fruchtfolgen der einzelnen Arten, nicht außer Acht lassen und zu den unverzichtbaren Gemüsesorten das Passende setzen – meist schmecken diese Kombinationen sogar ausgezeichnet miteinander in einer Salatschüssel oder im Eintopf.

Gemüseart	Gute Nachbarn	Schlechte Nachbarn
Bohnen	Bohnenkraut, Gurken, Kartoffeln, Mais, Mangold, Radieschen, Rettich, Rote Bete, Salate, Sellerie, Spinat, Tomaten	Erbsen, Knoblauch, Lauch Knollenfenchel, Zwiebeln
Erbsen	Gurken, Knollenfenchel, Kohlarten, Kohlrabi, Kopfsalat, Mais, Möhren, Radieschen, Rettich, Zucchini	Bohnen, Kartoffeln, Knoblauch, Lauch, Tomaten, Zwiebeln
Gurken	Bohnen, Dill, Erbsen, Knoblauch, Kohlarten, Kopfsalat, Lauch, Rote Bete, Sellerie, Zwiebeln	Kartoffeln, Radieschen, Rettich, Tomaten
Knollenfenchel	Chicorée, Endiviensalat, Erbsen, Kopfsalat, Pflücksalat	Bohnen, Tomaten
Kohlarten	Bohnen, Dill, Endivien, Erbsen, Feld-, Pflück- und Kopfsalat, Gurken, Mangold, Radicchio, Radieschen, Rettich, Rote Bete, Sellerie, Spinat, Tomaten	Knoblauch, Lauch, Zwiebeln
Kohlrabi	Erbsen, Kartoffeln, Kopfsalat, Lauch, Radieschen, Rettich, Rote Bete, Schwarzwurzeln, Sellerie, Spinat	Chinakohl

Gemüseart	Gute Nachbarn	Schlechte Nachbarn
Kopfsalat und andere Salate	Erbsen, Gurken, Kohlarten, Kohlrabi, Knollenfenchel, Möhren, Pastinaken, Radieschen, Rettich, Schwarzwurzeln, Tomaten, Zwiebeln	Petersilie, Sellerie
Lauch	Endivien, Feldsalat, Gurken, Kohlrabi, Möhren, Radicchio, Schwarzwurzeln, Sellerie, Tomaten	Bohnen, Chinakohl, Erbsen, Kohlarten, Rote Bete
Möhren	Chicorée, Erbsen, Knoblauch, Kopf- und Pflücksalat, Lauch, Mangold, Radieschen, Rettich, Schwarzwurzeln, Tomaten, Zwiebeln	
Rote Bete	Bohnen, Gurken, Knoblauch, Kohlrabi, Pflücksalat, Zucchini, Zwiebeln	Kartoffeln, Lauch, Mais
Sellerie	Bohnen, Gurken, Kohlarten, Kohlrabi, Lauch, Spinat, Tomaten	Kartoffeln, Mais, Salat
Spinat	Bohnen, Kartoffeln, Kohlarten, Kohlrabi, Radieschen, Rettich, Sellerie, Tomaten	
Tomaten	Bohnen, Chicorée, Kopfsalat, Knoblauch, Lauch, Mais, Möhren, Petersilie, Radieschen, Rettich, Sellerie, Spinat, Zwiebeln	Erbsen, Gurken, Kartoffeln, Knollenfenchel
Zwiebeln	Feldsalat, Gurken, Kopfsalat, Möhren, Rote Bete, Tomaten, Zucchini	Bohnen, Erbsen, Kohlarten, Radieschen, Rettich

Auf den Inhalt kommt es an

Ein weiterer Gesichtspunkt für die Planung des eigenen Gemüsegartens sind natürlich auch die in den Pflanzen enthaltenen wertvollen Inhaltsstoffe, um sich mit allen lebensnotwendigen Vitaminen und Mineralstoffen abzudecken. Hierfür empfehle ich das Studium von Nährwerttabellen der »Deutschen Gesellschaft für Ernährung« oder anderen einschlägigen Werken, denen Sie den Gehalt der wichtigsten bioaktiven Substanzen entnehmen können. Besteht beispielsweise ein erhöhter Bedarf an Folsäure, werden Sie lesen, dass der höchste Folsäuregehalt im Grünkohl zu finden ist.

Grundsätzlich gilt: Abwechslung auf dem Tisch und frisches Obst und Gemüse höchster Qualität plus die richtige Zubereitungsmethode garantieren allein schon eine vollwertige Versorgung mit allen notwendigen Vitaminen, Mineralien, Spurenelementen und bioaktiven Substanzen – und sie bieten darüber hinaus auch schier unbegrenzte Möglichkeiten, appetitliche und abwechslungsreiche Mahlzeiten auf den Tisch zu zaubern.

Gemüse schonend zubereiten

Das beste Gemüse wird wertlos, wenn man es endlos kocht oder zu lange im Kühlschrank liegen lässt. Es sollte grundsätzlich klar sein, dass die meisten Vitamine und Inhaltsstoffe beim Kochen verloren gehen. Andere zersetzen sich, wenn sie mit Luft in Berührung kommen, oder werden durch Wasser ausgewaschen, z. B. die wasserlöslichen Vitamine C und B. Dampfgaren ist eine schonende Art der Zubereitung, aber noch besser ist es, Gemüse im eigenen Saft zu schmoren. Dazu gebe ich das Gemüse mit einem Esslöffel Pflanzenöl in eine Pfanne, verschließe diese mit einem Deckel und erhitze alles unter regelmäßigem Schwenken, der Deckel bleibt geschlossen. Nach kurzer Zeit beginnt das Gemüse zu schwitzen, der dabei entstehende Wasserdampf reicht aus, alles knackig zu garen. Das dauert je nach Gemüse nur wenige bis höchstens zehn Minuten. Erst dann kommen Salz und Gewürze hinzu. Auf diese Art bleiben die Geschmacks- und Inhaltsstoffe optimal enthalten, das Öl hilft dem Körper, fettlösliche Substanzen, wie die Vitamine A, D, E und K, aufzunehmen.

Exkurs: Klimawandel im Garten

Der Klimawandel macht natürlich nicht vor unseren Gärten halt. Dies muss nicht zwangsläufig den Untergang der Welt bedeuten, manchem Gärtner eröffnet es völlig neue Möglichkeiten, beispielsweise den Anbau von kälteempfindlichen Gemüsesorten, wie Artischocken oder Auberginen. Da Gemüsegärten von Jahr zu Jahr geplant werden und es möglich ist, flexibel zu reagieren, besteht also keine Gefahr für Leib und Leben. Das gilt auch für Schädlinge und Krankheiten, die bisher eher selten bei uns anzutreffen waren, jetzt aber immer häufiger in heimischen Gefilden auftauchen. Auch zur Bekämpfung dieser liegen Erfahrungswerte vor, das erste Erstaunen wird also schnell einem besonnenen Handeln weichen können. Anders ist die Situation natürlich in der Forstwirtschaft oder im Erwerbslandbau. Hier muss man oft Jahre, ja Jahrzehnte im Voraus planen.

Fakten zum Klimawandel

In den letzten 100 Jahren stieg die Jahresdurchschnittstemperatur in Deutschland um 0,9 °C an, was sich in milderen Wintern und heißeren Sommern äußert. Prognosen gehen von einem weiteren Anstieg um 1,4 bis 5,8 °C im nächsten Jahrhundert aus.

Die Winterniederschläge nahmen in den letzten 30 Jahren um ein Viertel zu. Aufgrund höherer Temperaturen wird es mehr regnen und weniger schneien. In einem etwa 100 km breiten Korridor von Brandenburg bis zum Weserbergland sind sogar überwiegend niederschlagsärmere Winter zu erwarten. Die Prognosen beziehen sich auf die Jahre 2010 bis 2039.

Die Sommermonate hingegen werden in den meisten Regionen heißer und trockener. Besonders betroffen sind die Mittelgebirge und Nordostdeutschland, für die Klimaforscher etwa 20 Prozent geringere Niederschlagsmengen vorhersagen. Lediglich in einigen Regionen wie dem Sauerland und dem Bayerischen Wald ist mit einer leichten Zunahme der sommerlichen Niederschläge zu rechnen.

Was jetzt bereits spürbar ist: Starke Schwankungen zwischen Hitze, Trockenheit und Kälte sowie extreme Wetterlagen werden zunehmen. Dadurch kommt es zu vermehrten Starkregenereignissen, Stürmen und Gewittern.

Die Klimazonen verschieben sich allmählich gen Norden, in Deutschland bis zu 100 km. Im Süden wird es zunehmend mediterraner, es gibt bereits jetzt Prognosen, dass im Bodenseegebiet in Zukunft Oliven gedeihen und angebaut werden. Das bedeutet: Heiße Sommer mit Trockenperioden und milde, regenreiche Winter nehmen zu. In Südeuropa breitet sich dagegen das Wüstenklima aus. Dort sind die Niederschlagsmengen in manchen Gebieten bereits jetzt um die Hälfte zurückgegangen. Die Gewinner der Veränderung befinden sich im jetzt eher unwirtlichen Norden, der sich dann eines gemäßigten, angenehmen Klimas erfreuen darf, wie wir es heute aus Süddeutschland kennen.

Welche Arten und Sorten?

Bei der Sortenwahl empfehle ich zunächst einmal, mit den klassischen Gartensorten zu beginnen. Natürlich ist es verlockend, allerlei exotische Gemüse und Salate auszuprobieren, doch ist deren Kultur bisweilen mit mehr Aufwand verbunden, und der Erfolg nicht immer überzeugend. Bei der Wahl der Sorten spielt auch die Resistenz bzw. Toleranz gegenüber Krankheiten und Schädlingen eine Rolle (siehe auch Seite 61). So lässt sich im Vorfeld viel Stress mit möglichen Konkurrenten im Garten vermeiden.

Ein weiteres Entscheidungskriterium ist die Herkunft des Saatguts sowie die Wahl von Pflanzen, die selbst wieder fruchtbare Samen produzieren.

Wichtig: biologisches Saatgut

Achten Sie beim Erwerb von Saatgut darauf, dass es sich um Biosaatgut handelt. Was bedeutet das? Bei zertifiziertem Biosaatgut können Sie sicher sein, dass es nicht mit Insektiziden oder Herbiziden belastet ist, da beim

Anbau der Mutterpflanzen auf deren Einsatz verzichtet wurde. Auch stammt es nicht von gentechnisch manipulierten Pflanzen. Anbau, Düngung und Schädlingsbekämpfung erfolgen rein nach den Gesichtspunkten des biologischen Gartenbaus. Weil die Produktion des Saatguts in aller Regel ausschließlich in Europa erfolgt, sind die Sorten auch gut an hiesige Verhältnisse angepasst.

Was ist Hybridzucht?

Hybriden sind Kreuzungen zwischen unterschiedlichen, nahe verwandten Arten, die vielfach nur verringert fortpflanzungsfähig sind, also unfruchtbare Samen produzieren und bestenfalls vegetativ vermehrt werden können. Hybridbildung ist insbesondere in der Pflanzenzüchtung von Bedeutung, da genetische Merkmale sich vermischen und neue, positive Eigenschaften auftreten können. Maßgeblich hierfür ist der Heterosis-Effekt. Von diesem spricht man, wenn bestimmte Merkmale der ersten Filialgeneration (F1) günstiger ausgeprägt sind als die der Elterngeneration. Hybriden sind meist besonders vital und widerstandsfähig.

Hierzu werden in der Hybridzucht reinerbige Inzuchtlinien als Elterngeneration verwendet. Die entstehenden Linienhybriden bilden die erste Filialgeneration (F1-Generation). Sie werden als F1-Hybriden bezeichnet und sind genetisch uniform.

Die Verwendung von Hybriden hat für uns aber den Nachteil, dass deren Nachkommen deutlich an Fitness verlieren. Beim Anbau von aus Hybriden erzeugtem Saatgut kommt es meist zu Ertragsreduktionen.

Planung für den Wechselanbau von Gemüse

1. Schritt: Erstellen Sie eine Liste Ihrer Lieblingsgemüse und solcher, die von Ihnen und Ihrer Familie am häufigsten verbraucht werden.
2. Schritt: Rechnen Sie die Mengen hoch, die Sie für ein Jahr benötigen, und rechnen Sie aus, wie viel dieses nach den gängigen Marktpreisen kosten würde.
3. Schritt: Überlegen Sie, wie viel Zeit die Kultur der Gemüse beanspruchen würde, und wägen Sie den Aufwand und Investitionen (Saatgut etc.) ab.
4. Schritt: Prüfen Sie die Gegebenheiten vor Ort und welche Gemüse die besten Voraussetzungen finden.
5. Schritt: Planen Sie nach den Kriterien Nährstoffbedarf, Fruchtfolge, Saat und Erntetermine, Kulturdauer, Mischkultur.

Doch wesentlich wichtiger ist es, dass Sie keine Hybriden großziehen, sondern samenfeste Sorten, die Samen produzieren, die Sie für die Weitervermehrung verwenden können. Hybriden produzieren in der Regel keine Samen oder solche, die sich nicht für die weitere Kultur der Sorte eignen oder unfruchtbar sind. Dies bedeutet, dass Sie Jahr für Jahr neues Saatgut kaufen müssen.

Achten Sie beim Kauf der Sämereien auf die Zertifizierung nach folgenden Richtlinien: EU-Bio, Bioland, Demeter, Knospe (Schweiz), Agriculture Biologique (Frankreich).

Aussaatkalender

Gemüseart	Anzucht/ Vorkultur	Aussaat ins Freiland	Keimdauer in Tagen	Ernte
Artischocke	Mitte März bis Mitte April	Mitte Mai bis Anfang Juni	15–20	Anfang August bis Mitte September
Blumenkohl	Mitte März bis Ende Juni	Mitte April bis Ende Juli	8–12	Mitte Juni bis Ende Oktober
Brokkoli	Mitte März bis Ende Juni	Mitte April bis Ende Juli	8–12	Mitte Juni bis Ende Oktober
Buschbohnen	–	Mitte Mai bis Ende Juni	8–10	Mitte Juli bis Mitte September
Chicorée	–	Anfang Mai bis Anfang Juni	6–18	Anfang Oktober bis Anfang November

Gemüseart	Anzucht/ Vorkultur	Aussaat ins Freiland	Keimdauer in Tagen	Ernte
Chinakohl	Juli bis August	Mitte Juli bis Mitte August	6–8	Mitte September bis Mitte November
Dicke Bohnen	–	Mitte März bis Ende April	8–14	Anfang Juni bis Ende Juli
Endivien	Anfang Mai bis Mitte Juli	Mitte Juni bis Mitte Juli	8–10	Mitte Sept. bis Mitte November
Feldsalat	Anfang Juni bis Anfang September	Mitte Juni bis Mitte August	10–12	Mitte August bis Mitte Oktober
Fenchel	Anfang März bis Anfang Juli	Mitte Juni bis Mitte Juli	14–21	Mitte November bis Ende März
Feuerbohnen	–	Mitte Mai bis Mitte Juni	8–10	Mitte Juli bis Mitte Oktober
Frühlingszwiebeln und Schalotten	–	Mitte Februar bis Mitte April	12–15	Juli bis Ende August
Grünkohl	Anfang Mai bis Anfang Juni	Ende Juni bis Anfang August	6–8	Mitte Oktober bis Ende Dezember
Gurken (Freiland)	Mitte April bis Mitte Mai	Mitte Mai bis Mitte Juni	10–12	Mitte Juli bis Mitte September
Gurken (Gewächshaus)	–	Februar bis Mai	10–12	Juni bis September
Kaiserschoten	–	Mitte März bis Ende April	8–14	Mitte Juni bis Mitte Juli
Knollensellerie	Anfang März bis Ende April	Anfang Juni bis Ende Juni	15–20	Mitte August bis Ende November

Gemüseart	Anzucht/ Vorkultur	Aussaat ins Freiland	Keimdauer in Tagen	Ernte
Kohlrabi	Anfang April bis Mitte Juni	Anfang Mai bis Mitte Juli	5–8	Mitte Juli bis Ende September
Kopfsalate	Anfang März bis Mitte Juli	Mitte April bis Mitte August	6–10	Mitte April bis Mitte September
Kürbis	Mitte April bis Mitte Mai	Mitte Mai bis Mitte Juni	8–12	Mitte Juli bis Mitte September
Mairübchen	–	Anfang März bis Ende April	8–14	Anfang Juni bis Ende Juni
Mangold	–	April bis Mai	10–12	Mitte Juni bis Mitte Oktober
Möhren/ Karotten	–	Mitte März bis Mitte Juni	20	Anfang Juli bis Ende Oktober
Mark- und Zuckererbsen	–	April bis Mai	8–10	Juli bis August
Pak Choi	–	Anfang Juli bis Mitte August	6–10	Anfang September bis Mitte November
Paprika	Anfang Februar bis Mitte März	Mitte Mai bis Mitte Juni	8–10	Mitte Juli bis Ende Oktober
Pastinake	–	Mitte März bis Ende Mai	20	Mitte September bis Mitte November
Pflücksalate	–	Mitte März bis Mitte August	6–10	Mitte Mai bis Mitte September

Gemüseart	Anzucht/ Vorkultur	Aussaat ins Freiland	Keim- dauer in Tagen	Ernte
Porree	Anfang März bis Mitte Mai	Anfang Mai bis Ende Juni	15–20	Mitte September bis Ende September
Radicchio	–	Mitte Juli bis Mitte August	10–14	Mitte Dezember bis Mitte Februar
Radieschen	–	Anfang März bis Mitte August	8–10	Mitte April bis Mitte September
Rettich	–	Anfang März bis Ende August	8–10	Mitte Mai bis Ende Oktober
Rosenkohl	Anfang April bis Ende Mai	Mitte Mai bis Mitte Juli	5–8	Mitte Oktober bis Ende Dezember
Rote Bete	Mitte März bis Mitte Juni	Mitte April bis Ende Juni	10–12	Mitte August bis Ende Oktober
Rotkohl	Anfang März bis Mitte Mai	Ende April bis Ende Mai	5–8	Mitte Juni bis Mitte November
Schalerbsen	–	März bis Mai	8–10	Juli bis August
Schwarz- wurzel	–	Anfang März bis Ende April	15	Anfang Okober bis Ende Nov.
Spargel	–	Mitte April	10–15	Mitte April bis Mitte Juni
Spinat	–	März bis Mitte April, Mitte August bis Mitte September	10–14	März, Mai bis Juni, Oktober

Gemüseart	Anzucht/ Vorkultur	Aussaat ins Freiland	Keimdauer in Tagen	Ernte
Stangenbohnen	–	Mitte Mai bis Mitte Juni	8–10	Mitte Juli bis Mitte Oktober
Staudensellerie	Anfang März bis Ende April	Anfang Juni bis Ende Juni	15–20	Mitte August bis Ende November
Tomaten	Mitte März bis Ende April	Mitte Mai bis Mitte Juni	10–15	Mitte Juli bis Mitte Oktober
Weißkohl	Anfang März bis Mitte Mai	Ende April bis Ende Mai	5–8	Mitte Juni bis Mitte November
Wirsing	Anfang März bis Mitte Mai	Ende April bis Ende Mai	5–8	Mitte Juni bis Mitte November
Zucchini	Mitte April bis Mitte Mai	Anfang Mai bis Ende Juni	5–8	Mitte Juli bis Mitte September
Zwiebeln (Herbstsaat)	–	September bis Mitte Oktober	12–15	Juli bis August
Zwiebeln (Steckzwiebeln)	–	Anfang März bis Ende April	14–20	Mitte Juli bis Ende September

Die wichtigsten Salate

Chicorée

Chicorée *(Cichorium intybus var. foliosum)* ist ein wertvoller Wintersalat, der in der kalten Jahreszeit gesunde Vitamine und Mineralien liefert. Er gedeiht an sonnigen und halbschattigen Standorten in fast allen Böden. Die Aussaat erfolgt ab Mitte Mai 1 cm tief mit 15 bis 20 cm Abstand in der Reihe. Der Reihenabstand beträgt 40 cm. Nach der Keimung entwickeln sich grüne Laubschöpfe, die an Löwenzahn erinnern. Sie haben rübenartige Wurzeln. Aufkeimendes Unkraut muss gejätet werden, die Pflanzen dürfen nicht austrocknen. Die Ernte erfolgt nach 18 bis 22 Wochen – je nach Witterung – im Oktober oder November. Die Wurzeln werden ausgegraben und mitsamt dem Laub einige Tage auf dem Beet liegen gelassen. Sie sollen etwas abtrocknen und die letzten Nährstoffe aus den Blättern ziehen. Nach etwa einer Woche werden sie für die Treiberei zugerichtet. Dazu schneidet man die Blätter 3 bis 4 cm über den Rüben ab und pflanzt die Wurzeln senkrecht mit der Triebspitze nach oben in ausreichend tiefe Töpfe mit Sand oder Erde. Die Töpfe werden stockdunkel bei einer Temperatur zwischen 12 und 18 °C aufgestellt. Nach etwa sechs Wochen können die gebleichten, zapfenförmigen Chicoréetriebe geerntet werden. Im Kühlschrank halten sich geerntete Köpfe einige Tage. Sie müssen aber stets dunkel lagern, da sie unter Einfluss von Licht vergrünen und bitter werden.

In der Mischkultur haben sich Kopfsalat, Möhre und Fenchel als gute Pflanzpartner erwiesen.

Endiviensalat

Einer der beliebtesten Spätsommer- und Herbstsalate ist die Endivie *(Cichorium endiva)*. Die etwas derben, je nach Sorte mehr oder weniger gekrausten Blätter haben einen leicht bitteren Geschmack und sind sehr gesund. Durch Bleichen kann man die Bitterstoffe reduzieren. Moderne Züchtungen sind selbstbleichend und schmecken angenehm mild. Endiviensalat wird in der Regel erst Ende Juni ausgesät. Moderne, schoßfeste Sorten eignen sich auch für die Aussaat im Frühjahr. Die Pflanze braucht einen sonnigen bis halbschattigen, geschützten Standort in lockerem, durchlässigem, humosem Boden. Die Aussaat erfolgt 1 cm tief direkt ins Freiland in Reihen mit 25 bis 45 cm Abstand. Die Keimung findet relativ rasch statt. Während des Wachstums dürfen die Pflanzen nicht austrocknen. Bei konventionellen Sorten bindet man die Köpfe etwa zehn Tage vor der Ernte zusammen, um sie zu bleichen. Bei modernen Sorten ist dies nicht mehr nötig. Schon während des Wachstums können immer wieder einzelne äußere Blätter geerntet werden. Die Haupternte beginnt im September. Dazu werden die Köpfe mit einem scharfen Messer dicht über dem Wurzelhals abgeschnitten. Je nach Witterung und Sorte kann bis in den Dezember hinein nach Bedarf vom Beet geerntet werden, da Endiviensalat bedingt frosthart ist und einige Minusgrade verträgt. Droht strenger Frost, können die Pflanzen mitsamt den Wurzeln ausgegraben und in Kisten mit feuchtem Sand eingeschlagen werden. Die Köpfe bleiben dabei aber frei von Sand. Zur Mischkultur eignen sich Bohnen, Lauch, Fenchel, Kopfsalat und Kohlarten als Pflanzpartner. Weil er erst im Juni ausgesät wird, ist Endiviensalat eine ideale Nachkultur.

Feldsalat

Viel einfacher geht es nicht als mit dem Feldsalat *(Valerianella locusta)*. Lediglich allzu schwere Böden sollten unbedingt bearbeitet werden. Die Aussaat beginnt Anfang August und geht bis Mitte September mit einem

Reihenabstand von 15 cm. Nach dem Auflaufen auf ca. 15 cm verziehen. Geringe Fröste werden gut vertragen, decken Sie aber vor dem Winter unbedingt mit Vlies, Reisig oder Ähnlichem ab. Meist werden Reihen gesät. Beim Ernten werden immer die ganzen Rosetten abgeschnitten. Geerntet wird von Mitte November bis Ende März. Ernten Sie im Frühling zügig, ehe sich die ersten Blüten blicken lassen.

Man kennt diesen Salat auch unter dem märchenhaften Namen »Rapunzel«. Er hat den höchsten Vitamin-C-Gehalt aller Salate und ist daher unverzichtbar für uns zur Überbrückung des Winters.

Kopfsalat

Frühe Aussaaten von Kopfsalat (*Lactuca sativa*) erfolgen ab Anfang März in einer Keimbox auf der Fensterbank oder in einem gut gepflegten Mistbeet; hat sich der Boden erwärmt, ist eine Freilandaussaat möglich.

Beim Auspflanzen von Jungpflanzen (Mitte April bis Mitte August) müssen sich die Blätter über dem Boden befinden, damit sich richtige Köpfe entwickeln können. Der Reihenabstand ist 25 cm, der Pflanzenabstand sollte 30 cm betragen. In der Mischkultur sind Buschbohnen, Erbsen, Fenchel, Gurken, Kohl, Möhren, Porree, Radieschen, Rote Bete, Schwarzwurzeln, Tomaten und Zwiebeln gute Nachbarn. Petersilie und Sellerie in der Nachbarschaft sind nicht geeignet.

Achten Sie auf gute Pflanzenhygiene, denn faulende Blätter leisten Pilzkrankheiten Vorschub. Ein Offenhalten des Bodens durch Hacken verringert ebenfalls Ausfälle. Schnecken sind das größte Problem, aber auch hungrige Vögel richten vor allem im Frühling zuweilen Schäden an. Salat ist ein Mittel- bis Schwachzehrer.

Durch das Pflanzen in Lochfolie bzw. Abdecken des Bodens mit Folie erwärmt sich das Erdreich und spornt das Wachstum an – das Ergebnis ist eine schnellere Ernte. Früh gesäter Salat entwickelt sich etwas langsamer als Saatsalat, der in wärmeren Boden kommt. Säen Sie gestaffelte Partien ungefähr in einem Zweiwochenrhythmus aus, damit immer Nachschub da ist. Von Natur aus streckt sich der Kopfsalat, wenn er das Blattrosettenstadium überstanden hat; man spricht vom »Schießen« – sicher können dann noch die Blätter gegessen werden; weit besser schmeckt aber der Kopf, wenn das Salatherz noch zart inmitten der äußeren Blätter steckt.

Pflücksalat

Die Kultur von Pflücksalat ähnelt ebenfalls der von Kopfsalat. Die zahlreichen unterschiedlich geformten und gefärbten Pflücksalatsorten bilden allerdings keine Köpfe – daher werden sie in Reihen ausgesät, bei denen die Pflanzen dicht an dicht stehen. Der Reihenabstand beträgt 15 cm. Gesät wird ab Mitte März bis Mitte August, ernten können Sie von Mitte Mai bis Mitte September.

Man kann die Pflücksalate bei ausgewachsenen Blättern zur Ernte abschneiden – wobei man allerdings die Basis der Pflanze erhalten sollte, damit sie noch einmal austreibt und ein zweites oder sogar ein drittes Mal eine Ernte ermöglicht. Etwas dauerhafter hat man eine kontinuierliche Ernte, wenn man stets nur die Außenblätter der Pflanzen abpflückt, daher auch der Name. Die Ausbeute ist zwar mit einem Erntegang geringer, dafür hat man allerdings nachhaltig knackiges Grün in der Schüssel.

Zuckerhutsalat

Der auch Fleischkraut genannte Zuckerhutsalat *(Cichorium intybus var. foliosum)* ist eng mit dem Chicorée verwandt und wie dieser ein wichtiges Blattgemüse für »frischen« Salat in den Wintermonaten, da er bis −4 °C kälteresistent ist und sich nach der Ernte gut einlagern lässt. Seinen Namen verdankt er der Wuchsform, denn er schmeckt eher bitter als süß. Die schlanken, festen Köpfe werden etwa 40 cm hoch und 2 kg schwer. Zuckerhutsalat ist relativ anspruchslos und wächst auf fast allen Böden in Sonne und Halbschatten. Ausgesät wird er erst Ende Juni 1 cm tief in Reihen mit einem Abstand von 30 cm. Der Reihenabstand beträgt 35 cm. Während des Wachstums dürfen die Pflanzen nicht austrocknen. Die Kulturdauer beträgt 10 bis 14 Wochen. Geerntet werden kann ab Ende September bis in den Winter hinein. Am besten holt man im Herbst jeweils nur so viel vom Beet, wie man frisch verbrauchen kann. Erst wenn strenge Fröste drohen, sollte der restliche Bestand mit den Wurzeln geerntet und im Frühbeet oder in einem kühlen Keller eingelagert werden. Die Wurzeln werden in feuchten Sand eingeschlagen, aber die Köpfe müssen herausschauen.

Zur Mischkultur eignen sich Salat, Bohnen, Spinat und Kohlarten als Pflanzpartner. Durch die späte Aussaat ist der Zuckerhutsalat eine ideale Nachkultur.

Weitere Salate

Sehr ähnlich in der Kultur wie Kopfsalat, aber etwas fester im Blatt ist der immer beliebter werdende Eisberg- oder Krachsalat. Er hat das große Plus, dass er sich besser lagern lässt und länger hält als der übliche Kopfsalat.

Der herzhaftere Geschmack von Radicchio und seine rote Farbe sind an sich bereits etwas Besonderes. Bedecken Sie die Pflanzen im Winter mit etwas Reisig oder Vlies. Haben Sie eine Sorte erwischt, die bereits im Herbst Köpfe bildet, schneiden Sie diese nicht zu tief ab – so bilden sich im darauffolgenden Frühling an der Basis neue kleine Köpfe.

Die Kultur von Radicchio ähnelt im Großen und Ganzen der von Kopfsalat; lediglich die Pflanzen können etwas dichter gesetzt werden. Gesät wird von Mitte Juli bis Mitte August.

Die wichtigsten Gemüsesorten

Mangold

Die Aussaat von Mangold *(Beta vulgaris)* erfolgt von Anfang April bis Ende Mai, der Reihenabstand ist 30 cm. Nach dem Auflaufen verzieht man auf gut

25 cm. Mangold ist noch einfacher zu ziehen als Spinat, da er im ersten Standjahr nicht zur Blüte kommt. Man erntet von Mitte Juni bis Mitte Oktober immer die äußeren Blätter; das Herz der Pflanze bleibt stehen und treibt den ganzen Sommer über neues Laub. In den meisten Wintern ist der Mangold hart genug, dass er stehen bleiben kann und im Frühling frische Blätter treibt.

Gute Nachbarn im Beet sind Buschbohnen, Kohl, Möhren, Radieschen und Salat.

Spinat

Spinat (*Spinacia oleracea*) ist eine unkomplizierte Gemüseart, die in fast allen Böden gut gedeiht. Es gibt zwei Saattermine im Jahr: im Frühjahr von Anfang März bis Mitte April und später im Herbst von Mitte August bis Mitte September. Der Reihenabstand beträgt 20 cm. Verziehen Sie die Saat nach dem Auflaufen auf etwa 15 cm.

Spinat ist eine sehr typische sogenannte Langtagpflanze. Das bedeutet, dass er mit zunehmender Tageslänge Blüten bildet – und ab dann als Gemüse nicht mehr taugt. Säen Sie Spinat also so aus, dass er Anfang Juni geerntet werden kann und dann erst wieder im Herbst. Zuerst werden die äußeren Blätter geerntet, später kann die verbliebene restliche Pflanze abgeschnitten werden. Entfernen Sie die Wurzelreste sehr gründlich von den Beeten.

Spinat kann (mit etwas Schutz) sogar überwintert werden und verheißt dann eine Ernte ab dem zeitigen Frühling. Als Salat und auch gedünstet schmeckt er vorzüglich. Gute Nachbarn im Spinatbeet sind Buschbohnen, Kohl, Möhren, Radieschen und Tomaten.

Kohlgewächse

Wohl kaum eine Pflanzengattung ist so vielseitig wie der Kohl. Auch, wenn sie sich noch so sehr unterscheiden – sie alle fußen auf einer einzigen Wildkohlart, die recht unscheinbar wirkt.

Kohl ist ein wahres Multitalent, und im Laufe der Jahrhunderte haben findige Gärtner unterschiedliche Formen selektiert. Zum einen machen die opulenten dicken kugeligen Köpfe von Weiß- und Rotkohl sowie der mächtige Wirsing wirklich Eindruck. Darüber hinaus sind die lockeren Schöpfe von Chinakohl und Pak Choi ebenfalls eine leckere und leichtere Alternative. Sehr viel lockerer wächst der gestielte Grünkohl, dessen Blattrosette länger gestreckt ist. Bei Kohlrabi – weiß oder violett – ist der Stiel an der Basis zu einer Art Knolle verdickt, die gegessen wird. Blumenkohl und Brokkoli haben stark vergrößerte und gestauchte Blütenstände – bei ihnen genießt man die kleinen Knospen an den dicken Trägerstielen. Am Stiel entlang ordnen sich die kleinen Rosetten des Rosenkohls an; hier handelt es sich um gestauchte Seitentriebe, die aussehen wie Miniatur-Kohlköpfchen.

Bei jeder Gemüseart sollte man vermeiden, die gleiche Kultur mehrmals hintereinander anzubauen – bei Kohl ist das ein absolutes Muss. Eine sehr gefährliche Krankheit, die Kohlhernie, tritt besonders nach einer zu schnellen Neupflanzung von Kohl nach Kohl auf. Sie lässt die Pflanzen sehr stark kümmern und letzten Endes absterben. Frühestens vier Jahre nach einem Anbau von Kohl darf sich die Kultur an diesem Platz wiederholen – vorausgesetzt, eine Gründüngung mit Schmetterlingsblütlern ging dem voraus. Weitere flankierende Maßnahmen, um den Befall gering zu halten, sind ein guter Wasserabzug und ein stetes Offenhalten des Bodens sowie ein pH-Wert im neutralen Bereich, also über dem Wert 7. Kalken Sie daher kritische Böden vor dem Pflanzen von Kohl. Neben Kohl sind auch Senf, Radieschen und Rettich stark gefährdet.

Ein tierischer Schädling ist die Kohlfliege – ihre Larven setzen mit ihrem ungeheuren Appetit den Pflanzen sehr stark zu. Meist befallen sie ab Frühsommer die Basis der Stiele und fressen sich von außen nach innen. Auch in diesem Fall ist die Ernte dahin, da den Pflanzen jede Vitalität verloren gegangen ist. Ein zuverlässiger und einfacher Schutz gegen die Fliegen, die ihre Eier an den Pflanzen ablegen, ist ein feines Fliegennetz, das es im Handel gibt.

Blumenkohl

Im Großen und Ganzen gleicht die Kultur von Blumenkohl der von Brokkoli. Die Vorkultur im Mistbeet oder auf der Fensterbank kann ab Mitte März beginnen, ins Freiland säen kann man bis Ende Juni. Pflanztermine sind Mitte April bis Ende Juli, und geerntet wird ab Mitte Juni bis Ende Oktober. Der Reihenabstand beträgt 50 cm, der Abstand zwischen den Pflanzen 70 cm.

Blumenkohl braucht genauso viel Wasser und Nahrung, ist aber etwas wärmebedürftiger und noch mehr als Brokkoli auf eine kontinuierliche Wasserversorgung angewiesen. Will man besonders weiße Blumenkohlköpfe ernten, deckt man mit den großen Außenblättern die kleinen Blütenstände ab, wenn sie gerade erkennbar sind. Genauso wie Kohlrabi und Brokkoli sollte auch Blumenkohl durch feine Netze bereits ab Mai vor der Kohlfliege geschützt werden, damit sie keine Eier und daraus schlüpfenden Larven an den Pflanzen platzieren kann. Ernten Sie das Gemüse vor dem ersten Frosteinbruch.

Gute Nachbarn im Beet sind Buschbohnen, Endivien, Erbsen, Porree, Rote Bete, Salat, Sellerie, Spinat und Tomaten, ungünstig sind Knoblauch, Rhabarber, Schnittlauch und Zwiebeln.

Brokkoli

Bei diesem leckeren Gemüse lohnt sich eine aufmerksame Vorkultur. Frühe Sätze sollten am Fensterbrett nicht nur auflaufen, sondern anschließend auch in kleinen Töpfen weiterkultiviert werden. Ausgesät wird hier ab Mitte März, ins Freiland kann bis Ende Juni gesät werden. In einem geschützten frostfreien Mistbeet ist das ebenso möglich.

Pflanzen, die wenig vital oder sogar krank aussehen, müssen streng ausgesondert werden. Ab Mitte April bis Ende Juli dürfen die Pflanzen dann ins Beet. Der Reihenabstand ist 45 cm, der Pflanzabstand beträgt 45 cm. Der ideale Boden sollte nicht zu leicht und nicht zu schwer sein und reichlich organische Substanz enthalten. Die Versorgung mit Wasser und Nährstoffen muss kontinuierlich gewährleistet sein. So erhält man besonders wohlschmeckende Exemplare.

Geerntet werden die gestauchten Blütenstände (Mitte Juni bis Ende Oktober), wenn die Knospen bereits gut sichtbar, aber noch nicht geöffnet sind. Zeigen sich die ersten gelben Blüten, ist es bereits zu spät für die Ernte.

Gute Nachbarn im Beet sind Buschbohnen, Endivien, Erbsen, Porree, Rote Bete, Salat, Sellerie, Spinat und Tomaten sind ungünstig, Knoblauch, Rhabarber, Schnittlauch und Zwiebeln.

Chinakohl

Chinakohl wird von Mitte Juli bis Mitte August direkt ins Freiland gesät und nach dem Aufgehen auf etwa 30 cm verzogen. Der Reihenabstand beträgt 40 cm. Wie bei fast allen Gemüsesorten ist ein ausreichendes Wässern der Reihen erforderlich, auch hat Chinakohl einen hohen Nährstoffbedarf.

Die Erntezeit kann sich getrost lange hinziehen; erst ab Temperaturen unter ca. −5 °C sollten die Pflanzen komplett mit den Wurzeln abgeerntet, in Papier eingewickelt und dicht an dicht aufrecht und kühl gelagert werden.

Ein früherer Saattermin würde die Pflanzen zur Blüte anregen und ist nicht ratsam. Gerade im gemüsearmen Winter ist Chinakohl roh wie auch in gedünsteter Form eine echte Bereicherung an Frischkost aus dem eigenen Garten.

Gute Nachbarn sind Buschbohnen, Endivien, Erbsen, Porree, Rote Bete, Salat, Sellerie, Spinat, Tomaten, weniger geeignet für eine Vergesellschaftung sind Knoblauch, Rhabarber, Schnittlauch und Zwiebeln.

Grünkohl

Vielleicht ist Grünkohl die unkomplizierteste Gemüseart überhaupt; sicher gehört sie zu den spätesten Gemüsesorten im Garten. Ähnlich wie beim Rosenkohl ist die Vorkultur völlig unproblematisch. Selbst Aussaaten von Anfang Mai bis Anfang Juni direkt ins Freiland in Reihen, die später entsprechend verzogen werden müssen, sind möglich. Halten Sie die Abstände im Fall der Direktaussaat dann deutlich kleiner – etwa die Hälfte der unten angegebenen Werte reicht aus.

Gepflanzt ins Freiland wird von Ende Juni bis Anfang August. Der endgültige Reihenabstand sollte 60 cm, der Pflanzabstand 50 cm betragen. Ist das Blattwerk hinreichend geschlossen, wird sich auch das Unkraut nur noch wenig blicken lassen. Auch hinsichtlich des Bodens ist Grünkohl nicht wählerisch, wenngleich er, wie alle Kohlarten, einen reich gedeckten Tisch an Nährstoffen bevorzugt und dann besonders reiche Ernten liefert. Selbst an halbschattigen Plätzen findet er noch ausreichend Kraft für viele Blätter. Eine späte Ernte von Oktober bis Dezember ist aufgrund seiner Frosthärte kein Problem. Wer nach und nach von unten die ausgewachsenen Blätter abnimmt, kann sich auf Dacapos im Laufe des Winters freuen. Eines aber mag diese Wunderpflanze bei aller Pflegeleichtigkeit gar nicht: Trockenheit. Auch Grünkohl muss im Falle des Falles aufmerksam gewässert werden.

Gute Nachbarn sind Buschbohnen, Endivien, Erbsen, Porree, Rote Bete, Salat, Sellerie, Spinat, Tomaten, ungünstig sind Knoblauch, Rhabarber, Schnittlauch und Zwiebeln.

Kohlrabi

Kohlrabi braucht leichte, aber dennoch humusreiche Böden, die sich schnell erwärmen. Achten Sie bei Trockenheit unbedingt auf eine ausgeglichene Wasserversorgung, sonst können selbst junge Knollen verholzen. Kompost, der im Frühling kurz vor der Pflanzung ausgebracht wird, liefert ausreichend Nährstoffe und sorgt für eine gute Wasserhaltefähigkeit. Anders als bei den meisten anderen Pflanzen, die Knollen bilden, verdickt sich der Stiel über der Erde und nicht darunter. Ist es eine Weile kalt, treibt die Knolle Blüten und ist dann leider nicht mehr genießbar. Die meisten Sorten werden bei einem Durchmesser von etwa 8 cm geerntet – so kann man sichergehen, auch zartes Gemüse, das reich an Vitaminen und Mineralstoffen ist, zu bekommen. Kohlrabi wird oft von Kohlfliegen befallen; ein Bedecken durch Netze ist darum ratsam.

Wem die Vorkultur zu aufwendig ist, der kann sich – wie bei allen anderen Gemüsearten auch – passend zur Pflanzzeit junge Pflanzen besorgen. Gepflanzt wird Anfang Mai bis Mitte Juli, die Ernte beginnt im Juli und reicht bis September. Ungefährer Platzbedarf: Reihenabstand 30 cm, Pflanzenabstand 25 cm.

Gute Nachbarn sind Buschbohnen, Erbsen, Porree, Radieschen, Rote Bete, Salat, Schwarzwurzeln, Sellerie, Spinat und Tomaten.

Pak Choi

Die Kultur von Pak Choi ähnelt der von Chinakohl, benötigt aber mehr Wärme zum optimalen Gedeihen. Ausgesät wird von Juli bis August in Abständen von 30 cm, der Reihenabstand beträgt 35 cm. Die Pflanzen haben einen hohen Nährstoffbedarf und wachsen rasch heran. Sie sollten jung, jedoch nach spätestens knapp zwei Monaten geerntet werden. Leichte Fröste werden vertragen.

Eine vorzüglich, rasch wachsende Ergänzung im späten Gemüsebeet! Besonders die kleinen Köpfe schmecken gegart ausgezeichnet und können wie Mangold oder Spinat verwendet werden. Außerdem ist Pak Choi im Wok zubereitet eine Köstlichkeit.

Rosenkohl

Ein nährstoffreicher Boden, etwa verbesserter Lehm, ist zwar ideal, Rosenkohl nimmt aber auch mit leichteren Böden vorlieb, wenn sie nur ein wenig Humus aufweisen. Die Anzucht von Rosenkohl ist problemlos; selbst die Vorkultur gelingt leicht, weil man die Saatgefäße auch im geschützten Freiland aufstellen kann und so wenig Mühe mit den Licht- und Temperaturbedingungen hat. Gesät wird von Anfang April (Vorkultur) bis Ende Mai.

Der Reihenabstand beträgt 60 cm, der Pflanzabstand sollte 50 cm betragen. Einige Sorten wachsen recht hoch – stützen Sie sie durch einen Bambusstab rechtzeitig ab. Sobald die Röschen etwa 3 cm dick sind, können sie direkt vom Stiel abgenommen werden; stets wird unten am Stiel begonnen. Lose oder welke Röschen werden sofort abgenommen und vernichtet, damit sie die nachfolgenden Ernten nicht beeinträchtigen. Geerntet wird von Oktober bis Dezember. Im späten Herbst kappt man die Spitze der Pflanze. So treibt sie nicht weiter nach oben aus, sondern steckt ihre gesamte Kraft in die Ausbildung der bereits angelegten Röschen.

Rosenkohl ist ein typisches Wintergemüse, das nicht nur Durchschnittswinter übersteht; Frosteinwirkung verbessert sogar den Geschmack der kleinen Sprossen. Das liegt daran, dass leichte Fröste einen Teil der Stärke des Gewebes in Zucker umwandeln.

Gute Nachbarn im Beet sind Buschbohnen, Endivien, Erbsen, Porree, Rote Bete, Salat, Sellerie, Spinat, Tomaten, ungünstig sind Knoblauch, Rhabarber, Schnittlauch und Zwiebeln.

Weißkohl, Rotkohl und Wirsing

Die Kulturansprüche dieser drei Kohlarten sind weitgehend identisch. Frühe Sätze können ab Anfang März im Mistbeet oder an der kühlen Fensterbank vorgezogen werden. Härten Sie die Pflanzen vor dem Aussetzen ab Ende April ins Beet unbedingt ab. Ausgeglichene Bodenfeuchte und reichliche Nährstoffe sind die wichtigsten Voraussetzungen für weiteres gutes Gedeihen. Auch brauchen sie etwas Platz: Der Reihenabstand beträgt 45 cm, der Pflanzenabstand 45 cm, bei Wirsing etwa 5 bis 10 cm mehr.

Neben den üblichen Düngern wird auch gut abgelagerter Stallmist bestens vertragen. Bereiten Sie den Boden vor dem Pflanzen für diesen grünen oder rötlichen Vielfraß mit 50 g Dünger pro m² vor, drei Wochen später geben Sie die gleiche Menge hinzu, und zu Beginn der Kopfbildung erfolgt eine letzte, um ein Fünftel schwächere Düngung. Nach der Ernte (Mitte Juni bis November) muss der Stiel mit allen Wurzelresten unverzüglich aus dem Boden entfernt und via Mülltonne entsorgt werden – so hält sich die gefürchtete Kohlhernie in Grenzen.

Frühe Sätze lassen sich schlecht lagern – späte Sätze hingegen halten sich in kühlen Mieten oder Kellern ausgezeichnet. Als Vorkultur eignen sich Schmetterlingsblütler wie Bohnen oder Erbsen hervorragend. Sie lagern Stickstoff im Wurzelbereich an, der die nachfolgenden Kulturen sehr gut mit Nährstoffen versorgt. Gerade Starkzehrer wie Kohl profitieren davon. Späte Sätze vertragen sogar leichte Fröste bis etwa −5°C; fallen die Temperaturen darunter, sollte man schleunigst die letzten Köpfe ernten und kühl, aber frostfrei lagern.

Kohl lässt sich gut mit Buschbohnen, Endivien, Erbsen, Porree, Rote Bete, Salat, Sellerie, Spinat, Tomaten (nicht bei Rotkohl!) vergesellschaften, schlechte Nachbarn sind Knoblauch, Rhabarber, Schnittlauch und Zwiebeln.

Hülsenfrüchte

Was wäre unsere Küche ohne die vielfältigen Vertreter der Hülsenfrüchte? Die Palette dieser Gemüse reicht von der deftigen Dicken Bohne bis hin zur feinen Kaiserschote. Hülsenfrüchte sind ausgesprochen ertragreich; einige von ihnen liefern einen einmaligen immensen Ernteschub im Frühsommer, bei anderen zieht sich die Reifezeit der Früchte über Wochen hin. Bei fast allen Hülsenfrüchten gilt: Wer früh erntet und laufend die Ernten fortführt, regt eine weitere reiche Ernte besonders stark an.

Die Samen der ausgereiften Markerbsen und entsprechenden Bohnenarten können getrocknet aufgehoben werden. Und wer einer Bohnenschwemme bei voller Tiefkühltruhe Herr werden möchte, weckt sie ein und stellt die Gläser in den kühlen, dunklen Keller. Schon immer ließen sich Hülsenfrüchte sehr gut vorrätig halten und gehörten auch deswegen zu den wichtigsten Kulturpflanzen überhaupt.

Buschbohnen

Am besten wachsen Buschbohnen in eher leichten Böden; lehmhaltiger Grund sollte durch Sand oder Kompost erleichtert werden. Wichtig ist dabei, dass sich der Boden rasch erwärmt, denn Bohnen lieben eher hohe Temperaturen. Gesät werden sie darum erst von Mitte Mai bis Ende Juni, wenn die Eisheiligen vorbei sind, also wenn sich dauerhaft eine warme Witterung durchgesetzt hat. Ausgesät wird in kleinen Tuffs zu drei bis fünf Körnern.

Ähnlich wie die Erbsen werden die Buschbohnen ein wenig angehäufelt, damit sie nicht wegkippen. Achten Sie gerade bei leichten Böden unbedingt darauf, dass die Pflanzen gut mit Wasser versorgt werden. Stehen sie zu trocken, werden die Blüten abgestoßen und bilden demzufolge keine Bohnen – die Ernte stockt und fällt gering aus. Der Reihenabstand soll 40 cm betragen, der Pflanzabstand ca. 25 cm. Läuft alles gut, tragen Buschbohnen viele Wochen hindurch. Je kleiner sie sind, desto zarter und delikater schmecken sie.

Gute Nachbarn sind Bohnenkraut, Gurken, Kohl, Radieschen, Rettich, Rote Bete, Salat, Sellerie, Spinat, Tomaten, ungünstig sind Erbsen, Fenchel, Knoblauch, Porree, Schnittlauch und Zwiebeln.

Dicke Bohnen

Dicke Bohnen, man nennt sie auch Puffbohnen, gehören zu den unkompliziertesten Hülsenfrüchten überhaupt. Sie brauchen lediglich einen nährstoffreichen, nicht allzu leichten Boden. Sandböden werden daher vor der Aussaat gründlich mit Kompost angereichert. Da sie auch halbschattige Standorte tolerieren, eignen sich Dicke Bohnen bestens für Randbereiche im Gemüsegarten. Robust sind sie auch hinsichtlich der Temperaturen – sie vertragen leichte Fröste bis etwa –6 °C. Aus diesem Grund steht einer frühen Aussaat ab Mitte März bis Ende April auch nichts im Wege. Die Pflanzen sind so kompakt, dass sie ohne Stützen und Rankhilfen auskommen. Der Reihenabstand sollte aber 60 cm betragen. Da qualitativ hochwertiges Saatgut sicher keimt, reicht es aus, etwa alle 8 bis 10 cm ein Saatkorn zu legen. Schützen Sie aber unbedingt die Körner und jungen Pflanzen vor Vögeln und Schnecken.

Dicke Bohnen werden erst geerntet, wenn sie voll ausgereift sind. Das ist von Anfang Juni bis Ende Juli der Fall. Die Hülsen sind nicht genießbar.

Erbsen

Erbsen werden von Mitte März bis Ende Mai möglichst während einer einigermaßen milden Phase gesät und kommen ca. 4 bis 5 cm tief in die Erde. Der Reihenabstand beträgt etwa 50 cm. Verziehen Sie die Pflanzen auf einen Abstand von rund 5 cm. Am besten gedeihen sie in leichten Böden, wenn sie nur genug Wasser bekommen. Man stützt sie durch einen gespannten, feinen, etwa meterhohen Maschendraht oder mithilfe von Reisig, das zwischen die Pflanzen gesteckt wird. Eine weitere Maßnahme zum Stabilisieren ist das Anhäufeln mit Erde, wenn die Pflanzen etwa 10 cm hoch gewachsen sind. Wer den ganzen Sommer über frische Erbsen ernten möchte, sollte mehrere Staffeln in Wochenrhythmen aussäen; immerhin ist das bis Ende Mai möglich. Außerdem gibt es Sorten mit unterschiedlichen Reifeterminen. Wer früh mit dem Ernten – etwa ab Mitte Juni – beginnt und »durchpflückt«, also alle zwei, drei Tage nacherntet, hat die größte Ernte. Junge Erbsen sind für feine Speisen ideal; ausgereifte Samen sind Grundlagen für herzhafte Eintöpfe.

Gute Nachbarn im Beet sind Fenchel, Gurken, Kohl, Möhren, Salat, Sellerie, Radieschen und Zucchini, ungünstig sind Bohnen, Knoblauch, Tomaten und Zwiebeln.

Feuerbohnen

Haben Sie Stellen im Garten, die den Anbau von Stangenbohnen erschweren, weil die Witterungsbedingungen zu rau sind, sollten Sie sich doch einmal für die Feuerbohnen interessieren. Sie tolerieren kühlere Sommer ebenso wie schwerere Böden. Davon abgesehen, haben sie die gleichen Ansprüche wie Stangenbohnen – auch sie klettern rasant in die Höhe. Ihren Namen haben Feuerbohnen von den auffälligen roten Blüten, die weithin leuchten.

Die Früchte der Feuerbohnen sind die festesten und derbsten aller Gartenbohnen, die mit Hülsen gegessen werden können. Natürlich sind die kleinen Hülsen ebenfalls sehr zart und für feine Gerichte ideal. Reife Hülsen haben eine raue Schale (man nennt sie mancherorts auch »Wollbohnen«) und werden besonders gerne als Schnippelbohnen-Eintopf zubereitet. Und wer den rechten Erntetermin für die Hülsen verpasst hat, kann sich an den Bohnenkernen schadlos halten. Einem herzhaften Bohneneintopf im Herbst kann schließlich niemand widerstehen.

Stangenbohnen

Stangenbohnen haben einen ähnlichen Anspruch an den Boden wie ihre buschigeren Kollegen. Auch diese Klettermaxen lieben warme Füße. Die Pflanzen brauchen eine geregelte Versorgung mit Wasser und Dünger – kein Wunder, schließlich produzieren sie eine enorme Blatt-, Blüten- und Früchtemenge. Ins Freiland dürfen die Bohnen erst, wenn sich Luft und Boden frühsommerlich dauerhaft erwärmt haben, also frühestens Mitte Mai. Wer besonders früh Stangenbohnen ernten möchte, zieht die Pflanzen tuffweise in Töpfen vor. Ansonsten beginnt die Ernte Mitte Juli und erstreckt sich bis Mitte Oktober.

Stangenbohnen brauchen eine gut 2 m hohe Stütze, an deren Fuß sie zu dritt bis fünft gesät werden. Drei oder vier Stangen werden dazu wie ein überstrecktes Wigwam angeordnet. Genauso gebräuchlich ist eine Reihung von jeweils zwei Stangen, die sich erst im oberen Sechstel überkreuzen. Die einzelnen Stangenduos werden durch eine oben aufgelegte Stange miteinander verbunden und bekommen dadurch ihren Halt. Wem das zu aufwendig ist, der kann einen 2 m hohen Maschendrahtzaun spannen. Alle Aufbauten müssen solide und fest sein, denn die Pflanzen benötigen einen zuverlässigen Halt. Für diese Mühen, das Durchpflücken und ausreichendes Wässern belohnt die Stangenbohne den Gärtner mit einer sehr reichen Ernte, die die von Buschbohnen weit übertrifft.

Gute Nachbarn sind Endivien, Gurken, Kohl, Radieschen, Salat, Sellerie, Spinat, Zucchini, ungünstig sind Erbsen, Fenchel, Knoblauch, Porree, Rote Bete und Zwiebeln.

Zwiebeln und Lauch

Genau genommen, sollte man dieses Kapitel mit »Lauchgemüse« übertiteln, denn nicht jede hier vorgestellte Pflanze liefert eine Zwiebel zur Ernte. Allen gemeinsam ist ihre Zugehörigkeit zur Familie der Lauchgewächse. Es handelt sich bei ihnen um einkeimblättrige Pflanzen, die im Anfangsstadium nach der Aussaat eher einem Rasen ähneln. Das Laub ist stets länglich und die nicht beblätterten Blütenschäfte entspringen einer Blattrosette. Die kleinen Blüten stehen zu einer eher rundlichen Blütendolde zusammen und sehen wirklich attraktiv aus. Außerdem sind sie essbar – mit demselben Aroma, wie es beispielsweise das Laub hat. Besonders bei dem einfach zu haltenden Schnittlauch hat sich der Genuss von Blättern und Blüten allgemein durchgesetzt.

Alle Lauchgewächse gedeihen am besten in eher leichten Böden, die sich rasch erwärmen. Insgesamt sind Zwiebeln recht unkompliziert in der Kultur – das von uns so geschätzte Aroma allerdings behagt nicht allen Pflanzen besonders gut. Bei wenigen Pflanzen ist es so wichtig, dass die Nachbarschaft sorgfältig ausgewählt wird. Kartoffeln, Kohl und Hülsenfrüchte sind keine guten Begleiter.

Bei allen Lauchgewächsen treibt die Zwiebelfliege ihr Unwesen – es sind allerdings weniger die Fliegen als die Maden, die sich über das Laub hermachen. Doch die Fliege ist im Verlauf des Jahres eher da als das Ei oder die Made. Daher sollte man sie von den Pflanzen durch spezielle Fliegennetze bzw. Vliese fernhalten. Diese Gewebe sind fein genug, um Licht und Wasser durchzulassen, versperren aber den Fliegen den Zugang zum Laub – ein wirkungsvoller Schutz vor dem Fraß. Am besten ist es, direkt nach der Aussaat oder Pflanzung die Jungpflanzen zu schützen. Da die Zwiebelfliegen mehrere Generationen pro Jahr durchleben, ist es angesagt, die Netze auch bei den späten Sätzen zu verwenden.

Frühlingszwiebeln und Schalotten

Im Allgemeinen gleicht die Kultur von Frühlingszwiebeln und Schalotten dem Anbau der gewöhnlichen Zwiebeln. Die speziellen Sorten der Frühlingszwiebeln werden lediglich sehr früh ausgesät. Die Pflanzen und Zwiebeln wachsen zwar rasch heran, bilden aber eher kleine Zwiebeln. Dafür sind sie aber besonders nahrhaft und aromatisch. Da die Zwiebeln geerntet werden, ehe das Laub welkt, lässt es sich natürlich auch in der Küche verwenden – es schmeckt ähnlich wie Schnittlauch.

Schalotten werden nur gepflanzt – nicht ausgesät, und zwar ab Mitte Februar bis Mitte April. Der Pflanzabstand beträgt 15 cm, der Reihenabstand etwa 30 cm. Die kleinen Steckzwiebelchen sind schmaler geformt als die rundlichen Küchenzwiebeln. Sie wachsen recht schnell, bleiben aber ebenso wie die Frühlingszwiebeln relativ klein. Im Geschmack sind sie etwas feiner. Auch bei Schalotten isst man das Laub mit.

Gute Nachbarn sind Gurken, Möhren, Pastinaken, Rote Bete, Salat und Tomaten, ungünstig sind Bohnen, Erbsen und Kohl.

Knoblauch

Knoblauch ist besonders wärmebedürftig und leidet von allen Lauchgewächsen am ehesten unter Nässe – kommt sie nun von oben oder unten. Suchen Sie für den Knoblauch den sonnigsten Platz mit einem durchlässigen Boden aus. Die äußeren »Zehen« der zusammengesetzten Knoblauchzwiebel trennt man ab und setzt sie von Anfang März bis Anfang April mit der Spitze fast ebenerdig im passenden Pflanzenabstand reihenweise ein, also alle 15 cm. In den meisten Gegenden ist eine Frühlingspflanzung angesagt. Nur in milden Weinbaugebieten empfiehlt sich die Pflanzung weißer Sorten im Spätherbst, die eine etwas reichere Ernte verheißt. Ansonsten ähnelt die Kultur der von den Küchenzwiebeln.

Gute Nachbarn sind Gurken, Möhren, Pastinaken, Rote Bete, Salat und Tomaten, ungünstig sind Bohnen, Erbsen und Kohl.

Porree

Porree ist eine sehr unkomplizierte Kultur und eignet sich bestens, um erste Erfahrungen als Gemüse-Hobbygärtner zu sammeln. Fast jeder Boden ist dem Porree recht, lediglich Staunässe ist für ihn – wie für fast alle Pflanzen – problematisch. Ein fester Boden kann etwa spatentief aufgelockert werden, dann ist bereits alles getan. Eine Aussaat am Fensterbrett oder im Frühbeet verlegt die erste Ernte weit nach vorne und dehnt mit den späteren Sätzen die Ernte aus. Die jungen Pflanzen werden ab Mai etwa 10 cm tief ins Beet gesetzt – so bleibt die Basis der Pflanze bleich. Die Aussaaten direkt in die Beete nimmt man ab Mitte April vor; wie alle anderen Lauchgewächse wird Porree sehr flach, nur 1 cm tief gesät. Die Pflanzen werden nach dem Auflaufen auf etwa 15 cm Abstand vereinzelt. Um auch hier einen gebleichten Schaft zu erhalten, werden die heranwachsenden Pflanzen nach und nach angehäufelt. Porree verträgt nicht nur mehr Wasser als andere Zwiebeln (und lässt sich daher leichter anbauen), sondern benötigt sogar mehr Feuchte. Porree kann jederzeit, wenn man ihn verwenden möchte, geerntet werden –

die größten Schäfte bildet er erst im Spätherbst aus, sie können ab Mitte September geerntet werden. Da Porree außerdem recht frostfest ist, kann er mit einem leichten Schutz aus Reisig sogar im Winter stets frisches Gemüse liefern. Die wichtigste Maßnahme gegen Schädlinge besteht auch hier in der Verwendung von Netzen oder Vliesen gegen die Zwiebelfliegen.

Gute Nachbarn sind Endivien, Kohl, Möhren, Salat, Schwarzwurzel, Sellerie und Tomaten, ungünstig sind Bohnen, Erbsen und Rote Bete.

Zwiebeln

Zwiebeln lieben einen sonnigen, warmen Standort mit einem leichten Boden. Neben der leichten Durchwurzelbarkeit des Bodens ist ein guter Wasserablauf besonders im Spätsommer und Herbst sehr wichtig, andernfalls können die Zwiebeln leicht faulen. Vor allem in Jahren mit einem sonnigen, trockenen Herbst kann man die besten Zwiebeln ernten. Für eine Ernte ab Herbst sät man im Frühling ab Anfang März bis Ende April flach aus, der Reihenabstand sollte etwa 30 cm betragen. Verziehen Sie die Pflanzen auf etwa 10 bis 15 cm. Wer früher Zwiebeln ernten möchte, setzt im zeitigen Frühling ab Mitte Februar Steckzwiebeln. Wählen Sie das Pflanzgut nicht zu groß – etwa 1 bis 1,5 cm Durchmesser reichen völlig aus.

Beim Unkrautjäten ist Vorsicht geboten, denn Zwiebeln wurzeln flach und können durch Hacken oder Grubbern leicht verletzt werden. Sind die Zwiebeln so herangewachsen, dass sie in absehbarer Zeit geerntet werden können, knickt man etwa gut zwei Wochen vorher das Laub seitlich ab. Die Zwiebeln reifen dann sicherer aus. Spätestens aber, wenn das Laub von selbst abgestorben ist, ist der Erntetermin gekommen. An einem warmen, sonnigen Tag werden sie aus dem Boden genommen und sollten noch zwei, drei Tage auf dem sonnigen Beet trocknen und reifen. Zur Lagerung wird das längliche Laub wie Haarsträhnen zopfartig verflochten und die Stränge an einem trockenen, luftigen Ort aufgehängt. Beschädigte Zwiebeln sollte man sofort verarbeiten – sie lassen sich sehr schlecht lagern.

Gute Nachbarn sind Gurken, Möhren, Pastinaken, Rote Bete, Salat und Tomaten, ungünstig sind Bohnen, Erbsen und Kohl.

Wurzelgemüse

Pflanzen haben zahlreiche Strategien zur Speicherung von Energiereserven entwickelt. Während bei den Zwiebeln komprimierte Blätter und bei den Knollen etwa von Kohlrabi gestauchte Sprossabschnitte die Vorratshaltung übernehmen, speichern zahlreiche unterschiedliche Pflanzenarten ihre Nährstoffe in verdickten Wurzeln. Der Prototyp des Wurzelgemüses ist die Mohrrübe. Sie bildet aus den ohnehin schon fleischigen Wurzeln dicke, kolbenartige Rüben – die im Kochtopf und der Salatschüssel begehrt sind. Kein Wunder, enthalten Möhre, Rübe und Co. doch zahlreiche Vitamine und Mineralien, und sie sind zudem noch leicht zu lagern. In einem kühlen Quartier – beispielsweise in Sandkisten im Keller – trocknet das Erntegut nicht aus und behält seine wertvollen Inhaltsstoffe. Aus diesem Grund zählen diese Gemüsesorten zu den beliebtesten und bewährtesten Feldfrüchten seit Anbeginn des Gartenbaus.

Allen vorgestellten Pflanzen gemeinsam ist, dass sie am besten in lockeren Böden gedeihen. Die unterirdischen Triebe und Wurzeln bilden sich nur dann ideal aus, wenn sie zügig den Boden durchwachsen können und natürlich auf keinerlei Hindernisse, etwa Steine oder Wurzeln, stossen. In schweren, steinreichen Böden bilden sich die Wurzelkörper nur unvollkommen und zuweilen gekrümmt aus. Schwere Böden müssen daher unbedingt ausreichend gelockert und mit Humus angereichert werden.

Hinsichtlich der anderen Wachstumsfaktoren sind die meisten Wurzelgemüse recht anspruchslos – sie gedeihen auch in kühleren Regionen oder in regenreichen Sommern. Rüben werden zur Zuckergewinnung und als Viehfutter felderweise angebaut – ein Hinweis darauf, dass sie leicht zu handhaben sind. Und wer kennt nicht die Geschichten, dass in Notzeiten Rüben die Menschen über die Runden gebracht haben. Ihre Robustheit macht auch Arten wie Pastinaken zu einfachen Versuchsobjekten eines Gartennovizen.

Fenchel

Wie die meisten Gemüsearten bevorzugt Fenchel einen lockeren, aber humosen Boden, der eine ausgeglichene Feuchte bereitstellt. Nach der Aussaat ab Mitte Juni, bei der der Samen etwa 1,5 cm tief in die Erde kommt, werden die Reihen auf 15 cm verzogen. Regelmäßiges Wässern in Trockenzeiten ist unerlässlich. Deutet sich die Bildung von Knollen an, häufelt man die Erde an der Basis der Pflanzen leicht an, damit diese Zonen bleich bleiben und besonders zart sind. Ernten lässt sich der Fenchel ab etwa Mitte August über einen langen Zeitraum. Machen Sie sich keine Sorgen, wenn im Oktober bereits erste leichte Nachtfröste auftreten; Temperaturen um den Nullpunkt sind für Fenchel kein Problem. Zur Lagerung kommen die Knollen, denen man Stiele und Kraut abgeschnitten hat, in Kisten mit feuchtem Sand, die kühl aufgehoben werden. Etwa vier bis sechs Wochen lang ist der Fenchel dann noch frisch.

Säen Sie nicht zu früh – besonders ältere Sorten bilden bei einer Aussaat vor Mitte Mai Blütenstiele. Dadurch wird die »Knollen«-Bildung unterbunden, und man erhält nicht das angestrebte Gemüse. Lediglich die neuesten Sorten können früher ausgesät werden. Wenn es also gilt, Beete entsprechend zu besetzen, sollten Sie auf derartige Hinweise auf den Saatguttüten achten. Die oben beschriebene Standardkultur mit einer Aussaat ab Juni liefert aber ebenfalls beste, volle Ernten.

Knollensellerie

Knollensellerie wird am Fensterbrett oder im Frühbeet ab Anfang März vorkultiviert und ab Ende Mai/Anfang Juni ins Beet gepflanzt. Pflanzen Sie die Setzlinge flach, damit sich die Knolle bestens entwickeln kann. Zwar sind Freilandaussaaten im Juni noch möglich, sie bringen allerdings deutlich kleinere Ernten hervor. Anders als Möhren und Spargel liebt Knollensellerie einen schweren, gehaltvollen Boden mit ausgeglichener Feuchte und vielen Nährstoffen. Viel Feuchtigkeit und Dünger führen zu besten Qualitäten. Sellerie beschattet den Boden schlecht, und so hat Unkraut leichtes Spiel – halten Sie es also in Schach. Ab Oktober können die Knollen geerntet werden. Werfen Sie das Laub nicht fort; es ist ein aromatisches Suppengrün für deftige Eintöpfe. Die Knollen werden in feuchten Sandkisten gelagert. Passen Sie aber auf, dass sie sich nicht berühren, sonst könnte Fäulnis grassieren. Beherzigen Sie diese Art der »Gütertrennung« grundsätzlich auch für alle anderen Gemüse- und Obstarten, die gelagert werden.

Da Knollensellerie recht spät gesetzt wird, eignet er sich bestens als zweite Kultur etwa nach Salat, Radieschen oder Mairübchen. Das Laub kann als Suppengrün eingefroren werden; fein geschnitten und mit gleich viel Salz vermengt, hält es sich in dunklen Gläsern ebenfalls lange frisch und steuert sein Aroma Soßen und Suppen bei.

Gute Nachbarn sind Bohnen, Erbsen, Gurken, Kohl, Porree und Tomaten.

Mairübchen

An den Boden stellt die Mairübe keine besonderen Ansprüche; ein ausreichend sonniger Platz sollte es aber schon sein. Ausgesät wird im zeitigen Frühjahr, und nach dem Auflaufen der Saat werden die Pflanzen auf gut 15 cm Abstand verzogen. Mairübchen wachsen rasch heran. Frühe Sätze können, wie der Name schon sagt, bereits Ende Mai geerntet werden, Ende Juni ist die Ernte aber vorbei. Ernten Sie nicht zu spät, damit das leckere Gemüse noch zart ist und eine feine Beilage oder Salatzutat bildet. Nach der

Ernte des Mairübchens ist das Beet wieder frei für spätere Kulturen – eine bessere Erstfrucht in einem Gemüsegarten gibt es einfach nicht.

Besonderes: Langsam kommt die Mairübe in Form des delikaten »Teltower Rübchens« wieder in Mode.

Meerrettich

Frischer Meerrettich *(Armoracia rusticana)* ist so scharf, dass er einem die Tränen in die Augen treibt. So muss es sein, damit er seine gesunde Wirkung entfalten kann, die auf die in der Wurzel enthaltenen Senföle zurückgeht. Meerrettich wirkt anregend, verdauungsfördernd, aphrodisierend und lindert Erkältungssymptome. Meerrettich kann roh oder gekocht verzehrt werden. Die Pflanze aus der Familie der Kreuzblütler hat aufrecht stehende, bis 1 m hohe, gekerbte Grundblätter und zeigt zur Blütezeit hohe Stängel mit traubenartig angeordneten, kleinen weißen Blüten. Meerrettich neigt zum Verwildern und kann lästig werden, da jedes kleine Wurzelstück austreibt. Einmal etabliert, wird er bald schon zum Dauergast im Garten. Angebaut wird die Pflanze wegen ihrer verdickten Pfahlwurzel, die bis 5 cm Durchmesser haben kann und bis 30 cm lang wird. Meerrettich braucht einen nahrhaften, tiefgründigen, feuchten Boden an einem sonnigen oder halbschattigen Standort. Ideal sind lehmige Böden ohne Staunässe oder große Steine. Vermehrt wird er über Wurzelschnittlinge (»Fechser«), die man ab Ende März schräg, also möglichst flach, in Abständen von 20 bis 30 cm eingräbt. Das Ende mit dem Trieb sollte etwa 5 cm tief, das Wurzelende etwa 20 cm tief unter der Erde liegen. Der Reihenabstand beträgt 60 cm. Im Juni wird die Wurzel vorsichtig freigelegt. Unterhalb des Triebkopfs werden alle Seitenwurzeln bis fast zum Fechserende abgeschnitten und die Wurzel wieder mit Erde bedeckt. Durch dieses »Putzen« entwickelt sich eine glatte Hauptwurzel. Die Seitenwurzeln ergeben die Pflanzware für neue Kulturen. Eine weitere Pflege ist kaum nötig. Die Wurzeln sind im Herbst des zweiten Standjahrs erntereif. Wenn das Laub abgestorben ist, legt man sie frei. Im Kühlschrank hält sich eine grob gewaschene, aber ungeschälte Wurzel einige Wochen lang, in einer Miete mit feuchtem Sand einige Monate. Geputzt und gerieben, kann Meerrettich auch eingefroren werden.

Bei der Mischkultur hat es sich bewährt, Meerrettich an den Rand von Kartoffelpflanzungen zu setzen. Auch mit Obstbäumen verträgt er sich gut. Die Kombination mit anderen Kreuzblütlern (z.B. Kohl), sollte vermieden werden.

Möhren

Ein lockerer Boden mit gutem Wasserabzug in einer hinreichend sonnigen Lage ist die wichtigste Voraussetzung für das Gelingen der Kultur. Die Aussaaten können gestaffelt vorgenommen werden, ab Mitte März bis Mitte Juni kann es losgehen. Ist der Boden bei der Aussaat zu nass, keimen die Pflanzen nur zögerlich – passen Sie besser eine trockene Wetterphase ab. Die Samen werden nur flach ausgebracht, keinesfalls dürfen sie tiefer als 1 cm in den Boden kommen. Möhren keimen relativ langsam. Passen Sie auf, dass diese Langsamstarter nicht durch Unkraut überwuchert werden. Nach dem Auflaufen der Saat werden die Pflanzen auf einen Abstand von etwa 5 cm pro Reihe ausgedünnt. Halten Sie die Beete einigermaßen feucht, wenn die Möhren heranwachsen. Geplatzte Möhren sind meist die Folge von plötzlichen Regenfällen nach einer gewissen Trockenphase. Halten Sie den Boden offen, achten Sie aber beim Hacken darauf, dass die Wurzeln nicht verletzt werden. Zeigen sich grüne Ansätze oben an den Möhrenwurzeln, sollte man die Pflanzen anhäufeln – so bleiben die Wurzeln schmackhaft. Möhren können nach und nach geerntet werden – ziehen Sie zuerst jede zweite Möhre aus den Reihen, so haben die verbliebenen Möhren Platz, sich weiter zu entwickeln. Junge Möhren und Karotten schmecken besonders süß und zart. Größere Möhren, die etwas länger im Beet gestanden sind, können nicht so leicht aus dem Boden gezogen werden. Damit sie nicht abbrechen – verletztes Gemüse lässt sich nur schlecht lagern –, lockert man den Boden vor der Ernte mit einer Grabegabel. Die schädliche Möhrenfliege lässt sich übrigens auch durch eine geschickte Standortwahl ebenfalls vergraulen – sie mag keinen Wind. Zugige Ecken sind in diesem Fall gar nicht so schlecht geeignet. Es gibt auch Züchtungen, die wenig anfällig für diese Fliegen sind. Eine von diesen Sorten heißt bezeichnenderweise »Fly away«.

Gute Nachbarn sind Erbsen, Porree, Radieschen, Salat, Spinat, Tomaten und Zwiebeln.

Pastinaken

Ähnlich wie die verwandten Mohrrüben brauchen auch Pastinaken einen lockeren Boden zur Entwicklung ihres Wurzelkörpers. Ist die von Mitte März bis Ende Mai 1 cm tief eingebrachte Saat aufgegangen, verzieht man die Keimlinge auf einen Abstand von gut 10 cm. Eine gleichmäßige Feuchtigkeit verhindert auch bei ihnen das Aufplatzen der Rüben. Das anfänglich zögernde Wachstum erfordert ein aufmerksames Jäten unter Schonung der Pastinakenwurzel. Vorsicht beim Hacken. Obwohl die Pastinakenwurzeln recht robust sind, sollte man vor dem Ernten im Spätherbst die Reihen mit der Grabegabel etwas auflockern, damit das Erntegut unbeschadet eingebracht werden kann. Da Pastinaken völlig winterhart sind, können sie auch in der Frostperiode ganz nach Bedarf geerntet werden – dann ist das Gemüsebeet gleichzeitig die Vorratskammer. Pastinaken lassen sich exzellent lagern und sind daher ein typisches Wintergemüse.

Radieschen

Radieschen lieben einen lockeren Boden und viel Sonne – aber das ist auch schon alles. Das genügsame einjährige Gewächs ist absolut unkompliziert im Anbau. Gesät werden kann von Anfang März bis Ende August. Tiefer als einen 1 cm kommt das Saatgut nicht in den Boden, stehen die Keimlinge zu eng, werden sie auf 2 bis 3 cm verzogen, damit die Kügelchen sich auch richtig ausbilden können. Wer sich das Verziehen sparen möchte, greift zum pillierten Saatgut, das sich besser dosieren lässt, oder verwendet Saatbänder, bei denen die einzelnen Keimlinge in genau dem richtigen Abstand aufgehen. Radieschen wachsen rasch! Bereits nach vier Wochen können die Sprinter unter den Sorten die ersten Scharfmacher für den Salat liefern.

Rettich

Schon die alten Ägypter kannten Rettich *(Raphanus sativus var. niger)* und wussten seine gesundheitsfördernde Wirkung zu schätzen. Er begünstigt allgemein den Stoffwechsel, den Appetit und die Verdauung, regt die Nierentätigkeit und den Gallenfluss an und ist ein altes Hausmittel bei Erkältungen. Verzehrt werden bei Rettichen nur die rohen, rübenförmigen Wurzeln, nicht aber die oberirdischen Pflanzenteile. Je nach Sorte unterscheidet man bei Rettichen zwischen Sorten für Früh-, Sommer- und Herbstanbau. Frühe Aussaaten können unter Glas schon im März erfolgen. Der Sommeranbau von Mai bis Ende Juni gedeiht am besten an halbschattigen Standorten, weil die Rettiche dann nicht so schnell in Blüte gehen (»schießen«), wodurch sie leicht ungenießbar werden. Der Herbstanbau von lagerfähigen Winterrettichen gelingt am besten ab Anfang August wieder an sonnigen Standorten.

Rettich braucht einen besonders tiefgründigen, lockeren und durchlässigen Boden, der nicht frisch gedüngt sein darf. Sonst produzieren die Pflanzen vor allem Laub, statt fleischige Wurzeln zu bilden. Die Pflege beschränkt sich auf Hacken, Unkrautjäten und das Wässern bei Trockenheit. Auf zu trockenen Böden werden die Wurzeln holzig, auf zu feuchten treiben die Pflanzen zu viel Blattmasse. Je nach Sorte dauert die Kultur bis zur Ernte zehn (Sommerrettiche), zwölf (Frührettiche) oder bis 15 Wochen (Winterrettiche). Geerntet wird am besten immer frisch nach Bedarf. Nach der Ernte verlieren Rettiche bald ihre Knackigkeit. Winterrettiche zur Einlagerung können bis zu den ersten Frösten auf dem Beet bleiben. Nach der Ernte schlägt man sie mit der Wurzelspitze nach unten in eine Kiste mit feuchtem Sand ein.

Bei der Mischkultur ist Rettich einer der vielseitigsten Pflanzpartner. Er verträgt sich mit Bohnen, Erbsen, Erdbeeren, Gurken, Mangold, Möhren, Petersilie, Salaten, Spinat und Tomaten. Wie bei allen Kreuzblütlern sollten auf dem Beet nach Rettich einige Jahre keine anderen Kreuzblütler (z.B. Kohl) angebaut werden.

Rote Bete

Ein lockerer Boden ist natürlich auch für die Rote Bete eine gute Voraussetzung. Sie kommt aber selbst im Halbschatten ganz gut zurecht, lediglich in Trockenzeiten muss ausreichend gewässert werden – sonst verlieren die Rübenkugeln an Geschmack. Ausgesät wird im Frühling ab Mitte April, wenn Sie Sommergemüse ernten möchten. Für Rote Bete, die als Wintervorrat gelagert werden soll, ist eine spätere Aussaat etwa ab Mitte Juni viel besser. Meist sät man nicht die einzelnen Saatkörner der Roten Bete aus, sondern ihre Früchte, in denen sich mehrere Samen befinden; die Saattiefe beträgt zwischen 2 und 3 cm. Falls sie alle keimen, müssen die Keimlinge verzogen werden. Ein Abstand von 15 cm zwischen den Pflanzen einer Reihe sollte aber eingehalten werden. Die Rote Bete entwickelt ihre Knollen etwa 12 bis 15 Wochen nach dem Auflaufen. Es schadet gar nichts, kleine Kugeln zu ernten – auch bei der Roten Bete ist das junge Gemüse das zarteste. Will man sie aber länger lagern, lässt man die Rübenkörper länger ausreifen. Eingeschlagen, in Kisten mit feuchtem Sand oder Torf, halten sie sich monatelang frisch. Passen Sie aber auf, dass die Rüben nicht verletzt werden. Dazu schneidet man keinesfalls das Laub ab, sondern bricht es mit einer Drehbewegung aus.

Gute Nachbarn sind Buschbohnen, Gurken, Kohl, Salat, Zwiebeln, ungünstig sind Porree, Stangenbohnen und Tomaten.

Schwarzwurzeln

Auch dieses Wurzelgemüse gedeiht am besten im lockeren Boden. Die Kulturdauer von Schwarzwurzeln gehört zu den längsten im Gemüsegarten; das ganze Jahr über ist der Platz im Beet von ihnen belegt. Im zeitigen Frühjahr sät man etwa 3 cm tief in Reihen. Nach dem Keimen werden die Pflanzen auf etwa 5 cm Abstand verzogen. Während der langen Standzeit muss ständig auf Unkrautbewuchs geachtet werden, doch beim Jäten sollte man vorsichtig sein – verletzt man die Wurzeln, tritt leicht Saft aus; sie »bluten«. Im Hochsommer ist eine zweite Düngung vorteilhaft, und wie fast alle anderen Gemüse darf auch die Schwarzwurzel nicht völlig austreiben. Davon abgesehen, lässt man die Pflanzen einfach in Ruhe, mit der Zeit wird sie schon ihre Wurzelkörper ausbilden. Wenn im Spätherbst das Laub abstirbt, wird geerntet. Die spröden Wurzeln brechen leicht und bluten dann wieder. Lockern Sie die Reihen behutsam mit einer Grabegabel und ziehen Sie die Wurzeln vorsichtig aus der Erde. Abgebrochene Wurzeln werden sofort zubereitet, nur die unversehrten Schwarzwurzeln lassen sich in Kisten mit feuchtem Sand kühl über längere Zeit lagern.

Staudensellerie

Staudensellerie ist eng mit dem Knollensellerie verwandt und ähnelt ihm in seiner Kultur stark. Lediglich der Boden sollte nicht ganz so schwer sein – wenn auch ein hoher Nährstoffgehalt und eine gute Wasserhaltefähigkeit durch ausreichend Humus gewährleistet werden sollten. Auch Staudensellerie wird zunächst vor Frost geschützt vorgezogen, und die Pflanzen kommen erst im Frühsommer ins Gartenbeet. Fast immer wird Staudensellerie gebleicht – der Geschmack wird dadurch deutlich feiner. Auch Sorten, die von selbst blass bleiben, werden schmackhafter durch ein Anhäufeln der Stiele mit Erde oder ein Umkleiden der Pflanzenstiele mit dunkler Folie. Es reicht allerdings aus, gut zwei Wochen vor der Ernte die Stiele zu bleichen. Geerntet werden kann Staudensellerie etwa ab Mitte August. Nach dem ersten Frost schmecken die Stiele aber besonders pikant.

Staudensellerie wird im Allgemeinen roh gegessen und ist ab Hochsommer eine delikate Bereicherung des Speisezettels. Bemerkenswert ist, dass er hinreichend frosthart ist und bis etwa zum Advent geerntet werden kann. Er ist nicht ganz so lagerfähig wie Knollensellerie, bleibt aber an kühlen (frostfreien) Temperaturen gut bis zu 14 Tagen frisch.

Gute Nachbarn: Bohnen, Erbsen, Gurken, Kohl, Porree und Tomaten, ungünstig ist Salat in der Nachbarschaft.

Steckrübe

Etwas aus der Mode gekommen ist die Steckrübe *(Brassica rapa var. rapifera)*. Die etwa 1,5 kg schwere Rübe aus der Familie der Kreuzblütler wird regional auch Wrunke, Ramanke oder Bodenkohlrabi genannt, hat eine rundliche Form und eine grünliche, gelbliche oder rötlich violette Farbe. Ihr Geschmack ist herbsüß und erinnert an Kohl. Steckrüben sind nicht nur reich an Vitaminen und Mineralstoffen, sondern auch sehr gut lagerfähig und daher für Selbstversorger ein wichtiger Bestandteil der Ernährung in den Wintermonaten.

Steckrüben brauchen einen sonnigen bis halbschattigen Standort und leichten, tiefgründigen und fruchtbaren Boden. Die Aussaat sollte wegen der langen Entwicklungsdauer der Rüben, die bis sechs Monate dauern kann, so früh wie möglich erfolgen, also ab Mitte April. Gesät wird in Reihen. Der Reihenabstand beträgt 40 cm, der Abstand in der Reihe 24 cm. Die Pflege besteht aus Unkraut jäten, hacken und wässern. Steckrüben dürfen nie austrocknen. Dünger brauchen Steckrüben in normal fruchtbaren Böden nicht. Ab Oktober sind sie erntereif, können aber bis zu den ersten Frösten auf dem Beet bleiben. Gelagert werden die Rüben frostfrei in einer Erdmiete oder in Sandkisten in einem kühlen Kellerraum. Wie bei allen Kreuzblütlern sollten nach der Kultur einige Jahre lang keine Kohlarten auf dem Beet angebaut werden. In der Mischkultur verträgt sich die Steckrübe mit Bohnen, Dill, Erbsen, Mangold, Salat, Spinat und Tomaten.

Topinambur

Ein zu Unrecht fast vergessenes Knollengemüse ist der Topinambur *(Helianthus tuberosus)*. Die Pflanze ist mit den Sonnenblumen verwandt und wird auch Erdbirne, Jerusalem-Artischocke oder Ewigkeitskartoffel genannt. Topinambur treibt bis 3 m hohe, raue Stängel, an denen spät im Jahr sonnenblumenähnliche gelbe Blüten erscheinen. Im Boden entwickeln sich bis zum Herbst fleischige, von einer dünnen gelben, bläulichen, rötlichen oder braunen Schale umgebene Knollen. Diese schmecken leicht nussig und können mit der dünnen Schale roh oder gekocht verzehrt werden, wenn man sie gründlich abbürstet. Aufgrund ihres Gehalts an Inulin sind sie auch für Diabetiker geeignet. Topinambur ist ein Starkzehrer und braucht fruchtbaren, durchlässigen, tiefgründigen Boden in voller Sonne. Die Knollen werden ab Ende März 10 bis 15 cm tief mit einem Abstand von 30 bis 45 cm in Reihen gesteckt. Der Reihenabstand beträgt 70 cm. Man kann die Knollen auch im Oktober stecken, sie sind völlig winterhart. Topinambur neigt zum Wuchern. Nicht geerntete Knollen treiben im folgenden Frühjahr wieder aus.

Wenn die Pflanzen etwa 30 cm hoch sind, werden die Stängel 15 cm hoch angehäufelt. Das verbessert die Standfestigkeit. Hohe Sorten brauchen eventuell dennoch eine Stütze. Weitere Pflegemaßnahmen sind nicht nötig. Geerntet wird, wenn das Laub welk wird, das ist in der Regel Ende Oktober/Anfang November. Geerntet wird jeweils nur so viel, wie man gerade braucht, weil die Knollen wegen der dünnen Schale nicht lange haltbar sind. Im Kühlschrank können sie einige Tage aufbewahrt werden, zum Einlagern in der Miete eignen sie sich nicht. Geeignete Pflanzpartner für Topinambur sind Stangenbohnen.

Die Kartoffel – eine tolle Knolle

Wegen ihrer großen Bedeutung als Nahrungsmittel und der guten Lagerbarkeit soll die Kartoffel im Folgenden etwas ausführlicher behandelt werden. Kartoffeln sind die ideale Erstkultur, da es sich um Starkzehrer handelt. Sie gedeihen am besten an einem sonnigen, offenen Standort in leichtem, feinkrümeligem Boden, der tiefgründig, gut durchlässig und frei von Steinen sein sollte. Ein leicht saurer Boden-pH-Wert (5 bis 6) ist optimal. Man kann den Boden im Herbst vor der Pflanzung mit Gründüngung, verrottetem Stallmist oder Kompost verbessern.

Kartoffeln werden nicht ausgesät. Um sie zu vermehren, braucht man spezielle Saatkartoffeln, das sind Frühkartoffeln, die ab Mitte März vorgekeimt werden. Dazu kann man flache Obstkisten mit Erde füllen, die Knollen mit dem Nabel nach unten darauflegen, leicht mit etwas Erde abdecken und hell bei etwa 15 °C aufstellen – aber niemals dunkel. Nach etwa vier Wochen sind die Pflanzkartoffeln so weit, dass man sie setzen kann.

Die Pflanzung erfolgt ab Mitte April, in rauen Regionen ab Anfang/Mitte Mai, damit der Austrieb nicht durch Spätfröste geschädigt wird. Der Boden sollte sich auf mindestens 7 °C erwärmt haben, bevor die Knollen in den Boden gelegt werden.

Kartoffeln richtig pflanzen

Kartoffeln kann man einzeln in Pflanzlöcher oder auch in Furchen legen, wichtig ist nur, dass die Keime beim Einpflanzen nach oben zeigen und dass die Kartoffeln etwa 8 cm tief unter die Erde kommen. Die Reihenabstände bei frühen Sorten betragen 60 cm, der Abstand in der Reihe 30 bis 40 cm – späte Sorten wachsen schneller und brauchen einen Reihenabstand von 65 bis 70 cm, in der Reihe beträgt dann der Abstand 50 cm. Je mehr Abstand die Pflanzen zueinander haben, desto besser trocknen sie nach einem Regenguss ab – und das wiederum verringert die Anfälligkeit für die gefürchtete Kraut- und Braunfäule. Die höchsten Erträge erzielt man mit vier bis fünf Pflanzen/m². Manche Gärtner entfernen vor dem Einpflanzen die meisten Keime und lassen nur drei bis vier stehen, dadurch ernten sie zwar weniger, aber umso größere Kartoffeln.

Starthilfe

Damit Kartoffeln gut gedeihen, sind das regelmäßige Hacken und eine ausreichende Wasserversorgung wichtig – beim Hacken sollten Sie darauf achten, dass die heranwachsenden Knöllchen im Boden nicht verletzt werden. Haben die Pflanzen eine Höhe von etwa 15 cm erreicht, werden sie mit Erde etwa 10 cm hoch angehäufelt, sodass noch genügend Blätter herausschauen – das ist meist Mitte bis Ende Mai der Fall. Während des Wachstums wird regelmäßig angehäufelt, damit die heranwachsenden Knollen immer gut mit Erde bedeckt sind. Wenn man die Knollen sehen kann, werden sie grün und damit ungenießbar.

Düngen und Pflege

Kartoffeln haben einen sehr hohen Nährstoffbedarf. Eine reiche Ernte lässt sich nur erzielen, wenn die Pflanzen vor der Blüte mit einem Dünger versorgt werden. Bei feuchtwarmer Witterung, in der Regel ab Mitte Juni, kann die Kraut- und Braunfäule auftreten.

Frühe Sorten, späte Sorten

Frühe Sorten brauchen 90 bis 120 Tage von der Pflanzung bis zur Ernte, sie sind bereits im Juni/Juli erntereif. Mittelfrühe Sorten hingegen benötigen 120 bis 150 Tage und späte Sorten sogar 150 bis 180 Tage bis zur Reife. Damit vom Sommer bis in den Herbst hinein Kartoffeln frisch geerntet werden können, sollte man Frühkartoffeln mit mittelfrühen und späten Sorten kombinieren.

Typisch für frühe Sorten ist die dünne, sehr zarte Schale, die man abbürsten oder mitessen kann. Man nennt sie auch »neue Kartoffeln« – sie sind nicht lange lagerfähig und werden am besten gleich frisch verzehrt – in Butter gebraten mit frischer Petersilie eine Köstlichkeit. Diese Sorten bringen rund 4,5 kg Ertrag auf einer etwa 3 m langen Pflanzreihe. Sie bleiben nicht so lange auf den Beeten und brauchen auch weniger Platz. Wenn sie abgeerntet sind, kann das Beet den Sommer über bis zum Herbst für andere Gemüse genutzt werden. Frühkartoffeln sind also eine gute Vorfrucht. Eine geeignete Nachkultur sind z. B. Chinakohl, Grünkohl und Rosenkohl. Die Kartoffeln hinterlassen bei guter Kultur einen garen, lockeren Boden.

Bei späten Sorten sind die Knollen größer und die Schale härter. Sie brauchen mehr Platz als die Frühkartoffeln und besetzen das Beet den ganzen Sommer über, zur Haupterntezeit im Herbst bringen sie rund 10 kg Knollen pro Pflanzreihe von 3 m. Gute Beetnachbarn für späte Sorten sind alle Kohlarten, Meerrettich und Dicke Bohnen; Studentenblumen (Tagetes) in unmittelbarer Nachbarschaft können Nematoden im Boden fernhalten. Biogärtner schwören darauf, dass Kümmel in den Kartoffelbeeten sich günstig auf das Aroma der Kartoffelknollen auswirkt.

Kartoffeln ernten

Je nach Sorte kann die Ernte nach 90 bis 180 Tagen erfolgen. Die Reifezeit hängt von der Sorte, dem Wetter, den Bodenverhältnissen und weiteren Faktoren ab. Ein guter Hinweis auf den richtigen Erntezeitpunkt bei Frühkartoffeln sind die Blüten – wenn sie sich öffnen, kann in der Regel mit der Ernte begonnen werden. Späte Sorten sind oft erst im September/Oktober reif, wenn das Kraut der Pflanzen schon braun und trocken ist. Am besten kann man den richtigen Erntezeitpunkt bestimmen, wenn man etwas Erde beiseitescharrt und die Knollen prüft. Reife Kartoffelknollen haben eine feste Schale, die sich nicht abreiben lässt.

Die Ernte erfolgt am besten bei trockenem Wetter – das hat den großen Vorteil, dass sie aus dem trockenen Boden ohne anhaftende Erde geerntet werden können. Zum Ausgraben verwendet man keinen Spaten, sondern eine Grabgabel. Um möglichst wenige Knollen zu verletzen, sollte man dabei sehr vorsichtig vorgehen. Nach dem Ausgraben legt man dann die Knollen für einige Stunden in die Sonne, damit sie abtrocknen können. Beschädigte Knollen werden zum sofortigen Gebrauch aussortiert. Am Abend sammelt man dann die Knollen in Körben oder Säcken ein, man kann sie in Jutesäcken oder in speziell für diesen Zweck gefertigten Mieten aus Holzlatten aufbewahren (siehe auch Seite 300f.).

Fruchtgemüse

Gemüsegärtner wissen: Früchte kommen nicht nur als süßes Obst auf den Tisch – auch sogenanntes Fruchtgemüse bereichert die Tafel. Ohne Tomaten, Paprika und Gurken würden uns schließlich lieb gewonnene Sommergenüsse fehlen. Alle hier aufgeführten Fruchtgemüse sind ziemlich wärmebedürftig und – man muss es leider sagen – relativ anfällig gegenüber Krankheiten. Besonders nasskalte Witterung, die wir nördlich der Alpen nie sicher ausschließen können, macht ihnen zu schaffen und ruft hartnäckige, schwer zu bekämpfende Krankheiten hervor. Hinzu kommt, dass die Früchte zögerlicher reifen und die Erntemenge in ungünstigen Sommern und Lagen zu wünschen übrig lässt.

Sehr wichtig ist die richtige Auswahl der Sorten. Schon um diese Entscheidung voll in der Hand zu behalten, sollte man selbst aussäen und sich nicht allein auf vorgezogene Pflanzen im Gartencenter verlassen. Auch wenn sicher gute Sorten dort angeboten werden, die Auswahl ist deutlich kleiner. Glücklich schätzen kann sich, wer einen nahe gelegenen Wochenmarkt oder eine Biogärtnerei besuchen kann; meist sind hier ausgesprochen lohnende Sorten erhältlich.

Das Wichtigste für die Kultur scheint ein Schutz vor Regen zu sein – neben einem sonnigen Standort und fruchtbaren Boden mit ausgeglichenem

Wasserhaushalt. Ideal ist natürlich ein kleines Gewächshaus, das im Sommer gut gelüftet werden kann. Aber auch etwa mannshohe Aufbauten, die mit Folie überspannt werden können, eignen sich als »Regenschirm«, der das lebenswichtige Sonnenlicht durchlässt. Da allerdings so kein Regenwasser an die Wurzeln kommt, ist ein aufmerksames Bewässern angesagt – wobei natürlich auch kein Wasser auf die Blätter gelangen darf. Bringen Sie einfach einen Tontopf an die Basis der Pflanzen an, der gut zwei Drittel eingegraben wird. Dort hinein wird dann gegossen. Tomate, Gurke und Co. bekommen auf diese Weise ihr Quantum und bleiben gesund.

Überdachte sonnige Terrassen eignen sich übrigens ebenfalls ausgezeichnet als Platz für viele Fruchtgemüse – Hauptsache, die Pflanzgefäße sind geräumig genug und beinhalten nahrhafte Erde.

Artischocke

Artischocken *(Cynara cardunculus)* sind ziemlich wärmebedürftig – sie stammen aus dem mediterranen Gebiet. Außerdem ist ein durchlässiger, tiefgründiger und gleichzeitig nährstoffhaltiger Boden sehr wichtig. Das imposante Distelgewächs bildet eine lange Pfahlwurzel aus; lockern Sie vor der Pflanzung den Boden gut zwei Spatenblatt tief durch. Nach der Vorkultur der Pflanzen am Fensterbrett in Töpfen werden die kräftigsten Pflanzen ins Freiland gepflanzt. Der beste Zeitpunkt ist nach den Eisheiligen während einer Schönwetterphase. Meist müssen sich die Pflanzen erst einmal ein ganzes Jahr lang etablieren; es gibt aber auch Selektionen, die bereits im Pflanzjahr die ersten Ernten ermöglichen. Die Pflanzen brauchen reichlich Nährstoffe und kontinuierlich Wasser. Der eigentliche Knackpunkt der Kultur ist die Überwinterung. In den meisten Gegenden sollte man die Pflanzen schützen. Im Oktober schneidet man sie auf etwa eine Handbreit zurück und deckt die Artischockenpflanzen kniehoch mit Stroh ab. Erst wenn im folgenden Frühling keine gravierenden Spätfröste erwartet werden, entfernt man den Winterschutz; dieser Zeitpunkt ist etwa Anfang bis Mitte April gekommen. Geerntet werden bekanntlich die großen, schuppenartigen Knospen vor der Blüte; bei eingewachsenen Pflanzen ist der Juli meist der Erntemonat; einjährige Pflanzen liefern erst im September den ersten Ertrag.

Man belässt etwa acht Knospen pro Pflanze, um eine gute Qualität zu erhalten. Wer zu lange zögert, die Knospen abzuschneiden, bekommt zwar kein Gemüse, dafür aber eine sehr schöne Artischockenblüte.

Aubergine

Die auch Eierfrüchte oder (in Österreich) Melanzani genannten Auberginen *(Solanum melongena)* sind sehr wärmebedürftig und gedeihen daher in unserem Klima am besten im Gewächshaus. Das aufrecht wachsende, 50 bis 150 cm hohe Nachtschattengewächs stammt aus Indien. Die Pflanze hat große, länglich-eiförmige, behaarte Blätter und violett grüne Blüten. Im Sommer entwickeln sich rundliche bis keulenförmige, bis 20 cm lange Früchte mit glatter, je nach Sorte violett schwarzer, bis brauner, rötlicher oder weißlicher Schale. Innen sind alle Auberginen weiß. Die Früchte reifen zwischen Juli und Oktober und sind nur in gekochtem Zustand genießbar. Rohe Auberginen enthalten das giftige Solanin. Man verwendet sie vor allem in der mediterranen, orientalischen und türkischen Küche. Sie können gegrillt, gebraten, gefüllt oder eingelegt als Vorspeise zubereitet werden.

Auberginen werden wie Tomaten früh im Jahr (ab März) unter Glas ausgesät. Ausgepflanzt werden sie ab Mitte Mai, wenn die Temperaturen nicht mehr unter 18 °C fallen. Der Pflanzabstand beträgt 50 mal 50 cm. Im Freiland brauchen Auberginen den sonnigsten und wärmsten Standort, der verfügbar ist, und nährstoffreichen, durchlässigen Boden. Höhere Pflanzen müssen gestützt werden. Für möglichst große Früchte dünnt man rechtzeitig auf zwei Früchte pro Pflanze aus. Auberginen sind nach der Ernte etwa zehn Tage lang im Kühlschrank haltbar. Man kann sie aber auch in Scheiben oder Würfel schneiden und roh einfrieren.

In der Mischkultur sind Kohlrabi, Radieschen, Salat und Spinat geeignete Pflanzpartner. Andere Nachtschattengewächse, wie Tomaten, Kartoffeln und Paprika, sind keine guten Nachbarn.

Gurken

Der Boden für die Gurkenkultur sollte locker sein; nasse und kalte Böden müssen unbedingt mit Sand und Kompost versetzt werden, um durchlässiger zu werden. Ein hoher Gehalt an Nährstoffen fördert das gesunde Wachstum der Gurken *(Cucumis sativus)* und einen reichen Ansatz von Früchten. Am besten ist es, die großen Samen in Töpfe zu säen und am Fensterbrett vorzuziehen. Warten Sie unbedingt bis nach den Eisheiligen, ehe die Pflanzen ins Gartenbeet gesetzt werden. Ist das Beet mit einer schwarzen Folie bedeckt, in die im Pflanzenabstand Löcher für die Pflanzen gebohrt werden, hält man nicht nur Unkraut ab, sondern hält auch Wärme im Boden – ein großes Plus für das Wachstum! Es ist besser, die Pflanzen aufzubinden und deren Mitteltrieb auszukneifen, da Seitentriebe grundsätzlich reichere Früchte tragen. Ein Folienaufbau oder ein Gewächshaus bietet noch zusätzlich ausgeglichene und warme Bedingungen und schützt vor Krankheiten. Ähnlich wie bei den Tomaten muss man auch bei Gurken aufpassen, dass die Pflanzen nicht vertrocknen.

Die Erntephase erstreckt sich über einen weiten Zeitraum. Auch Gurken sollten nicht gepflückt werden, sondern mit einer Schere vom Fruchtstand abgeschnitten.

Schlangen- oder Salatgurken sind andere Sorten als die deutlich kleiner bleibenden Einlegegurken. Auch bei Gurken bestehen große Unterschiede zwischen den Sorten hinsichtlich ihrer Widerstandskraft gegenüber Krankheiten. Eingelegt als Senfgurken, sind die gestückelten großen Gurken eine leckere Beilage.

Kürbis

Egal, was Sie ihm bieten – Kürbis *(Cucurbita)* will mehr. Dieser Vielfraß unter den Gemüsepflanzen braucht ein Maximum an Sonne, Dünger und Wasser. Kein Wunder, dass er besonders gern und erfolgreich direkt auf einem Komposthaufen angebaut wird. Die einzige Mühe, die der Kürbis macht, ist die Vorkultur. Aber auch da gebärdet er sich als pflegeleichter Zögling. Am besten steckt man die großen Samen in einen Topf mit üblicher Blumenerde. Meist reicht ein Aussaattermin ab Anfang/Mitte April völlig aus. Die Pflanzen wachsen recht zügig heran und strecken ihre Ranken weit aus. Die Pflanzen brauchen sehr viel Platz; aber meist reichen einige wenige Exemplare, um den üblichen Bedarf zu decken. Auf jeden Fall sollte man auf eine gute Wasserversorgung und Düngung achten. Spätestens, wenn sich die ersten Früchte zeigen, darf die Pflanze nicht austrocknen – sonst werden die Früchte nicht gut ausgebildet oder gar abgestoßen. Besonders die groß- bis riesenfruchtigen Sorten reifen sehr spät im Jahr, zuweilen sogar unter nasskalten Bedingungen. Damit sie nicht vor der Zeit faulen, legt man Stroh um die Pflanzen. Sind ausreichend Früchte an den Ranken angesetzt, zwickt man die Triebspitze aus, damit die Kraft der Pflanze voll in die reifenden Früchte fließen kann. Spätestens, wenn das Laub durch die ersten Nachtfröste zerstört wurde, erntet man die Kürbisse. Bei kühler, luftiger Lagerung halten sie gut und gerne zwei Monate lang.

Paprika

Wärme, Sonne und ein fruchtbarer Boden mit ausreichend Wasserzufuhr sind die Lebenselixiere für Paprika *(Capsicum)*. Neben den Nährstoffen, die vor dem Pflanzen in den Boden eingebracht wurden, ist es sehr vorteilhaft, im Hochsommer, wenn die ersten Früchte sich zeigen, zu düngen. Auch wenn mittlerweile die Züchter Sorten kreiert haben, die robuster wachsen und einschlägige Pilzkrankheiten etwas leichter wegstecken, ist es nicht ganz einfach, den hohen Wärmebedarf von Paprika in den bei uns üblichen Sommern zu decken. Fast immer sind Gewächshäuser die bessere Wahl für den Anbau; man hat einfach sichere Erfolge dabei. Dort können sie ab der Monatswende April/Mai gesetzt werden. Unter keinen Umständen dürfen die Paprikapflanzen ins Freiland (auch unter Folienschutz) in die Erde, wenn es noch kalt ist. Die Eisheiligen müssen unbedingt vorbei sein, und eine milde Wetterphase sollte abgepasst werden. Die Außentemperatur sollte nicht mehr unter 15°C fallen.

Bereits in der Vorkultur wird die Triebspitze ausgekniffen, wenn die Pflanze etwa 20 cm hoch ist. Belassen Sie beim Auspflanzen nur drei bis vier Triebe an der Pflanze, damit diese sich umso besser entwickeln. Dennoch ist meist eine Stütze durch Bambusstäbe erforderlich. Je nach Züchtung werden die Pflanzen zwischen 50 und 100 cm hoch – im Gewächshaus tendenziell höher. Die erste Blüte eines jeden Triebs wird auch noch entfernt, so regt man einen reicheren Fruchtansatz an. Ab Hochsommer reifen die Früchte. Ernten Sie diese durch Abschneiden, denn nur zu leicht werden beim Pflücken die Triebe beschädigt, und die noch unreifen Früchte können sich nicht mehr richtig entwickeln. Paprika kann bereits grün geerntet werden und schmeckt dann herzhaft mit einer bitteren Note. Belässt man die Früchte an der Pflanze, wandelt sich der Farbton ins Rote, Orange und Gelbe. Die Früchte schmecken dann süßlicher. Ernten Sie aber nicht zu spät, sonst bleibt der Ertrag zu niedrig, denn die späteren Früchte reifen umso besser, wenn die vorherigen entfernt wurden.

Rhabarber

Obwohl meist als Dessert oder Kuchenbelag verzehrt, gehört Rhabarber *(Rheum rhabarbarum)* zu den Gemüsearten. Rhabarber ist eine mehrjährig kultivierte Rhizomstaude und bildet eine grundständige Rosette mit lang gestielten, großen, tellerförmigen Blättern. Die oberirdischen Pflanzenteile sterben im Herbst ab. Früher pflegte man Rhabarber vor der Ernte zu bleichen, um die Stängel milder zu machen. Bei modernen Sorten ist das nicht mehr nötig. Die bis 70 cm langen, meist rötlich gefärbten, verdickten Stiele werden von Mitte April bis Juni geerntet, indem man sie mit einem kurzen Ruck vom Herz der Pflanze abrupft und nicht abschneidet. Man erntet höchstens ein Drittel der vorhandenen Triebe, um die Pflanze nicht zu sehr zu schwächen. Wenn sich Mitte bis Ende Juni der etwa 2 m hohe Blütenspross mit einer cremefarbenen Rispenblüte entwickelt, endet die Ernte. In ein feuchtes Tuch eingeschlagen, halten sich geerntete Rhabarberstangen einige Tage im Kühlschrank. Zur Konservierung kann man Konfitüre kochen oder in Stücke geschnittene Stangen einfrieren. Beim Auftauen werden sie jedoch matschig und eignen sich nur noch für Kompott.

Rhabarber braucht einen tiefgründigen, nährstoffreichen, gut gelockerten, feuchten Boden an einem sonnigen oder halbschattigen Standort. Der Abstand zwischen den Pflanzen beträgt etwa 1 mal 1 m. Rhabarber sollte auf Jahre ungestört wachsen können. Die beste Pflanzzeit ist das zeitige Frühjahr oder der Herbst. Damit man nicht jahrelang auf die erste Ernte warten muss, setzt man nur Wurzelstücke, die über 500 g schwer sind und mindestens einen Austriebskegel aufweisen. Die Triebkegel dürfen beim Pflanzen nur knapp mit Erde bedeckt sein.

Zwei bis drei Pflanzen reichen in der Regel aus, um den Bedarf einer vierköpfigen Familie zu decken. Für die Mischkultur sind Salat, Bohnen, Spinat und alle Kohlarten geeignete Pflanzpartner.

Tomaten

Die Vorkultur von Tomaten *(Solanum lycopersicum)* ist zwar auf den ersten Blick mühsam, aber eigentlich der leichtere Teil der Tomatenkultur. Ausgesät wird direkt in kleine Töpfe (wenn man nicht gerade Plantagen damit bepflanzen will), so ist ein späteres Verpflanzen für die Wurzeln umso schonender. Bei der Aussaat hat man angesichts der immens großen Sortenpalette die Qual der Wahl. Vermeiden Sie auf jeden Fall Sorten, die anfällig gegenüber der gefürchteten Kraut- und Braunfäule sind. Viele Hobbygärtner beginnen mit der Aussaat noch deutlich früher, etwa um den Valentinstag Mitte Februar. Wichtig ist lediglich, dass die Pflanzen nach der Keimung sehr viel Licht bekommen und bei Temperaturen um höchstens 20 °C gedeihen können. Werden die Pflanzen umgesetzt, kommen sie tiefer in die Erde, etwa bis zum ersten Blattansatz. Am Stiel bilden sie dann meistens noch zusätzliche Wurzeln, die die Pflanze umso besser versorgen.

Tomaten werden Mitte April ins Gewächshaus versetzt – oder ab Mitte Mai während einer warmen Klimaphase ins Freiland. Auch hier ist, wie bei Paprika, ein Anbau unter einem Folienschutz deutlich sicherer. Gewässert wird direkt an die Wurzeln; das Blattwerk wird keinesfalls benetzt. Gerade ein Wasserfilm auf dem Laub leistet einer rasanten Verbreitung der Fäule Vorschub. Das Schadbild besteht in einem sehr raschen Verfall des Laubs – erst vergilbt es, dann wird es braun. Früher oder später werden auch die Früchte davon befallen. Sie verfärben sich bräunlich und werden ungenießbar. Damit es diese Krankheit schwerer hat, vom Boden aus die Pflanzen zu befallen, entfernt man die untersten Blattpaare, sobald die Pflanze etwa 50 cm hoch ist.

Bereits beim Einsetzen der Pflanzen bekommen sie eine solide Stütze. Die welligen Tomatenstäbe sind eine gute Wahl; an ihnen lassen sich die Triebe besonders gut befestigen. Die meisten Sorten wachsen etwa mannshoch. Natürlich lassen sie sich auch an anderen Stützen befestigen; selbst feste Schnüre oder Drähte eignen sich gut. Im Laufe des Sommers legen die Pflanzen enorm an Höhe zu und müssen immer wieder aufgebunden werden.

In den Blattachseln zeigen sich bereits sehr früh kleine Seitenaustriebe. Hier scheiden sich die Geister, ob bzw. wie weit diese entfernt werden sollen. Meist wird ein komplettes Ausknipsen dieser Triebe (das sogenannte »Ausgeizen«) empfohlen. So bleibt die komplette Kraft der Pflanze im Haupttrieb erhalten, und der Fruchtansatz ist besonders kräftig. Außerdem erreicht das Sonnenlicht die reifenden Früchte ungehindert und beschleunigt die Reife. Aus dem gleichen Grund entfernt man auch Blätter oder Blattteile, die die Früchte beschatten würden. Viele Hobbygärtner lassen aber einige Seitentriebe stehen. Die Ernte setzt zwar später ein, und die Früchte bleiben kleiner, doch sie fällt meist etwas reicher aus. Mit Sicherheit reagieren die verschiedenen Sorten unterschiedlich auf das Ausgeizen – Erfahrungswerte mit den einzelnen Sorten sind diesbezüglich Gold wert.

Zeigen sich die ersten gelben Blüten, ist die Freude meistens groß – sie wird aber enttäuscht, wenn keine Befruchtung stattfindet. Im Freiland übernehmen das meist der Wind oder Insekten, wenn auch nicht immer zuverlässig. Viel sicherer ist es, diesen Job selbst zu übernehmen. Dazu werden die Pflanzen etwa in der Mittagsstunde sanft gerüttelt – der Blütenstaub fällt dann schon auf die wartenden Narben.

Etwas rigide ist der klassische Rat, lediglich fünf Fruchtansätze der Pflanze zu belassen und dann die Triebspitzen auszukneifen, um das Wachstum zu stoppen. Auch hier gibt es unterschiedliche Erfahrungen, die auf den Beobachtungen verschiedener Sorten beruhen. Nehmen Sie diesen Tipp also eher als grobe Richtlinie und lassen Sie sich nicht vom Experimentieren abhalten. Tomaten brauchen lange, ehe sie ihre Reife durch eine Rotfärbung anzeigen. Bei älteren Sorten kann das durchaus 90 Tage dauern; schnell reifende neuere Züchtungen schaffen das bereits in gut 50 Tagen. Sehr oft hängen die Pflanzen

Ende Oktober noch voll mit unreifen Früchten. Diese brauchen nicht weggeworfen zu werden. Pflücken Sie sie vorsichtig ab und wickeln Sie sie in Zeitungspapier ein oder legen Sie sie in einen Eierkarton. Dunkel und kühl gehalten, reifen sie nach.

Gute Nachbarn sind Buschbohnen, Kohl (außer Rotkohl), Möhren, Porree, Radieschen, Salat, Sellerie, Spinat und Zwiebeln, ungünstige sind Erbsen, Fenchel, Gurken, Rote Bete und Rotkohl.

Zucchini

Dort, wo eine Gurkenkultur nicht möglich ist oder nur unzureichende Erfolge verspricht, können Zucchini einen gewissen Ersatz liefern. Zwar sind diese Früchte nicht ganz so zart und vielseitig verwendbar wie Gurken – doch schmackhafte Zubereitungen sind auch mit ihnen sehr gut möglich. Die Kultur gleicht anfänglich sehr dem Gurkenanbau. Ein Vorziehen junger Pflanzen in Töpfen gewährleistet kräftige Setzlinge, die direkt nach den Eisheiligen ins Freiland gepflanzt werden können. Zucchini sind also wesentlich robuster. Weder eine Abdeckung des Bodens mit Folie noch das Überdachen der Pflanzen ist erforderlich. Zwar profitieren auch Zucchini von Sonne und Wärme, doch auch in durchschnittlichen Sommern kommen sie gut zurecht und liefern einen schönen Ertrag. Pflanzen Sie die Zucchini an einen nährstoffreichen, sonnigen Platz; den Rest erledigt die robuste Pflanze. Planen Sie aber unbedingt viel Platz ein; einen ganzen Quadratmeter nimmt eine Zucchinipflanze im Laufe des Sommers locker ein. Geerntet werden die Früchte, wenn sie etwa 15 bis 20 cm lang sind.

Neben der unkomplizierten Kultur sind Zucchini durch ihren sehr reichen Fruchtansatz so beliebt geworden. Für einen Vierpersonenhaushalt reichen zwei, höchstens drei Pflanzen völlig aus. Bekannt sind die grünen, heller gemaserten länglichen Früchte, aber auch rundfruchtige oder gelbe Sorten stehen der Ausgangssorte in puncto Erntefülle und Geschmack in nichts nach. Natürlich können Zucchinifrüchte auch länger an der Pflanze bleiben – sie werden dann enorm groß und schwer. Zwar eignen sie sich dann nicht mehr als Salatzutat, doch Schmorgemüse lässt sich sehr gut mit ihnen zubereiten.

Gute Nachbarn sind Stangenbohnen und Zwiebeln.

4 Obst und Beeren

Konzeption eines Obstgartens

Frisches Obst aus dem eigenen Garten darf nicht auf dem Speiseplan fehlen. Selbst gezogene Äpfel, Birnen, Pflaumen und andere leckere Obstsorten sind ein wesentlicher Beitrag zur Selbstversorgung und zum Klimaschutz, denn der Eigenanbau spart weite Transportwege. Was nicht gleich nach der Ernte verzehrt wird, kann konserviert oder gelagert werden. Verfahren zur Verwertung und Haltbarmachung, wie Einfrieren, Einkochen, das Bereiten von Saft, Konfitüre, Chutney und anderen Fruchtkonserven sowie das Dörren und die Bereitung von Obstwein und Likören, wird weiter unten näher ausgeführt. An dieser Stelle geht es zunächst einmal um die Planung und das Anlegen eines Obstgartens und die Pflege der jeweiligen Arten.

Bei der Planung eines Obstgartens spielt die Grundstücksgröße eine entscheidende Rolle. Anders als beim Gemüse, das auch in geringer Stückzahl auf kleinen Beeten und selbst auf Balkon oder Terrasse kultiviert werden kann, nehmen Obstbäume zunächst einmal mehr Platz ein. Schon ein Birnbaum-Hochstamm sprengt in der Regel die Kapazitäten eines normalen Hausgartens. In ausreichend großen Gärten sollte man aber auf Halb- oder Hochstammgehölze keinesfalls verzichten, in kleinen Gärten ist es jedoch besser, sich auf Beerensträucher oder platzsparendes Spalierobst zu beschränken. Ist der Raum wirklich sehr beschränkt, können immer noch Kletterobstarten, wie Weintrauben, Brombeeren oder Kiwis, an der Hauswand oder am Gartenzaun kultiviert werden.

Grundsätzlich müssen Gehölzgärten in »Etagen« angelegt werden, damit sich die Sträucher und Bäume nicht gegenseitig beschatten, denn reichlich Sonne sorgt für süßere Früchte und gesunde Kulturen. Solch ein Obstgarten kann weiter vom Haus entfernt liegen als der Gemüse- oder Kräutergarten, da man nicht jederzeit Zugriff auf die Pflanzen braucht, und auch die Pflege bei den meisten Obstarten weniger intensiv ist. Eine gute Idee ist es übrigens, den Nutzgarten mit einer Beerenhecke einzufassen und zwischen den Obstgehölzen essbare Bodendecker wie Bärlauch oder Walderdbeeren zu pflanzen.

Wer keinen Garten hat, braucht auf den Obstanbau nicht zu verzichten. Viele Beerensträucher, Erdbeeren und Zwerg-Obstbäumchen (z. B. säulenförmig gezogene Ballerinas) gedeihen auch im Kübel auf Balkon und Terrasse. Eine besonders pfiffige Idee: Erdbeeren in Hängeampeln!

Was ist wann zu tun?

Gepflanzt werden Obstgehölze vorwiegend während der Winterruhe von Oktober bis März. Containerware kann praktisch ganzjährig gepflanzt werden, zu bevorzugen ist aber die Herbstpflanzung. Ausnahme: Erdbeeren, die bereits im Sommer gesetzt werden, und einjährige Arten wie die Kapstachelbeere.

Damit Obstgehölze langfristig reiche Erträge liefern, müssen sie regelmäßig beschnitten werden. Das Beschneiden verjüngt das Fruchtholz und sorgt für eine offenere Kronenform, was die Ernte erleichtert. Beim Winterschnitt lichtet man die Krone aus und entfernt krankes und abgestorbenes Holz. Der Sommerschnitt fördert die Fruchtbildung im folgenden Jahr und lässt mehr Licht in die Krone, was der Fruchtreife zugutekommt. In unseren Breiten ist die richtige Zeit für den Sommerschnitt in der Regel der Hochsommer. Über die richtigen Schnitttechniken für die jeweiligen Arten und Wuchsformen gibt es Fachliteratur; Volkshochschulen und Gartenbauvereine bieten oft Baumschnittkurse an, die eine zeitlich und finanziell lohnende Investition sind, denn am praktischen Beispiel lernt man am besten. Wichtig: Das Werkzeug – also Scheren, Messer und Sägen – muss stets scharf sein und nach jedem Gebrauch gründlich desinfiziert werden, damit keine Krankheiten übertragen werden.

Weitere Pflegemaßnahmen sind die Unkrautbekämpfung, das Düngen mit Kompost oder Pflanzenjauchen sowie eine regelmäßige Kontrolle auf Krankheiten und Schädlinge. Wird ein Befall festgestellt, sind umgehend angemessene Bekämpfungsmaßnahmen einzuleiten, damit sich der Befall nicht auf die gesamte Kultur ausweitet.

Kernobst

Als Kernobst bezeichnet man Obstgattungen aus der Familie der Rosengewächse, etwa Äpfel und Birnen, aber auch seltenere Fruchtgehölze wie Speierling, Quitte und Mispel. Bei den Früchten dieser Gattungen sind in der Regel fünf Fruchtknoten von dem Gewebe der Blütenachse umwachsen, im Verlauf der Reife entwickelt sich dieses Gewebe zum Fruchtfleisch. Die eigentliche Frucht ist jedoch nicht das essbare Fruchtfleisch, sondern das aus pergamentartigen Fruchtblättern bestehende Kerngehäuse. Die Kerne sind die Samen.

Kernobst wird meist als Halb- oder Hochstamm in entsprechenden Veredelungen auf mehr oder weniger wuchsstarken Unterlagen gezogen. Beim Kauf in einer Baumschule bekommt man Informationen darüber, welche Wuchsform und welche Veredelung sich für die jeweiligen Standortbedingungen eignen. Die Kultur von Kernobstgehölzen als Kordon-, Spindel- oder Spaliergehölz spart Platz und ist im Verhältnis zur Baumgröße ertragreicher, aber – vor allem am Anfang – aufwendiger in der Pflege. Spaliergehölze brauchen eine fächer- oder rasterförmige Stütze oder einen zwischen Pfosten oder an einer Wand gespannten Draht, an die man sie anbindet. Folgende Krankheiten und Schädlinge treten häufiger auf: Blattläuse, Wicklerraupen, Schorf, Feuerbrand und Mehltau.

Äpfel

Von dieser wichtigen Obstart gibt es Tausende von Kultursorten. Viele alte Sorten des Apfels *(Malus domestica)* sind inzwischen in Vergessenheit geraten, obwohl sie zum Teil perfekt an regionale Klima- und Umweltbedingungen angepasst sind. Besonders in rauen Lagen lohnt es sich, nach alten Regionalsorten Ausschau zu halten. In von Spätfrost gefährdeten Regionen sollte man spät blühende Sorten bevorzugen.

Der ideale Standort ist sonnig bis halbschattig, der Boden tiefgründig, gut durchlässig und leicht sauer bis neutral (pH-Wert 6,5 bis 7,5). Je nach Baumform beträgt der Pflanzabstand zwischen den Reihen und zwischen den einzelnen Pflanzen 2,5 bis 5 m.

Ein Erhaltungs- und Verjüngungsschnitt erfolgt an frostfreien Tagen im Winterhalbjahr. Spindel-, Kordon- und Spalieräpfel brauchen außerdem einen Sommerschnitt, damit sie nicht aus der Form geraten.

Erntezeit für Äpfel ist – je nach Sorte – von Juli (Sommeräpfel wie z. B. Kläräpfel) bis Oktober (Herbstsorten wie »Golden Delicious«, »Schöner aus Boskoop« oder »Goldparmäne«). Man kann durch eine geschickte Sor-

---

Erträge bei Apfelbäumen:

Der Ertrag hängt von Sorte, Baumform, Unterlage, Standortbedingungen, Alter und der Pflege ab. Als Faustregel gilt:

    Hoch- und Halbstamm: 80 bis 160 kg
    Busch: 25 bis 55 kg
    Zwergbusch: 15 bis 25 kg
    Spindelbusch: 15 bis 25 kg
    Fächer: 5 bis 15 kg
    Spalier: 10 bis 25 kg
       Kordon: 2,5 bis 5 kg

tenwahl rund sechs Monate im Jahr frische Äpfel genießen, denn manche Lagersorten wie »Elstar«, »Rheinischer Bohnapfel« oder »Ontario« halten sich bei sachgerechter Aufbewahrung bis ins Frühjahr hinein (siehe Seite 294ff.). Achten Sie bei der Sortenwahl auch auf die Verwendung: Manche Apfelsorten eignen sich vor allem zum Frischverzehr. Andere Sorten sind gut lagerfähig oder werden zum Kochen und Backen oder als Mostapfel verwendet. Wichtig: Nicht alle Sorten sind selbstfruchtbar. Damit zuverlässige Erträge erzielt werden, müssen Sie geeignete Befruchtersorten mit derselben Blütezeit pflanzen – Hilfe bei der Sortenwahl gibt jede Baumschule.

Birnen

Birnen *(Pyrus domestica)* sind beliebte Früchte zum Frischverzehr, aber auch zum Einmachen, Dörren und zur Bereitung von Most. Es gibt zwar nicht so viele Birnen- wie Apfelsorten, aber die Auswahl ist dennoch groß. Beispielsweise Dessertbirnen, die frisch vom Baum oder kurz nach der Ernte am besten schmecken, etwa »Williams Christ« oder »Gute Louise«. Dann Koch- oder Lagerbirnen wie etwa »Madame Verte« oder »Vereinsdechantsbirne«, sie reifen am Baum nicht voll aus, sind aber dafür gut geeignet zur Lagerung und Konservierung. Dessertbirnen sollten verbraucht werden, sobald sie beginnen, weich zu werden, weil sie sonst rasch verderben. Nachreifende Sorten halten sich bei sachgerechter Lagerung bis ins zeitige Frühjahr.

Die Kultur von Birnen gleicht der von Äpfeln, allerdings sind Birnen bezüglich des Standorts etwas anspruchsvoller. Sie reagieren empfindlicher auf Wind und brauchen mehr Sonne und Wärme. In rauen Regionen empfiehlt sich daher eine Kultur als Kordon, Spalier oder Fächer an einer geschützten Mauer. Wie bei Äpfeln gibt es Birnen in verschiedenen Wuchs- bzw. Baumformen. Hochstämme werden nur noch selten kultiviert, da die Ernte bei kleiner wachsenden Baumformen erheblich einfacher ist. Als Unterlage für die Veredelung werden meist Quitten verwendet, auf die Birnenreiser gepfropft werden. Wie viele Kernobstarten sind auch Birnen in der Regel nicht selbstfruchtbar und brauchen für eine zuverlässige Ernte eine gleichzeitig blühende Befruchtersorte.

> **Erträge bei Birnbäumen:**
> Der Ertrag hängt von Sorte, Baumform, Unterlage, Standortbedingungen, Alter und der Pflege ab. Als Faustregel gilt:
>   Buschbaum: 20 bis 40 kg
>   Zwergbusch: 15 bis 20 kg
>   Spindelbusch: 10 bis 20 kg
>   Fächer: 5 bis 10 kg
>   Spalier: 5 bis 10 kg
>   Kordon: 2,5 bis 3,5 kg

Mispeln

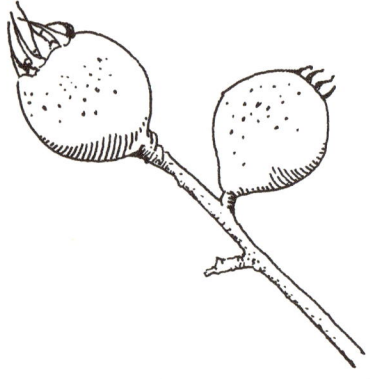

Im Mittelalter waren Mispeln *(Mespilus germanica)*, auch Dörrlitzen oder Heschperl genannt, in Süd- und Mitteleuropa ein weitverbreitetes Obst. Heute kennt sie kaum noch jemand. Zu Unrecht, denn die bis 5 m hohen, rundkronigen Bäume sind sehr pflegeleicht, und die Früchte ergeben nach der Zubereitung schmackhafte Konfitüren, Gelees und Süßspeisen. Mispeln wachsen mit etwas unregelmäßigem Stamm, brauchen nicht beschnitten zu werden und sind selbstfruchtbar, sodass man auch von nur einer Pflanze schon sichere Erträge hat. Sie sind allerdings nur bis −20 °C frosthart und wachsen daher nicht in rauen Lagen. Die rosa-weißen Blüten erscheinen im Mai/Juni. Bis zum Herbst bilden sich an große Hagebutten erinnernde, plattrunde Früchte mit rauer, holziger Schale. Bei Kultursorten haben sie einen Durchmesser von bis zu 8 cm, bei Wildformen bleiben sie kleiner. Geerntet werden die Früchte erst nach den ersten leichten Frösten Ende Oktober oder Anfang November, da das Fruchtfleisch dann weich wird und seine zusammenziehende Wirkung verliert. Das säuerlich aromatische Fruchtfleisch kann mit einem Löffel aus der Schale geschabt und roh verzehrt oder zu Konfitüre oder Ähnlichem verarbeitet und konserviert werden. Geerntete Früchte sind jedoch nicht lange lagerfähig. Mehr als einen Mispelbaum braucht man daher nicht, wenn man außerdem andere Obstsorten wie Äpfel und Birnen anpflanzt.

Quitten

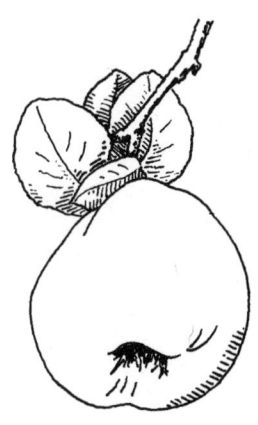

Die gelben, auch im reifen Zustand sehr harten Früchte der Quitte *(Cydonia oblonga)* sind nur gegart genießbar. Dennoch lohnt der Anbau dieser Frucht, weil die Bäume wenig spätfrostgefährdet und außerdem sehr pflegeleicht sind. Die Sorten werden, entsprechend ihrer äußeren Form, in Apfel- und Birnenquitten unterschieden. Letztere gelten als etwas weicher und zarter. Im Handel befindliche Kultursorten sind in der Regel auf Quittensämlinge gepfropft. Die Vermehrung der Sorten durch Stecklinge oder Aussaat ist selten erfolgreich. Quitten sind selbstfruchtbar, man kann also auch bei nur einem Baum bereits mit zuverlässigen Erträgen rechnen. Die großen rosaweißen, attraktiven Blüten erscheinen für kurze Zeit im Mai/Juni. Um größere Früchte zu ernten, sollte man den Besatz im Sommer ausdünnen. Erntezeit ist von Anfang Oktober bis Anfang November, möglichst vor den ersten scharfen Nachtfrösten. Unbeschädigte Früchte sind je nach Sorte und Reifezustand ein bis zwei Monate lagerfähig. Die mit einer filzigen Flaumschicht bedeckten Früchte duften aromatisch und können zu Kompott, Gelee oder Konfitüre verarbeitet werden. Im Orient, woher der Baum ursprünglich stammt, schmort man Quitten auch zusammen mit Fleisch.

Quittenbäume werden bis 5 m hoch. Am besten zieht man sie als Buschbäume, damit die Ernte leichter fällt. Sie können aber auch als Fächer an einer Mauer gezogen werden. Quitten brauchen einen geschützten, warmen, sonnigen Standort und tiefgründigen, fruchtbaren, leicht sauren Boden (pH-Wert um 6,5), der die Feuchtigkeit gut hält. Ein Schnitt ist in der Regel nicht nötig. Gute Sorten sind »Vranja« (birnenförmig), »Portugiesische« (birnenförmig), »Riesenquitte von Leskovac« (apfelförmig) und »Konstantinopeler« (apfelförmig). Mit einem etablierten Quittenbaum kann man genug Vorrat an Quittengelee gewinnen, um übers Jahr zu kommen.

Speierling

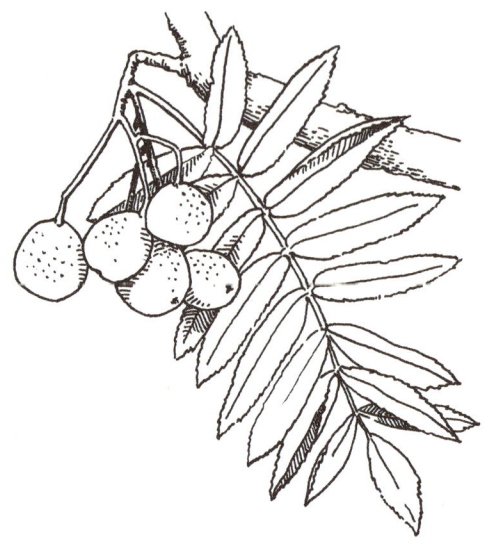

Diese alte Obstart ist nicht zum Frischverzehr geeignet, aber dennoch wertvoll. Speierling *(Sorbus domestica)*, auch Sperberbaum, Sporapfel oder Spreigel genannt, ist mit der Vogelbeere verwandt, bildet aber deutlich größere Früchte mit einem Durchmesser von 2 bis 3 cm, die apfel- oder birnenförmig sind. Das selten kultivierte Wildobst wird gern zu Mus oder Konfitüre verarbeitet und in Süddeutschland vor allem bei der Mostbereitung zusammen mit Äpfeln und/oder Birnen verwendet.

Der langlebige, anfangs raschwüchsige, später langsamer wachsende Baum wird 10 bis 20 m hoch und braucht pro Exemplar eine Standfläche von 20 mal 20 m. Mit einer Ernte kann allerdings erst nach 10 bis 20 Jahren gerechnet werden. Dafür ist der Baum sehr langlebig und kann bis zu 300 Jahre alt werden. Der Boden sollte nährstoffreich, wechselfeucht bis trocken und gut durchlässig sein. Auf sandigen oder feuchten Böden gedeiht der Speierling, der Weinbauklima bevorzugt, nur schlecht. Wird kein hoher Baum gewünscht, sollte man auf veredelte (gepfropfte) Baumschulware zurückgreifen. Wenn man keine kommerzielle Mostproduktion anstrebt, genügt ein Baum für den Bedarf einer Familie. Schnittmaßnahmen sind nicht erforderlich.

Steinobst

Als Steinobst bezeichnet man Obstarten mit fleischigen, meist einsamigen Schließfrüchten mit je nach Art ledriger oder samtiger Außenhaut und meist süßem, saftreichem Fruchtfleisch. Der holzige, harte Steinkern enthält den Samen. Durch den 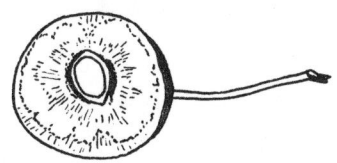 einzelnen, harten Kern unterscheiden sich die Früchte von Beeren. Zu den beliebtesten Steinobstarten gehören Kirschen, Pflaumen, Pfirsiche und Aprikosen.

Steinobst kann als Halb- oder Hochstamm in entsprechenden Veredelungen auf mehr oder weniger wuchsstarken Unterlagen kultiviert werden. Oft wird Steinobst aber auch als Spalierform gezogen. Besonders in rauen Klimaregionen hat sich die Kultur von empfindlichen Arten wie Aprikosen, Pfirsichen und Nektarinen als Spaliergehölz an einer geschützten Hauswand in Südausrichtung bewährt. Kirschen, Mirabellen, Pflaumen und Zwetschgen sind meist robuster und können gut als Buschbaum erzogen werden, was die Ernte erleichtert. Beim Kauf in einer Baumschule bekommen Sie Informationen, welche Wuchsform und welche Veredelung sich für die jeweiligen Standortbedingungen eignet. Steinobst ist anfällig für Blattläuse, Bleiglanz, Monilia-Spitzendürre und -Fruchtfäule, Pfirsiche auch für die Kräuselkrankheit.

Aprikosen

Die Kultur von Aprikosen *(Prunus armeniaca)* ist einfacher als die von Pfirsichen und Nektarinen, da die Pflanzen frosthärter und weniger anfällig für Schädlinge und Krankheiten sind. So werden Aprikosen nur selten von der Kräuselkrankheit befallen. Die rosa-weißen Blüten öffnen sich jedoch schon Ende März und sind daher anfällig für Frostschäden. Man kann die Blüten bei drohenden Spätfrösten mit einem Vlies schützen und so die Ernte sichern. Aprikosen werden oft als Fächer oder Spalierbäume an Mauern in Süd- und Südwestlage gezogen, um das Risiko von Frostschäden zu verringern. Einige moderne Sorten, wie etwa »Flavorcot«, »Hargrand« oder »Tomcot«, blühen später und sind robuster als traditionelle Sorten. Aprikosen sind selbstfruchtbar. Da bei der frühen Blütezeit oft noch keine Insekten als Bestäuber unterwegs sind, empfiehlt sich die Handbestäubung mit einem Pinsel.

Damit die Früchte im Sommer gut ausreifen, brauchen Aprikosen einen sonnigen, warmen Standort. Der Boden sollte tiefgründig, durchlässig und neutral bis leicht alkalisch sein (pH-Wert 6,5 bis 7,5). Sandige, steinige oder kalkige Böden sind nicht geeignet. Als Buschbäume erreichen Aprikosen eine Höhe von 3 bis 5 m, als Fächer 4 bis 5 m. In rauen Lagen können Aprikosen auch im Kübel und unter Glas gezogen werden, wo sie allerdings kompakter bleiben. Geschnitten werden Aprikosen im Frühjahr oder Sommer, wenn der Saft im Baum schon fließt. Dann heilen die Wunden besser, und das Risiko von Infektionen, z. B. für Bleiglanz, ist geringer.

Geerntet werden Aprikosen im vollreifen Zustand. Das ist je nach Sorte und Region im Juli und August der Fall. Man erkennt die Reife daran, dass sich die Früchte leicht vom Zweig lösen. Nicht alle Früchte reifen gleichzeitig, deshalb muss der Baum mehrfach durchgepflückt werden. Gekühlt halten Aprikosen sich einige Tage. Man kann sie frisch essen oder für Konfitüre, Kuchen, Süßspeisen und Kompott verwenden. Will man sie konservieren, müssen sie entsteint werden. Anschließend kann man sie einfrieren, dörren oder einmachen. Robuste Sorten für den Hausgarten sind, außer den oben genannten, »Kuresia« und »Mino«.

Erträge bei Aprikosenbäumen:
Buschbaum: 10 bis 25 kg
Fächer: 7 bis 15 kg

Kirschen

Bei diesem beliebten Steinobst unterscheidet man zwischen Süßkirschen *(Prunus avium)* und Sauerkirschen *(Prunus cerasus)*. Die etwas früher reifenden Süßkirschen kann man roh essen oder für Kuchen und Süßspeisen verwenden. Sie eignen sich nicht für Konfitüre, Gelee oder zum Einmachen. Sauerkirschen haben roh einen sehr herben Geschmack und werden deshalb in der

Regel nur verarbeitet verzehrt. Sie eignen sich ideal für Konfitüre und Gelee, für Kuchen, Torten, Süßspeisen und zum Konservieren durch Einmachen oder Einfrieren.

Früher wurden Süßkirschbäume sehr hoch, sodass man die köstlichen Früchte nur mit Leitern ernten konnte. Moderne Züchtungen werden meist auf schwach wachsenden oder niedrigen Unterlagen veredelt und können als Buschbaum, Pyramide, Säulenbaum oder Fächer gezogen werden. Sauerkirschen werden von Natur aus nicht so groß. Der Standort sollte sonnig, geschützt und möglichst nicht zu windig sein. Bevorzugt wird nährstoffreicher, tiefgründiger, durchlässiger, leicht saurer Boden (pH-Wert um 6,5). Der Pflanzabstand bei Buschbäumen beträgt 3 bis 5 m. Besonders zur Zeit der Fruchtreife ist eine regelmäßige Wasserversorgung wichtig, damit die Früchte nicht platzen.

Die weißen Blüten erscheinen im April und sind in rauen Lagen von Spätfrösten bedroht. Ältere Süßkirschsorten sind nicht selbstfruchtbar und brauchen eine gleichzeitig blühende Befruchtersorte. Moderne Sorten und fast alle Sauerkirschen sind in der Regel selbstfruchtbar, es genügt also ein Baum für eine sichere Ernte.

Die Ernte beginnt bei frühen Süßkirschsorten gegen Ende Juni und erstreckt sich bei anderen Sorten über den ganzen Juli. Sauerkirschen reifen je nach Sorte ab Ende Juli/Anfang August. Reifende Früchte müssen mit Netzen vor Vogelfraß geschützt werden. Geerntet werden nur vollreife Früchte bei trockenem Wetter. Sie müssen gleich verzehrt bzw. verarbeitet werden. Kirschen lassen sich nämlich nur ein bis zwei Tage kühl lagern und schimmeln rasch.

Erträge bei Kirschbäumen:

Die Ertragsmenge gilt für etablierte Süßkirschbäume. Bei Sauerkirschen liegen die Erträge etwa ein Drittel niedriger.

Buschbaum: 15 bis 40 kg
Pyramide: 15 bis 25 kg
Fächer: 5 bis 15 kg
Säulenbaum: 2,5 bis 5 kg

Für regelmäßig hohe Erträge und einen gesunden Wuchs müssen Kirschbäume jährlich ein- bis zweimal geschnitten werden. Der erste Schnitt erfolgt im zeitigen Frühjahr vor dem Austrieb, der zweite im Sommer nach der Ernte.

Pflaumen

Zu den Pflaumen zählen auch Zwetschgen, Haferpflaumen, Mirabellen und Renekloden, die sich zwar in Form, Farbe und Verwendung der Früchte unterscheiden, nicht aber im Wuchs und in der Kultur. Pflaumen (*Prunus domestica*) wurden früher meist als frei stehende Buschbäume oder Hochstämme gezogen. Moderne Unterlagen machen es möglich, kompakt wachsende, maximal 3 m hohe Bäume zu ziehen, die bei hohen Erträgen dennoch leichter gepflegt und beerntet werden können. Die Kultur gleicht der von Kirschen, nur dass Pflaumen etwas robuster sind, auch in raueren Regionen wachsen und nicht so stark geschnitten werden müssen wie Kirschbäume. Allerdings blühen Pflaumen als erste Obstbäume sehr früh im April und sind daher besonders anfällig für Spätfröste. Eventuell müssen blühende Bäume mit Vliesen geschützt werden, damit die Ernte nicht ausfällt.

Viele Pflaumensorten sind nicht selbstfruchtbar und brauchen eine zur gleichen Zeit blühende Befruchtersorte. Einige moderne Sorten sind selbstfruchtbar, bringen aber höhere Erträge, wenn sie von einer anderen Sorte befruchtet werden. Mitunter kommt es vor, dass einzelne Bäume ein Jahr mit der Blüte ganz aussetzen, was aber kein Grund zur Besorgnis ist. Sie blühen und fruchten im nächsten Jahr normal. Ein Fruchtfall im Juni kommt gelegentlich vor und ist natürlich. Bei zu dichtem Behang muss von Hand ausgedünnt werden. Schwer beladene Äste sollten gestützt werden, damit sie nicht brechen. Die Ernte beginnt bei frühen Sorten im Juli, frühe und mittelspäte Sorten reifen im August, mittelspäte bis späte Sorten im September. Sehr späte Sorten reifen erst im Oktober. Meist werden nicht alle Früchte eines Baums gleichzeitig reif, daher müssen die Bäume mehrfach durch-

---

Erträge bei Pflaumenbäumen:

Die Erträge können von Jahr zu Jahr stark variieren. Die angegebenen Mengen sind Durchschnittserträge:

- Buschbaum: 15 bis 25 kg
- Pyramide: 15 bis 25 kg
- Fächer: 7 bis 10 kg
- Kordon: 3,5 bis 7 kg

gepflückt werden. Man erntet die Früchte vollreif. Sie eignen sich je nach Sorte zum Frischverzehr, zum Bereiten von Süßspeisen, Kuchen, Konfitüre (»Pflaumenmus«) oder zur Konservierung durch Einmachen, Dörren oder Einfrieren. Geerntete Früchte müssen möglichst rasch verarbeitet werden, da sie bald zu schimmeln beginnen.

Pfirsiche

In kühlem Klima ist der Anbau von Pfirsichen *(Prunus persica)* etwas risikoreich, aber im Weinbauklima sollte man nicht auf diese köstlichen Früchte verzichten. Die Pflanzen selbst sind recht frosthart. Gefährlich sind jedoch Spätfröste, die bereits blühende Bäume schädigen. Das Abdecken mit Vlies kann die Ernte retten.

Die Bäume brauchen einen warmen, windgeschützten, sonnigen Standort. Sie werden entweder als Buschbäume bzw. Pyramiden erzogen oder als Fächer an einer Süd- oder Südwestwand kultiviert. Beide Wuchsformen erreichen eine Höhe von etwa 5 m. In rauen Regionen können Pfirsiche auch im Kübel und unter Glas gezogen werden. Pfirsiche mögen tiefgründigen, fruchtbaren, durchlässigen, leicht sauren bis neutralen Boden (pH-Wert 6,5 bis 7). Die rosafarbenen Blüten öffnen sich im April und sind selbstfruchtbar. Wenn zu dieser Zeit keine Insekten zur Bestäubung unterwegs sind, sollte man selbst Hand anlegen und mit einem Pinsel bestäuben. Schnittmaßnahmen führt man am besten im Frühjahr und Sommer aus (siehe auch Aprikose). Hat der Baum nach der Blüte reichlich Früchte angesetzt, dünnt man diese bis zum Juni auf 20 bis 25 cm Abstand aus. Je nach Sorte reifen die Früchte ab Juli. Späte Sorten reifen mitunter erst Anfang September. Man erkennt die Fruchtreife daran, dass die Pfirsiche sich weich anfühlen und bei Berührung leicht vom Zweig zu lösen sind.

Pfirsiche schmecken frisch vom Baum am besten. Sie halten sich gekühlt einige Tage. Man kann sie auch zu Konfitüre, Kuchen, Süßspeisen oder Kompott verarbeiten. Zum Einmachen oder Einfrieren müssen die Früchte gehäutet und entsteint werden. Manche Sorten, etwa sogenannte Weinbergpfirsiche, sind besser zum Einmachen als zum Frischessen geeignet. Als relativ robust gelten die Sorten »Red Haven«, »Amsden« und »Revita«.

> **Erträge bei Pfirsichbäumen:**
> Buschbaum: 15 bis 25 kg
> Fächer: 5 bis 10 kg

Nektarinen *(Prunus persica var. nectarina)* unterscheiden sich vom Pfirsich nur durch ihre glatte Schale und ihren etwas höheren Wärmebedarf. Die Kultur und die Verwendung sind gleich wie beim Pfirsich. Robuste Sorten für den Hausgarten sind »Fantasia«, »Lord Napier«, »Nectarose« und die Zwergsorte »Nectarella«.

Beerenobst

Als Beerenobst bezeichnet man alle Früchte, die an Sträuchern und Ruten wachsen – wie Johannisbeeren, Himbeeren, Tafeltrauben und Brombeeren, aber auch Erdbeeren und Preiselbeeren. Auch einige Wildobstarten wie Sanddorn und Holunder werden zum Beerenobst gerechnet und lohnen einen Anbau. Frisch geerntet, schmecken Beeren am besten, aber man kann aus ihnen auch Konfitüre und Gelee, Kuchen und Süßspeisen bereiten und sie einfrieren, um in den kalten Monaten einen Vorrat dieser leckeren Früchtchen zu haben. Beerenobst kann – mit Ausnahme von Erdbeeren – mehrere Jahre beerntet werden, die Pflanzen sind aber nicht so langlebig wie Obstbäume. Die meisten Beerenobstarten – mit Ausnahme der Tafeltrauben – vertragen auch kühles Klima und sind relativ pflegeleicht. Während Stachel-, Johannis- und Heidelbeeren ohne Stütze wachsen, brauchen Brombeeren und Himbeeren sowie Tafeltrauben eine Stütze bzw. ein Rankspalier. Regelmäßiger Schnitt hält die Pflanzen gesund und sorgt für reiche Erträge. Vögel mögen Beerenobst besonders gern, deshalb müssen reifende Kulturen mit Netzen geschützt werden.

Brombeeren

Brombeeren *(Rubus fruticosus)* bilden lange, meist stachelige Ruten, die an einem Spalier oder an zwischen Pfosten gespannten Drähten gezogen werden. Es gibt auch stachellose Sorten, die aber meist im Geschmack weniger intensiv sind. Brombeeren sind sehr wüchsig und brauchen nicht viel Aufmerksamkeit. Man schneidet lediglich einmal im Jahr alte Ruten heraus, die nicht mehr tragen, damit junge, fruchtbare Ruten nachwachsen. Pflanzzeit ist von Oktober bis März. Brombeeren brauchen einen windgeschützten Standort in voller Sonne und fruchtbaren, durchlässigen, leicht sauren bis normalen Boden (pH-Wert 6 bis 7). Der Reihenabstand beträgt 2 m, der Abstand in der Reihe je nach Sorte zwischen 3 m (wenig wuchskräftige Sorten) und 5 m (stark wuchskräftige Sorten).

Brombeeren blühen im Mai. Im Juni bindet man neue Triebe getrennt von fruchtenden Ruten an. Sie tragen im folgenden Jahr. Frühe Sorten reifen ab Juli, mittelspäte ab August und späte erst im September. Geerntet werden nur reife Früchte, die dick und schwarz glänzen. Sie lassen sich leicht ablösen, der Zapfen bleibt dabei in der Frucht. Unreife Früchte lösen sich schlecht, überreife platzen bei der Ernte. Geerntet wird nur bei trockenem Wetter, am besten morgens oder abends. Gekühlt halten sich Brombeeren ein bis zwei Tage. Man kann aber auch Konfitüre, Gelee oder Kuchen daraus bereiten oder frisch geerntete Beeren einfrieren.

> **Erträge bei Brombeeren:**
> Je nach Sorte, Alter, Wuchskraft und Standort variiert der Ertrag. Er liegt im Durchschnitt pro Pflanze bei 5 bis 15 kg.

Erdbeeren

Früher beschränkte sich die Saison von Erdbeeren *(Fragaria ananassia)* auf die Monate Juni und Juli. Inzwischen gibt es aber auch Sorten, die mehrmals

tragend oder remontierend sind und Ernten bis zum ersten Frost ermöglichen. Erdbeeren werden in Reihen in fruchtbaren, durchlässigen, leicht sauren Boden (pH-Wert 6 bis 6,5) gepflanzt, beste Pflanzzeit ist ab Juli/August. Der Reihenabstand beträgt 75 cm, der Abstand in der Reihe 45 cm. Erdbeeren bringen nur in den ersten zwei Jahren zuverlässige Erträge, danach sollten die Pflanzen durch neue ersetzt werden. Dabei wechselt man den Standort, um der Ausbreitung von Krankheiten und einer Bodenermüdung vorzubeugen. Man kann Erdbeerpflanzen durch die zahlreichen Ausläufer, die die Pflanzen treiben, einfach selbst vermehren.

Erdbeeren blühen ab April. Bei drohenden Frösten schützt man die weißen Blüten durch eine Vliesabdeckung. Bevor die Früchte reifen, bringt man eine Mulchschicht aus Stroh aus. So bleiben die Früchte sauber und lassen sich besser ernten. Die Fruchtreife beginnt im Juni. Gepflückt werden jeweils nur vollreife Früchte, die frisch verzehrt werden. Am besten pflückt man die Reihen täglich durch. Gekühlt halten sich die Früchte leider nur wenige Tage. Man kann sie aber auch zu Konfitüre verarbeiten und einfrieren. Aufgetaute Früchte sind aber matschig und eignen sich nur noch zum Einkochen.

Heidelbeeren

Heidel- oder Blaubeeren *(Vaccinium)* werden heutzutage meistens als Kulturpflanzen kultiviert. Es handelt sich dabei nicht um die heimische Art *Vaccinium myrtillus*, sondern um Kreuzungen nordamerikanischer Arten

Erträge bei Heidelbeeren:
Der Ertrag hängt u. a. vom Alter des Strauchs ab. Junge Sträucher bringen etwa 2,5 kg, eingewachsene bis zu 5 kg.

(V. corymbosum und *V. angustifolium)*, die durch Züchtung optimiert wurden. Sie benötigen durchlässigen, nicht zu trockenen, sauren Boden (pH-Wert 4 bis 5,5) und einen sonnigen bis halbschattigen, windgeschützten Standort. Man kultiviert die Pflanzen als mehrstämmige, bis zu 2 m hohe Büsche. Der Pflanzabstand zwischen den Büschen beträgt 1,5 m. Ein Rückschnitt kann im März erfolgen. Dabei wird das Holz entfernt, das älter als drei Jahre ist. Die Pflanzen können 20 Jahre alt werden und gedeihen auch gut in Kübeln. Heidelbeeren sind selbstfruchtbar; höhere Erträge erzielt man aber, wenn mehrere Sträucher verschiedener Sorten gepflanzt werden, die sich gegenseitig befruchten. Die Blüten öffnen sich im April und Mai. Frühe Sorten reifen im Juli. Die Erntezeit zieht sich über Wochen hin, bei späten Sorten können bis in den September hinein Beeren geerntet werden. Die Früchte eignen sich für den Frischverzehr, zum Bereiten von Konfitüre, zum Einkochen und Einfrieren. Gekühlt halten sich geerntete Beeren bis zu einer Woche.

Himbeeren

Himbeeren *(Rubus idaeus)* sind wuchskräftige, pflegeleichte Beerensträucher, deren lange Ruten an von Pfählen gestützten Drähten kultiviert werden. Man pflanzt sie in Reihen mit 2 m Abstand, der Abstand in der Reihe

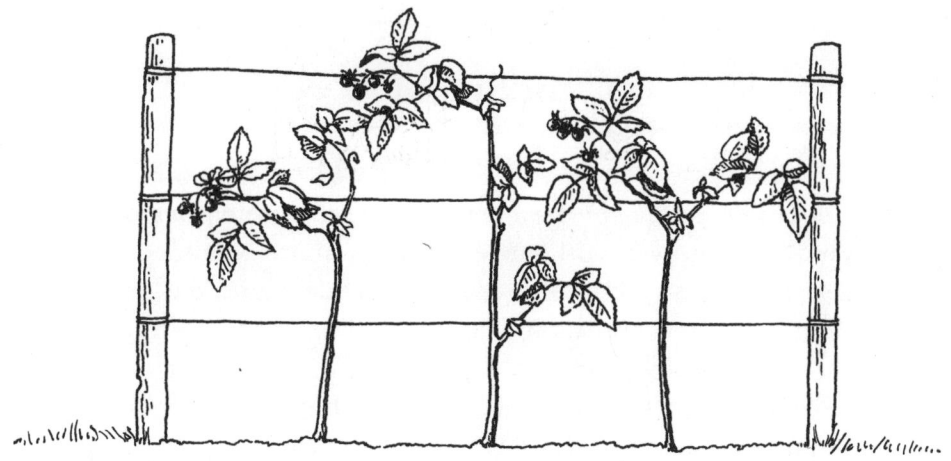

beträgt 45 cm. Himbeeren brauchen einen windgeschützten, sonnigen bis halbschattigen Standort in feuchtem, aber durchlässigem, leicht saurem Boden (pH-Wert 6 bis 6,5). Eine Düngung im März sorgt für eine reiche Ernte. Besonders zur Zeit der Fruchtreife darf der Boden nicht austrocknen. Im Mai bilden sich die unscheinbaren Blütenknospen, die Früchte reifen je nach Sorte ab Ende Juni bis in den August hinein.

Man unterscheidet zwischen einmal tragenden Sommerhimbeeren wie etwa »Schönemann«, zweimal tragenden Sorten wie »Nordmark« und Herbsthimbeeren, die erst im September reifen, etwa »Autumn Bliss«. Geerntet werden immer nur die vollreifen Früchte. Beim Pflücken reifer Beeren bleibt der Zapfen am Strauch. Wenn sich die Beeren nicht leicht lösen, sind sie noch nicht reif. Geerntete Beeren halten sich gekühlt ein bis zwei Tage. Man kann sie aber auch zu Konfitüre, Gelee, Süßspeisen und Torten verarbeiten und frisch geerntete Früchte einfrieren.

Die Ruten von Sommerhimbeeren, die nicht mehr tragen, werden ab August bodeneben zurückgeschnitten, die letztjährigen Ruten von Herbsthimbeeren werden im folgenden Frühjahr (Februar) bodeneben zurückgeschnitten. Himbeeren bilden von selbst reichlich Ausläufer und können so leicht vermehrt werden.

Erträge bei Himbeeren:

Sommerhimbeeren: eine 1 m lange Reihe liefert etwa 2 bis 3 kg.
Herbsthimbeeren: Eine 1 m lange Reihe liefert etwa 1 bis 1,5 kg.

Holunder

Schwarzer Holunder *(Sambucus nigra)*, auch Fliederbeere genannt, ist eine bei uns in der Natur wild vorkommende Art, von der es mittlerweile auch Kultursorten wie etwa »Haschberg« oder »Samdel« gibt, die zuverlässige Erträge mit hoher Fruchtqualität garantieren. Der Anbau dieses robusten, voll frostharten Großstrauchs ist denkbar unkompliziert, erfordert aber einigen Platz, da die 2 bis 7 m hohen Sträucher mit bis zu 5 m Breite recht ausladend werden. Wenn sie jeden Winter geschnitten werden, kann man sie kompakt halten und gleichzeitig für hohe Erträge sorgen, denn am jungen Holz tragen die Sträucher am meisten.

Die süß duftenden, cremeweißen Blüten stehen in etwa 20 cm breiten Schirmrispen zusammen und erscheinen im Juni, die purpurschwarzen Beeren reifen ab August. Verwendbar sind sowohl die Blüten – z. B. für Holunderblütensirup oder in Pfannkuchenteig ausgebackene »Hollerküchern« – als auch die herb-aromatischen Beeren, die jedoch nicht für den Rohverzehr geeignet sind. Erst durch Erhitzen werden die schwach giftigen Substanzen neutralisiert. Sie eignen sich zur Saft-, Wein- und Geleebereitung.

Johannisbeeren

Frische Johannisbeeren haben nur eine kurze Saison und insbesondere schwarze Johannisbeeren werden selten im Handel angeboten. Umso lohnender ist ein Selbstanbau! Die Sträucher sind pflegeleicht und ertragreich. Rote Johannisbeeren *(Ribes rubrum)* sind etwas säuerlicher als weiße Sorten. Schwarze Johannisbeeren sind besonders robust und haben einen sehr intensiven, etwas herben Geschmack. Alle Johannisbeeren können frisch vom Strauch verzehrt werden, oder man bereitet Konfitüre, Gelee oder Kuchen damit. Sie können natürlich auch eingefroren werden.

Johannisbeeren werden als bis 2 m hohe Büsche, als Hochstämme, als Kordon oder als Fächer gezogen. Sie brauchen eine windgeschützten, halbschattigen bis schattigen Standort und fruchtbaren, durchlässigen, neutralen Boden (pH-Wert 6,5 bis 7). Der Pflanzabstand bei Büschen beträgt 1,5 m. Die Blüten öffnen sich im April. Ende Juni/Anfang Juli reifen die ersten Sorten. Mittelspäte Sorten reifen im Juli, späte im August. Bei Roten und Weißen Johannisbeeren schneidet man immer ganze Trauben ab, bei Schwarzen Johannisbeeren reifen die Beeren nacheinander, deshalb müssen sie einzeln gepflückt werden. Geerntete Früchte halten sich gekühlt zwei bis

> **Erträge bei Johannisbeeren:**
> Je nach Sorte und Wetter variiert der Ertrag. Er liegt im Durchschnitt pro Busch bei 4 bis 5 kg.

drei Tage. Im Spätwinter sollten die Büsche aber geschnitten werden. Alte, unproduktive und überkreuzte Triebe entfernt man, damit Licht und Luft in den Busch gelangen können. Im Juni/Juli können zu dicht stehende Seitentriebe eingekürzt werden.

Preiselbeeren

Die bei uns heimische Preiselbeere *(Vaccinia vitis-idaea)*, auch Kronsbeere genannt, wird nur selten kultiviert. Dieser kompakt aufrechte oder niederliegende, immergrüne Zwergstrauch bringt relativ kleine Früchte hervor. Öfter findet man Kulturpreiselbeeren (»Cranberrys« oder Großfrüchtige Moosbeeren, *V. macrocarpa*), die aus nordamerikanischer Züchtung stammen. Die Kultur entspricht der von Heidelbeeren, aber Preiselbeeren brauchen noch mehr Wasser zum Gedeihen. Wegen der besonderen Bodenansprüche lohnt es sich, über eine Kultur im Kübel nachzudenken. Die Pflanzen werden nur als Containerware angeboten und können daher fast ganzjährig gepflanzt werden. Der Pflanzabstand beträgt dabei 30 cm. Eingewachsene Pflanzen breiten sich aus und bedecken später den Boden. Schnittmaßnahmen sind nicht nötig. Die hellen Blüten erscheinen im Mai/Juni, die Früchte reifen in zwei Schüben ab Ende Juli und von September bis Oktober. Cranberrys reifen ab September und können bis zum ersten Frost am Strauch bleiben. Geerntet halten sie im Kühlschrank zwei bis drei Monate. Sie sind zum Rohessen zu sauer und werden zu Saft, Gelee, Kompott und Gebäck verarbeitet.

Sanddorn

Der in Mitteleuropa heimische Sanddorn *(Hippophae rhamnoides)* ist ein sparriger Großstrauch mit dornigen Zweigen, lanzettlichen graugrünen Laubblättern und unregelmäßigem Wuchs. Die bis zu 5 m hohen und bis zu 3 m breiten Sträucher treiben Ausläufer und bilden im Alter dickichtartige Gruppen. Sanddorn wird wegen der sehr gesunden und schmackhaften

Früchte kultiviert. Der Strauch verlangt einen sonnigen Standort und sandigen oder kiesigen, gut durchlässigen, kalkhaltigen Boden (pH-Wert höher als 7), der nicht zu humusreich sein sollte. Sanddorn ist zweihäusig, männliche und weibliche Blüten sitzen also auf verschiedenen Sträuchern. Die unauffälligen Blüten erscheinen im April, die erbsengroßen, ovalen, orangegelben Früchte reifen zwischen August und Anfang Dezember. Sie enthalten viel Vitamin C, sind aber schwierig und mühsam zu ernten. Man bereitet daraus Konfitüre, Saft, Obstwein und Likör. Die erste Ernte kann nach einer Anlaufzeit von sechs bis acht Jahren erwartet werden.

Stachelbeeren

Süß und herb zugleich schmecken Stachelbeeren *(Ribes uva-crispa)*. Die meisten Sorten eignen sich daher weniger zum Frischverzehr, sondern werden zu Konfitüre, Gelee, Kompott oder Kuchen verarbeitet. Einige Sorten, sogenannte Dessert-Stachelbeeren, sind jedoch so süß, dass man sie auch direkt vom Strauch essen kann. Die Früchte der Stachelbeeren können – je nach Sorte – in reifem Zustand gelb, rotviolett oder grün sein und sind mehr oder weniger stark behaart. Stachelbeeren werden meist als Büsche (bis 2 m Höhe) oder als Hochstamm gezogen. Man kann sie aber auch als Kordon oder als Fächer kultivieren. Sie vertragen kühleres Klima und halbschattige, aber windgeschützte Standorte. Sie brauchen fruchtbaren, durchlässigen, leicht sauren Boden (pH-Wert 6 bis 6,5). Der Pflanzabstand zwischen den Büschen beträgt 1,5 m.

Stachelbeeren brauchen in der Reifezeit viel Wasser, damit die Früchte nicht platzen. Die früh im April erscheinenden Blüten sind durch Spätfröste gefährdet. Eine Vliesabdeckung kann Ernteausfälle vermeiden helfen. Durch Ausdünnen im Mai werden die verbleibenden Früchte größer. Frühe Sorten reifen im Juni, mittelspäte im Juli und späte im August. Vorsicht beim Pflü-

Erträge bei Stachelbeeren:
Je nach Sorte, Alter, Wetter und Standort variiert der Ertrag. Er liegt im Durchschnitt pro Busch bei 3,5 bis 4,5 kg.

cken, die Triebe tragen spitze Stacheln! Geerntete Stachelbeeren halten sich gekühlt etwa zehn Tage, sie lassen sich aber auch gut einfrieren und einmachen. Ein Schnitt im Spätwinter oder zeitigen Frühjahr sorgt für eine offene Struktur des Buschs. Stachelbeeren tragen an älterem Holz, deshalb nicht zu viele ältere Triebe entfernen!

Eine beliebte Hybride ist die Jostabeere, das ist eine Kreuzung zwischen Schwarzer Johannisbeere und Stachelbeere.

Tafeltrauben

Die Weinrebe *(Vitis vinifera)* konnte lange Zeit nur in milden Regionen (»Weinbauklima«) angebaut werden. Tafeltrauben zum Frischverzehr gediehen vorwiegend im Gewächshaus oder stammten aus Importen. Inzwischen gibt es moderne Sorten, wie z. B. »Katharina« (weiß) oder »Boskoop Glory« (blau), die auch in kühleren Regionen noch zuverlässig fruchten und schmackhafte Trauben hervorbringen. Weinreben werden als Kordon gezogen und brauchen einen geschützten, möglichst sonnigen Standort. Am

besten pflanzt man sie an einem windgeschützten Süd-, Südwest- oder Südosthang und legt die Reihen in Nord-Süd-Richtung an. Der Boden muss tiefgründig und durchlässig sein und sollte einen pH-Wert von 6 bis 7,5 haben. Er kann trocken und steinig sein, darf aber nicht zu viele Nährstoffe enthalten, weil die Reben sonst viel Laub und wenige Früchte bilden. Beste Pflanzzeit ist an frostfreien Tagen im Spätherbst. Die Kultur erfolgt entweder an einem Spalier vor einer Wand oder an waagerecht gespannten, von Pfählen gestützten Drähten. Der Pflanzabstand beträgt 1 m.

Die Blüten öffnen sich im Mai. Weinreben sind selbstfruchtbar, nur bei der Kultur unter Glas muss durch Schütteln während der Blütezeit nachgeholfen werden. Für große Weinbeeren werden die Früchte im Juni ausgedünnt. Ab Ende August reifen dann die Trauben. Reine Dessertsorten werden frisch verzehrt, Sorten zur Weinherstellung können sowohl frisch genossen als auch zu Saft und Wein verarbeitet werden. Wenn sie bei trockenem Wetter geerntet wurden, halten sich Trauben an einem kühlen Ort einige Tage.

Damit Tafeltrauben sich gut entwickeln können, müssen die Stöcke mehrmals im Jahr geschnitten werden. Im Frühjahr dünnt man auf zwei Triebe je Fruchtspieß aus, im Sommer werden mehrmals unerwünschte Seitentriebe ausgeschnitten und üppiges Laub zurückgeschnitten, damit Sonne an die Trauben kommt. Im November werden die Kordons in Form gebracht.

Besonders empfehlenswert sind sogenannte resistente oder widerstandsfähige Tafeltrauben. Sie müssen nicht sonderlich gespritzt werden und sind gegen die gängigsten Erkrankungen gefeit. Ein Beitrag zum aktiven Umweltschutz bei optimaler Qualität und Geschmack. Empfehlenswerte Sorten sind: »Bianca«, »Birstaler Muskat«, »Calastra«, »Campbell early«, »Fanny«, »Ganita«, »Galanth«, »Garant«, »Hecker«, »Muskat Bleu«, »Nero«, »Osella«, »Romulus«, »Rosina« oder die »Perle von Zarla«.

Erträge bei Tafeltrauben

Der Ertrag ist abhängig von der Kultur und dem Alter der Weinrebe. Bei Desserttrauben rechnet man pro Seitentrieb mit einem Traubenstand, bei Sorten zur Weinherstellung können es bis zu drei Traubenstände pro Seitentrieb sein.

Spezialitäten

Neben den sattsam bekannten Obstarten gibt es auch exotische Arten, wie etwa Goji- und Apfelbeeren, die bei uns noch nicht etabliert sind oder aufgrund der mangelnden Winterhärte bisher nicht angebaut werden konnten. Inzwischen hat man aber von manchen Arten, wie etwa Feige, Kaki oder Kiwi, frostharte Sorten gezüchtet, die normale mitteleuropäische Winter (eventuell mit leichtem Winterschutz) überstehen. Auch wenn diese Obstarten nicht zum Standardprogramm gehören, sind sie einen Versuch wert.

Apfelbeeren

Die auch als Aroniabeere oder Schwarze Coloradobeere bezeichnete Apfelbeere *(Aronia melanocarpa)* stammt aus Nordamerika und wird wegen der weißen Blüten und des bunten Herbstlaubs von vielen Gartenfreunden als Zierpflanze gesetzt. Dabei sind die, roten, schwarzen oder violetten Früchte essbar. Sie enthalten viele Vitamine und Mineralien und schmecken süßsäuerlich herb. Roh sollte man sie nur in kleinen Mengen verzehren. Meistens verarbeitet man sie zu Konfitüre oder Saft, man kann sie aber auch trocknen und wie Rosinen verwenden.

Der schwach verzweigte, laubabwerfende Kleinstrauch wird bis zu 2 m hoch und breit. Er braucht einen sonnigen bis halbschattigen Standort und mäßig trockenen bis feuchten, schwach sauren bis neutralen Boden (pH-Wert 6 bis 7,5). Im Mai erscheinen schirmdoldenförmige Blütenbüschel, aus denen sich erbsengroße, wachsartig überzogene Äpfelchen entwickeln, die von Mitte August bis Oktober geerntet werden können. Ertragreicher als die Wildart sind Sorten wie »Nero«, »Hugin« und »Viking«.

Feigen

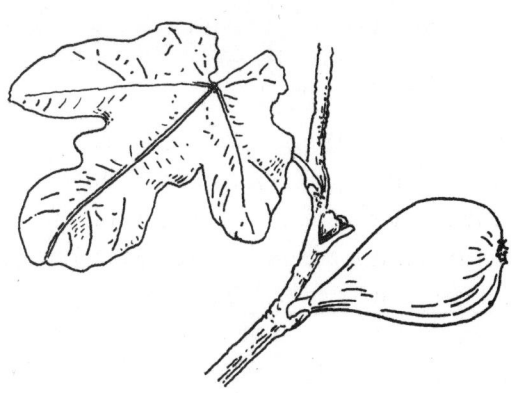

Im Weinbauklima ist die Feige *(Ficus carica)* bei uns seit Jahrzehnten ein beliebtes Obstgehölz. Die strauchartig wachsenden, an geeigneten Standorten sehr pflegeleichten und von Schädlingen aller Art verschmähten Pflanzen sind in unserem Klima jungfernfrüchtig und brauchen keine Bestäubung, sodass man mit nur einer Pflanze schon sichere Erträge hat. Feigen werden als Buschbaum, Halbstamm oder als Fächer an einer sonnigen Mauer gezogen. Beste Pflanzzeit ist das zeitige Frühjahr. Feigen brauchen einen warmen, sonnigen, windgeschützten Standort. Sie wachsen in fast allen durchlässigen, leicht kalkhaltigen Böden (pH-Wert 7,5 oder höher). In sehr fruchtbaren Böden entwickeln sie vor allem Laub und nur wenige Früchte. Es hat sich bewährt, Feigen in versenkte Container zu pflanzen, sodass ihr Wurzelraum eingeschränkt wird. So erhöhen sich die Erträge. Begrenzt werden Buschbäume und Halbstämme von Feigen 4 bis 6 m hoch und breit, unbegrenzt bis 8 m hoch. Fächer wachsen begrenzt 2,5 bis 4 m hoch und breit, unbegrenzt bis 5 m. Feigen können im Frühjahr und Frühsommer beschnitten werden. Dabei wird erfrorenes Holz herausgeschnitten und die Mitte des Baums ausgedünnt, um den Neuaustrieb zu fördern. Fächer müssen jährlich geschnitten werden, damit sie in Form bleiben und sich immer junges Fruchtholz entwickelt.

Die Früchte reifen je nach Standort, Wetter und Sorte zwischen Juli und September/Oktober. Manche Sorten setzen zweimal im Jahr Früchte an. In rauen Lagen ist es oft ein Glücksspiel, ob die Herbstfeigen noch vor Wintereinbruch ausreifen. Reife Früchte hängen nach unten und sind ausgefärbt. Bei überreifen Feigen springt die Schale unten auf, und es zeigt sich ein Tropfen Nektar.

Feigen schmecken frisch vom Baum am besten. Sie können mit der Schale verzehrt oder ausgelöffelt werden. Man kann sie auch trocknen, für Konfitüre, Chutney, Senf, Kuchen und Süßspeisen verwenden oder sie in Weißwein einmachen. Gepflückte Früchte reifen nicht nach. Reif gepflückte Feigen sollten umgehend verarbeitet werden, weil sie rasch zu schimmeln beginnen. Da die Erträge abhängig vom Alter des Baums, dem Wetter und der Sorte sind, schwanken sie stark. Etablierte Feigenbäume können aber 25 kg Früchte und mehr hervorbringen. Als relativ robust (frosthart bis –15 °C) und zuverlässig gilt die blaufrüchtige Sorte »Violetta«, die auch als »Bayernfeige« im Handel ist. Feigenbäume lassen sich auch gut im Kübel ziehen. Sie werden nach dem Laubfall im Herbst kühl und dunkel (z. B. in einem unbeheizten Kellerraum) überwintert.

Goji-Beeren

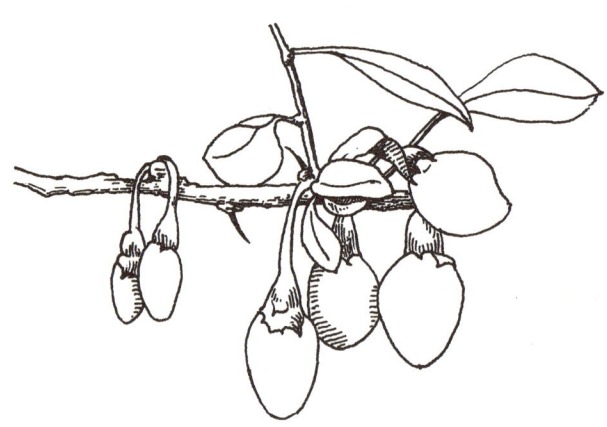

Die auch als Gemeiner Bocksdorn *(Lycium barbarum)* bezeichnete Goji-Beere enthält jede Menge Vitamine, Mineralien sowie Antioxidantien und gilt als Gesundheitssensation. Von Juni bis August erscheinen violette, trichterförmige Blüten. Die roten bis orangegelben, länglich eiförmigen, etwa 1 cm langen, süß schmeckenden Beeren können von August bis Oktober gepflückt und roh verzehrt werden, oder man trocknet sie und verwendet sie ähnlich wie Rosinen, z. B. im Müsli. Man kann sie auch einfrieren oder zu Saft verarbeiten.

Die etwa 3 m hohen, bis −25 °C frostharten Sträucher sind selbstfruchtbar und wachsen an sonnigen bis halbschattigen, geschützten Standorten in nahezu allen durchlässigen Böden. Sie vertragen im Sommer auch Trockenheit und Hitze recht gut und haben bogenartig überhängende, meist stachelige Äste. Sie fruchten ab dem dritten Jahr. Ab dann sollten sie nicht mehr beschnitten werden.

Kaki

Die Kakipflaume oder Sharon-Frucht *(Diospyros kaki)* ist eine nur im Weinbauklima winterharte Obstsorte, die in den letzen Jahren immer mehr Liebhaber gefunden hat. Die großen, bis 10 m hohen und bis 7 m breiten Bäume stammen aus Ostasien und sind bis etwa −20 °C frosthart. Sie werden als Halb- oder Hochstamm kultiviert. Alle drei bis vier Jahre schneidet man den Baum im Winterhalbjahr zurück. Die tomatenähnlich aussehenden, glattschaligen, orangegelben Früchte brauchen jedoch warme Herbsttemperaturen, um auszureifen. Im Weinbauklima dürfte das kein Problem sein, in kühleren Regionen sollte man Kakis unter Glas ziehen. Kakibäume brauchen einen sonnigen, geschützten Standort und tiefgründigen, durchlässigen, kalkfreien Boden (pH-Wert 6 bis 6,5). Veredelte Bäume fruchten bereits im zweiten oder dritten Standjahr. Die Blüten öffnen sich im Mai/Juni, die Früchte sind im Oktober/November reif, wenn sie voll ausgefärbt sind und sich weich anfühlen. Oft sind dann die Blätter bereits vom Baum gefallen. Nicht ausgereifte Früchte enthalten Tannin, sodass sie bitter schmecken. Ausgereifte Kakis sind süß und saftig. Man halbiert sie und löffelt sie aus. Sie können für Konfitüre, Süßspeisen und Kuchen verwendet oder getrocknet werden. Man kann auch ganze Früchte oder Püree einfrieren. Werden die Früchte mit einem Zweigstück am Stiel abgeschnitten, können sie in einem kühlen Raum auf einer Lage Stroh einige Wochen gelagert werden.

Kapstachelbeeren

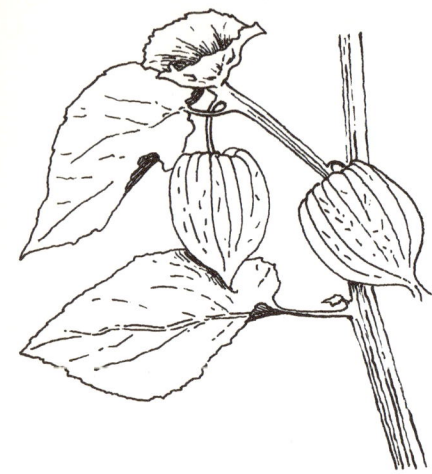

Eine der wenigen einjährig kultivierten Obstarten ist die Kapstachelbeere *(Physalis peruviana)*. Die Pflanze ist zwar in frostfreien Regionen mehrjährig, aber bei uns lohnt das Überwintern nicht. Das mit Tomaten verwandte Nachtschattengewächs hat ähnliche Kulturansprüche wie diese: Nährstoffreiche Böden, regelmäßige Wassergaben und viel Wärme und Sonne. Die Seitentriebe werden jedoch nicht entfernt. Ausgesät wird am besten unter Glas bei mindestens 10 °C bereits im März, ausgepflanzt werden die Jungpflanzen ab Mitte Mai.

Kapstachelbeeren haben filzig behaarte Blätter, brauchen eine Stütze und werden bis zu 2 m hoch. Der Pflanzabstand in der Reihe beträgt 50 bis 70 cm, der Reihenabstand 1 m. Die gelben Blüten öffnen sich vom Sommer bis in den Herbst hinein. Die kirschgroßen orangegelben Früchte entwickeln sich in stetiger Abfolge in einem lampionartigen Kelch und schmecken würzig-süßlich. Sie sind reif, wenn die Kelche papierartig und hellbraun werden. In rauen Regionen empfiehlt sich eine Kultur im Gewächshaus. Kapstachelbeeren gedeihen auch im Kübel auf Balkon und Terrasse. Die Beeren können für Süßspeisen und Gelee verwendet werden und lassen sich einfrieren. Der ungenießbare Kelch wird vorher stets entfernt. Geerntete Früchte reifen nicht nach und sind mehrere Wochen in einem kühlen, trockenen Raum gelagert haltbar.

Kiwi

Die auch als Chinesische Stachelbeere bezeichnete Kiwi *(Actinidia chinensis)* stammt ursprünglich aus Ostasien, obwohl sie in Neuseeland etabliert und von dort aus erfolgreich vermarktet wurde. Die wüchsigen Pflanzen sind einfach zu ziehen und entwickeln bis 12 m lange Ranken. Die laubabwerfende Kletterpflanze ist jedoch in rauen Lagen nicht sicher winterhart. Im Weinbauklima dagegen kann man mit hohen Erträgen rechnen.

Kiwis gedeihen am besten an sonnigen, geschützten Standorten, etwa vor einer Südwand. Sie brauchen eine stabile Rankhilfe – die Pflanzen werden sehr schwer – und fruchtbaren, durchlässigen, neutralen Boden (pH-Wert 6,5 bis 7).

Einige Kiwiarten, z. B. »Jenny«, sind selbstfruchtbar, andere nicht. Weibliche Sorten wie »Hayward« und »Bruno« brauchen eine männliche Sorte wie »Tomuri« als Befruchter in der Nachbarschaft. Die grünlich weißen Blüten öffnen sich im Mai, die hühnereigroßen, behaarten, olivgrünen bis braunen Früchte sind im Oktober erntereif und weich. Wenn Nachtfröste drohen, werden sie in noch halbreifem Zustand geerntet und reifen im Lager nach. An einem kühlen, trockenen Ort halten sie sich etwa einen Monat. Sie können frisch verzehrt oder zu Konfitüre verarbeitet werden. Zum Einfrieren schält und püriert man sie. Eine etablierte Pflanze bringt einen Ertrag von 10 bis 15 kg. Damit sich reichlich Früchte und nicht nur Laub entwickeln, müssen Kiwis zweimal jährlich beschnitten werden, das erste Mal im Spätwinter, das zweite Mal nach dem Ansetzen der Früchte.

Die verwandte Art *Actinidia arguta* »Weiki« ist extrem frosthart (bis −30 °C) und anspruchslos. Die bis 3 m hoch kletternde Pflanze bringt pro Exemplar etwa 5 kg stachelbeergroße, glattschalige Früchte hervor, die ab Mitte Oktober reifen und mit der Schale verzehrt werden. Diese Kiwi ist zweihäusig, also braucht man stets eine männliche und eine weibliche Pflanze, um Erträge zu erzielen.

Papau, Indianerbanane

Die in Europa noch fast unbekannte Dreilappige Papau *(Asimina triloba)* stammt aus Nordamerika. Die auch als Paw Paw bezeichnete Pflanze bildet einen 3 bis 5 m hohen, baumartigen Strauch und kann sich unter Umständen durch Wurzelausschläge dickichtartig ausbreiten. Die sommergrünen Blätter werden bis 20 cm lang, sind glatt und spitzoval. Im Frühjahr zeigen sich bis 6 cm große, grünliche bis braunrote Blüten, die einen etwas unangenehmen Duft verströmen. Im Sommer reifen dann gelbgrüne bis braungrüne,

20 bis 500 g schwere Früchte, die mitunter büschelförmig an den Enden der Triebe stehen. Sie haben weiches, cremiges Fruchtfleisch, einige wenige große Kerne und schmecken nach Banane, Zitrus und Mango. Die vitaminreichen Früchte werden ausgelöffelt (die Schale ist ungenießbar) oder zu Süßspeisen, Eis oder Gebäck verarbeitet. Reife Früchte sind nicht lange haltbar und eignen sich nicht zur Konservierung.

Papau werden durch Aussaat oder Wurzelschnittlinge vermehrt. Vor der Aussaat muss der Samen etwa 100 Tage lang einem Kältereiz ausgesetzt werden. Die Keimung erfolgt bei 20 bis 22 °C nur sehr langsam und kann bis zu 60 Tage dauern. Jungpflanzen müssen in den ersten zwei Jahren möglichst kühl, aber frostfrei überwintert werden. Ältere Pflanzen sind frosthart. Papausträucher sind Tiefwurzler und verlangen einen nährstoffreichen, feuchten, aber durchlässigen, leicht sauren bis neutralen Boden in voller Sonne bis leichtem Schatten.

Krankheiten und Schädlinge kennt die Papau bei uns nicht. Schnittmaßnahmen sind nur nötig, wenn der Baum eingegrenzt werden soll. Die erste Ernte kann nach etwa fünf Jahren erfolgen. Ein neun Jahre alter Baum bringt etwa 10 kg Früchte hervor, was für eine vierköpfige Familie ausreichen dürfte. Pro Pflanze rechnet man eine Grundfläche von 2 mal 2 m. Da viele Sorten nicht selbstfruchtbar sind, müssen entweder mehrere Exemplare gepflanzt werden oder die selbstfruchtbaren Sorten »Prima 1216« oder »Sunflower«.

5 Sonderkulturen und Spezialitäten

Spezialitäten wie Spargel und Pilze sind eine abwechslungsreiche Ergänzung für die feine Küche, aber nicht zwingend notwendige Bestandteile einer gesunden, ausgewogenen Ernährung. Auf Nüsse und Nussartige wie Hasel- und Walnüsse oder Esskastanien sollte man jedoch nicht verzichten – vorausgesetzt, es steht genug Platz zur Verfügung. Sie sind wertvolle Energielieferanten, äußerst gesund und eignen sich besonders gut zur Vorratshaltung für die Wintermonate.

Ob man auch Getreide selbst anbauen möchte, hängt ebenfalls vom vorhandenen Platz und zudem von den eigenen Kapazitäten ab, denn die Bewirtschaftung eines Getreidefelds verlangt neben Muskelkraft und Zeit vor allem den Einsatz von Maschinen wie Motorpflug und Mähdrescher. Die Ernte und die Weiterverarbeitung, wie das Dreschen, Mahlen und Lagern, übersteigen in der Regel die Möglichkeiten eines normalen Hausgartens. Für reine Selbstversorger ist der Getreideanbau aber unverzichtbar.

Pilze

Viele halten Pilze noch immer für Pflanzen, auch wenn die Wissenschaft sie längst als ein eigenständiges Reich in der Natur erkannt hat. Sie leben zwar sesshaft und ernähren sich von organischen Nährstoffen aus ihrer Umgebung, besitzen aber kein Chlorophyll (Blattgrün). Deshalb erfolgt die Aufnahme der Nährstoffe auch anders als bei Pflanzen. Pilze vermehren sich zudem nicht durch Samen, sondern durch Sporen.

Für die Selbstversorgung sind neben Hefepilzen, die für die Gärung bei der Brot- und Weinbereitung wichtig sind, vor allem die Speisepilze interessant. Was wir als »Pilz« verzehren, ist nur der Fruchtkörper. Der Pilz selbst bildet ein unterirdisches, weitverzweigtes Geflecht mikroskopisch kleiner Fäden, das sogenannte Mycel. Wenn man sich die Mühe macht, das richtige Substrat und die nötigen Kulturbedingungen zur Verfügung zu stellen, können Speisepilze auch gezüchtet werden. Dafür wird in der Regel ein vorgefertigtes Pilzgeflecht vom Fachhandel bezogen oder spezielles Substrat, wie z.B. Stroh, Sägespäne, Holzschnitzel oder fermentierter Pferdemist, mit Pilzbrut beimpft. Durch Bewässerung des Substrats werden Zersetzungsprozesse im Substrat in Gang gesetzt. Anschließend muss das Substrat pasteurisiert werden, damit es nicht von Fremdorganismen besiedelt wird. Unter sterilen Bedingungen wird es dann mit der Pilzbrut beimpft. Abhängig von der Pilzart, dauert das Durchwachsen des Substrats unterschiedlich lang. Champignons schaffen das in nur 15 Tagen. Schon drei bis vier Wochen später können die ersten Champignons geerntet werden. Wenn das Substrat erschöpft ist, kann man es kompostieren.

Bei Shiitake-Pilzen hingegen dauert das Durchwachsen des Substrats bis zu 20 Wochen. Wichtig dabei ist die Einhaltung der richtigen Klimabedingungen, also Temperatur, relative Luftfeuchtigkeit, CO_2-Gehalt der Luft und die Lichtmenge. Je nach Pilzart werden diese als Licht- oder Dunkelkultur in geeigneten Räumen, wie Keller, Schuppen, Küchen oder beheizten Zimmern, gezüchtet. Manche Arten, wie z.B. Braunkappen, wachsen auch im Freiland. Selbst Trüffeln kann man heute in Kultur halten. Hierzu werden Haselsträucher beimpft, bis zur ersten Ernte vergehen unter optimalen Bedingungen aber bis zu zehn Jahre.

Obwohl das alles sehr kompliziert klingt, ist der Pilzanbau eine relativ unkomplizierte Angelegenheit, wenn man mit handelsüblichen Sets beginnt. Später, mit mehr Erfahrung, kann man die Kultur dann ausweiten und auf die Hilfe der Fertigsets verzichten.

Pilze sollten stets frisch und gegart verzehrt werden. Auf das Aufwärmen von Pilzgerichten verzichtet man besser, weil dabei ein gewisses Gesundheitsrisiko bestehen bleibt, auch wenn die Pilze aus einwandfreier, frischer Ware bestehen. Geerntete Pilze sind etwa drei Tage lang haltbar, wenn sie in einem luftigen Papiersäckchen gekühlt aufbewahrt werden. Sauber geputzte Pilze können auch getrocknet und vor der Zubereitung in Wasser eingeweicht werden. Zum Einfrieren eignen sich Pilze nicht.

Austernpilze

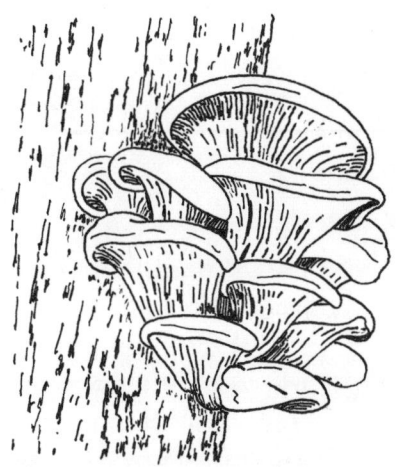

Der auch Kalbfleischpilz oder Austernseitling genannte Austernpilz *(Pleurotus ostreatus)* kommt in der Natur als Schwächeparasit auf Laubbäumen vor. In Deutschland ist die Rotbuche eine wichtige Wirtspflanze. Damit sich Fruchtkörper bilden, braucht der Pilz einen Kältereiz. Austernpilze wachsen an kurzen Stielen in dichten Büscheln direkt am Holz und sind in der Jugend erst zungenförmig und schieferfarben, später bilden sie weißlich hellbraune Schirme mit einem Durchmesser bis zu 15 cm. Die Zucht kann auf Birke, Buche oder Erle, nicht aber auf Eichenholz erfolgen. Die Pilzbrut wird in Sägeschlitze im Holz eingebracht. Alternativ ist eine Kultur auf Strohballen oder Strohpellets möglich.

Braunkappen

Die auch Kulturträuschlinge genannten Braunkappen *(Stropharia rugosa-annulata)* werden erst seit Kurzem als Speisepilz angebaut. Als Substrat dient meist Stroh, das mit groben Holzspänen aufgelockert wird. Die Pilze brauchen unbedingt Erdkontakt. Wenn sich das Substrat in einem Container befindet, muss der Boden desselben herausgeschnitten werden. Nach dem Impfen und Durchwachsen des Substrats wird eine Schicht Deckerde aufgebracht, aus der dann die Braunkappen sprießen. Die Kultur von Braunkappen kann auch im Freiland erfolgen.

Champignons

Der Zuchtchampignon *(Agaricus bisporus)* ist eine von rund 40 in Europa heimischen Champignonarten. Der allseits bekannte Kulturchampignon mit heller Kappe und festem Fruchtfleisch zählt zu den beliebtesten Speisepilzen. Er wird im Allgemeinen auf pasteurisiertem, fermentiertem Pferdemist oder Strohballen gezogen.

Grünspargel

Grünspargel ist einfacher zu kultivieren, da keine Hügel angelegt werden müssen. Gepflanzt wird Grünspargel genauso wie Bleichspargel. Nach dem Setzen wird der Pflanzgraben jedoch sofort ganz mit Erde aufgefüllt. Zwei Jahre lang werden die Beete gewässert, gedüngt und frei von Unkraut gehalten. Im dritten Standjahr können die grünen, oberirdischen Triebe geerntet werden, wenn sie etwa 25 cm hoch sind. Bewährte Sorten sind: »Steiners Steinivia«, »Spaganiva« und »Steineo«.

Bei beiden Spargelsorten endet die Ernte traditionell mit dem Johannistag (24. Juni), damit sich die Pflanzen erholen und Nährstoffe für das folgende Jahr speichern können. Spargel sollte gleich nach der Ernte verzehrt werden, möglichst noch am selben Tag. In ein feuchtes Tuch eingeschlagen, halten sich die Stangen zwei bis drei Tage. Zum Einfrieren werden die Stangen küchenfertig geschält. Sie brauchen vor dem Einfrieren nicht blanchiert zu werden. Für die Zubereitung wird der gefrorene Spargel direkt ins kochende Wasser gegeben.

Shiitake

Der auch Pansaniapilz genannte Shiitake *(Lentinulla edodes)* ist der weltweit nach dem Champignon am zweithäufigsten angebaute Speisepilz. Es handelt sich um einen holzbewohnenden Pilz aus den Wäldern Ostasiens, der bevorzugt das harte Holz von Laubbäumen besiedelt. In Europa wird er am Holz von Buche, Eiche, Esskastanie, Ahorn und Walnuss gezogen. Der Pilz mit brauner Kappe wächst in Gruppen. Der Handel bietet Impfdübel an, die in Bohrlöcher in Hartholzstämme gesteckt werden. Von dem als sehr gesund geltenden Pilz wird nur die Kappe ohne Stiel verzehrt.

Spargel

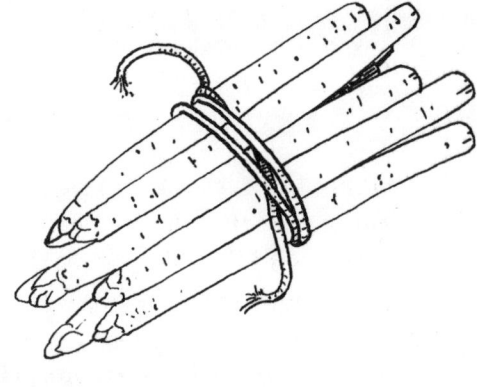

Seit alters her gilt Spargel *(Asparagus officinalis)* als König der Gemüse. Bei dem Liliengewächs handelt es sich um eines der wenigen mehrjährigen Gemüse. Die Stauden treiben im Frühjahr aus verzweigten, unterirdischen Rhizomen dicke, bleiche Sprosse, die unter dem Einfluss von Tageslicht vergrünen. Daraus entwickeln sich bis zu 2 m hohe Stängel mit nadelartigem grünem Laub.

Für die Kultur von Spargel braucht man außer dem richtigen Boden und reichlich Platz vor allem Geduld, denn die erste Ernte kann frühestens im dritten Standjahr erfolgen. Im Vergleich zu anderen Gemüsearten ist der Ertrag bei Spargel nicht besonders hoch. Zudem fällt der Platz für andere

Kulturen aus, denn Spargelpflanzen bleiben bis zu 15 Jahre auf demselben Beet. Dennoch sollte man auf den Anbau nicht verzichten, wenn der Platz und die Standortbedingungen eine Kultur zulassen, denn die schlanken Stangen sind nicht nur köstlich, sondern auch sehr gesund.

Spargel braucht einen möglichst sonnigen Standort und tiefgründigen, durchlässigen, leicht kalkhaltigen Boden (pH-Wert um 7). Sandboden ist nicht zwingend erforderlich. Gepflanzt wird im März/April in etwa 30 cm tief ausgehobene Pflanzgräben mit einem Reihenabstand von etwa 1 m. Der Abstand in der Reihe beträgt etwa 35 cm. Zuerst werden nur die Triebspitzen der Pflanzen mit Erde bedeckt, später wird der Pflanzgraben nach und nach mit Erde aufgefüllt. Zwei Jahre lang werden die Beete gewässert, gedüngt und frei von Unkraut gehalten. Im dritten Standjahr bedeckt man die Reihen im zeitigen Frühjahr etwa 30 cm hoch mit lockerer Erde. Die Hügel über den Reihen werden pyramidal geformt, unten 80 cm und oben 40 cm breit. Sobald sich (in der Regel ab Mitte April) Risse in der zuvor geglätteten Oberfläche zeigen, kann der Hügel an der betreffenden Stelle aufgegraben und die Spargelstange gestochen werden, die eine Länge von 20 bis 30 cm haben sollte. Anschließend muss der Hügel wieder geschlossen werden. Bewährte Sorten sind: »Huchels Leistungsauslese«, »Schwetzinger Meisterschuss« und »Ruhm von Braunschweig«.

> **Erträge beim Spargel:**
> Von 100 Spargelpflanzen kann man etwa 20 bis 30 kg Ertrag erwarten. Pro Person rechnet man etwa 25 Spargelpflanzen.

Getreide

Weizen, Roggen, Gerste und Hafer, aber auch Mais und Reis werden als Getreide bezeichnet. In unseren Breiten werden nur die ersten vier Arten als Nahrungsmittel angebaut, Mais gilt als Viehfutter, und der Anbau von Reis steckt noch in den Kinderschuhen.

Der Anbau von Getreide auf dem Feld ist eine Arbeit, die ohne den Einsatz moderner Maschinen nicht lohnend ist. Besonders die Ernte und das Dre-

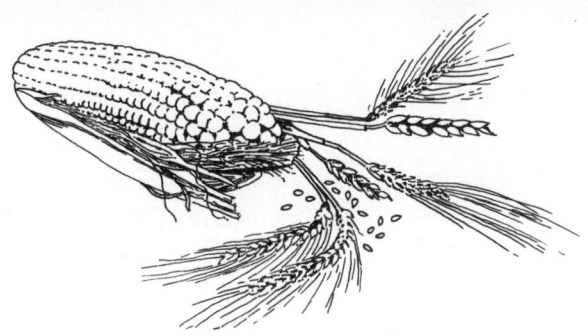

schen von Hand sind mühselig. Angesichts des Aufwands sollte man sich gut überlegen, ob man tatsächlich Getreide selbst anbauen möchte. Wenn man Kaninchen oder andere Kleintiere hält, kann man jedoch problemlos kleine Mengen Getreide als Futter auch auf ein paar Quadratmetern im Garten anbauen. Pro Quadratmeter kann man mit einem Ertrag von etwa 1 kg rechnen.

Die Kultur ist bei Weizen, Roggen und Gerste gleich. Diese Süßgräser *(Poaceae)* werden entweder als Sommer- oder als Wintersorten angebaut. In Mitteleuropa ist der Anbau von Wintersorten, die bereits im Herbst gesät und im folgenden Sommer geerntet werden, ertragreicher. Für hohe Erträge ist eine Düngung der Felder während des Wachstums der Pflanzen mit Mist, Gülle, Jauche oder zugekauften mineralischen Düngern nötig. Leider ist Getreide anfällig für bestimmte Krankheiten und Schädlinge. Besonders gefährlich ist der Befall mit Mutterkornpilzen *(Secale cornutum)*, die beim Verzehr schwere gesundheitliche Schäden hervorrufen können. In der konventionellen Landwirtschaft werden gegen diesen häufig auftretenden Pilz und andere Arten regelmäßig Fungizide eingesetzt. Wer das nicht möchte, sollte sich bei biologisch orientierten Landwirtschaftsverbänden (z. B. Bioland) nach Alternativen erkundigen oder den gut sichtbaren Pilz mit der Hand entfernen.

Dinkel

In rauen Regionen empfiehlt sich der Anbau von Dinkel *(Triticum aestivum ssp. spelta)* statt Weizen. Dieses mit dem Weizen verwandte Getreide ist robuster und verträgt raues Klima besser. Das Dinkelkorn ist wie bei der Gerste fest mit den Spelzen verwachsen. Daher ist nach dem Dreschen ein weiterer Verarbeitungsschritt zur Entfernung der Spelzen nötig.

Gerste

Die Getreideart mit den längsten Grannen ist die Gerste *(Hordeum vulgare)*. Man unterscheidet Sorten, die als Viehfutter dienen (»Futtergerste«), und solche, die für den menschlichen Verzehr gedacht sind (»Braugerste«). Gerste wird auch zu Grütze, Graupen und, seltener, zu Mehl verarbeitet. Die Kultur erfolgt, wie bei Weizen und Roggen, in der Regel als Wintergerste. Gerste ist ein Selbstbefruchter.

Mais

Ein typisches Sommergetreide ist der Mais *(Zea mays)*, von dem es weltweit etwa 5000 Sorten gibt. Mais wird hauptsächlich als Futterpflanze angebaut. Für den Frischverzehr als Maiskolben eignen sich eher Sorten, die als Zuckermais im Gemüsegarten gezogen werden. Maisstärke, Maiskeim-Öl und Maismehl spielen ebenfalls eine wichtige Rolle für die menschliche Ernährung. Letzteres ist vor allem in Afrika und Amerika ein wichtiges Grundnahrungsmittel. Dennoch enthält Mais weniger für den Menschen nutzbares Eiweiß als die meisten anderen Getreide. In jüngster Zeit hat Mais als Energiepflanze (»nachwachsender Rohstoff«) Bedeutung erlangt.

Die Kultur von Mais verlangt ein warmes, mildes Wetter, wie es vor allem im Weinbauklima herrscht. Die Aussaat erfolgt in Einzelkornsaat ab Mitte April bis Mitte Mai etwa 2 cm tief in Reihen. Der Reihenabstand beträgt 75 cm, der Abstand in der Reihe 10 bis 20 cm. Mais keimt nur bei einer Bodentemperatur von mindestens 7 bis 9 °C. Während des Wachstums braucht Mais reichlich Wasser und Dünger. Die Blüte erfolgt je nach Aussaattermin und Wetter zwischen Juli und September. Mais ist windblütig, die Pollen werden also vom Wind verbreitet. Die kolbenförmigen Fruchtstände sind meist goldgelb, es gibt aber auch violette und braunrote Sorten. Silomais wird von Mitte September bis Anfang Oktober geerntet. Die Ernte von Körnermais erfolgt zwischen Ende September und Ende November. Nach der Ernte muss Körnermais auf durchlüfteten Drahtgittern noch nachtrocknen.

Reis

Reis *(Oryza sativa)* ist in vielen Teilen der Welt ein Grundnahrungsmittel. Er wird auch in Europa angebaut, so etwa in Spanien, Portugal, in der französischen Camargue und in der Po-Ebene in Norditalien. In Deutschland wurden zwar erste Versuche des Reisanbaus unternommen, beispielsweise am Kaiserstuhl in Südbaden, aber das Klima nördlich der Alpen eignet sich nicht für einen Reisanbau im großen Stil. Reis braucht mindestens fünf Monate lang Temperaturen von 20 °C und mehr sowie Felder, die geflutet werden können. Durch den Klimawandel kann es aber in naher Zukunft tatsächlich möglich sein, Reis in milden Regionen Deutschlands zumindest in kleinem Stil anzubauen.

Reis ist ursprünglich keine Wasserpflanze, sondern wurde durch Zucht und Selektion an die Überflutung der Felder angepasst. Durch das Fluten werden Unkräuter und Schädlinge am Wachstum gehindert. Reispflanzen werden 50 bis 160 cm hoch. Jede Pflanze kann bis zu 30 Halme hervorbringen. An schmalen, überhängenden Rispen sitzen 80 bis 100 einblütige Ährchen. Jede Reispflanze kann bis zu 3000 Früchte (Reiskörner) hervorbringen.

Die Aussaat erfolgt im Frühjahr in Vorkultur bei mindestens 20 °C in feuchtem, aber nicht nassem Boden. Ab Mitte Juni können die Setzlinge ausgepflanzt werden. Das Reisfeld wird während des Wachstums bis zur Reifezeit geflutet. Dabei darf der Wasserstand nicht zu hoch werden, damit die Pflanzen nicht ersticken. Nach 4 bis 6 Monaten erfolgen die Trockenlegung der Felder und anschließend die Ernte. Nach dem Dreschen müssen noch die Spelzen von den Körnern entfernt werden, andernfalls sind sie ungenießbar.

Roggen

Auch Roggen *(Secale cereale)* wird entweder als Sommer- oder als Winterroggen angebaut. Wie beim Weizen ist der Winterroggen ertragreicher. Roggen gedeiht in kühlem, trockenem Klima besser als Weizen. Er ist jedoch ein Fremdbefruchter, männliche Pollen und weibliche Blüten sind zu unterschiedlichen Zeiten aktiv. Heutzutage werden daher meist moderne Hybridsorten angebaut. Beim Anbau von Roggen muss die Ernte möglichst bald nach der Kornreife erfolgen, da sonst die reifen Samen bei feuchtem Wetter in der Ähre zu keimen beginnen und damit wertlos sind.

Weizen

Das am häufigsten in Deutschland angebaute Getreide ist Weichweizen *(Triticum aestivum)*. Rund 90 Prozent des Weizenanbaus erfolgt hierzulande als Winterweizen. Die Kultur beginnt Ende August mit der Aussaat einer Vorfrucht, z. B. Körnerraps. Wenn die Vorfrucht aufgelaufen ist, also im September/Oktober, wird diese etwa 30 cm tief untergepflügt. Danach muss die Bodenoberfläche ausgeglichen und geglättet werden. Im November/Dezember wird die Oberfläche mit einer Egge feinkrümelig gemacht und die Saat in Reihen ausgebracht. Pro m² rechnet man mit etwa 280 bis 520 Körnern.

Weizen ist ein Dunkelkeimer, deshalb wird die Saat etwa 4 cm tief eingebracht. Die Keimdauer beträgt 15 bis 20 Tage. Je später die Aussaat erfolgt, desto langsamer keimt die Saat. Weizen keimt jedoch noch bei einer Temperatur von 2 bis 4 °C. Die bestockten Sämlinge überwintern auf dem Feld. Weizen ist frosthart bis etwa −20 °C. Im Januar/Februar können Bodenproben genommen werden, um den Düngerbedarf festzustellen. Von März bis Juni wird bedarfsgerecht gedüngt und von April bis Juni auf einen Befall mit Krankheiten und/oder Schädlingen geachtet. Ein Befall muss mit geeigneten Mitteln bekämpft werden. Weizen ist ein Selbstbefruchter. An jedem Halm bilden sich im Frühjahr ein bis zwei Ähren. Im Juli reift das Korn, bei trockenem Wetter kann es geerntet werden. Das Stroh wird entweder gehäckselt und als Dünger auf dem Feld gelassen oder es wird getrocknet als Einstreu für das Vieh verwendet. Sommerweizen wird im Frühjahr ausgesät. Die Kultur gleicht der von Winterweizen. Die Erträge sind jedoch meist geringer als bei diesem.

Zuckermais

Anders als Futtermais kann Zuckermais *(Zea mays)* als delikates, zartes Gemüse verzehrt werden. Man kann die Kolben gekocht oder gegrillt in die Hand nehmen und abknabbern – oder die Körner zusammen mit anderen Gemüsearten, wie z. B. Paprika, zu leckeren Gerichten kombinieren.

Zuckermais bildet dicke, aufrechte, über 2 m hohe Stängel mit breit riemenförmigen, bis 1 m langen Blättern. Man sät Zuckermais ab Ende Mai 2 cm tief in Reihen aus und schützt die Saat am besten mit Netzen vor Vogelfraß. Der Reihenabstand beträgt 70 cm, der Abstand in der Reihe 25 cm. Mais braucht einen warmen, tiefgründigen, durchlässigen Boden in voller Sonne. Er ist ein Starkzehrer, verlangt fruchtbaren Boden und während des Wachstums Düngergaben. Ein Anhäufeln der heranwachsenden Pflanzen verhindert das Umkippen. Die im Sommer in den Blattachseln erscheinenden Blüten werden durch den Wind bestäubt. Zuckermais ist erntereif, wenn sich die Fäden am oberen Ende der Kolben braun oder schwarz färben. Zuckermais wird »milchreif« geerntet, also wenn das Korn bei Druck noch etwas milchigen Saft absondert. Voll ausgereift ist Zuckermais mehlig und schmeckt nicht mehr süß. Geerntete Kolben sind einige Tage im Kühlschrank haltbar. Man kann sie aber auch kurz blanchieren und einfrieren.

Bei der Mischkultur sind Bohnen, Erbsen, Dill, Gurken, Kürbis und Zucchini geeignete Pflanzpartner, nicht aber Tomaten.

Nüsse und Nussartige

Nüsse und Nussartige sind nicht nur eine leckere, gesunde Knabberei für zwischendurch. Sie sind seit alters her ein wichtiger Bestandteil unserer Ernährung und ein idealer Wintervorrat. Man kann mit ihnen Kuchen und Plätzchen backen, leckere Gerichte verfeinern, das Müsli damit aufwerten, sie gehackt über Salate streuen und vieles mehr. Auch in einem kleinen Hausgarten findet sich für ein paar Haselsträucher meistens noch ein Plätzchen!

Esskastanien

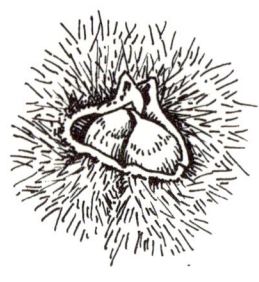

Die Edel- oder Esskastanie *(Castanea sativa)*, auch Marone genannt, ist ein mäßig frosthartes Buchengewächs, das nur in milden Klimaregionen wächst und fruchtet. Die im Juni erscheinenden, kätzchenförmigen Blüten fallen in rauen Lagen oft späten Frösten zum Opfer. Esskastanienbäume werden bis 35 m hoch und bis 15 m breit. Sie werden mehrere Hundert Jahre alt. Der Standort sollte sonnig bis halbschattig sein. Der Baum braucht viel Wärme und bevorzugt frische bis trockene, durchlässige, tiefgründige, leicht saure bis neutrale Böden (pH-Wert 6,5 bis 7). Esskastanienbäume sind sehr pflegeleicht und kommen ohne Schnittmaßnahmen aus.

Aus Samen vermehrte Exemplare beginnen erst im Alter von 25 bis 35 Jahren zu fruchten. Esskastanien sind selbstunfruchtbar und brauchen eine andere Sorte als Befruchter. Allein in Frankreich kennt man über 700 verschiedene Sorten. Die Bestäubung erfolgt durch Wind und Insekten. Im Lauf des Sommers bilden sich hellgrüne, stachelige Fruchtkapseln, in denen braune, essbare Nussfrüchte reifen. Sie ähneln im Aussehen den ungenießbaren Rosskastanien, sind aber nicht mit ihnen verwandt. Ab Mitte September fallen die reifen Früchte entweder zusammen mit der aufgeplatzten Fruchtkapsel oder einzeln zu Boden und sollten dann möglichst bald aufgelesen werden. Sie werden, mit einem scharfen Messer eingeritzt, in der Pfanne geröstet oder in Wasser gekocht und vor dem Verzehr von der Schale befreit.

Erträge bei Esskastanien:

Ein ausgewachsener Baum bringt je nach Standort und Klima 100 bis 200 kg Ertrag. Früher galt die Regel, dass ein Esskastanienbaum einen Menschen ein Jahr lang ernähren kann.

Haselnüsse

Haselnüsse *(Corylus avellana)* sind robust und relativ frostfest. Sie gedeihen bis auf 1500 m Höhe und sind äußerst pflegeleicht. Die Großsträucher werden bis 4 m hoch und breit, können aber durch regelmäßigen Rückschnitt auch kleiner gehalten werden. So finden sie auch in weniger großen Gärten und am Rand des Grundstücks noch genug Platz.

Haselnusssträucher brauchen einen sonnigen bis halbschattigen Standort und schwach sauren bis kalkhaltigen Boden (pH-Wert 6,5 bis 7,5). Davon abgesehen sind sie sehr anpassungsfähig. Sie blühen früh im Jahr. Die männlichen Blüten öffnen sich bereits Ende Januar, die weiblichen Anfang Februar. In rauen Lagen kann es zu Ernteausfällen kommen, wenn die Blüten zu strenge Fröste abbekommen. Haselnusssträucher sind zwar selbstfruchtbar, aber für gute Erträge braucht man mindestens zwei Sträucher unterschiedlicher Sorten. Die Nüsse reifen ab Ende August. Sie können mit dem die Nüsse umschließenden Kelch direkt vom Strauch gepflückt werden, oder man wartet, bis sie im September/Oktober von selbst zu Boden fallen. Reife Nüsse werden oft von Eichhörnchen, Vögeln und Siebenschläfern verschleppt, deshalb sollte man sie so früh wie möglich ernten.

Die Rote Lambertsnuss (*Corylus maxima* »Purpurea«) ähnelt der Haselnuss, hat aber dekoratives, schwarzrotes Laub und bringt etwas größere, länglichere Nüsse hervor.

Erträge bei Haselnüssen:
Ein ausgewachsener Strauch bringt etwa 10 kg Ertrag.

Mandeln

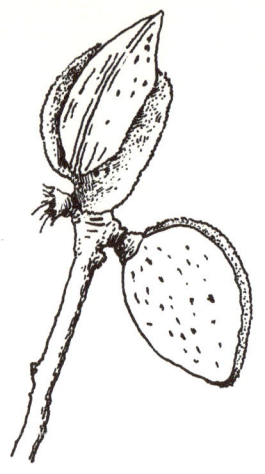

Mandeln (*Prunus dulcis*) sind mit Pfirsichen und Aprikosen verwandte Steinfrüchte, bei denen nicht das Fruchtfleisch, sondern der nahrhafte und delikate Samen Verwendung findet. Die 3 bis 6 m hoch wachsenden Bäume gedeihen nur im Weinbauklima. In Südeuropa kommen sie bis auf 1600 Höhenmeter vor. Mandeln können als Hochstamm oder als Spalier erzogen werden. Sie brauchen einen sonnigen Standort, viel Wärme sowie kalkhaltigen, trockenen, tiefgründigen und durchlässigen Boden. Die weißen bis rosaweißen Blüten öffnen sich oft schon im Februar. Mandeln sind meist selbstunfruchtbar und brauchen eine gleichzeitig blühende Befruchtersorte. Auch gleichzeitig blühende Pfirsichbäume eignen sich dazu, allerdings werden dann die Mandeln oft bitter. Selbstfruchtbare Sorten sind z. B. »Lauranne« und »Dürkheimer Krachmandel«. Durch regelmäßige Schnittmaßnahmen wie bei Sauerkirschbäumen bleibt die Fruchtbarkeit der Bäume erhalten.

Am gefährlichsten sind Spätfröste, die im Frühjahr die zeitig erscheinenden Blüten zerstören können. Wenn Mandeln als Spalierbäumchen an einer nach Süden ausgerichteten Mauer gepflanzt werden, können sie besser vor Spätfrösten geschützt werden.

Die erste kleine Ernte kann man schon im zweiten Standjahr erwarten. Zum Frischverzehr pflückt man ab Juli/August lebhaft grün gefärbte Früchte vom Zweig und löst die Kerne heraus.

Nach der Ernte müssen die Mandeln einige Tage an einem luftigen, warmen Ort trocknen, damit sie nicht schimmeln. Später lagert man sie in luftigen Körben oder in Netzen. Süße Mandeln werden zum Knabbern, für Gebäck oder Marzipan verwendet, bittere Mandeln, die eine dunklere Haut haben, verwendet man als Würze zum Backen.

Erträge bei Mandelbäumen:
Ein ausgewachsener Baum bringt etwa 10 kg Ertrag.

Walnüsse

Botanisch gesehen gehört die Walnuss *(Juglans regia)*, auch Welsche Nuss genannt, zum Steinobst. Die grüne, sich bei Fruchtreife schwarz verfärbende Schale birgt den nussartigen Kern und kann im unreifen Stadium zur Bereitung eines aromatischen Likörs verwendet werden. In erster Linie werden Walnüsse aber wegen der schmackhaften und gesunden Kerne kultiviert. Der rundkronige Baum wird 20 bis 30 m hoch und mehr als 10 m breit. Anfangs wachsen Walnussbäume langsam, erreichen aber später eine enorme Größe. Sie bevorzugen einen sonnigen bis halbschattigen, warmen, geschützten Standort in schwach saurem bis kalkhaltigem, tiefgründigem Boden (pH-Wert 6 bis 7,5). Ausgewachsene Bäume sind frosthart bis −20 °C, Jungpflanzen vertragen jedoch keine scharfen Fröste. Deshalb gedeihen Walnüsse nur in milden Klimaregionen und nicht in Höhenlagen über 750 m. Ein Umpflanzen vertragen sie schlecht.

Das Laub der Walnuss ist sehr gerbsäurehaltig. Unter Walnussbäumen wachsen daher kaum andere Pflanzen, und das im Herbst anfallende Laub darf nicht in größeren Mengen kompostiert werden. Davon abgesehen sind Walnussbäume sehr pflegeleicht. Sie brauchen keinen Schnitt. Falls der Wuchs korrigiert werden muss, schneidet man im Spätsommer. Aus Samen gezogene Bäume fruchten frühestens nach 10 Jahren, veredelte schon nach 3 bis 4 Jahren. Die Früchte veredelter Sorten fallen größer aus. Zahlreiche Sorten sind im Handel erhältlich.

Walnüsse sind selbstfruchtbar. Der Ertrag fällt jedoch höher aus, wenn die Befruchtung durch eine fremde Sorte erfolgt. Sie blühen Ende Mai/Anfang Juni. Im Sommer entwickeln sich grüne Fruchtkörper mit glatter Schale, die sich im September/Oktober dunkel verfärben und erntereif werden. Wenn die ersten Nüsse vom Baum fallen, kann die Ernte beginnen. Die Nüsse sollten nicht mit Stangen von den Zweigen geschlagen werden, weil die Bäume darunter leiden. Es genügt, mehrmals wöchentlich die von selbst herabgefallenen Nüsse aufzusammeln. Schmutzige Nüsse können rasch in einem Bottich mit kaltem Wasser gewaschen werden, um Schalenreste und Erdanhaftungen zu beseitigen. Anschließend werden die Nüsse verlesen, gesäubert und einlagig in Kisten geschichtet.

Erträge bei Walnüssen:
Ein ausgewachsener Baum bringt etwa 25 kg Ertrag.

6 Kräuter und Gewürze

Kräuter sind die Würze des Lebens. Doch sie sind nicht nur eine aromatische Bereicherung für die Küche, sondern machen unsere Speisen auch bekömmlicher und leichter verdaulich. Außerdem sind sie heilsame Begleiter, die kleine Wehwehchen kurieren können und durch ihren Duft und ihr Aroma Balsam für die Seele sind. Manche Kräuter können als Helfer im Haushalt eingesetzt werden, und andere dienen der Schönheit und dem Wohlbefinden oder der Herstellung von Pflanzenfarbstoffen. Auch der Garten selbst profitiert von Kräutern, denn aus einigen können Pflanzenbrühen und -jauchen bereitet werden, die man zum Düngen und zum Bekämpfen von Krankheiten und Schädlingen verwenden kann. Ein Garten ohne Kräuter ist daher für Selbstversorger praktisch undenkbar!

Anlegen eines Kräutergartens

Ein Kräutergarten kann formell oder informell angelegt werden. Der formelle Kräutergarten orientiert sich an den Klostergärten des Mittelalters, in denen die Kräuter in Gruppen in symmetrisch angelegten Beeten wachsen und von niedrigen Buchsbaumhecken, Weidenzäunen oder Wegen eingefasst sind.

Solch ein formeller Kräutergarten hat den Vorteil, dass man immer sofort weiß, wo man welches Kraut findet. Die geraden Linien und geometrisch angeordneten Beete machen solch einen Kräutergarten, wenn er erst einmal angelegt ist, relativ pflegeleicht.

Bei informellen Kräutergärten passen sich die Beete den vorhandenen Gegebenheiten an und müssen nicht symmetrisch angelegt werden. Wege winden sich in Schleifen durch das Gelände und die Pflanzen dürfen bunt durcheinander gepflanzt werden. Zwischen den Kräutern wachsen auch Blumen, Gemüse und Obststräucher.

Natürlich müssen die Kräuter bei beiden Konzepten standortgerecht gepflanzt werden und jederzeit gut zu erreichen sein, damit die Pflege und die Ernte nicht zu einer Zirkusnummer werden.

Bei der Planung berücksichtigt man alle Kräuter, die man auch tatsächlich verwenden möchte. Kräuter, die man nicht mag oder für die man keine Verwendung mehr hat, braucht man auch nicht anzubauen. Von manchen Sorten wie Petersilie, Schnittlauch und Basilikum benötigt man erfahrungsgemäß mehr, von anderen wie Estragon oder Wermut weniger. Kräuter, die sich durch Trocknen oder Einfrieren gut konservieren lassen, können in größerer Menge angebaut werden, um einen Vorrat für den Winter anzulegen, von Kräutern für die Frischverwendung pflanzt man nur so viel, wie man sofort verbrauchen kann.

Die meisten Kräuter lieben Sonne und durchlässige, mäßig fruchtbare Böden. Einige beliebte Kräuter wie Schnittlauch, Sauerampfer und Minze-Arten brauchen weniger Sonne und gedeihen in fruchtbaren, feuchten Böden besser. Darauf sollte man bei der Planung eines Kräutergartens Rücksicht nehmen. Nicht sicher frostharte Kräuter wie Rosmarin, Lorbeer und Lavendel können statt im Beet auch in Töpfen oder Kübeln gezogen werden, damit man sie im Winter geschützt unterstellen kann.

Die Kräuterspirale

Eine moderne und effektive Form der Kräuterkultur ist die Kräuterspirale, auch Kräuterschnecke genannt. Es handelt sich um einen Erdhügel, der in Spiral- oder Schneckenform angelegt und mit mörtellosen Steinmäuerchen

eingefasst wird. Der Durchmesser kann beliebig groß sein, je nach vorhandenem Platz. Durch die hügelartige Form ergeben sich unterschiedliche Lebensräume. Am Fuß der Spirale finden Feuchtigkeit liebende Kräuter wie Minze, Petersilie oder Schnittlauch ihren Platz. Je weiter sich die Spirale nach oben windet, desto sonniger und trockener wird der Standort. Ganz oben hin gehören Hungerkünstler und Sonnenanbeter wie Thymian und Quendel. An die schattigere Nordseite pflanzt man Minze, Kresse, Sauerampfer oder Schnittlauch, an die sonnige Südseite alle mediterranen Kräuter wie Salbei, Rosmarin und Lavendel. Wenn am Fuß der Kräuterspirale ein kleiner Teich angelegt wird, kann man sogar Brunnenkresse ziehen.

Kräuter für die Küche

Alle Kräuter, die täglich für die Küche gebraucht werden, pflanzt man am besten in unmittelbare Reichweite, damit man sie jederzeit griffbereit hat. Wenn erst lange Wege durch den Garten – eventuell sogar bei Regen –

zurückgelegt werden müssen, verzichtet man erfahrungsgemäß öfter als notwendig auf frische Kräuter. Wo der Platz am Haus fehlt, kann man auch Kräuter in Töpfen oder Balkonkästen pflanzen. Größere Mengen, etwa zum Einfrieren oder Trocknen, können auf den Beeten im Garten angebaut werden. Im Winter helfen ein paar Töpfe mit Petersilie, Schnittlauch und Basilikum an einem hellen Standort im Haus, das triste Wintergrau mit frischen Aromen zu vertreiben. Manche Kräuter eignen sich auch für die Mischkultur und schützen oder fördern andere Pflanzen mit ihren Wirkstoffen.

Basilikum

Das einjährig kultivierte Basilikum *(Ocimum basilicum)* hat vielfach verzweigte, aufrecht wachsende, 20 bis 60 cm hohe Stängel mit weichen, leuchtend grünen, eiförmigen Blättern, die beim Berühren einen aromatischen Duft verströmen. Im Sommer erscheinen an den Enden der Triebe kleine, weiße Blüten, die Bienen magisch anlocken. Basilikum, das auch Königskraut genannt wird (vom griechischen Basileus = König), braucht lockeren, fruchtbaren, durchlässigen Boden, einen sonnigen bis halbschattigen Standort und viel Wärme. Unter 12 °C stellt das Kraut sein Wachstum ein. In kühlen Regionen empfiehlt sich daher der Anbau im Gewächshaus. Basilikumblätter werden möglichst frisch verwendet, da sie beim Trocknen oder Einfrieren ihr Aroma verlieren. Sie verleihen Salaten, Soßen, Gemüse-, Fleisch- und Pasta-Gerichten einen unvergleichlichen Geschmack. Man gibt die Blätter erst kurz vor Ende der Garzeit oder direkt vor dem Servieren zu den Gerichten. Aus den frischen Blättern kann unter Zugabe von Olivenöl, Nüssen oder Pinienkernen, Käse, Salz und Knoblauch eine Würzpaste (»Pesto«) zubereitet werden, die im Kühlschrank einige Wochen haltbar ist, sofern die Oberfläche mit Öl bedeckt bleibt. Man empfiehlt Basilikum bei Appetitlosigkeit, Blähungen und Völlegefühl, aber auch zum Gurgeln bei Halsentzündungen und als Auflage bei Insektenstichen.

In der Mischkultur passt Basilikum gut zu Tomaten, Gurken und Kohl. Es wehrt Mehltau und Weiße Fliegen von diesen Pflanzen ab.

Bohnenkraut

Bei Bohnenkraut unterscheidet man zwischen einjährig kultiviertem Sommer-Bohnenkraut *(Satureja hortensis)* und mehrjährigem, immergrünem Berg-Bohnenkraut *(Satureja montana)*, auch Winter-Bohnenkraut genannt. Beide Arten brauchen einen sonnigen Standort in durchlässigem, kalkhaltigem Boden und bilden bis 40 cm hohe Büsche mit kleinen, lanzettförmigen Blättern, die würzig duften. Bei Sommer-Bohnenkraut sind Duft und Aroma feiner als beim Berg-Bohnenkraut, das dafür ganzjährig zur Verfügung steht. Verwendet werden die Blätter und blühenden Spitzen der Pflanze. Sie geben vor allem grünen Bohnen Würze, finden aber auch in vielen mediterranen Gerichten und Kräutermischungen Verwendung.

In der Mischkultur passt Bohnenkraut ideal zu Bohnen, Roter Bete und Salat.

Borretsch

Der kurzlebige, einjährig gezogene Borretsch *(Borago officinalis)* wird 60 bis 90 cm hoch, hat hohle, behaarte Stängel, große, flaumig behaarte, ovale Blätter und blaue, sternförmige Blüten mit dunkler Mitte. Weil der Geschmack der Blätter an Gurken erinnert, nennt man die Pflanze auch Gurkenkraut. Borretsch ist sehr anpassungsfähig, wächst aber am besten in feuchten, nährstoffreichen Böden an sonnigen Standorten. Einmal etabliert, sät sich die Pflanze immer wieder selbst aus. Verwendet werden die frischen Blätter zum Würzen von Salaten, Quark und kalten Getränken oder gekocht für Suppen und Fischgerichte. Die essbaren, dekorativen Blüten können zur Verzierung von Speisen verwendet werden. Medizinisch hilft Borretsch gegen Entzündungen von Haut und Mundschleimhäuten. Junge Blätter können eingefroren werden. Durch Trocknen verlieren sie viel von ihrem Aroma.

In der Mischkultur passt Borretsch zu Erdbeeren, Bohnen, Erbsen und allen Kohlarten. Als Nachbar von Gurken und Zucchini fördert Borretsch die Bestäubung dieser Pflanzen durch Insekten.

Dill

Der einjährig kultivierte Dill *(Anethum graveolens)* ist eine aufrecht wachsende, bis 100 cm hohe Pflanze mit stark gefiederten, aromatischen Blättern. Im Hochsommer erscheinen kleine, gelbe Blüten, die in Dolden zusammenstehen. Dill braucht durchlässigen, humosen, nährstoffreichen Boden in voller Sonne. Am besten sät man ihn an Ort und Stelle aus, ein Verpflanzen verträgt er nicht. Geerntet werden die zarten Blätter, die auch getrocknet und eingefroren werden können. Auch die Samen finden in der Küche Verwendung. Dill passt zu Fisch, Meeresfrüchten, Eierspeisen und Salaten. Medizinisch wird er bei Verdauungsbeschwerden und Blähungen empfohlen.

In der Mischkultur hält Dill Schädlinge von Möhren, Roter Bete und Kohl ab und fördert die Keimung. Weitere gute Nachbarn sind Erbsen, Salat, Zwiebeln und Gurken.

Estragon

Der bis 100 cm hoch wachsende Estragon *(Artemisia dracunculus)* ist eine ausdauernde Staude mit aufrechten, verzweigten Trieben und dunkelgrünen, schmalen, aromatischen Blättern. Die unscheinbaren graugrünen Blüten erscheinen in unseren Breiten nur selten. Die Pflanze bevorzugt feuchten, durchlässigen Boden in voller Sonne. In kühlen Regionen braucht Estragon einen Winterschutz. Er kann nicht durch Samen vermehrt werden, sondern nur durch die Teilung des Wurzelstocks. Estragon wird in der Küche für Salate, Fleisch, Fisch, Geflügel und Eierspeisen sowie für Wurzelgemüse verwendet. Die Blätter lassen sich gut trocknen.

Fenchel

Der mehrjährige Fenchel *(Foeniculum vulgare)* bildet bis 200 cm hohe, hohle Stängel mit aromatisch duftendem, fein gefiedertem Laub. Im Sommer erscheinen doldenförmig angeordnete, gelbe Blütchen, auf die längliche, gerillte, gelbgrüne Samen folgen. Die ganze Pflanze riecht stark nach Anis. Fenchel braucht einen sonnigen Standort und durchlässigen, nicht zu trockenen Boden. In der Küche verwendet werden sowohl die frischen Blätter als auch die getrockneten Samen. Fenchel passt zu Fischgerichten, Backwaren und asiatischen Gerichten. Medizinisch wirkt ein Tee aus Fenchelsamen beruhigend bei Magen- und Darmbeschwerden und kann für Mundspülungen bei Zahnfleischproblemen und zum Gurgeln bei Halsentzündungen angewendet werden.

In der Mischkultur sind Endivien, Erbsen, Feldsalat, Gurken, Salat und Sellerie gute Pflanzpartner.

Kerbel

Der winterharte, aber einjährig kultivierte Kerbel *(Anthriscus cerefolium)* wird etwa 60 cm hoch und ähnelt im Aussehen glattblättriger Petersilie. Im Frühsommer erscheinen kleine, weiße Blüten, die in Dolden zusammenstehen. Kerbel braucht einen halbschattigen Standort und leichten, feuchten Boden. Am besten sät man ihn an Ort und Stelle aus, da er nicht gern verpflanzt wird. Geerntet werden die jungen Blätter etwa 45 bis 60 Tage nach der Aussaat und bevor die Pflanzen blühen. Zurückgeschnittene Pflanzen treiben wieder aus und können meist mehrfach geerntet werden. Man verwendet Kerbel roh oder nur ganz kurz gekocht, da er sonst sein frisches, leicht anisartiges Aroma verliert. Kerbel wird für Suppen und Soßen, Salate und Kräuterbutter verwendet.

In der Mischkultur ist Salat ein guter Pflanzpartner.

Koriander

Das Laub von Koriander *(Coriandrum sativum)* erinnert im Aussehen entfernt an das der Petersilie, hat aber einen etwas stechenden Geruch. Die einjährige, sehr wärmebedürftige Pflanze wird 30 bis 60 cm hoch. Im Sommer erscheinen weiße bis hellviolette Blüten, auf die kleine, runde Früchte folgen. Es gibt Koriandersorten, die mehr auf Blattqualität hin gezüchtet wurden, und solche, die auf Fruchtqualität gezüchtet wurden. Koriander braucht einen vollsonnigen, warmen, geschützten Standort in durchlässigem, nährstoffreichem Boden. Jungpflanzen verlangen einen feuchten Boden, sonst beginnen sie, zu früh zu blühen. Verwendet werden die frischen Blätter (»Cilantro«) für Salate sowie für die asiatische und mediterrane Küche. Die aromatischen Samen werden zum Backen, für Süßspeisen, Currymischungen, Pickles und Chutneys verwendet. Das frische Kraut kann problemlos eingefroren werden.

Kümmel

Der zweijährig kultivierte Wiesen-Kümmel *(Carum carvi)* wird 50 bis 60 cm hoch, hat fein gefiedertes, frisch-grünes Laub und blüht erst im zweiten Standjahr. Auf die weißen, in Dolden angeordneten Blüten folgen die länglichen, gerillten Samen, wegen derer man die Pflanze kultiviert. Kümmel gedeiht an sonnigen Standorten in durchlässigen, lehmig sandigen Böden und mag es nicht, verpflanzt zu werden. Die aromatischen Samen enthalten ätherisches Öl, das appetitanregend wirkt und bei Verdauungsbeschwerden und Blähungen hilft. In der Küche verwendet man die Samen für Gebäck, Käse, Kohl- und Fleischgerichte, eingelegtes Gemüse und Chutneys. Getrocknet sind Kümmelsamen bis zu vier Jahre ohne Qualitätsverlust lagerfähig.

Liebstöckel

Liebstöckel *(Levisticum officinale)* ist eine winterharte, bis 200 cm hohe Staude mit glänzenden, tief eingeschnittenen Blättern, die an große, glattblättrige Petersilie erinnern. Sie verströmen bei Berührung ihren charakte-

ristischen, würzigen, sellerieartigen Duft, der an Maggiwürze erinnert und der Pflanze auch den Namen »Maggikraut« eingebracht hat. Liebstöckel gedeiht auf fruchtbaren, durchlässigen, feuchten Böden ohne Staunässe an sonnigen und halbschattigen Standorten. Verwendet werden die frischen oder getrockneten Blätter für Suppen, Eintöpfe, Fleisch-, Fisch- und Gemüsegerichte. Medizinisch wird Liebstöckel bei Verdauungsbeschwerden, Koliken, Blähungen und Blasenentzündungen angewendet.

Majoran

Der bei uns nicht völlig winterharte und deshalb meist einjährig kultivierte Majoran *(Origanum majorana)* bildet aufrechte, bis 60 cm hohe, verzweigte Büsche. Die kleinen, rosaweißen Blüten erscheinen im Hochsommer. Majoran braucht trockene, aber nährstoffreiche, durchlässige Böden in voller Sonne. Verwendet werden die Blätter und blühenden Stängel, die auch gut getrocknet werden können. Majoran passt zu vielen mediterranen Gerichten, Gemüsegerichten und wird in Brot verbacken. Medizinisch wird er als Tee gegen Nervosität, Schlaflosigkeit, Kopfschmerzen, Erkältungen und Verdauungsbeschwerden eingesetzt. Äußerlich lindert er Muskelschmerzen, Verstauchungen und hilft bei steifen Gelenken.

Oregano

Mit dem Majoran verwandt ist Oregano *(Origanum vulgare)*, eine mehrjährig kultivierte, frostharte, bis 60 cm hohe Staude mit aromatischen Blättern und rosa-lila Blüten. Er schmeckt etwas derber als Majoran und braucht trockenen, durchlässigen Boden in voller Sonne. Geerntet werden die Blätter und Blüten frisch oder getrocknet. Oregano wird vor allem für die mediterrane Küche verwendet, ähnlich wie Majoran.

Petersilie

Wer kennt sie nicht, die grüne, krause Dekoration auf dem Teller: Petersilie *(Petroselinum crispum)* gehört zu den beliebtesten Küchenkräutern. Und das zu Recht, denn die 30 bis 60 cm hoch wachsende, in der Regel einjährig kultivierte Petersilie ist äußerst würzig, schmackhaft und gesund. Leider ist der Anbau nicht immer von Erfolg gekrönt, denn Petersilie verlangt einen sonnigen bis halbschattigen Standort, fruchtbaren, feuchten, aber durchlässigen Boden – und will dennoch manchmal einfach nicht gedeihen. Am besten wird sie vor Ort und Stelle ausgesät. Die Keimung kann bei kalten Temperaturen recht lang dauern. Das Verpflanzen nimmt sie meist übel. Auch mag sie es nicht, wiederholt am selben Standort kultiviert zu werden. Dafür lohnt sie, wenn sie denn gedeiht, die Mühen reichlich. Natürlich schmeckt sie frisch verwendet in Salaten, Soßen, Kräuterbutter und Füllung am besten, aber sie lässt sich auch problemlos einfrieren – am besten in gebrauchsfertigen Portionen. Beim Trocknen büßt sie viel von ihrem Aroma ein. Glattblättrige Petersilie *(P. c. var. neapolitanum)* wächst etwas höher und hat einen intensiveren Geschmack. Wurzelpetersilie *(P. c. var. tuberosum)* bildet eine rübenförmige Wurzel und wird als Gemüse oder für Suppen verwendet.

In der Mischkultur sind Gurken, Radieschen, Tomaten und Zwiebeln gute Pflanzpartner, nicht aber Salat.

Rosmarin

Der immergrüne mediterrane Halbstrauch wird bis zu 2 m hoch, hat verholzende Zweige und nadelartige, aromatisch duftende Blätter. Rosmarin *(Rosmarinus officinalis)* kann bei strengen Frösten erfrieren und braucht einen geschützten, sonnigen Standort in durchlässigem Boden. In rauen Regionen zieht man Rosmarin besser im Topf und überwintert ihn frostfrei. Verwendet werden die jungen Triebspitzen, frisch oder getrocknet. Rosmarin hat eine anregende, antiseptische und antibakterielle Wirkung und kann auch als Tee genossen werden.

In der Mischkultur schützt das Kraut Kohl und Möhren gegen Kohlweißlingsraupen und Möhrenfliegen.

Salbei

Der in milden Regionen immergrüne, mediterrane Halbstrauch mit verholzenden Trieben und graugrünen, filzig behaarten Blättern wird bis 60 cm hoch. Die Blüten des Echten Salbeis *(Salvia officinalis)* sind violettblau und erschei-

---

Tipps zum Umgang mit Kräutern

- Je frischer die Kräuter, desto intensiver ihr Aroma. Kräuter aus dem Garten daher immer erst unmittelbar vor Gebrauch ernten. Ein guter Erntezeitpunkt ist der frühe Vormittag, sobald die Pflanzen abgetrocknet sind.
- Kräuter werden erst unmittelbar vor der Verwendung gehackt. Die Blätter werden dabei von den Stielen gezupft und trocken getupft. Niemals nass hacken, da sonst viele Aromastoffe verloren gehen. Auch das Zerkleinern mit elektrischen Haushaltsgeräten beeinträchtigt den Geschmack.
- Kräuter mit kräftigem Aroma dürfen von Anfang an mitgekocht werden. Beispiele sind Rosmarin, Lorbeer, Thymian und Salbei. Andere wie Basilikum, Koriander, Kerbel und Borretsch sind hitzeempfindlich und werden erst kurz vor dem Servieren zugegeben.
- In kalten Soßen sollten Kräuter bis zu einer halben Stunde ziehen, sie schließen dann besser ihr Aroma auf.
- Verwenden Sie stark aromatische Kräuter wie Liebstöckel, Oregano, Thymian, Rosmarin und Salbei nur sparsam.
- Getrocknete Kräuter sind geschmacksintensiver und konzentrierter als frische. Ein Teelöffel getrockneter Kräuter entspricht etwa der dreifachen Menge frischer.
- Kräftige Würzkräuter wie Sellerie und Liebstöckel bleiben unzerkleinert und werden vor dem Servieren aus Suppen und Brühen entfernt.
- Getrocknete Kräuter werden eine Viertelstunde vor Ende der Garzeit zugegeben und vorher leicht in der Hand zerrieben. So kann sich der volle Geschmack entfalten.

nen im Frühsommer. Es gibt auch Sorten mit goldgelben, weißbunten und purpurfarbenen Blättern, die in Geschmack und Wirkung ähnlich sind. Salbei braucht einen sonnigen Standort und leichten, durchlässigen Boden. In rauen Regionen und schweren Böden ist Salbei nicht winterhart. Verwendet werden die jungen Blätter zum Würzen von Soßen, fettem Fleisch und in der mediterranen Küche. Medizinisch wird er als Gurgelmittel bei Nachtschweiß, Halsentzündung, Zahnfleischbeschwerden und Mandelentzündung angewendet. Er fördert die Verdauung und, äußerlich angewendet, die Wundheilung.

Sauerampfer

Die winterharte, bis 120 cm hohe Staude hat hellgrüne, lanzettförmige Blätter und hohe Ähren mit rötlich braunen Blüten. Der heimische Sauerampfer *(Rumex acetosa)* braucht nährstoffreichen, feuchten Boden in Sonne oder Halbschatten. Die säuerlich schmeckenden, jungen Blätter können als Salatwürze, Suppe, Soße, zu Eier- und Käsegerichten oder wie Spinat gekocht verzehrt werden. Sauerampfer enthält viel Oxalsäure und sollte von empfindlichen Menschen und Nierenkranken nicht oder nur in geringer Dosis verzehrt werden.

Schnittlauch

In keinem Garten darf Schnittlauch *(Allium schoenoprasum)* fehlen! Die etwa 30 cm hohen, blaugrünen, hohlen Halme der winterharten Staude haben ein mildes, zwiebelartiges Aroma. Sie werden zerschnitten für Salate, Soßen und Suppen verwendet. Die im Frühsommer erscheinenden purpurroten, essbaren Blütenköpfchen können zur Dekoration der Speisen verwendet werden. Schnittlauch wächst an sonnigen bis halbschattigen Standorten in feuchtem, nährstoffreichem Boden. Man konserviert ihn am besten, indem man ihn einfriert. Medizinisch hat er keine Bedeutung.

Thymian

Neben dem Gewöhnlichen Thymian *(Thymus vulgaris)* gibt es noch viele weitere Thymian-Arten, die zum Teil einen schwächeren Wuchs, farbigere Blüten oder einen aparten Zitronen- oder Orangenduft haben. Für die Küche greift man jedoch meistens auf den Klassiker zurück. Der etwas frostempfindliche, mediterrane Halbstrauch wird 30 bis 45 cm hoch und trägt an seinen verholzenden Trieben winzige dunkel- bis graugrüne, aromatisch duftende Blätter. Die weißen bis hellvioletten winzigen Blüten erscheinen im Hochsommer. Thymian braucht einen sonnigen, warmen Standort und durchlässigen Boden. In der Küche werden die frischen oder getrockneten Blätter für Marinaden, Fleisch, Suppen, Eintöpfe und Aufläufe verwendet. Medizinisch wirkt Thymian antibakteriell und fungizid. Er wird daher bei Erkältungen und Infektionen der Atemwege empfohlen.

Wermut

Der ausdauernde, bis 100 cm hohe Wermut *(Artemisia absinthium)* ist ein Halbstrauch mit silbergrauen, behaarten und fein gefiederten Blättern. Die im Spätsommer erscheinenden Blüten sind winzig, grünlich-gelb und kugelförmig. Wermut braucht einen sonnigen Standort und durchlässigen, fruchtbaren Boden. In der Küche werden die Blätter frisch oder getrocknet zum Würzen fetter Speisen verwendet. Als Heilpflanze nimmt man Wermut wegen der hohen Konzentration an Bitterstoffen bei Beschwerden des Verdauungstrakts und zur Anregung der Leberfunktion. Wermut ist appetitanregend. Bei einer Überdosierung kann es jedoch zu leichten Vergiftungserscheinungen kommen. Getrocknete Wermutblätter in Stoffsäckchen sollen Motten und andere Insekten fernhalten. Im Garten ist Wermut ein guter Pflanzpartner für Johannisbeeren, weil er die Beerensträucher vor einem Befall mit Säulenrost schützt. Neben Lauch schützt er außerdem die Zwiebelgewächse vor Lauchmotten. Auf dem Kompost verzögert Wermutkraut die Rotte.

Kräuter für die Gesundheit

Bevor sich die pharmazeutische Industrie mit ihren synthetisch erzeugten Produkten durchsetzte, kurierten die Menschen jahrtausendelang ihre Leiden mit der Kraft der Kräuter. Viele Küchenkräuter, aber auch Gemüse, haben neben ihrem kulinarischen Wert auch eine gesundheitsfördernde oder heilende Wirkung. Andere Pflanzen werden ausschließlich als Heilkraut verwendet. Doch wie bei so vielem gilt auch hier: Die Dosis macht das Gift! Heilkräuter dürfen nicht wahllos und auf gut Glück verwendet werden.

Arnika

Als heimische Alpenpflanze mit kriechendem Wurzelstock gedeiht Arnika *(Arnica montana)* nicht in jedem Garten. Sie braucht einen sonnigen Standort und sandigen, mit Humus angereicherten, gut durchlässigen, nicht zu feuchten Boden. Ein guter Standort im Garten ist das Hochbeet. Aus der Blattrosette mit ovalen, behaarten Blättern sprießt im Hochsommer ein 30 bis 60 cm hoher Blütenstängel mit dottergelben Körbchenblüten. Arnika hat eine entzündungshemmende, antiseptische Wirkung und wird gegen leichte Prellungen und Blutergüsse angewendet. In der Homöopathie wird Arnika gegen verschiedene Krankheiten eingesetzt, darunter Verstauchungen, Muskelschmerzen und Seekrankheit. Arnika ist leicht giftig, darf nur äußerlich und nur über einen kurzen Zeitraum angewendet werden.

Johanniskraut

Das Tüpfel-Johanniskraut (*Hypericum perforatum*) ist eine alte Heilpflanze mit segensreicher Wirkung bei Angstgefühlen, Depressionen und nervöser Spannung. Außerdem hemmt es Entzündungen und fördert die Wundhei-

lung bei Verbrennungen. Das in ganz Europa heimische, mehrjährige, 30 bis 60 cm hohe Kraut hat aufrechte, an der Basis verholzende Stängel und kleine, schmale, ovale Blätter, auf denen winzige Öldrüsen sitzen. Im Sommer erscheinen leuchtend gelbe Blüten. Johanniskraut gedeiht in voller Sonne in durchlässigem, etwas trockenem Boden. Verwendet werden die frischen oder getrockneten Blütenstände für Aufgüsse, Cremes, Ölauszüge und Extrakte. Bei der Anwendung von Johanniskraut ist Vorsicht geboten, denn es können Nebenwirkungen wie Sonnenallergien, Kopfschmerzen und Müdigkeit auftreten.

Kamille

Die etwa 60 cm hoch wachsende, einjährig kultivierte Echte Kamille *(Matricaria recutita)* kommt wild in ganz Europa vor. Die Pflanze hat fein gefiederte Blätter, gelbe Röhren- und weiße Zungenblüten, die an kleine Margeriten erinnern. Ähnlich sieht die immergrüne, mehrjährige Römische Kamille *(Chamaemelum nobile)* aus, die aber nur 15 cm hoch wird. Sowohl Echte Kamille als auch Römische Kamille verströmen bei Berührung einen charakteristischen Duft, der sie von Doppelgängern wie Duftloser Kamille, Hundskamille oder Küsten-Kamille unterscheidet. Echte Kamille und Römische Kamille gedeihen am besten in trockenem, sandigem Boden in voller Sonne. Ein Tee aus den frischen oder getrockneten Blüten hilft bei Übelkeit, Magenverstimmungen, Schlafstörungen, Hautirritationen und Menstruationsbeschwerden. Die Inhaltsstoffe wirken entzündungshemmend, antiseptisch und beruhigend. Ein Dampfbad mit den Blüten hilft bei Atemwegserkrankungen und erfrischt die Gesichtshaut.

Pfefferminze

Jeder kennt den frischen Geschmack von Minze. Außer der Pfefferminze *(Mentha x piperita)* gibt es noch rund 25 weitere Minze-Arten, die ebenfalls frisch und würzig duften (und schmecken). Polei-Minze *(Mentha pulegium)*, Korsische Minze *(M. requienii)*, Ährige Minze *(M. spicata)* und Apfel-Minze *(M. x villosa f. alopecuroides)* sind nur einige aus der großen, weltweit verbreiteten Minze-Familie. Allen gemeinsam ist, dass sie ausdauernde, staudige Pflanzen sind, bei denen die Blätter beim Berühren einen intensiven Duft verströmen. Sie gedeihen in nährstoffreichen, feuchten Böden im Halbschatten und breiten sich meist durch Wurzelausläufer munter aus. Je nach Art und Sorte wachsen sie kriechend mit niederliegenden Trieben oder aufrecht. Die Blüten sind eher unscheinbar und meist hellviolett. Viele Arten und Sorten sind nur durch Wurzelschnittlinge, nicht aber durch Aussaat sortenrein vermehrbar.

Genutzt werden die Blätter oder das aus ihnen extrahierte ätherische Öl. Bei Erkältungen, Verdauungsproblemen und Asthma ist Minze ein bewährtes Hausmittel. Das ätherische Öl wirkt antiseptisch, leicht betäubend und wehrt Insekten ab. In hohen Dosierungen kann Minzeöl Allergien auslösen und bei Schwangeren die Frucht schädigen. Minzeblätter können frisch oder getrocknet als Tee, Badezusatz oder Ölauszug verwendet werden. In der Küche passen Minzeblätter zu Salaten, Soßen, Joghurt, Fleisch-, Fisch-, Lamm- und Gemüsegerichten, zu orientalischen Gerichten, Süßspeisen und als Dekoration. Pur oder in Teemischungen hat Minze eine leicht anregende Wirkung.

Zitronenmelisse

Die 30 bis 80 cm hohe Zitronenmelisse *(Melissa officinalis)* ist eine robuste, buschig wachsende Staude mit ovalen, am Rand rau gezähnten Laubblättern, die bei Berührung einen intensiven Zitronenduft verströmen. Im Spätsommer erscheinen kleine, unscheinbare weiße oder hellgelbe Blüten. Zitronen-Melisse gedeiht in jedem durchlässigen Boden in Sonne und Halbschatten und sät sich bereitwillig selbst aus. Verwendet werden möglichst die frischen Blätter, denn beim Trocknen verlieren sie ihr Aroma und ihre Heilwirkung. Als Tee wirkt Zitronenmelisse beruhigend, entspannend und verdauungsfördernd. Empfohlen wird sie auch bei Kopfschmerzen, Angstzuständen und Magenverstimmungen. Die Pflanze wehrt Insekten ab, wirkt antibakteriell und antiviral. Als Umschlag wird sie zur Wundheilung, bei Hautirrita-

tionen sowie bei Insektenbissen und -stichen angewendet. In der Küche geben die Blätter Salaten, Suppen, Soßen, Füllungen, Fischgerichten, Süßspeisen und Getränken einen frischen Geschmack.

Kräuter für die Schönheit

Kräuter können nicht nur würzen und heilen, sie dienen auch der Schönheit und dem Wohlbefinden. Viele Kräuter können als Badezusatz, in selbst hergestellten Cremes oder in wässrigen Auszügen eine erfrischende, entspannende und damit verjüngende Wirkung haben.

Echte Aloe

Die in tropischen und subtropischen Ländern heimische Echte Aloe *(Aloe vera)* ist eine frostempfindliche, mehrjährige Pflanze, die am Rand stachelige, in einer dichten Rosette stehende, fleischige, graugrüne Blätter hat. Die Pflanze wird 40 bis 60 cm hoch und entwickelt im Sommer an aufrechten Blütentrieben Trauben mit gelben, röhrenförmigen Blüten. Die Echte Aloe braucht einen sonnigen, geschützten Standort (Mindesttemperatur 5 °C) und gut durchlässigen, mäßig fruchtbaren Boden. Am besten hält man sie als Topfpflanze, die im Sommer draußen stehen kann. Zwischen den Wassergaben darf die Erde völlig austrocknen. Die Mühe der Kultur lohnt sich, denn die fleischigen Blätter enthalten einen Saft, der für hautpflegende Cremes und Lotionen verendet werden kann. Der Saft der Echten Aloe dient auch als Heilmittel, da er hemmend auf Entzündungen und Mikroorganismen wirkt, das Immunsystem anregt und bei Verdauungsbeschwerden hilft. Das Gel der Blätter wird äußerlich zur Wundheilung, bei Verbrennungen, Sonnenbrand, Ekzemen und Hautirritationen verwendet. Die in jüngster Zeit sehr populäre Pflanze wurde bereits im 10. Jahrhundert in Europa eingeführt und hat inzwischen einen festen Platz in der Naturheilkunde.

Garten-Ringelblume

Die einjährig kultivierte, bis 50 cm hohe Ringelblume *(Calendula officinalis)* hat hellgrüne, etwas klebrige Blätter und gelbe bis leuchtend orangefarbene Körbchenblüten, die den ganzen Sommer über erscheinen, wenn Abgeblühtes regelmäßig entfernt wird. Die anspruchslosen Pflanzen wachsen an sonnigen Standorten in fast jedem Boden. Einmal etabliert, säen sich Ringelblumen gern selbst aus. Verwendet werden die frischen Blütenblätter, aus denen man Gesichts- und Hautcreme bereiten kann. Ringelblumensalbe hilft bei rissigen Händen, normalisiert fettige Haut, fördert die Wundheilung, wirkt entzündungshemmend und kann bei der Baby- und Kinderpflege verwendet werden. Ringelblumen werden auch als Kur für den Boden empfohlen, etwa bei Nematodenbefall und Bodenmüdigkeit.

Nachtkerze

Eine Gesichtsmaske mit den frischen Blüten der Gewöhnlichen Nachtkerze *(Oenothera biennis)* soll den Teint auffrischen. Die auch wild auf nährstoffarmen, sandigen Böden im Ödland vorkommende zweijährige, bis 150 cm hohe Pflanze braucht im Garten einen warmen, sonnigen Platz. Einmal etabliert, sät sie sich immer wieder selbst aus.

Lavendel

Lavendelarten gibt es viele, aber nur Echter Lavendel *(Lavandula angustifolia)* und Englischer Lavendel *(L. x intermedia)* besitzen den charakteristischen, intensiven Duft. Die mediterranen, an der Basis verholzenden Halbsträucher mit graugrünem, nadelartigem Laub werden 60 bis 90 cm hoch und sind relativ winterhart, sofern sie einen sonnigen Standort in gut durchlässigem, nicht zu feuchtem Boden haben. Verwendet werden die frischen oder getrockneten Blüten und ein aus ihnen gewonnenes Öl. Lavendel hilft medizinisch gegen Kopfschmerzen, Angstgefühle und Sonnenbrand. Er hat eine entspannende, entkrampfende, den Schlaf fördernde Wirkung. Säckchen mit getrockneten Lavendelblüten in Wäscheschränken halten Motten fern. Kosmetisch wird Lavendel vor allem für Badezusätze, Seifen und Körperpflegeprodukte verwendet. Ein Aufguss aus frischen Blüten kann ein einfaches Wannenbad zu einem echten Wellness-Erlebnis machen – am besten vor dem Schlafengehen, weil man danach herrlich entspannt ist!

Kräuter als Haushaltshelfer

Schon vor der Erfindung von Vollwaschmittel und Universalreiniger gab es einige Pflanzen, die bei der Reinhaltung von Haus und Hof halfen. Ihre Anwendungsgebiete sind zwar nicht so universell, aber dafür können sie selbst angebaut bzw. in der Natur gesammelt werden und sind biologisch vollständig abbaubar, ohne die Umwelt zu belasten.

Eine Reihe von Pflanzen wurden schon vor Jahrhunderten für viele alltägliche Dinge des Lebens genutzt, sie sind lediglich in Vergessenheit geraten. An dieser Stelle möchte ich auf einige dieser Pflanzenschätze hinweisen, die sich besonders für Selbstversorger eignen.

Acker-Schachtelhalm

Der etwa 50 cm hoch wachsende Acker-Schachtelhalm *(Equisetum arvense)* sieht aus wie eine grüne Flaschenbürste oder ein Miniatur-Nadelbaum. Im Frühjahr erscheinen vor den Laubtrieben ährenartige Sporentriebe, die der Vermehrung dienen. Die urtümliche Pflanze wird vom Volksmund auch Zinnkraut genannt, was auf ihre Verwendung als Scheuermittel verweist. Mit den frischen oder getrockneten Stängeln können Kupfer- und Zinngefäße gescheuert werden und bekommen dadurch wieder frischen Glanz. Die Reinigungswirkung beruht auf dem hohen Gehalt an Kieselsäurekristallen und Saponinen. Weil die Rhizome des Acker-Schachtelhalms bis 160 cm tief in die Erde reichen, ist er ein hartnäckiges Unkraut. Deshalb sollte man sich auf die Wildsammlung beschränken und die Pflanze nicht im Garten etablieren.

Seifenkraut

Einer der wichtigsten Haushaltshelfer aus der Natur ist das Seifenkraut *(Saponaria officinalis)*. Es wächst 60 bis 80 cm hoch, die lanzettlich geformten Blätter sind etwa 5 bis 10 cm lang. Von Juni bis September erscheinen die 2 cm großen, weißlichen Blüten. Seifenkraut gedeiht auf fast allen Böden, ideal ist ein Standort in Sonne oder Halbschatten auf nährstoffreichen und leicht feuchten Böden. Vermehren kann man das Seifenkraut durch Aussaat oder Teilung. Es dauert bis zu fünf Jahre, bis sich ein dichter Bestand entwickelt hat.

Aus Seifenkraut lässt sich ein Schaum herstellen, der sich besonders zum Waschen empfindlicher Gewebe, wie beispielsweise Seide, eignet. Verantwortlich dafür sind die reichlich enthaltenen Saponine.

Obwohl Seifenkraut in der Naturheilkunde als Mittel zur Linderung von Hautkrankheiten verwendet wird, ist Vorsicht geboten: Manche Menschen reagieren allergisch darauf.

Verwendet wird die Wurzel. Man säubert sie, zerschneidet sie in kleine Stücke und gibt etwa 50 g davon in einen Topf mit 5 Liter Wasser. Dann alles etwa 30 min kochen lassen und so weit reduzieren, bis man ein Konzentrat erhält. Dieses kann in Flaschen abgefüllt aufbewahrt werden. Zum Waschen gibt man etwas davon in lauwarmes Wasser. Es eignet sich auch zum Händewaschen und als Haarwaschmittel.

Färberpflanzen

Im Zeitalter synthetischer Farben ist fast in Vergessenheit geraten, dass auch im eigenen Garten Färberpflanzen wachsen können. Neben Färberwaid und Färberdistel schenken uns auch Beeren wie Holunder oder Brombeeren, Gemüse wie Rote Bete und sogar Eichengallen Farbstoffe. Wenn man weiß, wie sie zu nutzen sind, kann man sie zum Färben von Wolle und Textilien, für selbst gemachte Tinte und viele andere Zwecke verwenden.

Eichengallentinte

Aus den apfelförmigen Gallen, die man häufig an Eichenblättern findet, lässt sich eine traditionelle Tinte herstellen. Die Gallen sind durch Eichengallwespen hervorgerufene Gewebewucherungen, in denen die Nachkommen der Insekten heranwachsen. Für die Herstellung von Eichengallentinte braucht man Galläpfel, Eisenvitriol (Eisen-II-Sulfat), Gummi arabicum und Wasser. Nach dem Vermischen der Zutaten werden diese zusammen aufgekocht und müssen dann noch einige Monate an einem warmen Ort reifen. Die schwarzblaue bis schwarze Farbe entwickelt sich unter dem Einfluss von Sauerstoff beim Schreiben. Nach einigen Jahrzehnten wird die Tinte braun, aber nicht unleserlich.

Färberdistel

Die einjährig kultivierte, bis 100 cm hohe Färberdistel (*Carthamus tinctorius*) hat fein gezähnte, ovale Blätter und von stacheligen Hochblättern umgebene, distelähnliche, orangegelbe Blütenköpfe. Die anpassungsfähige Pflanze braucht durchlässigen Boden in voller Sonne und verträgt auch Trockenperioden. In Wasser eingelegt, ergeben die Blüten einen gelben

Farbstoff, in Alkohol einen roten. Das aus den Samen gewonnene Öl ist cholesterinarm und schmeckt delikat. In der Medizin werden die Blüten als fiebersenkender, schweißtreibender Tee oder als Umschlag bei Quetschungen und Entzündungen verwendet.

Färberwaid

Der zweijährig kultivierte, 50 bis 120 cm hohe Färberwaid *(Isatis tinctoria)* war – bis zur Einführung des blauen Indigos tropischen Ursprungs im 17. Jahrhundert – hierzulande eine traditionelle Färberpflanze für die Farbe Blau. Färberwaid braucht humusreichen, feuchten, aber durchlässigen Boden in voller Sonne und bildet im ersten Jahr eine Blattrosette, die mehrfach geerntet werden kann. Im zweiten Jahr erscheinen im Mai/Juni an einem aufrechten Blütentrieb gelbe, traubenartig angeordnete Blüten. Zum Färben weicht man getrocknete Blätter so lange in Wasser ein, bis sich dieses leicht grün färbt. Dann siebt man die Blätter ab und legt das Färbegut ein. Durch Zufuhr von Sauerstoff (etwa das Aufschlagen mit Weidenruten) oxidiert das farblose Glykosid namens Indican, und die Textilien nehmen eine bläuliche Farbe an, die sich beim Trocknen an der Luft noch intensiviert.

7 Tierhaltung

In diesem Kapitel stelle ich die beliebtesten Nutztiere vor und beschreibe die grundlegenden Anforderungen und Voraussetzungen für deren Haltung. Ein besonderes Augenmerk liegt auf den verschiedenen Rassen. Es ist aus etlichen Gründen empfehlenswert, auf alte, bewährte regionale Haustierrassen zurückzugreifen, die vielerorts bereits vom Aussterben bedroht sind. Hierfür können ggf. sogar Fördermittel beantragt werden, wenn Sie sich beispielsweise für die Haltung einer bestimmten bedrohten Schweine-, Esel- oder Rinderrasse entscheiden. Aus diesem Grund verzichte ich auch darauf, exotische Nutztiere zu empfehlen. Strauße gehören nicht nach Europa; Kängurus, Lamas und Alpakas seien dem Tierfreund vorbehalten, der unbedingt ein exotisches Haustier wünscht.

Auch Rotwild und Wildschweine als Nutztiere zu halten erfordert einen großen Aufwand, im Fall von Rotwild auch eine hohe Investition für sichere Zäune.

Welches Tier für welchen Zweck?

Zu einem Hof gehören Tiere einfach dazu wie Blumen zur Wiese, im Garten sind Nutztiere dagegen nur sehr beschränkt haltbar, da oft der Platz nicht ausreicht. Für einige Hühner reicht es aber immer, und auch ein Kaninchenstall geht noch. Ist mehr Platz vorhanden, kann man darüber nachdenken, Ziegen, Schafe, Schweine, Kühe oder Pferde zu halten.

Tiere haben einen hohen Nutzen für uns: Sie bieten uns Nahrung wie Milch, Fleisch, Eier und Honig, aus der Haut macht man Leder, aus ihrer Wolle Kleidung. Daunenfedern halten uns im Winter warm. Auch helfen Tiere uns bei der Arbeit, ziehen Pflüge und Fuhrwerke oder transportieren Brennholz.

Es fallen aber auch Kosten an für Zäune, Ställe, Futtermittel, und der Tierarzt darf ebenfalls nicht vergessen werden. Es ist daher wichtig, Kosten und Nutzen sorgfältig gegeneinander aufzurechnen. Daraus ergibt sich, wie viele Tiere welcher Art gehalten werden müssen, um beispielsweise rentabel Eier oder Fleisch zu produzieren. Bei allem Nutzen darf aber nicht vergessen werden, dass es sich um lebendige Wesen handelt, die artgerecht gehalten werden wollen. Dazu gehört nicht nur die richtige Ernährung oder Unterbringung, die Tiere wollen auch ihre natürlichen Verhaltensweisen ausleben können. Schweine suhlen sich mit Begeisterung im Schlamm, Pferde brauchen Auslauf, Enten und Gänse schwimmen nun einmal gerne. Ganz gleich, für welche Tierart Sie sich entscheiden: Informieren Sie sich gründlich über deren Ansprüche und Lebensweise. Auch müssen Sie die wichtigsten Maßnahmen zur Pflege beherrschen. Wenn Sie Schafe halten, sollten Sie wissen, wie man Wolle schert, Klauen schneidet und was zu tun ist, wenn ein Lamm zur Welt kommt, da nicht immer ein Tierarzt Gewehr bei Fuß steht. Eine Milchkuh halten, ohne zu wissen, wie man sie melkt, ist ebenfalls ein Unding. Grundlegende medizinische Kenntnisse sind unverzichtbar, und eine »Hausapotheke« für den Notfall muss vorhanden sein.

Checkliste Tierhaltung

- Welches Tier für welchen Zweck?
- Wie viel Platz für wie viele Tiere ist vorhanden?
- Wie hoch ist die Investition?
- Wie hoch sind die laufenden Kosten?
- Kann ich dem Tier eine artgerechte Pflege bieten?
- Habe ich eine Affinität zu dem Tier und verfüge ich über die notwendigen Kenntnisse?
- Kann ich überhaupt die Zeit aufbringen?
- Ist gewährleistet, dass zuverlässig immer jemand da ist, der sich um die Tiere kümmert?

Hausschlachtung

Wer Tiere des Fleisches wegen hält, sollte sich darüber im Klaren sein, dass der Tag X kommt, an dem geschlachtet werden muss. Wer es denn tatsächlich über das Herz bringt, darf aber nicht selbst Hand anlegen, denn beim Schlachten gibt es eine Reihe von Vorschriften zu beachten.

Hausschlachtungen waren über Jahrhunderte gang und gäbe und ein wichtiger Bestandteil für den selbstversorgenden Haushalt. Die Schlachtungen fanden meist im Winter statt und wurden vielerorts als Schlachtfest gefeiert, da bestimmte Würste sofort verzehrt werden mussten.

In der Regel unterliegt die Hausschlachtung strengen Vorschriften, sofern sie überhaupt gestattet ist. Man muss einen Metzger bestellen, da nur Personen mit Fachkenntnissen Wirbeltiere töten dürfen. Wollen Sie ein Schwein oder Rind schlachten, muss dieses außerdem vorher von einem Amtstierarzt inspiziert werden, der grünes Licht gibt. Nach der Schlachtung wird das Fleisch erneut zur Untersuchung vorgelegt. Bei Geflügel und Kaninchen kann die tierärztliche Untersuchung unterbleiben.

Generell darf Fleisch aus »eigener« Schlachtung nur für den Eigenbedarf verwendet und nicht weiter veräußert werden.

Schafe halten

Das Schaf gehört zu den ältesten Haustieren – seit vielen Jahrtausenden begleitet es den Menschen und wird dabei auf ausgesprochen vielfältige Art und Weise genutzt. Schafe liefern Wolle, Fleisch, Milch, Felle und Hörner, sie eignen sich zur Beweidung steiler Hangflächen und können sogar ganze Landschaften umgestalten und prägen. Die malerische Lüneburger Heide etwa würde schnell wieder verwildern, wenn die »Heidschnucken« dort nicht alle Laubbäume und die meisten Nadelbäume verbeißen würden, sodass nur noch Wacholder und Heidekraut ein Auskommen finden. Die sprichwörtliche Genügsamkeit und die Anspruchslosigkeit des Schafes sind wörtlich zu nehmen, die angebliche Dummheit aber eher weniger. Zwar neigen Schafe als ausgesprochene Herdentiere dazu, »Hals über Kopf« zu flüchten, sie versteigen sich auch schon mal in den Bergen, sodass sie geborgen werden müssen, aber davon abgesehen sind sie nicht weniger schlau als etwa die als sehr gewieft geltenden Ziegen. Auch so manches Schaf gibt sich den Anstrich eines Ausbruchskünstlers und weiß genau, wo die besten Leckereien im Gemüsegarten zu finden sind.

Gründe für die Anschaffung von Schafen

Der häufigste Grund für die Anschaffung von Schafen ist heute in Mitteleuropa nicht mehr die Wolle, sondern die Milch. Schafsmilch ist sehr viel gehaltvoller als Kuhmilch und übertrifft selbst die Ziegenmilch noch um einiges mit ihrem Anteil an Vitaminen und Spurenelementen. Weil Ziegenmilch zudem vielen nicht so recht schmecken mag, ist die Schafsmilch eine wirklich ernst zu nehmende Alternative für den Selbstversorger. Schafsmilch wird ähnlich behandelt wie Ziegenmilch. In der Käseherstellung mischt man häufig sogar beides miteinander, um besonders facettenreiche Aromen zu erzielen.

Auch beim Schaf kommen hauptsächlich Lämmer als Fleischlieferanten infrage, die nicht älter sind als zwölf Monate. Lammfleisch ist zart, würzig und gesünder als beispielsweise Schweinefleisch. Es lässt sich in der Küche ähnlich wie Wild zubereiten. Weniger beliebt ist das Hammelfleisch von kastrierten Tieren bis zu einem Alter von zwei Jahren, weil es einen kräftigen Eigengeschmack aufweist. Es ist rot, marmoriert und von fester bis zäher Struktur. Sogenanntes »Schaffleisch« von Tieren, die älter als zwei Jahre sind, spielt in Mitteleuropa besonders wegen seiner Grobfaserigkeit keine Rolle für die Ernährung der Menschen.

Schafe sind, wie schon erwähnt, ideal für die Landschaftspflege. Sie verhindern, dass offene Flächen verwalden, und halten das Gras kurz, wo man nur mit großem Aufwand mähen kann. Für die Beweidung von Baumkulturen sind Schafe üblicherweise nicht geeignet, weil sie jeden jungen Trieb, den sie erwischen können, abfressen. Eine erstaunliche Ausnahme ist hierbei jedoch das britische Shropshire-Schaf. Es wird in Christbaumkulturen erfolgreich zur Regulierung des Graswuchses eingesetzt, weil es sich bei ausreichender Futterversorgung nicht an den jungen Trieben der Nadelbäume vergreift.

Von Leihböcken und Respektpersonen

Im Prinzip sind Schafe ähnlich zu halten wie Ziegen. Sie stellen nahezu identische Anforderungen an Stall und Weide, reagieren aber erfreulicherweise weniger empfindlich auf Nässe und kalte Temperaturen. Weil Schafe Herdentiere sind, sollte man mindestens fünf ausgewachsene Tiere halten. Ob die Haltung eines Bockes lohnt, ist eine nicht unwichtige Frage, die sich jeder Schafhalter stellen sollte. Ein eigener Bock garantiert nicht nur eine zuverlässige Trächtigkeit der weiblichen Tiere, sondern wirkt sich auch positiv auf das Herdeverhalten der Schafe aus. Er verteidigt die Lämmer vor möglichen Angreifern und sorgt dafür, dass seine Damen beisammen bleiben. Allerdings können Widder auch dem Menschen gegenüber schnell aggressiv werden, was besonders für Kinder nicht ungefährlich ist. Die zutraulichsten Schafsböcke sind hierbei auch die schwierigsten, weil sie im Menschen einen Konkurrenten sehen, vor dem sie nicht zurückscheuen. Der natürliche Respekt verhindert Angriffe üblicherweise am besten, darum sollte man junge Bocklämmer nicht mit der Hand füttern und ihnen auch nicht regelmäßig das Fell kraulen, wenn diese später einmal als Herden-Chefs eingesetzt werden sollen.

Eine empfehlenswerte Alternative sind Leihböcke. Sie bleiben im Herbst oder gegen Jahresende ein paar Wochen in der Herde, bis alle Damen beglückt sind, und können dann wieder zurückgegeben werden. Vielerorts bekommt man sie sogar gratis, weil der Besitzer die Futterkosten spart. Manchmal ist es allerdings schwierig, einen Bock derselben Rasse zu finden – und natürlich kann man sich so auch Krankheiten einschleppen.

Schafrassen

Es gibt auf der ganzen Welt etwa 800 Schafrassen, die die unterschiedlichsten Eigenschaften besitzen. So kennt man Wollschafe, Milchschafe, Fleischschafe, Mehrnutzungsschafe und solche, die sich besonders gut für die Landschaftspflege eignen – natürlich auch zahlreiche Rassen, die heute nur noch als Liebhabertiere von Bedeutung sind.

Bei der Entscheidung für eine bestimmte Schafrasse spielen viele Faktoren eine Rolle. Manche Schafrassen lammen beispielsweise nur saisonal zwischen Januar und April, während bei anderen, wie etwa den Bergschafen, auch Herbstlämmer vorkommen können. Das Scheren ist inzwischen häufig nur noch ein notwendiges Übel, darum werden neuerdings vermehrt Rassen gezüchtet, die kein langes Wollkleid mehr ausbilden. Als sogenannte Haarschafe brauchen sie nicht geschert zu werden und ersparen daher nicht nur dem Halter einiges an Arbeit, sondern auch sich selbst den Stress, den das Scheren zwangsläufig verursacht. Natürlich stimmt es keineswegs, dass Wolle hierzulande keinen Nutzen mehr hat, das Handwerk des Filzens etwa wird von immer mehr Menschen wieder ausgeübt, sei es als Beruf oder als Hobby. Die Wolle von farbigen Schafen ist als Ausgangsmaterial zum Filzen sehr gefragt, weil sie auch ohne künstliche Farbstoffe für Abwechslung sorgt. Ausgesprochen schön ist etwa die beigefarbene Wolle des Coburger Fuchsschafes. Das Coburger Fuchsschaf gehört zu den alten, robusten Landschafrassen, die heute kaum noch bekannt sind. Seine zahlreichen guten Eigenschaften, wie die große Vitalität und die Leichtfuttrigkeit, lassen seine Beliebtheit jedoch zu Recht wieder anwachsen. Ähnlich verhält es sich auch mit dem Bentheimer Landschaf, dem Rhönschaf, dem Zackelschaf oder dem Kärntner Brillenschaf. Sie alle haben zahlreiche Eigenschaften, die sie für den Selbstversorger empfehlenswert machen.

Ziegen halten

Ziegen gehören zu den wichtigsten Nutztieren für den Selbstversorger. Sie sind anspruchslos, genügsam und leicht zu halten. Sofern die arttypischen Ansprüche dieser Hornträger berücksichtigt werden, machen sie nur selten Probleme und sind darüber hinaus auch recht interessant zu beobachten.

Obwohl Ziegen auf viele verschiedene Arten nützlich sind, ist es doch in erster Linie die Milch, die den Selbstversorger am meisten zu ihrer Haltung veranlasst. Zahlreiche Grundstücke bieten nicht genug Futter für eine Kuh, reichen jedoch locker aus, um eine, zwei oder vielleicht sogar drei Ziegen mit ihren Kitzen zu versorgen. Viele können sich mit dem Geschmack frischer Ziegenmilch nicht anfreunden, obwohl diese sehr gesund und bekömmlich ist. Deshalb wird sie meistens zu Quark oder Käse weiterverarbeitet. Die Bandbreite an Käsesorten, die aus der Ziegenmilch hergestellt werden können, ist enorm und reicht von Weich-, Frisch- und Schimmelkäse bis hin zum Hartkäse. Speziell in Frankreich ist die Auswahl groß. Häufig wird die Ziegenmilch dabei auch mit Kuh- oder Schafsmilch gemischt. Frisch- und Weichkäse lässt sich ganz hervorragend mit frischen Kräutern aus eigenem Anbau verfeinern. Wer experimentierfreudig ist, kann hier aus dem Vollen schöpfen und laufend mit neuen Geschmacksnuancen überraschen. Wer Milchziegen hält, muss bedenken, dass diese regelmäßig gemolken werden müssen. Auch wenn man mal einen schlechten Tag hat, muss man morgens gewissenhaft aufstehen und die Tiere von ihren prallen Eutern erlösen.

Auch das Fleisch der Ziegen ist nicht zu verachten, sofern man es übers Herz bringt. Man kennt es beispielsweise aus der südeuropäischen und der indischen Küche. Auch in unseren Breiten hat es einst in Gegenden mit geringer Bodenfruchtbarkeit eine wichtige Rolle gespielt. Nach den beiden Weltkriegen geriet es schnell in Vergessenheit, doch inzwischen boomt das

Ziegenfleisch wieder. Es ist fettarm und damit eine hervorragende Alternative zu Rind- und Schweinefleisch. Das Fleisch ausgewachsener Ziegen ist nur von geringer Bedeutung, weil es zäh ist und nicht selten einen etwas strengen Nachgeschmack aufweist. Als Fleischlieferanten sind darum in erster Linie die Milchzicklein, bis zu einem Alter von etwa einem halben Jahr, und die Jungziegen bis zu einem Alter von einem Jahr tauglich. Je jünger das Tier ist, desto heller ist sein Fleisch – und umso schwieriger fällt die Schlachtung. Kurz gesagt: Eine Ziege, die das Rentenalter erreicht hat, ist auf der sicheren Seite.

Ziegenfell und Ziegenleder lassen sich ebenfalls sinnvoll nutzen, wobei auch hier wieder die Produkte von jüngeren Ziegen vorgezogen werden. Eine Sonderstellung nimmt die Kaschmirziege ein, bei der es sich um eine sogenannte Wollziege handelt. Ihr langes Haar wird regelmäßig abgeschoren und liefert die begehrte Kaschmirwolle, die zu den wertvollsten Naturfasern der Welt zählt. Für die Haltung im kleinen Stil ist ihre Anschaffung aber meistens nicht lohnend.

Der Nutzen eines Tieres muss nicht immer eindeutig und für jedermann offensichtlich sein. Ziegen werden inzwischen beispielsweise oft als »Beistelltiere« für einzelne Pferde oder Esel gehalten, damit diese sich weniger einsam fühlen. Auch können Ziegen als Landschaftspfleger eingesetzt werden, um zu verhindern, dass Wiesen allmählich verwalden.

Stallhaltung

Der Stall ist für die erfolgreiche Haltung von Ziegen von großer Wichtigkeit. Obwohl die Tiere sehr zäh sind, bekommt ihnen lang anhaltendes kühles und feuchtes Wetter überhaupt nicht gut. Wer Ziegen den Sommer über ganztägig auf der Weide halten möchte, muss zumindest dafür sorgen, dass sie einen trockenen Unterstand zur Verfügung haben. Je nach Größe der Ziegenrasse sollte der Platzbedarf im Stall pro Tier mit 1 bis 2 m² als Minimum berechnet werden. Ziegen, die in größeren Gruppen gehalten werden, brauchen im Stall ausreichende Ausweichmöglichkeiten vor ranghöheren Tieren. Aus arbeitstechnischen und hygienischen Gründen ist es von Vorteil, wenn Fress- und Liegebereiche getrennt sind.

Als Einstreu eignet sich Stroh am besten, weil es weder staubt noch viel Ungeziefer enthält. Je nach Verfügbarkeit können aber auch Sägemehl, Laub, Heu und Moos beigegeben werden. Ob im Stall oder draußen auf der Weide – Ziegen sollen ständig Zugang zu frischem Wasser haben. Selbsttränken sind praktisch, doch auch ein gut befestigter Wassereimer tut seine Dienste, wenn er regelmäßig kontrolliert wird.

> **Ziegen hüten**
>
> Als Ausbruchskünstler haben Ziegen sich unter ihren Anhängern längst den Ruf eingehandelt, intelligent und neugierig zu sein. Wer seine Ziege nicht in Nachbars Garten beim Abernten der Gemüsebeete oder Beetrosen ertappen möchte, der sollte unbedingt auf ausreichende Sicherheit beim Anlegen von Zäunen und Außengehegen achten. Elektrozäune sind relativ sicher, aber auch Wildzäune ab 160 cm Höhe leisten gute Dienste.

Ziegenrassen

Weil es so viele unterschiedliche Ziegenrassen gibt, mag es auf den ersten Blick vielleicht gar nicht so einfach sein, sich für eine bestimmte Rasse zu entscheiden. Bei dieser Überlegung spielt die Art der Nutzung die entscheidende Rolle. Eine gute Fleischziege ist etwa die hübsche Burenziege mit ihren typischen Hängeohren. Sie ist ruhig und weist eine hohe Fruchtbarkeit auf. Die Milchleistung ist zwar mäßig, aber für die Zicklein völlig ausreichend. Neben den Hängeohren sind Burenziegen auch anhand ihrer Fellzeichnung gut von anderen Rassen zu unterscheiden: Sie sind meistens überwiegend weiß, mit einem braun oder schwarz gefärbten Kopf.

Unter den Milchziegen zählen sicherlich die Thüringer Waldziege und die Toggenburgerziege zu den besten Rassen für den Selbstversorger. Bis zu 850 Liter Milch kann eine Geiß im Laufe eines Jahres einbringen. Als alte Rassen sind diese beiden Ziegen zudem sehr robust und langlebig.

Auch zahlreiche andere traditionelle Ziegenrassen eignen sich gut für die Haltung hinter dem Haus. Viele sind inzwischen selten geworden und zählen zu den bedrohten Nutztier-Rassen. Zwar erbringt der Großteil nur durchschnittlichte Milchleistungen, aber vielfach ist das vollkommen ausreichend für den Hausgebrauch. Schon mit wenigen Tieren kann man einen wertvollen Beitrag zur Erhaltung einer Rasse leisten. Empfehlenswerte bedrohte Ziegenrassen sind etwa die Pfauenziege mit ihren markanten schwarzen Augenstreifen und die Walliser Schwarzhalsziege mit ihrem schwarzen Vorderteil, das in attraktivem Kontrast zum weißen Hinterteil steht. Beide haben in der Schweiz ihr Hauptverbreitungsgebiet und sind sowohl schön anzusehen als auch vergleichsweise unempfindlich gegenüber schlechtem Wetter.

Letzten Endes ist es natürlich nicht notwendig, bei einer Ziegenrasse zu bleiben. Eine fröhlich bunte Herde bietet Abwechslung für das Auge, und nicht selten sind gerade Mischlingsziegen am gesündesten.

Schweine halten

Schweine werden überall auf der Welt wegen ihres wohlschmeckenden Fleisches gehalten. Das ist auch bei einem Selbstversorger nur selten anders. Die wenigen Schweine, die das Glück haben, im Selbstversorger-Landbau zu landen, sind jedoch im Gegensatz zu ihren Artgenossen in den Mastställen wahre Glücksschweine. Anstatt Einheitsfutter zu erhalten, werden sie täglich mit frischem Gemüse, Wiesengras und schmackhaften Abfällen aus Haus und Garten versorgt. Statt auf einem Stahlgitterboden zu stehen, können sie es sich im Stroh gemütlich machen. Und wenn sie so richtig »Schwein haben«, dürfen sie täglich hinaus ins Freie, um sich die Sonne auf den Pelz brennen zu lassen.

Stall und Unterstand

Ob mit oder ohne Auslauf, der wichtigste Punkt, den es in der Schweinehaltung zu beachten gilt, ist der Stall bzw. der Unterstand. Schweine verbringen fast 80 Prozent des Tages liegend, darum brauchen sie mindestens einen ausreichend großen, trockenen, sauberen Platz, an dem sie sich ausruhen

und entspannen können. Es gehört zum natürlichen Verhalten der Schweine, dass sie Kot- und Liegebereich trennen. Das können die Tiere jedoch nur, wenn der Stall insgesamt groß genug ist. Schweine reagieren empfindlich auf Zugluft, darum muss der Stall gut isoliert sein. Als Einstreu eignen sich Stroh und Sägespäne am besten. Neben herkömmlichen Ställen aus Stein, Beton oder Holz, sieht man immer öfter sogenannte Erdställe.

Diese werden hauptsächlich aus Baumstämmen angefertigt und sind tatsächlich halb in den Boden eingegraben. Idealerweise sind sie nach Osten hin offen und befinden sich an einer leicht erhöhten Stelle, an der das Regenwasser sich nicht zu stark sammeln kann. Erdstallhaltung ist im Prinzip der Offenstallhaltung sehr ähnlich und am besten für robuste Rassen wie das Turopolje-Schwein und das Wollschwein geeignet. Für Edelschweine und ähnliche Rassen kann sie von April bis Oktober in Betracht gezogen werden.

Die Freilaufhaltung

Der Platzbedarf, den die Schweine an den Freilauf stellen, ist abhängig von Boden, Jahreszeit, Niederschlag, Fütterung, Erstbeweidung und der Haltungsform. Man kann den Schweinen rund um die Uhr eine ganze Wiese zur Verfügung stellen oder sie nur jeden Tag für einige Stunden ins Freie lassen. Ersteres ist für die Tiere natürlich am besten, kann auf kleinen Flächen aber schon bald zur totalen Verwüstung führen. Letzteres sorgt dafür, dass die Schweine länger etwas zum Umgraben haben und sich insgesamt etwas weniger bewegen, was sie ihr Schlachtgewicht schneller erreichen lässt. Es macht in der Freilandhaltung auch einen großen Unterschied, ob man Muttersauen hält oder eine Gruppe halbstarker Mastschweine. Zehn Ferkel graben weniger als drei Mastschweine im Alter von sechs Monaten, aber schon drei ausgewachsene Muttersauen graben wiederum mehr als zehn Mastschweine.

Schweine eignen sich auch gut dazu, den Unterwuchs in Streuobstwiesen, Weingärten und Christbaumkulturen kurz zu halten, weil sie den Kulturen durch ihre geringe Körpergröße weniger schnell gefährlich werden können als etwa Schafe und Ziegen. Fallobst im Gehege wirkt sich positiv auf die Mast aus und kann während der Reifezeit sogar einen Großteil des Zufutters ersetzen.

Die Vergesellschaftung mit anderen Tieren stellt in den meisten Fällen kein Problem dar, solange die Tiere vorher genügend Zeit haben, sich kennenzulernen. Bei Vergesellschaftung mit Ziegen und Schafen ist zu beachten, dass Schweine Allesfresser sind und nicht davor zurückscheuen, ein schwaches, neugeborenes Lamm zu vertilgen. Zur Lammzeit hält man die Tiere darum besser getrennt.

Intelligente Allesfresser

Schweine sind typische Allesfresser. Sie freuen sich über frisch gemähten Grasschnitt, Getreide und Obst genauso wie über Abfälle aus dem Gemüsegarten. Wer Küchenabfälle füttert, muss aber unbedingt gewisse Grenzen einhalten, denn Schweine sind kein Mülleimer und die Fütterung mit Küchenabfällen ist grundsätzlich sogar verboten. Es gibt Fälle, in denen etwa die Schweinepest nachweislich durch die Fütterung von Abfällen aus der Küche übertragen wurde. Wer seine Schweine nicht schlachtet, um das Fleisch zu vermarkten, muss darauf vielleicht etwas weniger beharrlich Rücksicht nehmen, aber einige Grundregeln sollten eingehalten werden. Was bei uns Menschen auf dem Teller war, sollte besser anderweitig entsorgt werden, während zum Beispiel die Schalen geschälter Äpfel oder die Molke, die bei der Butter und Käseherstellung übrig bleibt, eine wertvolle Futterergänzung sein können.

Schweine lieben Karotten, Tomaten, Gurken, Zucchini, Kürbisse, verschiedene Salate, Brokkoli, Fenchel, Radieschen und Obst. Nicht gefüttert werden sollten aber Lauchgewächse wie Zwiebeln, Knoblauch, Porree usw., weil sie den Tieren schlichtweg nicht munden. Kohl verursacht auch bei Schweinen starke Blähungen.

Schweine sind sehr intelligent. Sie werden schnell zutraulich und lernen, wie man erfolgreich bettelt. Es scheint, als würden sie ständig Hunger haben, und so mancher Besitzer neigt dann dazu, die Tiere zu überfüttern. Ein zu starkes Mästen führt aber schnell zum Verfetten der Tiere. Das schadet nicht nur dem Wohlbefinden des Schweines, sondern ist auch aus wirtschaftlicher Sicht nicht unbedingt sinnvoll, weil mageres, fettarmes Fleisch inzwischen von vielen Menschen bevorzugt wird. Beim schonenden Mästen muss außerdem wesentlich weniger Futter zugekauft werden, weil das, was das Grundstück hergibt, besser und ausgeglichener genutzt werden kann.

Die Fleischproduktion dauert dann zwar etwas länger, ist dafür aber kostengünstiger.

Krankheiten und Gesundheit

Schweinekrankheiten gibt es zahlreiche. Von der Schweinepest bis zur Tollwut ist alles möglich, darum ist es wichtig, die Tiere gut zu beobachten. Gesunde Schweine sind neugierig, haben einen ausgeprägten Appetit und entspannen sich beim Schlafen vollständig. Ein zufriedenes Grunzen gehört dabei ebenfalls zu den untrüglichen Zeichen, dass alles in Ordnung ist.

Eine halbjährige Entwurmung ist besonders bei den Muttersauen wichtig, ebenso wie die Kontrolle auf Hautparasiten.

Schweine können sich gegenseitig schon mal kleinere Wunden und Verletzungen zufügen, wenn sie die Rangordnung ausfechten. Eine Ringelblumensalbe oder eine Bienenwachs-Honigsalbe kann man leicht selbst herstellen und für die Behandlung solcher Wunden erfolgreich anwenden.

Weiße bzw. rosa Schweine bekommen leichter einen Sonnenbrand als farbige Tiere. Ein schattiger Ruheplatz ist im Freilauf darum unerlässlich. Das bei Schweinen so beliebte Schlammbad dient nicht nur der Abkühlung und der Eindämmung von Parasiten, sondern kann sich auch zur Vorbeugung gegen Sonnenbrand als sehr wirksam erweisen. Die Schlammkruste schützt die Haut auf ganz natürliche Art und Weise vor so manchem schädlichen Einfluss. Wer den Tieren die Möglichkeit gibt, sich zu suhlen, verbessert deren Lebensqualität ganz erheblich.

Schweinerassen

Es gibt zahlreiche Schweinerassen, die für den Selbstversorger infrage kommen. Die Klassiker sind die Deutsche Landrasse und das Deutsche Edelschwein. Schweine dieser Rassen sind großrahmig, lassen sich ganz hervorragend mästen und werfen viele Ferkel. Leider sind sie aber auch stark überzüchtet sowie krankheits- und stressanfällig. Auch bei den Schweinen kommt der Mensch allmählich wieder auf die alten Rassen zurück, weil sie robuster sind und weniger Probleme machen. Zu den unempfindlichsten Schlägen zählt das schon erwähnte Wollschwein, welches ursprünglich aus Ungarn stammt. Es kann unter bestimmten Bedingungen ganzjährig im Freien gehalten werden. Zu seinen typischen Merkmalen zählt neben der lockigen Wolle auch die schöne Streifen-Zeichnung der Ferkel, die denen der Wildschwein-Frischlinge stark ähnelt. Das kommt nicht von ungefähr, denn in Osteuropa werden Schweine bis heute noch recht ursprünglich und zum Teil halbwild gehalten. So hatten sie immer wieder die Gelegenheit, sich mit den Wildschweinen zu kreuzen. Doch trotz seiner ursprünglichen Gene ist das auch Mangalica genannte Wollschwein ein friedliches und gutmütiges Tier, das sich gerne anfassen und kraulen lässt.

Ähnlich unkompliziert ist das schwarz gescheckte Turopolje-Schwein aus Kroatien. Es stand bereits kurz vor dem Aussterben und konnte nur in Tiergärten überleben. Heute ist es wegen seiner guten Eigenschaften wieder gefragt. Das Fleisch der Turopolje-Schweine ist qualitativ sehr hochwertig und lässt sich beispielsweise zu außergewöhnlich schmackhaftem Speck verarbeiten.

In Mitteleuropa finden sich ebenfalls zahlreiche Schweinerassen, deren Haltung für den Selbstversorger empfehlenswert ist. Auch hierzulande sind es gerade die robustesten und genügsamsten Schläge, die am stärksten bedroht sind. Das Deutsche Sattel-Schwein etwa wurde 2006 zur gefährdeten Nutztierrasse des Jahres gewählt. Die dunkle Körperfarbe dieses Schweines wird in der Mitte von einem weißen »Sattel« durchbrochen, wodurch der Name dieser Rasse zustande kam. Ihm ähnlich sind das Schwäbisch-Hallische Schwein und das Angler-Sattel-Schwein. Alle drei Rassen haben gute Muttereigenschaften und sind ideal für die sommerliche Freilandhaltung.

Rinderhaltung

Die Kuh ist momentan weltweit das Nutztier Nummer 1. Weit über eine Milliarde Rinder grasen friedlich auf den Weiden der Welt – oder vegetieren in den zahllosen Mastställen vor sich hin, damit die Bevölkerung Fleisch und Milch zu Billigpreisen hat. Im Selbstversorger-Landbau sind Kühe hingegen nur von geringer Bedeutung. Schafe und Ziegen ersetzen ihre Dienste recht gut. Sie sind die besseren Futterverwerter, brauchen weniger Platz und erfordern zudem einen geringeren Arbeitsaufwand.

Viel Milch, viel Fleisch, viel Mist

Dennoch spricht nichts gegen die Haltung von Rindern. Wer genug Platz für eine Kuh mit ihrem Kalb oder vielleicht sogar eine kleine Miniherde hat, wird künftig alles im Überfluss haben: viel Milch, viel Fleisch, viel Mist!

Wer das Potenzial dieser Nutztiere voll ausschöpfen kann und zudem genug Weidefläche besitzt, kann sich ernsthaft mit der Anschaffung dieser Großtiere auseinandersetzen.

Schon eine einzelne Kuh liefert genug Milch, um eine große Familie mit Milch, Butter, Quark, Käse und Joghurt versorgen zu können. Der Arbeitsaufwand ist jedoch enorm: täglich zweimal melken, zweimal ausmisten und dreimal füttern sind das Minimum. Um Milch zu geben, muss eine Kuh jedes Jahr ein Kalb zur Welt bringen, sonst versiegt der Milchfluss. Das Kalb beansprucht einen Teil der Milch für sich, kann andererseits aber gewinnbringend verkauft werden. Am einfachsten ist die Rinderhaltung, wenn sie ausschließlich des Fleisches wegen betrieben wird. Wer für ein ausgewachsenes Rind keinen Platz hat, kann möglicherweise trotzdem ein junges Kalb im Alter von wenigen Monaten kaufen und dieses füttern, bis es ein Jahr alt ist. Es kann dann geschlachtet werden und liefert schon eine ganze Menge Fleisch. Kluge Köpfe kaufen die Kälber im Frühling, sodass sie bis zum Spätherbst schlachtreif sind. Das erspart die aufwendige Fütterung im Winter und ist auch sinnvoll, wenn das Grundstück zu klein ist, um größere Mengen Heu darauf zu gewinnen. Die Grünfläche kann in solchen Fällen dann vollständig als Rinder-Weide genutzt werden.

Stall

Ein Kuhstall muss natürlich in erster Linie die Größenanforderungen, die ausgewachsene Rinder für sich beanspruchen, erfüllen. Idealerweise hält man die Tiere in Offenstall- oder in Laufstallhaltung, aber in vielen Fällen fehlt es schlichtweg an den nötigen Räumlichkeiten für diese Haltungsformen. Die Anbindehaltung ist bei kleinen und kleinsten Herdegrößen noch immer am häufigsten anzutreffen. Wenn es sich nicht vermeiden lässt, seine Rinder anzuketten, sollte man zumindest darauf achten, dass die Stände der Tiere möglichst breit sind. So können sie sich besser hinlegen und haben auch ausreichend Platz, um alle viere von sich zu strecken. Regelmäßiger Auslauf im Winter und täglicher Weidegang im Sommer sind für das Wohlbefinden von »Kettenkühen« ebenfalls unerlässlich, denn jedes Tier hat es verdient, seine natürlichen Neigungen ausleben zu können.

Eine besonders tiergerechte Haltungsform ist die Mutterkuhhaltung, bei der die Kälber wie in der Natur von den Mutterkühen großgezogen werden. Sie setzt einen Laufstall oder einen Offenstall voraus, denn sowohl die Kühe als auch die Kälber sollen sich frei bewegen können, damit alles reibungslos funktioniert. Kälber, die sich selbst am Kuheuter bedienen können, wann es ihnen gefällt, entwickeln sich wesentlich gesünder als Kälber, die, wie vielfach üblich, zweimal am Tag von Menschenhand gefüttert werden. Der Verdauungstrakt der Kälber ist darauf ausgerichtet, mehrmals am Tag kleinere Mengen Milch zu verarbeiten anstatt zweimal eine große Portion.

Kälber, die von ihrer »Mama« großgezogen werden, leiden darum beispielsweise sehr viel seltener an Durchfallerkrankungen.

Rinderrassen

Die Auswahl an Rinderrassen ist nahezu unüberschaubar groß. Auffällig ist dabei die Einteilung in reine Milchrinder, reine Fleischrinder und sogenannte Zweinutzungsrassen, die in beiden Gebieten ausreichende Leistungen erzielen. Eines vorweg, die Haltung reiner Milchrinder, wie etwa Holstein, Brown Swiss oder Red Frisan, kann bei den geringen Herdengrößen, die im Selbstversorger-Landbau üblich sind, von vornherein mit dem Prädikat »nicht empfehlenswert« abgestempelt werden. Moderne Milchrinder sind wenig robust, krankheitsanfällig, brauchen viel hochwertiges Futter, besitzen eine schlechte Fruchtbarkeit und haben eine erschreckend geringe Lebenserwartung. Der einzige Vorteil, den sie mit sich bringen, ist tatsächlich die große Menge Milch, die man ihnen abgewinnen kann. Die Freude daran verblasst aber schnell angesichts der hohen Tierarztkosten und des vielen Ärgers, den man sich mit Milchrindern einhandelt.

Wer Kuhmilch haben möchte, wird auch mit der Leistung einer Zweinutzungsrasse, wie dem Braunvieh, dem Fleckvieh oder dem Ansbach-Triesdorfer Rind zufrieden sein. Die Kühe dieser Rassen sind bessere Futterverwerter, robust gegenüber Umwelteinflüssen und besitzen das Potenzial zu erstaunlichen Lebensleistungen. Mehr als zehn Kälber sind keine Seltenheit.

Wer Rinder lediglich des Fleisches wegen halten möchte, kann auch hierbei auf eine Zweinutzungsrasse zurückgreifen oder sich aber für eine reine Fleischrasse entscheiden, wie Limoisin, Black Angus oder Blonde d'Aquitaine.

Unabhängig von der Nutzungsform kann auch die Körpergröße die Entscheidung für eine bestimmte Rasse maßgebend beeinflussen. Kleine Kühe sind bei Selbstversorgern klar im Vorteil, weil sie weniger Platz und natürlich auch weniger Futter brauchen. Zu den eher kleineren Rindern, die manchmal sogar nur 120 cm Stockmaß erreichen, zählen das Hinterwälder Rind, die Pustertaler Sprinze und das Tiroler Grauvieh. Alle drei sind Zweinutzungsrassen und zählen zu den bedrohten Nutztieren.

Das liebe Federvieh

Hühner gehören zu den wichtigsten Nutztieren für den Selbstversorger, und wer einmal freilaufende Hühner auf einem Bauernhof gesehen hat, weiß, wie unkompliziert deren Handhabung ist. Sie suchen sich dann einen großen Teil ihres Futters selbst, indem sie überall nach Samenkörnern picken und, wo es geht, Würmer und Insektenlarven ausscharren. Auch ohne einen Zaun entfernen sie sich dabei in der Regel nicht allzu weit von ihrem Stall. Doch ganz ohne Aufwand geht es auch bei den Hühnern nicht.

Der Hühnerstall

Die erste Überlegung muss sein, wie viele Hühner maximal gehalten werden sollen. Denn nach der Anzahl der ausgewachsenen Tiere richtet sich die Größe des Hühnerstalls. Bei normal großen Rassen sollten es pro Quadratmeter nicht mehr als drei Tiere sein. Zum Ruhen braucht das Geflügel Sitzstangen, auf denen wiederum jedes Huhn 30 cm Platz für sich beansprucht.

Da die meisten Hühner Eier legen sollen, ist weiterhin eine ausreichende Anzahl an Nestern nötig sowie genug Licht. Licht ist nämlich eng mit der Legeleistung der Hennen verknüpft. In dunklen Ställen nimmt sie stark ab. Selbst Hühner, die regelmäßigen Freilauf bekommen, werden im Winter nicht immer ins Freie können. Die Bedeutung des Lichtes lässt sich dann besonders gut erkennen. Wo es nicht möglich ist, weitere Fenster anzubringen, kann alternativ auch eine Tür mit Plexiglasfenstern verwendet oder eventuell sogar eine UV-Lampe aufgehängt werden.

Sowohl für die Hühner als auch für den Halter ist es von Vorteil, wenn der Stall mindestens mannshoch ist. Das erleichtert die Arbeitsmaßnahmen sowie das regelmäßige Ausmisten ganz erheblich, sorgt für eine bessere Luftzirkulation und erlaubt mehr Flügelfreiheit für die »flatterhaften« Tiere. Hühner dürfen aus hygienischen Gründen nicht mit anderen Nutztieren wie Rindern, Ziegen oder Schweinen im selben Stall untergebracht werden, um das Risiko von Krankheits- und Parasitenübertragungen zu verringern.

Der Auslauf

Regelmäßiger Auslauf ist für das Wohlbefinden der Hühner von großer Bedeutung und wirkt sich auch auf die Qualität von Eiern und Fleisch aus.

Am einfachsten ist es natürlich, wenn man die Hühner frei um Haus und Hof herumlaufen lassen kann. Man braucht dann nur am Morgen den Hühnerdurchgang zu öffnen und abends darauf zu achten, dass alle Hühner wieder wohlbehalten auf ihren Stangen sitzen, bevor man diesen wieder verschließt. Aus verschiedenen Gründen kann es aber sein, dass diese einfachste Art des Auslaufes auch Nachteile mit sich bringt. Die Hühner können Schäden im Gemüsegarten anrichten, Gehwege, Terrassen und Rasen mit ihrem Kot verschmutzen, den Nachbarn lästig werden. Auch ist die Gefahr groß, dass sie zur einfachen Beute von Raubvögeln werden, wenn sie sich zu häufig auf größere, offene Flächen begeben. In Gegenden mit vielen Raubvögeln sollte der Auslauf aus diesem Grund nach oben mit einem Maschendraht geschlossen werden. Auch unter Bäumen und Büschen finden Hühner Schutz.

Für einen eingezäunten Auslauf gibt es wie beim Stall wieder bestimmte Faustregeln, was den Platzbedarf pro Tier betrifft. Auf einer Fläche von 100 m² steht einer Gruppe von zehn Hühnern etwa ausreichend Platz zur Verfügung, während auf 50 m² besser nicht mehr als eine Handvoll gehalten werden sollte. Idealerweise handelt es sich beim Großteil des Freilaufes um eine Grünfläche. Hühner ernähren sich nämlich nicht nur von Körnern, Würmern und Insekten, sondern finden durchaus auch Geschmack an jungen Kleeblättern und Süßgräsern, die sie abzupfen.

Die Fütterung

Einfaches Körnerfutter ist für Hühner bestens geeignet. Auch Weizen oder geschroteter Mais werden gern angenommen und enthalten viel wichtige Nährstoffe. Für die »Produktion« ihrer Eier benötigen die Hühner viel Eiweiß und Kalzium. Um einem Mangel dieser Nährstoffe vorzubeugen, können dem Futter Legemehl und zermahlene Eierschalen beigegeben werden. Ausgesprochen wichtig ist stets verfügbares frisches Trinkwasser, das auch im Freilauf zur Verfügung gestellt werden sollte.

Vor- und Nachteile eines Hahnes

Hähne verwickeln ihre Besitzer häufig in Streitigkeiten mit der Nachbarschaft. Meistens geht es bei den Konflikten um das laute Gekrähe schon kurz vor der Dämmerung, dummerweise zu einer Zeit, wenn die meisten Menschen noch in Ruhe schlafen wollen. Während es dem einen nichts ausmacht, kann der andere sehr empfindlich auf das Gekrächze reagieren. Es in jedem Fall besser, sich erst in der Nachbarschaft die allgemeine Zustimmung einzuholen, bevor man sich überstürzt einen Hahn zulegt.

Grundsätzlich bringt ein Hahn aber viele Vorteile mit sich, die seine Anschaffung lohnen. Er sorgt mit seinem Krähen dafür, dass die Hennen zusammenbleiben, und er verteidigt diese auch überraschend erfolgreich gegenüber Feinden. Außerdem kann ein Huhn ohne Hahn natürlich auch keine befruchteten Eier legen, was die Nachzucht von vornherein ausschließt.

Die Brut

Man kann Hühnereier von den Hennen selbst ausbrüten lassen oder sie in die Obhut eines Brutapparats geben. Letzteres ist bei Rassen, die ein schlechtes Brutverhalten haben, oft unumgänglich – dabei wäre eine Glucke mit ihren Küken ein erfreulicher Anblick.

Wo eine Naturbrut der Hühner willkommen und auch möglich ist, braucht die Glucke ein dickes, warmes und geschütztes Nest, das am besten etwas abgedunkelt steht. Ob ein Huhn brütig ist, erkennt man an den Lauten, die es von sich gibt, und daran, dass es nahezu den ganzen Tag auf dem Nest sitzen bleibt.

Man kann der Glucke auch Eier von anderen Hühnern unterlegen, die möglichst frisch sein sollten. Die Küken schlüpfen nach etwa 20 Tagen und werden fortan von ihrer Mutter herumgeführt, die sie wärmt, wenn sie frieren, ihnen das beste Futter zeigt und sie vor Raubfeinden wie Katzen beschützt. Manche Hühnerhalter bevorzugen es, die Küken nach dem Schlüpfen von der Glucke zu trennen, um sie in einem Aufzuchtstall mit einer Wärmelampe großzuziehen.

Hühnerrassen

Es gibt zahlreiche Hühnerrassen, die sich zum Teil erheblich voneinander unterscheiden. Wer viel Fleisch und viele Eier haben möchte, findet in den Zweinutzungshybriden eine gute Wahl. Sie eignen sich allerdings nicht zur Nachzucht. Alternativ können auch viele alte Rassen in Betracht gezogen werden, die allerdings eine etwas geringere Legeleistung aufweisen. Eine besonders robuste Rasse ist das attraktive Altsteirer-Huhn, das meistens in den Farbschlägen wild- und rebhuhnfarbig anzutreffen ist. Die Küken der Altsteirer sind frohwüchsig und gesund, die Hähne haben einen besonders ausgeprägten Trieb, ihre Hennen zu beschützen. Seit jeher wurde die Rasse in ihrer Heimat Österreich als Fleisch- und Eierlieferant gleichermaßen gezüchtet. Weitere gute Landschläge wären beispielsweise das Deutsche Sperberhuhn, das Sulmtaler-Huhnschwarzblaue und das Augsburger-Huhn. Die zuletzt genannte Rasse ist nur etwa halb so groß wie die anderen und dort besonders interessant, wo Platzknappheit herrscht.

Im Trend ist das Auracana-Huhn, welches die berühmten grünen Eier legt. Die Farbe rührt von Gallenfarbstoff, der in der Schale eingelagert wird. Innen sind sie wie jedes andere Hühnerei und enthalten auch die gleiche Menge an Cholesterin, obwohl sich das Gerücht hartnäckig hält, dass sie weniger enthalten als gewöhnliche Eier.

Gänse und Enten

Gänse und Enten sind sich auf den ersten Blick recht ähnlich. Sieht man aber einmal genauer hin, so entdeckt man doch zahlreiche Unterschiede, die es im Umgang mit den Tieren zu beachten gilt. Enten sind weniger anspruchsvoll als Gänse und können sich besser an verschiedene Bedingungen anpassen. Sie sind darum um einiges beliebter als diese. Noch nie zuvor gab es so viele Gartenbesitzer und Landwirte, die Enten halten. Der häufigste Grund, weshalb jemand sich für die Entenhaltung entscheidet, ist dabei ihre gute Eignung zur Schneckenbekämpfung. Eine kleine Gruppe Indischer Laufenten etwa hält die lästigen Fressmaschinen erfolgreich in Schach, und so können Gemüse und schneckenanfällige Blumen wie Dahlien und Tagetes ungestört wachsen. Allerdings verschmähen manche Enten auch Salat nicht, sodass man hier etwas abwägen muss.

Als Fleisch- und Eierlieferanten spielen sie nur noch selten eine Rolle, obwohl besonders das Fleisch sehr schmackhaft ist. Ganz anders sieht es da bei den Gänsen aus. Bei ihnen steht hierzulande noch immer der Fleischertrag im Vordergrund. In anderen Ländern werden Gänse auch unter recht fragwürdigen Bedingungen für die Stopfmast und die Gewinnung von Daunen gehalten. Früher hatten Gänse auch eine gewisse Bedeutung als »gefiederte Wachhunde«, denn ein Paar Gänse verteidigt sein Revier, sprich Garten und Hof, vehement gegen unerwünschte Eindringlinge. Zwar lassen sich diese von den Federtieren häufig nicht abschrecken, aber der Besitzer wird durch das lautstarke Geschrei der Tiere alarmiert.

Für den Selbstversorger können sämtliche nützliche Eigenschaften von Enten und Gänsen von Bedeutung sein. Bevor man sich für die Haltung des Wassergeflügels entscheidet, sollte man aber sicherstellen, dass man die Grundbedürfnisse der Tiere erfüllen kann. Neben einem ausreichend großen und trockenen Stall steht Wasser dabei natürlich ganz oben an erster Stelle. Gänse und Enten sind zum Schwimmen geboren. Ohne mindestens eine Gelegenheit zum Baden werden sie sich nicht wohlfühlen. Wer Enten zur Schneckenbekämpfung hält, muss außerdem dafür sorgen, dass die Tiere an mehreren verschiedene Stellen innerhalb ihres Aktivitäts-Radius die Möglichkeit haben, sich den Schnabel zu waschen. Es kommt immer wieder vor, dass eine Ente an einer übermäßig schleimigen Schnecke erstickt, weil sie es nicht rechtzeitig zum Wasser geschafft hat.

Weidehaltung bei Gänsen

Für Gänsehalter ist die Weidehaltung sehr interessant, weil Weidegänse weniger Getreidefutter brauchen und damit Kosten sparen.

Gänse sind durch ihre scharfen Schnabelkanten geradezu dafür geschaffen, Gras zu fressen. Weil sie sich auch mit sehr kurzem Gras zufriedengeben, kann man sie sogar auf Schafweiden nachfressen lassen oder ihnen einen Teil der Rasenfläche zur Verfügung stellen. Um einen zu starken Verbiss zu vermeiden, sollte die Gänseweide in mehrere Parzellen eingeteilt sein, damit jede Parzelle sich nach der Nutzung erholen kann.

Weil Gänse nicht jedes Gras und jedes Kraut fressen, muss man Weideflächen, die von Gänsen genutzt werden, regelmäßig ausmähen, damit sie nicht verunkrauten. Die Gänse ersparen uns dafür aber das Düngen, weil Gänsemist sehr nährstoffreich ist.

Kaninchenhaltung

Das Kaninchen hat vielen anderen Tieren gegenüber einen großen Vorteil: Es lässt sich auch auf sehr beengtem Raum gut züchten und vermehren. Schon vor Jahrhunderten hat es darum einen wichtigen Beitrag zur Selbstversorgung der Menschen geleistet. Man nehme ein bisschen Stroh, frisches Wasser und ausreichend Futter – und schon vermehren sich die Tiere wie von selbst. Lange Zeit war dies die übliche Philosophie in der Kaninchenhaltung. Tiergerecht ist das aber nicht. Zwar können Kaninchen auch unter minimalsten Voraussetzungen erstaunlich gut überleben, wohlfühlen werden sie sich in einem kleinen Käfigstall aber nicht wirklich. Die Langohren haben von Natur aus einen sehr starken Bewegungsdrang, und als Fluchttiere stehen sie unter Stress, sobald etwas vor sich geht, das ihnen nicht geheuer ist. Sie wollen dann instinktiv die Flucht ergreifen und sich verstecken können. Kaninchenställe sollten darum möglichst groß sein und für jedes Tier ausreichende Unterschlupfmöglichkeiten bieten, in denen es sich sicher fühlen kann.

Kaninchen artgerecht halten

Ähnlich wie Hühner lassen sich auch Kaninchen vorzüglich in sogenannter Bodenhaltung züchten. Gruppenweise leben die Tiere dabei in großen Boxen. Dafür braucht man mindestens eine Box, in der Masttiere gehalten werden, und eine Box für säugende Muttertiere. Eine Faustregel für den Platzbedarf lässt sich am besten anhand des Lebendgewichtes der Tiere aufstellen, weil die Rassen so unterschiedlich in der Größe sind. Bei Masttieren sollten 20 kg Lebendgewicht pro Quadratmeter nicht überschritten werden, bei säugenden Häsinnen rechnet man mit 10 kg. Zu große Gruppen bedeuten ebenfalls Stress für die Tiere, weshalb auch hier wieder gewisse Grenzen eingehalten werden sollten. Fünf Häsinnen samt Nachwuchs sind beispielsweise ideal. Bei Masttieren sollte die Gruppengröße ab einem Alter von zwei Monaten fünfzehn Tiere nicht mehr überschreiten. Bei Masttieren ist der Stall idealerweise in einen dunklen Ruhebereich und einen hellen Futterbereich eingeteilt. In Zuchtställen sollte man außerdem den Jungtieren einen Bereich zur Verfügung stellen, der nur für sie zugänglich ist. Das schafft nicht nur Rückzugsmöglichkeiten, sondern erlaubt es auch, die Fütterung der Jungtiere anzupassen, und ermöglicht eine gewisse Kontrolle über deren Nahrungsaufnahme. Für die Häsinnen lässt sich umgekehrt mit erhöhten Plätzen Raum schaffen, den die Jungtiere nicht erreichen können. Käfiganlagen kann man meist nur schlecht an diese Anforderungen anpassen, darum sollte der Neubau von Kaninchen-Käfigen wenn möglich vermieden werden.

Fütterung

Die richtige Ernährung der Kaninchen ist sehr wichtig und verlangt durchaus etwas Übung. Viele häufige Kaninchen-Krankheiten, wie z. B. Durchfall, sind die Quittung für Fehler bei der Fütterung. Je vielfältiger das Futter zusammengesetzt ist, desto besser. Am wichtigsten für die erfolgreiche Mast sind schimmelfreies Heu, Getreidefutter und gepresste Kaninchenpellets, aber auch Grünfutter und Gemüse sollten regelmäßig gereicht werden.

Trinkwasser muss stets verfügbar sein und natürlich täglich erneuert werden. Abgestandenes Wasser kann schnell zu Darmerkrankungen führen. Futterumstellungen sind schon allein durch den Wechsel der Jahreszeiten immer wieder einmal notwendig. Sie dürfen keineswegs zu abrupt erfolgen, denn die Verdauung der Kaninchen braucht eine Weile, um sich an ungewohnte Nahrung anzupassen.

Freilauf

Egal, ob sie in Boden- oder Käfighaltung gezüchtet werden – für alle Kaninchen ist ein großzügiger Freilauf das Größte. Nichts ist natürlicher als ein Kaninchen auf einer Wiese und dass es selbst auswählen kann, welche Grashalme und welche Kräuter es »abzupfen« möchte. In der Wildnis sind Kaninchen tatsächlich sehr wählerische Tiere und fressen von nichts viel, aber von allem ein bisschen. Das fördert die Verdauung und sorgt für die Zufuhr unterschiedlichster Nährstoffe, Vitamine und Spurenelemente. Im Idealfall erlaubt es die Fläche, eine wechselnde Beweidung zu betreiben, damit sich Gras und Kräuter zwischendurch wieder von den Mümmelmännern erholen können.

Der wichtigste Punkt ist aber die sichere Einzäunung. Ein Zaun muss mindestens 1 m hoch sein und 50 cm tief in die Erde hineinreichen, damit die Kaninchen weder durch Überspringen noch durch Graben ausbrechen können. Die Maschenweite des Zaunes sollte dabei so eng sein, dass noch nicht mal eine Katzenpfote hindurchpasst.

Abdeckungen von oben geben zusätzlich Sicherheit und sind in Gegenden mit großer Raubvogel-Dichte sogar unerlässlich. Tiere, die nicht nach Belieben zwischen Stall und Auslauf pendeln können, müssen im Freigehege ausreichend trockene und schattige Unterschlupfmöglichkeiten vorfinden, die vor Wind und Wetter Schutz gewähren. Ebenso sollten sie frisches Trinkwasser und Heu zu ihrer ständigen Verfügung haben.

Bienenhaltung

Bienen sind in höchstem Maße erstaunlich. Schon Albert Einstein sagte, dass der Mensch nur noch vier Jahre zu leben hätte, würden die Bienen aussterben. Tatsächlich sind unzählige Nahrungspflanzen auf die Bestäubung durch Bienen angewiesen. Am Beispiel der Obstbäume lässt sich dies besonders gut nachvollziehen. Bäume, die in der Nähe eines Bienenvolkes wachsen, werden einen ungleich höheren Fruchtansatz zeigen als solche, an denen so gut wie nie eine Biene vorbeikommt. Nicht selten spielen Selbstversorger darum mit dem Gedanken, sich eigene Bienenstöcke in den Garten zu holen und mit der Imkerei zu beginnen. Auch der süße Honig trägt natürlich zum Traum von eigenen Bienenvölkern bei.

Die Imkerei ist jedoch ein sehr anspruchsvolles Hobby, das viel Zeit und noch mehr Wissen und Erfahrung fordert, um auf Dauer Erfolg zu versprechen. In den meisten Fällen legt sich die anfängliche Begeisterung für die emsigen Hautflügler schnell, weil man nicht genug Zeit investieren kann und die Anforderungen, die die Bienenzucht stellt, unterschätzt hat. Zumindest sollte man vor Beginn einen Kurs besuchen und sich gründlich informieren.

Rent a Bee

Viel einfacher ist es da schon, sich Bienen von einem Imker auszuleihen. Nicht selten sind ortsansässige Imker dazu bereit, ein paar ihrer Stöcke auf fremde Grundstücke zu setzen, wenn diese den Tieren einen guten Ertrag an Nektar und Pollen versprechen. Beide Seiten profitieren davon: Der Imker, weil nicht alle seine Völker im selben Gebiet nach Nahrung suchen müssen, und der Selbstversorger, weil seine Nutzpflanzen zuverlässig bestäubt werden. In der Schweiz wird die Vermietung von Bienenstöcken mittlerweile sogar gewerblich betrieben, weil viele Obstbauern über mangelnde Bestäubung der Blüten klagen.

Von Bienen und Blumen

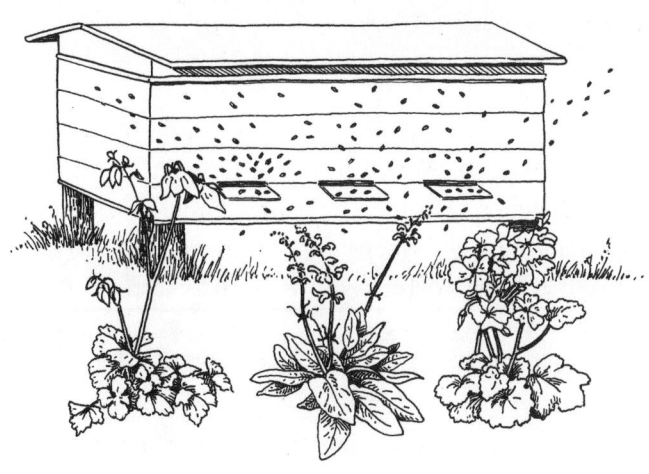

Im Frühling, wenn die Obstbäume blühen, finden die Bienen leicht ausreichend Nahrung, doch im weiteren Jahresverlauf müssen sie sich diese oft mühsam beschaffen. Die Kulturlandschaft ist vielerorts sehr arm an Wildblumen geworden. Ein paar wenige Arten, wie Klee, Löwenzahn, Indisches Springkraut und Goldrute, treten massenhaft auf und müssen den Bienen genügen. Das ist nicht gut für ihr Wohlbefinden, denn richtiger Honig, der dem Volk als gesunde Nahrungsquelle dienen soll, muss sich aus dem Nektar möglichst vieler verschiedener Blumenarten zusammensetzen. Diese Vielfalt an Nektarquellen ist wichtig, weil sie bei den Bienen Mangelerscheinungen verhindert und sie außerdem gegen Krankheiten stärkt. Wer den Hautflüglern etwas Gutes tun möchte, kann darum dafür sorgen, dass in den Wiesen rund um Haus und Hof auch seltene Wildblumen einen Platz haben. Viele Wildblumen kann man beispielsweise durch weniger häufiges Mähen fördern. Besonders die erste Mahd sollte nicht vor Mitte Juni erfolgen, weil viele Arten erst dann reifen Samen produziert haben. Einige heimische Blumen können doppelt nützlich sein, weil sie sich dank ihrer unentstellten Schönheit auch ganz hervorragend als Zierpflanzen für den Garten eignen. Hierzu zählen beispielsweise die Gewöhnliche Akelei *(Aquilegia vulgaris)*, der Wiesensalbei *(Salvia officinalis)*, die Moschusmalve *(Malva moschata)* und der Wiesenstorchschnabel *(Geranium pratense)*. Alle vier lassen sich aus Samen heranziehen und blühen schon im Folgejahr erstmals.

8 Konservieren und haltbar machen

Entscheidend für Selbstversorger ist es, Lebensmittel haltbar zu machen und damit Vorräte anzulegen. Hierfür bieten sich zahlreiche Möglichkeiten an, von denen die wichtigsten im Folgenden kurz vorgestellt werden. Aus Platzgründen beschränke ich mich dabei auf das Erklären der jeweiligen Grundprinzipien und Techniken. Wer eines oder mehrere der vorgestellten Verfahren beherrscht, wird dann schnell in der Lage sein, eigene Rezepte zu kreieren und auch mal ein Experiment zu wagen.

Konservieren mit Zucker und Hitze

Die konservierende Wirkung von Zucker besteht darin, dass er in höherer Konzentration wie Salz wirkt, nämlich dehydrierend – in Kombination mit Hitze eine altbewährte Methode der Konservierung. Eingemacht wird vor allem zerkleinertes Obst in Form von Marmelade, Konfitüre, Gelee oder Mus. Eingeweckt (siehe Seite 263) werden ganze Früchte. Nun gibt es so viele Rezepturen für Konfitüren und Gelees, wie es Menschen gibt, die diese herstellen. Ich beschränke mich daher auf einige praktische Hinweise und erläutere das Verfahren.

Nur der Vollständigkeit halber: Laut einer EU-Richtlinie aus dem Jahr 1982 spricht man von Marmelade, wenn Zitrusfrüchte verwendet wurden und Stücke der Schalen zugegeben wurden; Konfitüren bestehen dagegen aus einer oder mehreren Obstarten, die vor dem Einkochen zerkleinert oder zerdrückt wurden.

So wird's gemacht

Als Faustregel gilt: Früchte und Zucker werden im Gewichtsverhältnis 1:1 angesetzt. In der Regel verwendet man Gelierzucker, der Pektin enthält. Pektin ist dafür verantwortlich, dass die Marmelade und das Gelee gelieren können. Man kann Pektin auch kaufen und nach Bedarf dem Zucker beimischen. Dies ist sinnvoll, weil die Früchte einen unterschiedlichen Gehalt an

Marmelade und Konfitüre kochen Schritt für Schritt

- Sortieren und säubern Sie Früchte gemäß der EU-Verordnung, auch beschädigte Früchte können verwendet werden.
- Wiegen Sie die Früchte und kochen Sie sie unter Rühren in wenig Wasser weich. Verwenden Sie einen neu gekauften Holzlöffel, damit die Marmelade später nicht nach Bratensoße schmeckt.
- Bringen Sie die Masse zum Kochen und geben Sie den Gelierzucker und eventuell andere Zutaten dazu. Alles unter gelegentlichem Rühren etwa eine Stunde köcheln lassen. Bildet sich Schaum, schöpfen Sie diesen ab.
- Machen Sie die Gelierprobe, fällt diese positiv aus, den Topf vom Herd nehmen und etwas abkühlen lassen.
- Zum Abschmecken können Sie noch Zitronensäure oder Zitronensaft hinzugeben, sollte es zu süß geworden sein. Ein Schuss Rum oder ein anderer passender Alkohol zum Schluss zugegeben, bringt eine zusätzliche Geschmacksnote.
- Saubere Gläser bis etwa einen Daumen breit unter dem Rand mit der heißen Marmelade befüllen, luftdicht verschließen – z. B. mit Cellophan – und beschriften. Damit die Gläser beim Einfüllen nicht zerspringen, stellt man sie auf feuchtheiße Tücher oder erhitzt sie vorher im Wasserbad.

natürlichem Pektin haben, erfordert aber etwas Erfahrung. Einen hohen Pektingehalt haben Äpfel, Quitten, Pflaumen, Johannisbeeren, Stachelbeeren, Orangen und Zitronen. Früchte mit mittlerem Pektingehalt sind Aprikosen, Birnen, Brombeeren, Himbeeren, Pfirsiche und Weintrauben. Einen geringen Pektingehalt weisen Ananas, Erdbeeren, Holunderbeeren, Kirschen und Rhabarber auf. Die Früchte sollen reif, aber nicht überreif sein.

Verwenden Sie einfachen Zucker, gilt die Faustregel: 550 g Zucker auf 450 g pektinreiche Früchte, 450 g Zucker auf 450 g Früchte mittleren Pektingehaltes und 350 g Zucker auf 450 g pektinarme Früchte.

Um ganz sicherzugehen, ob der Gehalt an Pektin ausreichend ist, kann man die Gelierprobe anwenden: Geben Sie dazu etwas Marmelade aus dem Kochtopf auf einen Teller und lassen sie diese abkühlen. Versuchen Sie nun, die abgekühlte Marmelade mit dem Finger zusammenzuschieben: Hat sich ein faltiges Häutchen gebildet, ist alles in bester Ordnung.

Eine schnellere Methode ist es, einfach einen Löffel in die heiße Marmelade zu tauchen, ihn herauszunehmen, etwas abkühlen zu lassen und senkrecht zu stellen. Bilden sich beim Ablaufen am Löffelrand große Tropfen, hat die Marmelade die richtige Konsistenz erreicht. Wenn Sie diese auf einen Teller tropfen lassen, darf zudem kein wässriger Rand entstehen.

Wichtig ist, die Kochzeiten einzuhalten, die je nach Obstart unterschiedlich sein können – und natürlich auf absolute Sauberkeit zu achten.

Schraubgläser

Normale Schraubgläser können ebenfalls verwendet werden, sofern der Deckel einwandfrei sauber ist. Die heiße Marmelade bis zum Rand in die ebenfalls heißen Gläser füllen, den Deckel aufsetzen und fest verschließen. Vorsicht! Nicht die Finger verbrennen: den Deckel auflegen, das Glas mit einem Küchentuch fassen und dann den Deckel festdrehen. Nun das Glas auf den Kopf stellen und abkühlen lassen. Sollte etwas Marmelade überquellen, den Rand des Deckels sorgfältig abwischen. Die Gläser nun kopfüber in den Vorratsraum stellen, so bleibt alles dicht verschlossen.

Gelee und Sirup

Um ein Gelee herzustellen, müssen die Früchte zunächst entsaftet werden, am einfachsten geht dies mit einem Dampfentsafter. Der gewonnene Saft wird dann mit Gelierzucker wie oben beschrieben eingekocht. Ist das Gelee gelungen, wirkt es klar und transparent und wird verwendet wir Marmelade.

Bei der Sirupbereitung geht man im Prinzip genauso vor, es wird lediglich weniger Zucker verwendet, als Faustregel gilt pro Liter Saft 0,5 kg Zucker. Saft und Zucker werden aufgekocht, bis sich der Zucker gelöst hat. Anschließend alles in gut verschließbare, sterile Flaschen füllen.

Einwecken – das Grundprinzip

Johannes Weck war es, dem wir das nach ihm benannte Verfahren zum Konservieren von Obst, Gemüse und Fleisch verdanken. Das Prinzip ist denkbar einfach und in jedem Haushalt durchführbar: Zu konservierende Lebensmittel werden in sterilisierte Gläser gefüllt, alles erhitzt und das Glas anschließend fest verschlossen. Durch die Hitze beim Kochen werden schädliche Mikroorganismen abgetötet, aber leider auch Vitamine zerstört. Dies ist der einzige Nachteil der Methode.

Und so wird's gemacht:

– Reinigen Sie Gläser ohne Absplitterungen im Deckelbereich und sterilisieren Sie die Gläser etwa 5 Minuten in kochendem Wasser, dem sie auch etwas Essig zusetzen können.
– Stellen Sie die Gläser auf ein feuchtwarmes Tuch und füllen Sie das Obst oder Fleisch ein, aber nicht ganz bis zum Rand. Es sollten 2 bis 3 cm Luftraum unter dem Deckel verbleiben.
– Den Glasrand abwischen und den Gummiring nass auflegen, den Deckel daraufgeben und mit einer Federklammer verschließen.
– Die Gläser bis zu ¾ Höhe in den Einwecktopf stellen, das kann auch ein großer Topf mit einem Gitterrost am Boden sein. Die Temperatur des Wassers im Kessel muss dabei der Temperatur der Gläser entsprechen.
– Nun beginnt das Einkochen. Die Zeit richtet sich nach dem jeweiligen Inhalt der Gläser, Kirschen werden etwa 30 min bei 80 °C eingekocht, das Einkochen von Artischocken dauert bei 100 °C ca. 90 min.
– Nach der angegebenen Zeit werden die Gläser mit einer Spezialzange aus dem Einwecktopf genommen und zum Erkalten abgesetzt. Nach dem Erkalten nimmt man die Klammern ab und kontrolliert, ob der Deckel gut verschlossen ist.
– Eingewecktes kühl und dunkel aufbewahren.

Fleisch einwecken

Fleisch lässt sich ebenfalls einwecken, sehr gut sogar. Eine ideale Alternative zum Räuchern, da der Eigengeschmack auf das Beste erhalten bleibt. Hierbei muss das einzuweckende Fleisch aber ganz durchgekocht sein. Kochen Sie daher z. B. Kalbfleisch in einem Sud mit Suppengemüse und Lorbeer, nehmen Sie das Fleisch, sobald es durchgekocht und noch zart ist, aus dem Topf heraus, schneiden es in portionsgroße Stücke und legen diese in Einweckgläser. Darauf füllen Sie die durchgesiebte Brühe und verfahren weiter

wie oben beschrieben. Fleisch wird etwa ab Erreichen der Einwecktemperatur 75 min bei 100 °C eingekocht.

Den Sud können Sie natürlich beliebig variieren und auch die Fleischsorte. Auch Schweinehaxen eignen sich, wobei natürlich das Fleisch vom Knochen gelöst werden muss, bevor es ins Glas wandert. Hühnerfleisch, Rindfleisch, Würste – probieren Sie einfach aus, was Ihnen schmeckt.

Nicht eingeweckt werden dürfen Milchprodukte oder Bindemittel, diese werden erst später beim Aufwärmen der Konserve ergänzt.

Geht alles gut und wurden die Einweckzeiten eingehalten, sind Fleischkonserven jahrelang haltbar, sollten aber auch innerhalb eines Jahres verbraucht werden.

Obst einwecken

Das Einwecken ist natürlich die klassische Methode, um Obst haltbar zu machen. Dabei wird das Obst im einfachsten Fall in Zuckerwasser eingekocht. Als Faustregel hierfür gilt: Man gibt 500 g Zucker auf 1 Liter kaltes Wasser und kocht dieses unter Rühren auf. Der Zucker verhindert die Schimmelpilzbildung.

Das Obst wird nun gereinigt, Pflaumen und Kirschen entkernt und dann in die Gläser gefüllt, darauf kommt das Zuckerwasser, und man verfährt wie oben beschrieben.

Wer sich nicht mit Zuckerwasser anfreunden kann, darf nun ruhig in die Trickkiste greifen. Pflaumen schmecken beispielsweise köstlich, wenn sie in verdünntem Rotwein eingekocht werden. Dazu noch ein Spritzer Zwetschgenwasser, etwas Zitronensaft und Gewürze wie Nelken oder Zimt – fertig ist das perfekte Dessert.

Einkochzeiten für Obst

Lebensmittel	Einkochtemperatur in °C	Einkochzeit in min für ein 1-Liter-Glas
Äpfel	100	20
Aprikosen	100	10
Birnen	100	20 bis 30
Erdbeeren	75	25
Heidelbeeren	80	30
Johannisbeeren	90	25
Kirschen	100	20
Mirabellen	75	30
Pfirsiche	100	10
Pflaumen	100	20
Rhabarber	80	25
Stachelbeeren	80	20

Gemüse einwecken

Beim Einwecken von Gemüse gilt es, einige Dinge zu beachten, da sich nicht grundsätzlich jedes Gemüse hierfür eignet. Ein Grund ist der niedrige Säuregehalt von Gemüse. Die Gefahr, dass der Inhalt des Glases verdirbt, ist groß. Auch darf kein überdüngtes Gemüse eingeweckt werden. Geeignet für das Einkochen sind Spargel, Tomaten, Bohnen, Erbsen und Artischocken, aber auch Pilze.

Spargel schält man vor dem Einwecken, stellt ihn mit dem Kopf nach oben in das Glas und gießt mit einer Salzlake an, die den Inhalt ganz bedecken soll. Eingekocht wird etwa 2 Stunden bei 100 °C. Ebenso verfährt man mit Schwarzwurzeln.

Bei Tomaten entfernt man zunächst die Haut und Stielansätze. Die Haut lässt sich gut abschälen, wenn man die Tomaten kurz in kochendes Wasser legt. Dann schichtet man sie in Gläser und füllt kochende Salzlake auf. Eingekocht wird bei 90 °C für etwa 30 min. Die zum Einkochen für Gemüse

verwendete Salzlake enthält 15 g Salz pro Liter. Pilze dagegen werden in reinem Wasser etwa 15 min gekocht, dann in das Glas gelegt und mit der leicht gesalzenen Kochbrühe aufgegossen.

Einkochzeiten für Gemüse

Lebensmittel	Einkochtemperatur in °C	Einkochzeit in min für ein 1-Liter-Glas
Blumenkohl	100	110
Bohnen	100	120
Erbsen	100	120
Gurken	75	25
Spargel	100	120
Schwarzwurzeln	100	120
Tomaten	90	30
Pilze	100	90

Tiefgefrieren

Tiefgefrieren ist die schonendste Methode der Haltbarmachung, da Vitamine und andere Inhaltsstoffe weitgehend erhalten bleiben. Allerdings ist die Methode abhängig von einer funktionierenden Stromversorgung und damit auch kostenintensiv. Ich persönlich friere nur Lebensmittel in Mengen ein, die relativ rasch verbraucht werden können. Für das Anlegen von Vorräten in großen Mengen greife ich auf andere Methoden zurück.

Gut geeignet zum Einfrieren sind Blumenkohl, Brokkoli, Bohnen, Erbsen, Grünkohl, Kohlrabi, Lauch, Mangold und Spinat.

Tipps aus der Praxis

Als Behälter zum Einfrieren eignen sich Gefrierbeutel oder spezielle Dosen, die selbst bei Minusgraden geschmeidig bleiben und sich luftdicht verschließen lassen. Luft isoliert und verzögert das Eindringen von Kälte.

Damit Obst und Gemüse gut und schnell durchfrieren, darf man nicht zu große oder zu viele Portionen auf einmal in die Truhe geben. Wichtig: Alle Behälter beschriften, und zwar mit dem Inhalt und dem Tag des Einfrierens. Das erleichtert das Wiederfinden enorm.

Vor dem Einfrieren werden das Obst und das Gemüse küchenfertig aufbereitet. Gemüse, das länger als vier Wochen in der Truhe bleiben soll, muss blanchiert werden. Dazu taucht man es für einige Minuten in kochendes Wasser, fischt es heraus und schreckt es mit Eiswasser ab.

Um zu verhindern, dass Beerenfrüchte zu einem Brei verkleben, legt man sie zunächst einzeln auf ein Kuchengitter und lässt sie durchfrieren. Erst danach füllt man sie in einen Beutel und gibt sie wieder in die Truhe.

Gemüse, das gekocht oder gedünstet werden soll, gibt man unaufgetaut in die siedende Brühe oder das heiße Öl. Es benötigt zudem etwa ein Drittel weniger Garzeit als frische Ware. Kohlgemüse, Hülsenfrüchte und Pilze werden durch Tiefgefrieren sogar leichter verdaulich.

Fleisch, Fisch und Milchprodukte einfrieren

Lebensmittel	Lagerdauer in Monaten	Anmerkungen
Bratenstücke mit Knochen oder Kochfleisch von		Portionsstücke nicht zu groß wählen, max. 2,5 kg.
Rind	6–9	
Schwein	3–8	
Kalb	6–8	
Lamm	8–10	
In Scheiben geschnittenes Fleisch, Schnitzel etc.	Wie oben	Zwischen die Scheiben eine Folie legen

Lebensmittel	Lagerdauer in Monaten	Anmerkungen
Hackfleisch	1	Flache Pakete formen und einfrieren
Innereien Leber Zunge	 1–2 6–9	Leber enthäuten und durch den Fleischwolf drehen, portionsweise einfrieren
Hähnchen, Suppenhuhn Ente Gans Pute	3–6 bis 4 bis 4 3–6	Knochenende vor dem Einfrieren mit Alufolie umwickeln, immer ohne Verpackung auftauen lassen, auf Hygiene achten
Forellen	2–4	Unaufgetaut garen
Hecht, Schleie, Zander, Karpfen	3–6	Gut verpacken, große Portionen vor der Verarbeitung auftauen
Milch (homogenisiert)	2–3	Nicht in Glasflaschen einfrieren
Butter	6–8	Aufgetaut wie frische Butter zu verwenden
Käse	2–4	Je höher der Fettgehalt, umso unproblematischer das Einfrieren
Eier	8–10	Eimasse leicht salzen (etwa 1 g Salz/Ei) und in Behältern einfrieren
Quark	Bis 12 Monate	Wenn zubereitet mit Kräutern etc. nur bis 6 Monate
Sahne	Ungeschlagen 3–4, geschlagen 2–3	Mit Zuckerzusatz bleibt die Sahne schlagfähiger

Trocknen und Dörren

Das Trocknen ist eine uralte Methode der Konservierung und zugleich die einfachste, oft wird der Geschmack von Obst und Gemüse dabei sogar intensiver. Das Prinzip beruht darauf, dass Bakterien, Hefen oder Pilze Feuchtigkeit zum Gedeihen brauchen. Mit dem Entzug des Wassers entzieht man ihnen also die Lebensgrundlage.

Kräuter trocknen an der Luft

Zum Trocknen geerntet werden nur gesunde Pflanzen, am besten am frühen Vormittag, nachdem der Tau abgetrocknet ist. Die Pflanzen werden nach der Reinigung zu lockeren Sträußen gebunden und kopfüber an einer Leine an einem schattigen, luftigen Platz zum Trocknen aufgehängt.

Bei dem Thema »waschen oder nicht waschen« scheiden sich die Geister. Ich empfehle, zum Trocknen vorgesehene Kräuter nicht zu waschen, um die Trocknungszeit nicht unnötig zu verlängern. Schütteln Sie lediglich grob anhaftenden Schmutz ab und entfernen Sie verwelkte, angefressene oder verfärbte Blätter.

Wem dies suspekt ist, der kann seine Kräuter im Garten frühmorgens kräftig mit der Gießkanne abduschen und sie dann am Abend ernten, nachdem sie abgetrocknet sind.

Anders verhält es sich natürlich, wenn Sie Pflanzen zu Heilzwecken in der freien Natur sammeln. Hier empfiehlt es sich, diese gut zu waschen, in einer Salatschleuder vorzutrocknen und dann auf Küchenkrepp ausgebreitet abtrocknen zu lassen, bevor sie wie oben beschrieben weiterverarbeitet werden.

Ideal zum Trocknen von Kräutern sind luftige Dachböden, doch nur wenn die Luft zirkulieren kann, ist ein gleichmäßiger Trocknungsprozess gewährleistet. Dieser soll langsam und bei mäßiger Wärme verlaufen, direkte Sonneneinstrahlung sollte man unbedingt vermeiden. Je höher der Gehalt an ätherischen Ölen, umso langsamer und schonender muss getrocknet werden, beispielsweise die Kamille. Alle getrockneten Kräuter sollten grün bleiben. Bei zu heißer oder zu langer Trocknung verfärben sie sich grau oder braun und verlieren dabei einen Großteil ihres Aromas.

Der Trockenvorgang ist dann abgeschlossen, wenn die Kräuter beim Drücken knistern, das ist etwa nach einer Woche der Fall. Eine Landpflanze enthält in frischem Zustand etwa 75 bis 85 Prozent Wasser, durch das Trocknen verliert sie zwischen 50 und 100 Prozent, doch darf niemals alles Wasser entzogen werden. In richtig getrockneten Kräutern beträgt der Wasseranteil immer noch 10 bis 12 Prozent ihres Gewichts. Das ist wichtig für die Lagerung in luftdicht schließenden Gläsern: Zu viel Restfeuchte hätte unweigerlich Schimmelbildung zur Folge.

Obst und Gemüse trocknen

Das Trocknen von Obst und Gemüse benötigt mehr Zeit und auch mehr Wärmeenergie als das von Blattpflanzen wie Kräutern. Köstlich sind natürlich an der Sonne getrocknete Tomaten, doch ist dies in unseren Klimaregionen ein fragwürdiges Unterfangen, da oft die Zahl der Sonnentage nicht ausreicht. Und über Nacht muss alles weggeräumt werden und nimmt dann wieder Feuchtigkeit auf; somit ist keine Erfolgsgarantie gegeben.

Auf der sicheren Seite befinden wir uns mit einem Backofen, in dem z. B. auf dem Rost bei leicht geöffneter Ofentür und einer Temperatur um 45 bis

55 °C Obst getrocknet werden kann. Auch fleischige Blätter, Samen und Wurzeln trocknen so wesentlich schneller als an der Luft, was auch die Schimmelgefahr verringert. Auf diese Art getrocknet, benötigen Pilze etwa 4 bis 6 Stunden, Tomaten 8 bis 12 Stunden, Äpfel und Birnen bis zu 24 Stunden.

Eher für Profis und »Vieltrockner« geeignet sind im Handel erhältliche Trockenschränke. Sie verfügen über einen Temperaturregler, und man kann auf mehreren Rosten übereinander die unterschiedlichen Pflanzen trocknen.

Allerdings fressen solche Trockenvorrichtungen viel Energie, weshalb man darüber nachdenken sollte, andere Verfahren anzuwenden.

Richtig trocknen

- Äpfel und Birnen schneidet man in Scheiben, die auf einem Gitterrost oder aufgefädelt aufgehängt trocknen.
- Erbsen und Bohnen werden zunächst in der Schote getrocknet, bis sie spröde werden, die Kerne können im Dörrschrank nachgetrocknet werden.
- Auch Pilze, Rote Bete, Möhren und Pastinaken können in dünne Scheiben geschnitten getrocknet werden.
- Chilis kann man auffädeln und einfach an der Luft trocknen.

Wichtig: Zum Trocknen nur frisches und makelloses Obst und Gemüse verwenden. Obst und Gemüse werden so lange getrocknet, bis beim Drücken kein Saft mehr austritt. Anschließend wird alles luftdicht verpackt und kühl und dunkel aufbewahrt.

Der Solardörrschrank

Einen Solardörrschrank zu bauen ist kein Problem, das Prinzip denkbar einfach:
- Der eigentliche Trockenraum besteht aus einem verschließbaren, innen weiß gestrichenen Schrank mit einer verstellbaren Öffnung auf dem Deckel, durch den sich der Luftstrom regulieren lässt.
- Der Boden des Schranks besteht aus einem mit Draht bespannten Rahmen.
- Ein flacher, schubladenhoher Kasten, in dem sich ein schwarzes Well-

blech befindet, wird schräg unter die Dörrkammer gestellt. Der Kasten ist oben mit einer Glasscheibe verschlossen, die nicht ganz so lang ist wie der Kasten, sodass am oberen schmalen Ende ein Schlitz bleibt. Nun kann die im Kasten erwärmte Luft aufsteigen und in die Dörrkammer gelangen. Diese Vorrichtung muss lediglich regelmäßig dem Sonnenstand angepasst werden.

Trocknen mit schwarzer Folie

Wem der Bau eines Dörrofens oder einer Vorrichtung zum Trocknen zu aufwendig ist, der kann sich auch mit einer einfachen schwarzen Folie behelfen, wie man sie zum Abdecken von Brennholz verwendet.

An sonnigen Tagen breitet man die Folie mit der dunklen Seite nach oben an einem sonnigen Platz oder auf der Dachterrasse aus und verteilt das zu trocknende Gut gleichmäßig darauf. Besonders größere Mengen Wurzeln oder Früchte können so gut getrocknet werden. Wichtig ist, alles regelmäßig zu wenden. Oft reicht in unseren Breiten ein Sonnentag nicht aus, daher muss man abends vor Einsetzen der Dämmerung alles an einen trockenen Platz räumen und am nächsten Tag erneut ausrollen.

> **Tipp**
> Beeren können auch in einem großen, flachen Pappkarton getrocknet werden. Während des Trocknens werden sie lediglich alle zwei Tage etwas geschüttelt, damit auch die unteren Schichten gleichmäßig mit Luft versorgt werden.

Pökeln

Schon frühzeitig bedienten sich Menschen der Methoden des Pökelns und Räucherns, um Fleisch haltbar zu machen. Beim Pökeln wird das zu konservierende Lebensmittel, ursprünglich Fisch, später auch Fleisch, in eine Salzlake eingelegt oder mit Salz eingerieben an der Luft getrocknet. Der hierfür immens hohe Bedarf an Salz ließ vielerorts Städte im Mittelalter zu großem Wohlstand erblühen, wie beispielsweise die Salzstadt Lüneburg. Der Handel mit dem »weißen Gold« war ein lukratives Geschäft.

Das Salz entzieht dem Fleisch Wasser, löst sich darin auf, und die salzhaltige Brühe, die das Fleisch umgibt, wird von diesem wieder aufgenommen. In diesem Milieu können schädliche Bakterien nicht mehr gedeihen. Oft ist das Pökeln auch eine Methode, um das Fleisch geschmacklich zu verbessern, beispielsweise Surhaxen (suren im Oberbayerischen bedeutet salzen), Schinken oder Kassler.

Diese Methode der Haltbarmachung eignet sich besonders gut für Schweinefleisch, aber auch für Rindfleisch und Wild. Voraussetzung für ein gutes Gelingen ist hygienisch einwandfreies Arbeiten, da der Prozess eine Weile dauert und sich in dieser Zeit leicht schädliche Bakterien entwickeln können, die das Fleisch verderben. Arbeiten Sie mit sterilen Geräten und in einem kühlen Raum.

Nitritpökelsalz

Nitritpökelsalz wird eingesetzt, damit das Fleisch seine rote Farbe behält. Der Grund ist, dass sich der rote Blutfarbstoff (Hämoglobin) mit dem Nitrit verbindet und so unempfindlich gegen Sauerstoff und Hitze wird. Es muss nicht eigens erwähnt werden, dass Nitritpökelsalz sehr umstritten ist und kein Garant für eine gesunde Lebensweise – viele Menschen reagieren sehr empfindlich auf diese Substanz. Aber es gibt auch Ersatz, eine Alternative ist beispielsweise fermentierter Rotschimmel-Reis.

Fleisch in Salzlake konservieren

Füllen Sie ein Pökelfass oder einen Steinguttopf mit Wasser und geben Sie so viel Meersalz hinzu, bis ein frisches Ei darin schwimmt. Wer es genauer wissen will, der löst 1,5 kg Salz in 5 Liter Wasser auf. Auf die Art erhält man eine 80-prozentige Salzlösung, die zuverlässig konserviert. Nun kann man noch nach Belieben Kräuter und Gewürze zugeben, aber auch Wein oder

Bier, ganz nach Geschmack. Als klassisch niederbayerisch gilt eine Mischung aus Knoblauch, Wacholderbeeren, Pfeffer und Kümmel, eher mediterran ist eine Mischung aus Thymian, Salbei, Rosmarin und einem zerstoßenen Lorbeerblatt. Es gilt die Faustregel, dass auf 1 kg Fleisch 10 g Kräuter-Gewürzmischung kommen.

Nun kochen Sie die Mischung auf, lassen alles einige Minuten simmern und gießen die Lake über ein Sieb in eine Schüssel. Hier hinein kommt das gereinigte Fleisch, z. B. ein Stück Hinterkeule vom Schwein: Dieses gibt den besten Schinken. Das Fleisch muss vollständig von der Lake bedeckt sein. Um zu verhindern, dass es hochschwimmt, legt man ein sauberes Holzbrettchen auf das Fleisch und beschwert es mit einem Gewicht, z. B. einem sauberen Stein.

Nun gilt es, alles im Auge zu behalten und regelmäßig zu kontrollieren. Wird die Lake trüb, muss sie ausgetauscht werden. Das Fleisch soll auch regelmäßig gewendet werden. Ein kleineres Stück bleibt etwa eine Woche in der Lake, danach holen Sie den Schinken aus der Lake, tupfen ihn trocken und hängen ihn, in ein sauberes Tuch eingeschlagen, an einen kühlen luftigen Platz. Je länger der Schinken trocknet, umso besser wird sein Aroma. Wurde alles richtig gemacht, kann ein Schinken ein Jahr hängen bleiben.

Trockenpökeln

Im Gegensatz zum Konservieren in Salzlake wird das Fleisch beim Trockenpökeln nur mit Salz-Gewürz-Mischung eingerieben, auf diese Art wird beispielsweise Parmaschinken, ein luftgetrockneter Schinken, hergestellt. Zunächst reiben Sie das Fleisch sorgfältig mit der Salz-Kräuter-Mischung ein. Nun legen Sie das Fleisch in einen Topf, streuen noch von der Mischung darüber und stellen alles 10 bis 14 Tage an einen kühlen Platz. Wichtig ist, dass der Fleischsaft bei diesem Verfahren ungehindert ablaufen kann. Er wird dann regelmäßig abgeschüttet. Nach etwa 2 Wochen ist der Schinken fertig. Nun wird das Salz mit einer Wurzelbürste abgeschrubbt, in ein sauberes Tuch gewickelt und alles mindestens 3 bis 4 Monate an einem kühlen luftigen Ort getrocknet. Danach wird der Schinken ausgepackt. Hat sich an der Oberfläche Schimmel gebildet, kann man diesen mit Apfelessig abwaschen; es handelt sich dabei wie bei Käse um einen speziellen Schimmel, der ungiftig ist. Alles gelbliche und weiße Fett wird abgeschnitten. Diese Methode eignet sich hervorragend als Vorstufe für das Räuchern.

Fisch pökeln

Im einfachsten Fall üben Sie mit kleinen Fischen, die sie nebeneinander auf eine Schicht Salz legen, mit Salz bedecken und die nächste Schicht Fisch einlegen. Dann 1 bis 2 Tage ruhen lassen, das Salz abspülen und den Fisch 24 Stunden an der Luft trocknen.

Eine Spezialität ist »Graved Lachs«: Mischen Sie 50 g Zucker, 50 g Meersalz, frischen Dill, Pfefferkörner und 1 EL Zitronensaft. In diese Mischung legen Sie ein Lachsfilet ohne Haut ein, wickeln es in eine Frischhaltefolie und beschweren alles. Nach 12 Stunden wird das Filet gewendet, der Saft abgegossen, nach weiteren 1 bis 2 Tagen alles abgespült, trocken getupft und mit frischem Dill bestreut serviert.

Salzheringe

Eine Spezialität meiner Großmutter waren Salzheringe, von denen ich als Kind immer die Zwiebeln stibitzt habe. Sie werden wie folgt zubereitet: Die frischen Heringe werden zunächst ausgenommen. Geben Sie so viel Salz in ein Steingutgefäß, dass der Boden bedeckt ist. Darauf legt man die aufgeklappten Heringe mit dem Rücken nach oben, und zwar so dicht gepackt wie möglich. Nun wieder reichlich Salz auf die erste Schicht geben und um 90 Grad versetzt die zweite Schicht Heringe einlegen. Auf die dritte Schicht kommt ein Teller, auf den Sie zur Beschwerung einen Stein legen. An einem kühlen Ort sind die ersten Heringe nach 3 bis 4 Wochen fertig für die weitere Verarbeitung.

Nun kann man die Heringe einlegen. Dazu Wasser in eine Schüssel geben und mit Essig gut sauer abschmecken, in Scheiben geschnittene Zwiebeln nach Belieben, dünn geschnittene Gewürzgurken, Lorbeerblätter, Piment

und Pfefferkörner dazugeben. Die Heringe in einen Steinguttopf legen und mit der Mischung auffüllen, und zwar so, dass sie gut mit Flüssigkeit bedeckt sind. An einem kühlen Platz ca. 1 Woche durchziehen lassen, dann sind sie fertig für den Verzehr.

Kräuter, Gemüse und Eier konservieren

Neben dem Pökeln, also dem Einsalzen von Fleisch und Fisch, können auch Kräuter oder Eier mithilfe von Salz haltbar gemacht werden. Allerdings sollte man das eingesalzene Gemüse vor dem Verzehr wässern – ebenso wie auch Pökelfleisch. Eingesalzene Kräuter verwendet man als Gewürz in entsprechend kleinen Mengen.

Kräuter einsalzen

Das Einsalzen von Kräutern ist eine traditionelle Methode, um Würzkräuter haltbar zu machen. Besonders gut eignet sich diese Konservierungsmethode für Mischungen verschiedener Kräuter wie Petersilie, Liebstöckel, Bohnenkraut, Majoran usw., zusammen mit Wurzelgemüsen wie Knollensellerie, Möhren, Petersilienwurzel oder Pastinaken.

Zunächst schneidet man die Kräuter und das Wurzelgemüse grob klein und dreht die Mischung durch den Fleischwolf. Die Küchenmaschine eignet sich dafür weniger gut, weil sie die Zutaten ungleichmäßig zerkleinert und größere Stücke in der Mischung bleiben, die nicht nur stören, sondern auch weniger gut haltbar sind. Zu der zerkleinerten Kräuter-Gemüse-Mischung kommt anschließend Salz – auf vier Gewichtsanteile Kräuter und Gemüse rechnet man einen Teil Salz, ich empfehle Meersalz oder Steinsalz. Dann alles gründlich durcharbeiten, damit sich das Salz gleichmäßig mit den zer-

kleinerten Pflanzenteilen vermischt, in kleine Schraubgläser füllen und etwas andrücken, damit möglichst wenig Luft in der Mischung bleibt.

Eingesalzene Kräuter sind auch ohne Kühlung den ganzen Winter über haltbar und wirklich praktisch: Sie verleihen Suppen, Soßen, Eintöpfen und Salatmarinaden einen würzigen Geschmack und ersetzen bei vielen Gerichten das Suppengemüse, zusätzliches Salzen der Speisen ist meist unnötig. Natürlich kann man auch die Kräuter jeweils für sich einsalzen, lediglich mit Schnittlauch, Zwiebeln und anderen Lauchgewächsen funktioniert das nicht, weil sie beim Einsalzen bitter werden. Für ein würziges Kräutersalz kann man auch getrocknete Kräuter mit Salz mischen und beides zusammen zermahlen.

Bohnen und Tomaten einsalzen

Die Bohnen werden zunächst geputzt, gewaschen und gründlich trocken getupft. Vermischen Sie die Bohnen nun in einer sauberen Steingutschüssel schichtweise mit Salz und stellen Sie diese mit Frischhaltefolie oder Pergament zugebunden an einen kühlen Ort. Nach drei bis vier Tagen gießt man die Flüssigkeit ab und füllt wieder mit einem weiteren Bohnen-Salz-Gemisch auf. Während der Saison füllen Sie auf, bis das Gefäß voll ist. Zum Abschluss kommt eine etwa ½ cm dicke Salzschicht darüber, und man stellt die Bohnen wiederum wie oben beschrieben an einen kühlen Ort.

Tomaten werden dagegen zunächst in Salzwasser gekocht (75 g/l Wasser), und nach dem Abkühlen in Schraubgläser gefüllt. Diese füllen Sie mit dem Salzwasser auf, verschließen sie luftdicht und stellen sie an einen dunklen, kühlen Ort.

Soleier

Wer keine sauer eingelegten Eier mag (siehe Seite 288) kann es ja einmal mit Soleiern probieren. Dazu schlägt man die Schalen von hartgekochten Eiern auf, schält sie aber nicht und legt sie in ein sauberes Schraubglas. Kochen

Sie nun Salzwasser (20 g/l) auf und geben Sie nach Belieben Pfefferkörner, Wacholderbeeren, Lorbeerblätter und Nelken dazu. Den Sud in das Glas füllen und dieses verschließen. Vor dem Verzehr lässt man die Eier an einem kühlen Platz reifen.

Räuchern

Wurde früher das Räuchern als Methode zur Haltbarmachung verwendet, ist es heute oft nur ein Verfahren, um den Geschmack beispielsweise gepökelter Schinken zu verbessern. Wirklich zufriedenstellende Ergebnisse in puncto Haltbarkeit erhält man nur, wenn beide Verfahren kombiniert werden. Zum Räuchern eignen sich Fisch und Fleisch, aber auch Gemüse, Käse, und hartgekochte Eier lassen sich so geschmacklich verbessern. Geräucherter Fisch ist nicht lange haltbar, es ist hier also ein Verfahren der Kurzkonservierung, wie übrigens auch Sushi ursprünglich eine Methode war, um Fisch länger haltbar zu machen, indem er in gesäuerten Reis eingerollt wurde. Es besteht kein Grund, viel Geld für Geräuchertes auszugeben, weil es sich wirklich problemlos zu Hause herstellen lässt. Grundsätzlich unterscheidet man dabei drei Räucher-Methoden: Kalträuchern, Warmräuchern und Heißräuchern.

Kalträuchern

Beim Kalträuchern wird das zu räuchernde Gut in ein geschlossenes Gefäß gehängt, an dessen Boden ein Feuer glimmt. Der Rauch kann um das Lebensmittel zirkulieren, doch die Hitze des Feuers gelangt nicht bis dort hin. Verwendet werden trockenes Holz und trockenes Räuchergut, die Rauchtemperatur darf 30 °C nicht übersteigen. Die im Rauch enthaltenen Substanzen wie Phenole, Kerosole und auch Formaldehyd lassen das Eiweiß der Räucherware gerinnen und wirken so konservierend. Diese Methode erfordert Geduld. Sie wird bei Waren angewendet, die länger haltbar gemacht

werden sollen, wie Schinken, Speck, Dauerwurst und Räucherlachs. Früher hängte man dazu den Schinken in den Kamin, wo er bis zu sechs Wochen blieb. Derart geräucherte Lebensmittel müssen anschließend 24 Stunden ruhen, damit sich das Aroma voll entfalten kann.

Warmräuchern

Beim Warmräuchern wird das Räuchergut etwa 50 °C warmem Rauch ausgesetzt, aber nur bis 24 Stunden. Im Gegensatz zum Kalträucher-Verfahren wird das verwendete Holz befeuchtet, die Luftfeuchtigkeit liegt daher über 80 Prozent. Vor allem Knochenschinken, Kassler und Würste werden auf diese Art haltbar gemacht.

Heißräuchern

Heißräuchern ist streng genommen kein Prozess zur Konservierung, sondern eine Garmethode. Es eignet sich nur für Kassler oder gekochten Schinken. Die Temperatur liegt bei 50 bis 90 °C, die Räucherzeit ist sehr kurz und liegt zwischen 30 min und zwei Stunden. Auf diese Art Geräuchertes ist für den baldigen Verzehr bestimmt.

Der Räucherofen

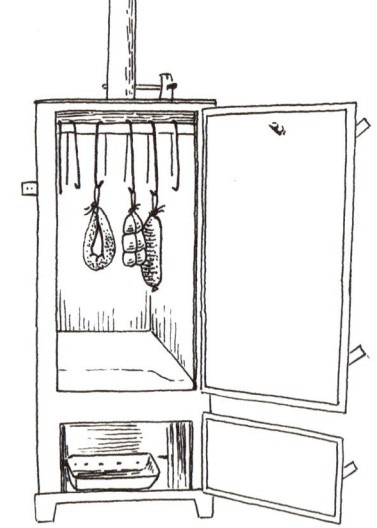

Alle Vorrichtungen zum Räuchern funktionieren nach dem Kaminprinzip. Im unteren Bereich schwelt ein Feuer, der Rauch zieht nach oben ab und zirkuliert dabei um die Lebensmittel. Unterschiede ergeben sich lediglich in der Größe des Räucherofens, die natürlich vom eigenen Bedarf abhängt. Im Handel werden

Räucheröfen und Räuchertonnen angeboten, doch kann man solche auch leicht selbst bauen, z. B. aus einem Metall-Abfalleimer, aber auch ein alter Kühlschrank oder ein Metallfass lässt sich in einen Räucherschrank umwandeln. Übrigens kann man auch in einem Kugelgrill räuchern, das Grillgut bekommt so eine zusätzliche Geschmacksnote.

Folgende Voraussetzungen müssen gegeben sein:

- Räucheröfen brauchen einen Deckel oder eine Türe, durch die das zu räuchernde Gut in den Ofen gelegt werden kann. Diese wird während des Räucherns möglichst selten geöffnet, jedes Öffnen zur Kontrolle verlängert die Räucherzeit.
- Der Ofen oder Räucherschrank muss hoch genug sein, damit das Fleisch oder der Fisch nicht gart und es zu heiß innen wird.
- Innen muss sich mindestens ein Rost aus Edelstahl befinden, auf den das Fleisch gelegt wird. Alternativ sind auch Querstäbe sinnvoll, an denen z. B. Fische an Drahthaken aufgehängt werden können.
- Im unteren Teil befindet sich eine Pfanne für das Feuer sowie Schlitze, durch die Luft eintreten kann und damit der Kamineffekt zum Zug kommt. Die Feuerstelle kann sich bei einem Räucherschrank auch außerhalb desselben befinden, und der Rauch wird dann über ein Rohr eingeleitet. Dies ist ideal für das Kalträuchern, da der Rauch dann ausreichend abkühlen kann.
- Im oberen Teil befindet sich ein Rauchabzug, der mit einem Metall-Fliegengitter abgesichert sein sollte.

Das Geheimnis des Räucherns

Räuchern bedeutet nicht, so viel Qualm zu produzieren wie möglich. Es gehört schon etwas Übung dazu – und vor allem das richtige Holz. Es darf nicht lichterloh brennen, und die Temperatur im Auge zu behalten, ist enorm wichtig.

Beim Holz scheiden sich die Geister, da der Geschmack letztendlich auch sehr von der verwendeten Sorte abhängt. Es gibt natürlich Profis, die ihre eigene Mischung haben. Allen gemeinsam ist: Nur Hartholz eignet sich zum

Räuchern, also Eiche, Buche, Ahorn, Wacholder, Erle oder Birke. Allerdings wird es in Form von Sägemehl verwendet, damit es nicht brennt, sondern nur glimmt – und das erfordert einiges an Übung.

So wird's gemacht:
- Am schwierigsten ist es, das Feuer so zu regulieren, dass die Sägespäne nur glimmen. Es gibt zwei Möglichkeiten: Entfachen Sie ein Holzfeuer unter einem Rost, auf den Sie eine Wanne mit Sägemehl stellen, das zum Glimmen gebracht wird. Die Schale kommt nun in den Räucherofen oder dieser wird einfach darübergestellt. Sie können aber auch ein kleines Holzfeuer machen, es runterbrennen lassen und dann das Sägemehl einstreuen, und wenn es glimmt, etwas befeuchten und immer wieder neues Sägemehl darüberstreuen. Sprenkeln Sie immer wieder etwas Wasser über das Sägemehl, damit es nicht brennt. Ideal ist ein Wasserzerstäuber, wie man ihn beim Bügeln verwendet.
- Verwenden Sie zum Anzünden normalen Grillanzünder.
- Wenn das Sägemehl gut glimmt und schwelt, wird das zu räuchernde Fleisch in den Ofen eingebracht und alles gut verschlossen.
- Drehen Sie das Fleisch ab und zu um, damit es von allen Seiten gleichmäßig räuchert, und behalten Sie das Sägemehl im Auge.

Wurst haltbar machen

Die einfachste Methode ist das Trocknen an einem kühlen, dunklen und luftigen Platz. Dabei müssen Sie allerdings regelmäßig den Geruch kontrollieren und verdorbene Würste gleich entfernen. Zur Verbesserung des Aromas und der Haltbarkeit kann man Würste natürlich auch zuvor 12 Stunden kalt räuchern und danach zum Trocknen aufhängen. Nach etwa 6 Wochen sind sie dann fertig für den Verzehr. Zur Herstellung von Würsten siehe Seite 336ff.

Fleisch an der Luft trocknen

Auch gepökeltes, in dünne Scheiben geschnittenes Fleisch lässt sich in der Sonne oder im Backofen trocknen und so haltbar machen – eine uralte Methode der Konservierung, die z. B. von den Indianern Nordamerikas ver-

wendet wurde, um Pemmikan herzustellen, getrocknetes Büffelfleisch, das als Wintervorrat diente.

Um Rindfleisch zu trocknen, wird es zunächst in dünne Scheiben geschnitten und mit einer Mischung aus braunem Zucker, Pökelsalz und Pfeffer eingerieben – wer mag, kann noch Gewürze oder getrocknete Kräuter zugeben. Dann wird das Fleisch mit Essig beträufelt und einige Stunden kalt gestellt. An einem warmen, trockenen Platz wird es zwei Wochen getrocknet, es hat dann etwa die Hälfte seines Gewichtes verloren. In diesem Zustand ist es ungefähr drei Wochen haltbar. Wenn man es noch länger trocknen lässt, kann es bis zu einem Jahr aufbewahrt werden. Schneller und sicherer geht es bei 50 °C im Umluftherd. Ein derart getrocknetes Fleisch ist ein leckerer Snack, passt aber auch zur Brotzeit.

Vergären und Fermentieren

Die einfachste und älteste Art der Konservierung von Gemüse ist die der Milchsäuregärung. Vermutlich hat man sich ihrer schon in der Jungsteinzeit bedient. Es passiert Folgendes: Das dem Gemüse zugegebene Salz lockert die Zellwände und entzieht ihnen Wasser und Zucker. Spezielle Bakterien bauen diese Zuckermoleküle ab und bilden dabei Milchsäure.

Diese säuert das betreffende Lebensmittel und unterbindet das Wachstum anderer Bakterien, die es verderben würden. Das Ganze geht so lange, bis auch die Milchsäurebakterien im Wachstum stagnieren, weil sie sich selbst ihre Lebensgrundlage entzogen haben. Auf diese Art werden solch beliebte Lebensmittel wie Sauerkraut, Joghurt, Buttermilch oder Sauergemüse hergestellt. Ganz nebenbei bemerkt: lauter Schlankmacher.

Sauerkraut

Sauerkraut war früher besonders in den ländlichen Gebieten das wichtigste Lebensmittel, um den Winter zu überstehen. 300 Gramm decken bereits den Tagesbedarf an Vitamin C, der Gärsaft enthält wertvolle Mineralstoffe. Und 1 kg Sauerkraut hat nur 200 Kilokalorien – ideal für die schlanke Linie. Es lässt sich zudem auf vielerlei Weise zubereiten, man kann es roh oder gekocht essen.

So wird's gemacht: Man benötigt ein 10-Liter-Gefäß, einen sogenannten Kuhltopf. Das ist ein spezielles Steingut-Gefäß, das oben eine Rinne hat, in die der Deckel kommt und mit Steinen beschwert wird. Die Rinne wird mit Wasser gefüllt.

Zunächst hobelt man etwa 7 kg Weißkraut ohne Strünke mit einem Krauthobel in feine Streifen, schichtet sie in etwa 10 cm dicke Schichten in das Gefäß und salzt jede einzelne. Pro Kilogramm Kraut benötigt man etwa 10 g Salz. Wird Meersalz verwendet, benötigt man etwa 25 g/kg.

Nun stampft man die Schichten fest, bis jede eingelegte Schicht mit Krautsaft bedeckt ist. Schicht um Schicht wird nachgefüllt, bis das Gefäß zu drei Vierteln voll ist. Anschließend den Starter hinzugeben, beispielsweise etwas Buttermilch oder Molke. Alles mit Krautblättern abdecken, den Deckel auflegen und mit Steinen beschweren.

Der Gärprozess beginnt bei etwa 16 bis 20 °C, was sich an einem gelegentlichen Blubbern bemerkbar macht. Den Inhalt regelmäßig kontrollieren, sollte sich nicht genügend Saft gebildet haben, etwas Salzwasser zugießen

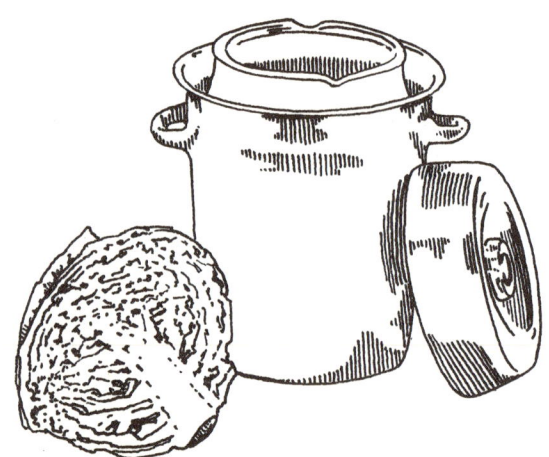

(15 g/l). Nach etwa 10 Tagen sollte es aufhören zu blubbern, und das Fass samt Inhalt kommt nun in den Keller, wo es weitere acht Wochen gären darf, bis es genussfertig ist.

Früher hat man das Sauerkraut einfach in Steingutfässern hergestellt. Das Kraut wurde dabei mit einem Musselintuch abgedeckt, darauf kam ein umgedrehter Teller, der wiederum mit einem Stein beschwert wurde. Bei dieser Methode bildet sich nach etwa einer Woche Schaum an den Rändern, der entfernt werden muss, auch das Tuch muss immer wieder ausgewechselt werden. Auf diese Art ist der Gärvorgang bei Temperaturen um 20 bis 30 °C bereits nach etwa drei Wochen abgeschlossen.

Für die Feinschmecker

Wer sein Sauerkraut verfeinern oder variieren möchte, kann als Starter auch Wein oder Champagner verwenden. Um Apfelkraut zu erhalten, gibt man dem Kraut Apfelstücke und Zwiebelringe zu sowie Wacholderbeeren, gestartet wird der Gärungsprozess mit ¼ Liter Apfelwein.

Wer lieber Weinkraut mag, gibt dem Kraut kernlose Weintrauben zu (etwa 250 g auf 1 kg Kraut) und gießt ¼ Liter Riesling an.

Sauergemüse

Mithilfe der Milchsäurebakterien lässt sich nicht nur Sauerkraut herstellen, auch andere Gemüsearten können so konserviert werden. Dazu gehören Blumenkohl, Brokkoli, Kohlrabi, alle Kohlarten, Bohnen, Gurken, Zucchini, Kürbis, Zwiebeln, Lauch, Sellerie, Paprika und auch Tomaten. Das Prinzip ist das gleiche: Ein Gärtopf wird mit dem vorgekochten bzw. blanchierten und klein geschnittenen Gemüse gefüllt, nach Belieben Gewürzkräuter wie Dill, Estragon, Senfkörner, Gewürznelken etc. hinzugegeben und der Gärvorgang mit Molke, Buttermilch oder Wein gestartet. Natürlich wird das Gemüse nicht gestampft, sondern mit einem Sud oder dem Kochwasser aufgegossen.

Multitalent Essig

Die konservierende Wirkung des Essigs macht man sich für das Haltbarmachen von Gemüse zunutze. Das sauer eingelegte Gemüse hält sich lange, ist aber vielleicht nicht jedermanns Geschmack, da der Geschmack des Gemüses sehr von dem Essig geprägt wird. Aber durch die Zugabe von Zimt, Gewürznelken und Pfeffer können Sie interessante Geschmacksnoten erzielen. Und natürlich spielt die Wahl des Essigs eine Rolle. Essig aus Cidre und Rotwein ist besonders empfehlenswert.

Zum sauer Einlegen eignen sich besonders feste Gemüse wie Gurken, Zwiebeln und Kürbis. Auch Pilze, grüne Tomaten, Sellerie, Blumenkohl und Paprika eignen sich hervorragend.

So wird's gemacht:
- Das Gemüse säubern und putzen und mit allen Gewürzen und Zutaten fünf Minuten im Essigsud köcheln.
- Alles mit der Schaumkelle aus dem Sud geben und in vorbereitete Gläser füllen, bei Bedarf gehackte Kräuter darübergeben.
- Zum Schluss mit dem nochmals aufgekochten, sprudelnden Sud übergießen, das eingelegte Gemüse muss mindestens 1 cm vom Sud bedeckt sein.

Nicht alle Gemüse müssen vor dem Einlegen gekocht werden, Zwiebeln, Blumenkohl und andere Kohlsorten bleiben einfach eine Zeit lang in Essig liegen. Bohnen blanchiert man in Salzwasser, schreckt sie in Eiswasser ab und füllt sie in Gläser, in die der heiße Essigsud gefüllt wird.

Auch Cornichon-Gürkchen kann man zuerst zwei Tage in Salzwasser legen (80 g/l), dann in Essigwasser baden und beispielsweise mit Schalotten, Knoblauch, Gewürzen in Einmachgläser legen und dann einfach mit Rotweinessig auffüllen.

Kräuteressig

Die für den Essig vorgesehenen Kräuter wäscht man vor dem Einfüllen in eine weithalsige Glasflasche und lässt sie abtropfen, dann übergießt man sie mit einem guten Wein- oder Obstessig, beispielsweise Weißweinessig, aber auch Apfelessig ist eine gute Wahl. Die Kräuter müssen ganz vom Essig bedeckt sein, damit sie nicht schimmeln! Dann verschließt man die Flasche und lässt alles zwei bis drei Wochen ziehen – danach ist der aromatisierte Essig fertig zum Gebrauch. Man kann nun die Kräuter herausfiltern, aber auch einfach in der Flasche lassen. Kühl und dunkel aufbewahrt, hält Kräuteressig bis zu zwei Jahre.

Für die meisten Kräutersorten eignet sich Weißweinessig, denn er hat keinen ausgeprägten Eigengeschmack, auch feine Aromen können sich so entfalten. Rotweinessig passt nur zu kräftig duftenden Pflanzen wie Lorbeer oder Liebstöckel, Dill oder Fenchel, Thymian oder Rosmarin.

Der Klassiker ist der aromatische Estragon-Essig, aber auch das Aroma von Zitronenmelisse, Rosmarin, Basilikum, Salbei und anderen Kräutern lässt sich auf diese Weise konservieren. Knoblauch, Chili oder Zitronensaft verleihen ihm zusätzlich eine interessante Geschmacksnote.

Chutney

Eine weitere Methode der Konservierung ist die Herstellung von Chutneys – unverzichtbar in der indischen Küche –, die jedem Gericht eine pikante Note verleihen. Im Unterschied zum einfachen sauren Einlegen gibt man hier noch Zucker zu.

Zerkleinern Sie das gesamte Gemüse, beispielsweise Kürbis und Äpfel. Dann mit Ingwer, Chili, Senf und anderen Gewürzen nach Belieben mischen und alles in Apfelessig aufkochen. Lassen Sie alles so lange simmern, bis es weich ist, das dauert etwa 25 min. Nun wird der Zucker in die heiße Mischung gegeben und unter Rühren gekocht, bis er sich aufgelöst hat und eine dicke Masse entstanden ist, die man in sterilisierte Gläser füllt.

Ketchup

Auch beim Ketchup bedient man sich der konservierenden Wirkung von Essig. Besonders im Sommer zur Zeit der Tomatenschwemme ist das ein ideales Verfahren, um überschüssige Tomaten zu konservieren und stets eine leckere Soße zum Würzen im Haus zu haben. Die Herstellung ist ganz einfach:
- Tomaten mit Zwiebeln und Paprika mit einem Mixer pürieren.
- Salz, Zucker und Essig zugeben und die Masse in einem Topf kochen, den dünnen Saft immer wieder abschöpfen.
- Gewürz, z. B. Zimtstangen, Senfkörner, Pfeffer und scharfen Paprika in einem Säckchen mitkochen.
- Wenn das Ketchup die richtige Konsistenz erreicht hat, wird es heiß in Schraubflaschen gefüllt und kühl gelagert.

Eier in Würzessig

Eier kann man haltbar machen, indem man sie in eine Essig-Wasser-Mischung einlegt (für 10 Eier 375 ml Kräuteressig und 125 ml Wasser).

Zunächst kocht man die Eier hart, schält sie und legt sie ganz in ein sauberes Glas. Kochen Sie den Sud mit Gewürzen wie beispielsweise Piment, Knoblauch oder Senfkörnern auf, lassen ihn etwas abkühlen und schütten ihn dann in das Glas, sodass die Eier bedeckt sind. Das Glas luftdicht verschließen und an einem kühlen Ort aufbewahren.

Konservieren in Öl

Der konservierende Effekt beruht darauf, dass in einem wasserfreien Milieu keine Bakterien gedeihen können bzw. in ihrer Entwicklung behindert sind. Dieses Verfahren eignet sich aber nicht für eine langfristige Konservierung. Außerdem ist es nicht ganz billig, da Öl in größeren Mengen benötigt wird, und für die schlanke Linie ist in Öl eingelegtes Gemüse auch nur bedingt tauglich.

Zum Konservieren in Öl eignen sich vor allem Käse, Kräuter und auch verschiedenes Gemüse. Wichtig ist auch die Qualität des verwendeten Öls, besonders eignet sich gutes Olivenöl. Wenn Sie das Gemüse vor dem Einlegen ins Öl kurz in Essigsud aufkochen, erhöht sich die Haltbarkeit.

Käse wird in mundgerechte Stücke geschnitten, in ein Glas gelegt und dann mit Öl übergossen. Man kann die Käsewürfel auch vorher in einer Mischung aus getrockneten Kräutern und Pfeffer wenden und zusätzlich Knoblauch und Chili-Schoten mit ins Glas geben, je nach Geschmack.

In Öl Eingelegtes muss vor Licht bewahrt werden, da das Öl sonst schnell ranzig wird. Steht kein dunkler Raum zur Verfügung, dann wickeln Sie die Flaschen oder Gläser einfach in Aluminiumfolie ein.

Kräuter-Öle

Einige Kräuter geben ihre Würze und ihre Wirkstoffe gut an Öl ab, dazu gehören vor allem Thymian, Rosmarin, Oregano, Basilikum und Salbei, die von Natur aus reich an ätherischen Ölen sind. Man zupft dazu die trockenen Kräuter nicht zu klein und gibt sie in Flaschen aus hellem Glas, Licht begünstigt die Aufnahme der Kräuter-Inhaltsstoffe durch das Öl. Anschließend füllt man so viel Öl in die Flaschen, dass die Kräuter fingerbreit damit bedeckt sind, so wird verhindert, dass sie schimmeln. Gut eignen sich alle kalt gepressten Öle wie Sonnenblumen-, Distel- oder Rapsöl. Kalt gepresstes Olivenöl (»Extra Vergine«) hat einen starken Eigengeschmack, den nicht jedermann mag, der aber ganz hervorragend zu allen mediterranen Kräutern passt!

Die Flaschen mit dem Kräuter-Öl-Gemisch stellt man etwa drei Wochen lang an einen sonnigen Ort, z. B. an ein Südfenster, und schüttelt alle drei Tage, damit sich die Kräuteraromen und das Öl gut verbinden. Zum Schluss das Öl durch ein feines Sieb oder Baumwolltuch abgießen, die Rückstände auspressen und das fertige Öl an einem dunklen Ort aufbewahren.

Kalt gepresste Öle halten sich nicht lange, besonders wenn sie mit Kräutern versetzt sind. Deshalb immer nur so viel Kräuter-Öl ansetzen, wie man in ein paar Wochen verbrauchen kann.

Pesto

Aus eigener Erfahrung weiß ich, dass sich manche Kräuter ein paar Wochen recht gut konservieren lassen, wenn man sie mit dem Mixer oder im Mörser zerkleinert und zusammen mit Salz, Öl und eventuell Knoblauch zu einer Paste verrührt. Dazu eignet sich Basilikum am besten, aber auch frischer Bärlauch lässt sich auf diese Weise eine Zeit lang konservieren. Die fertig gemischte Paste wird in Schraubgläser gefüllt im Kühlschrank aufbewahrt, nach Bedarf entnimmt man sie löffelweise und verwendet sie zum Würzen oder als Pastasoße. Wichtig ist nur, nach jedem Entnehmen die Oberfläche der verbleibenden Paste wieder glatt zu streichen und mit einer dünnen Schicht frischen Öls zu bedecken, an der Luft würde die Paste unansehnlich und rasch verderben.

Pesto Genovese

Der Klassiker ist natürlich Basilikum-Pesto nach Genueser Art: Das Basilikum wird fein gehackt und im Mörser mit Salz, gerösteten Pinienkernen und Parmesan zu einer sämigen Masse verarbeitet, mit Olivenöl vermischt und abgefüllt.

9 Ernten und lagern

Alle Jahre wieder passiert es: Plötzlich stehen Unmengen Obst und Gemüse an, die man nicht auf einmal verzehren kann. Es geht jedoch darum, Vorräte anzulegen, um den Winter über immer wieder frische Nahrungsmittel zu haben, und auch darum, Geld zu sparen. Doch gehört dazu einiges Wissen und Know-how, denn ein Fehler, und alles ist dahin – was in vergangenen Zeiten ernsthafte Konsequenzen zur Folge hatte.

Richtig ernten

Am Anfang steht natürlich die Frage, wie man eigentlich richtig erntet – und vor allem, wann. Denn der richtige Zeitpunkt ist dafür verantwortlich, ob das Gemüse auch wirklich zart und knackig ist. Dabei ist eine zu frühe Ernte mindestens genauso fatal wie eine zu späte, und besonders unerfahrene Gärtner tendieren dazu, sich Zeit zu lassen und zu hoffen, dass das Gemüse vielleicht noch größer wird: aber überreifer Kohlrabi wird holzig, Radieschen werden zäh und Brokkoli beginnt zu blühen. Generell schmecken viele Gemüse zarter, wenn sie in einem jüngeren Stadium geerntet werden.

Ist es kühl, kann sich bei Gemüse der Erntezeitraum über ein bis zwei Wochen hinziehen, in heißen, trockenen Sommern ist das Zeitfenster deutlich enger und beträgt nur einige wenige Tage.

Das für die Lagerung vorgesehene Obst und Gemüse sollte eine Woche vor dem geplanten Erntetermin im Idealfall nicht mehr gewässert werden, auch das Düngen ist spätestens drei Wochen vorher einzustellen. Generell: Vorsicht mit Stickstoff, überdüngtes Obst und Gemüse ist schlechter haltbar als vernünftig gedüngtes.

Es versteht sich von selbst, dass bei der Ernte mit größter Sorgfalt vorgegangen wird. Jede Beschädigung reduziert die Haltbarkeit, nur gesundes und unverletztes Erntegut darf eingelagert werden. Auch darf es nicht zu lange in der prallen Sonne stehen.

Der richtige Zeitpunkt

Zwiebeln, Schalotten und Knoblauch sind erntereif, wenn die Blätter beginnen einzutrocknen. Diese können Sie dann zopfähnlich zusammenflechten und samt der daran hängenden Zwiebeln zum Trocknen an einen luftigen, schattigen Platz aufhängen. Alternativ lassen sich Zwiebeln auch in flachen Obstkistchen unterbringen, die übereinander gestapelt werden. Zwiebeln und Knoblauch vertragen keinen Frost, sie werden dann matschig und beginnen zu faulen.

Kartoffeln gräbt man vorsichtig mit einer Grabegabel aus, wenn der Erntezeitpunkt erreicht ist, der abhängig ist von der Reifegruppe der Kartoffeln. Die Kartoffeln sollen eine feste Schale besitzen, geerntet wird je nach Sorte von Juli bis Ende September.

Kürbisse sind erntereif, wenn der Stiel zu verholzen beginnt. Ein weiterer Test ist die Klopfprobe. Klingt der Kürbis beim Klopfen gegen die Schale hohl, dann ist er so weit. Warten Sie aber auch bei Kürbissen nicht zu lange. Vor dem ersten Bodenfrost sollte der letzte Kürbis geerntet sein.

Im Oktober können Sie grüne oder halbreife Tomaten noch ernten und bei ca. 20 Grad zum Ausreifen lagern. Ein Trick ist es, diese zusammen mit Äpfeln zu lagern, so erreichen die Tomaten schneller die Vollreife. Die Äpfel verströmen nämlich ein sogenanntes »Apfelgas« (Äthylen), das den Reifeprozess der Tomaten beschleunigt. Es stimmt übrigens nicht, dass Tomaten zum Reifen Licht brauchen. Sie können sie zum Nachreifen also auch an einem dunklen Platz aufbewahren. Wichtig ist lediglich eine gewisse Luftfeuchtigkeit. Packen Sie die Tomaten in einen Karton mit Deckel und legen Sie ein feuchtes Tuch dazu.

Obst und Beeren ernten

Obst ist erntereif, wenn sich die Früchte durch eine kleine Drehung leicht vom Baum lösen lassen. Sie sind zudem voll ausgefärbt und noch fest im Fleisch. Da nicht alle Früchte gleichzeitig den idealen Reifezustand erreichen, muss mehrmals durchgepflückt werden. Geerntet wird ab Mittag, wenn die Früchte trocken sind.

Äpfel sind pflückreif, wenn sich die Frucht durch leichtes Drehen vom Baum lösen lässt und der Stiel dabei an der Frucht bleibt. Frisch gepflückt schmecken sie am besten! Doch nicht alle Äpfel, die pflückreif sind, sind auch genussreif. Die Sorte Jonagold schmeckt beispielsweise erst nach 1 bis 2 Monaten Lagerung richtig gut.

Vorsicht bei der Ernte von Beerenfrüchten: Jede Verletzung der empfindlichen Beeren kann deren Haltbarkeit drastisch verkürzen. Die Anfälligkeit für Fäulnis- und Pilzinfektionen steigt. Beerenobst sollte innerhalb von 24 Stunden verzehrt oder verarbeitet werden. Gelagert wird es am besten kühl und trocken. So ist es maximal zwei Tage haltbar. Beerenfrüchte sollten bei der Ernte unbedingt trocken sein! Beginnen Sie beim Pflücken auf der Sonnenseite. Der ideale Zeitpunkt für die Ernte sind die Vormittagsstunden trockener Tage.

Brombeeren und Himbeeren werden vorsichtig vom Blütenboden abgezogen, Stachelbeeren, Erdbeeren und Johannisbeeren samt Stiel abgezwickt. Bringen Sie die Früchte innerhalb der nächsten halben Stunde ins Haus und stellen Sie sie an einen kühlen, trockenen Platz. Decken Sie die Schale auf keinen Fall mit Plastikfolie ab: Diese hält die Reifegase zurück und beschleunigt die Nachreife. Ein Leinentuch ist besser geeignet.

Stachelbeeren gibt es in vielen Sorten: grüne, gelbe, weiße und rote. Die Reife ist erreicht, wenn sie anfangen, weich zu werden. Grün oder halbreif geerntete Beeren offenbaren ihre süßsauren Qualitäten erst eingekocht, im Chutney oder als Marmelade, Kompott oder Grütze. Durch deren Auspflücken bilden sich schönere, große und voll ausgefärbte Früchte für den Sofortverzehr. Auch bei Stachelbeeren schneiden Sie nach der Ernte einige der ältesten Triebe dicht über dem Boden ab. Besonders wichtig ist das Auslichten der Triebe im Sommer: Auf diese Weise wird Mehltau verhindert.

Achten Sie bei der Ernte unbedingt auf Hygiene: Der Sammelbehälter sollte sauber und trocken sein. Nicht zu viele Früchte auf einmal ernten, die untersten werden sonst leicht zerquetscht.

Vorratshaltung und Lagerung

Lebensmittel produzieren und konservieren ist das eine, die richtige Lagerung, vor allem von frischem Obst und Gemüse, das andere. Der Winter ist lang und die Arbeit des Anbauens, Erntens und Haltbarmachens soll schließlich nicht umsonst gewesen sein. Aber auch zugekaufte Lebensmittel wollen sachgerecht eingelagert werden. Entscheidend für den Erfolg sind der Ort und, wenn nötig, das Gefäß oder Behältnis.

Lagern im Haus

Der Gedanke, Lebensmittel im Haus zu lagern, liegt natürlich nahe. Doch sind viele Kellerräume heutzutage zu trocken und zu warm, um dort Obst und Gemüse zu lagern. Die Lagermöglichkeiten in modernen Kellern lassen sich jedoch verbessern, indem der Betonboden regelmäßig mit Wasser be-

spritzt wird, um die Luftfeuchtigkeit zu erhöhen. Feuchte Ziegelsteine im Raum verteilt, sorgen für den gleichen Effekt.

In Bauernhäusern sieht man bisweilen noch Vorratsräume, die Speis, wie es im Bayerischen heißt, deren Böden aus gestampftem Lehm bestehen. Dies ist der Idealfall, sie sind kühl und luftfeucht. Sollten Sie einen solchen Raum planen, vergessen Sie aber nicht, unter die Lehmschicht einen feinen Maschendraht zum Schutz vor ungebetenen Eindringlingen auszulegen. Sind einmal Mäuse in der Speisekammer, wird es schnell unappetitlich, zumal diese auch, ohne zu zögern, Kunststoffflaschen, in denen sich Öl befindet, auffräsen, um an den begehrten Inhalt zu kommen.

Erschwerend kommt aber hinzu, dass man nicht einfach alles zusammen in einen Raum packen kann. Obst und Gemüse müssen getrennt aufbewahrt werden, da Früchte ein Reifegas ausströmen, das den Stoffwechsel des Gemüses beschleunigt: Kohlköpfe vergilben in der Folge, Möhren werden bitter und Zwiebeln beginnen zu treiben.

Ideal wäre es, über drei Lagerräume zu verfügen:
- einen für Obst mit einer Temperatur von 3 bis 6 °C und 90 Prozent Luftfeuchte,
- einen für Kartoffeln und Wurzelgemüse mit einer Temperatur von 1 bis 5 °C und ebenfalls 90 Prozent Luftfeuchte
- und einen für Blatt- und Zwiebelgemüse. Hier reicht eine Luftfeuchte von 70 Prozent bei Temperaturen von 2 bis 8 °C.

Kontrollieren und lüften

Ganz gleich, welchen Raum Sie verwenden, sämtliche Lagerräume müssen regelmäßig kontrolliert werden. Faules und Schimmeliges sollten Sie sofort aussortieren.

Ganz wichtig ist auch das regelmäßige Lüften. Bei frostfreiem Wetter können sie getrost ein Fenster Tag und Nacht geöffnet lassen, die Gefahr von Schimmelbildung ist in geschlossenen Räumen einfach zu groß. Das geöffnete Fenster sollte unbedingt mit einem Fliegendraht abgesichert werden und, wenn nötig, sogar mit einem stabilen Maschendraht, da sich besonders Siebenschläfer bisweilen als Einbrecherkönige erweisen und sich gerne in

Räumen austoben, in denen Obst gelagert ist. Ich spreche aus eigener, leidvoller Erfahrung. So possierlich es auch ist, wenn einen der Siebenschläfer über den Rand der Obstschüssel anschaut – sie verursachen Schäden, und es ist zudem hygienisch bedenklich. Also: Tiere müssen draußen bleiben.

Einrichtung des Lagerraumes

Da neben frischem Gemüse auch noch andere Vorräte eingelagert werden sollen, benötigen Sie entsprechende Regale und Schränke. Ich empfehle einfache Werkstatt-Regale aus Metall, da sich diese besser reinigen lassen als Holzregale.

Sämtliche Regale, Kisten, Eimer und auch die Räume müssen nämlich penibel gereinigt werden, bevor man sie neu füllt. Dabei werden Pflanzenreste beseitigt und der Raum gründlich gelüftet.

Sinnvoll ist auch ein spezielles Regal für die Lagerung von Flaschen, seien es selbst hergestellte Weine oder auch Öl und Saftvorräte. Aus Hohlsteinen kann man ein solches Regal leicht selbst bauen, doch nimmt es mehr Platz weg als einfache Flaschenregale. Die einfachste Lösung sind Regalbretter, auf die schmale Leisten geschraubt werden, zwischen denen die Flaschen liegen können, damit sie nicht seitlich wegrollen. Die Abstände der Regalböden können der Flaschengröße angepasst werden.

Weitere Einrichtungsgegenstände für einen Lagerraum sind Kisten, Kunststofffässer mit Deckel, eine Kartoffelkiste sowie diverse Dosen und Gläser in unterschiedlichen Größen, in denen die verschiedensten Dinge aufbewahrt werden können. Auch ein offener Schrank, dessen Türen mit Fliegendraht bespannt sind, leistet gute Dienste.

Praktisch ist auch eine Leiste mit Haken, an denen frei hängend Leinentaschen mit Zwiebeln, Nüssen, Schinken oder Würsten aufgehängt werden können.

> **Das Raumklima beeinflussen**
> - Vorratsräume sollen möglichst Richtung Norden oder Nordosten liegen
> - Luftfeuchtigkeit erhöhen: Gefäße mit Wasser aufstellen oder in Wasser getränkte Ziegelsteine
> - Luftfeuchtigkeit senken: Eine Schale mit ungelöschtem Kalk (Vorsicht! Stark ätzend, kindersicher aufstellen) in den Raum stellen oder Chlorkalk auf ein schräg stehendes Holzbrett streuen, das in einer Schüssel steht.

Wenn Sie einen Kühlschrank im Vorratsraum planen, beachten Sie, dass dieser warme Luft abgibt und sich die Raumtemperatur entsprechend erhöht, das kann unter Umständen zu einem Problem werden. Kühlschränke und Tiefkühltruhen daher besser für einen anderen Ort im Haus vorsehen oder gleich auf einen Erdkeller ausweichen (siehe unten).

Lagermöglichkeiten außerhalb des Hauses

In der Regel steht im Haus nicht ausreichend Platz zur Verfügung, um größere Vorräte zu den oben genannten Bedingungen einzulagern. In diesem Fall müssen wir auf andere Möglichkeiten ausweichen. Entscheidend ist lediglich eines: Das Erntegut muss vor Dauerfrost geschützt sein.

Ideal zum Aufbewahren von Wintergemüse sind kühle, frostfreie Wintergärten. Gelagert wird nach Sorten getrennt in Kisten, die vor direkter Sonne geschützt aufgestellt werden. Auch der Gartenschuppen kann zum Winterlager umfunktioniert werden.

Erdkeller – ein Muss für Selbstversorger

Etwas aufwendiger, aber in jedem Fall lohnend, ist der Bau eines Erdkellers, der gewissermaßen den Kühlschrank ersetzen kann. Der Erdkeller bietet im Sommer angenehme kühle Temperaturen, und im Winter bleibt er frostfrei. Hinzu kommen die hohe Luftfeuchtigkeit, die Gemüse und Obst knackig bleiben lässt, sowie die Dunkelheit. Vor allem im Sommer können die Feuchtigkeitswerte im Keller auf bis zu 99 Prozent relative Feuchtigkeit steigen, wenn wärmere Luft in den kühlen Keller streicht. Da warme Luft mehr Feuchtigkeit aufnehmen kann als kalte, steigt die relative Luftfeuchtigkeit an. Umgekehrt wird der Keller im Winter trockener, wenn kalte Luft in den jetzt relativ wärmeren Keller gelangt.

Aus ökologischer Sicht ist der Erdkeller ein wahres Goldstück, bedenkt man, wie viel Energie ein Kühlschrank und die Gefriertruhe benötigen. Zudem wird Salat im Kühlschrank bei Weitem nicht so lange halten wie im Erdkeller. Wer einen eigenen Gemüsegarten und Obstgarten hat, weiß, wie viel Gemüse in kurzer Zeit zur Verfügung steht und gelagert werden muss, damit es nicht verdirbt. Hierzu ist der Kühlschrank zu klein, der Erdkeller ist in jedem Fall die bessere Lösung.

Überlegungen vorab

Ein Erdkeller will gut geplant sein. Dazu gehört nicht nur die Ermittlung des idealen Standortes, sondern auch, die zukünftige Größe festzulegen und sich über das Budget im Klaren zu sein.

Damit der Erdkeller einwandfrei funktioniert, muss man sich auch Gedanken über die Statik machen. Er wird schließlich am Schluss noch eine mindestens 0,5 bis 0,75 m dicke Erdschicht tragen müssen. Die Baugrube des Erdkellers muss eine gewisse Tiefe haben, wenn in diesem Fall der Grundwasserspiegel zu hoch ist, kann das ein Problem werden. Diese Dinge sind möglichst vorab zu klären.

Der ideale Standort des Erdkellers sollte weitgehend im Schatten liegen.

Die Nordseite ist ideal, eine Nordhanglage nahezu perfekt. Steht nur ein Südhang zur Verfügung, muss man einen Vorraum mit einplanen, der als Kältebrücke dient und das Aufwärmen der Tür zum Hauptraum des Erdkellers verhindert. Die Seitenwände sollten nach Osten und Westen zeigen, der Eingang im Norden liegen. Dies ist für das Raumklima und die Lüftung von großer Bedeutung.

Der Bau

Eine genaue Bauanleitung für einen Erdkeller würde den Rahmen dieses Buches sprengen und wäre auch nicht angemessen, da es verschiedene Möglichkeiten gibt. Diese reichen von Betonröhren, die man unter einem Erdmantel verschwinden lässt, über vorgefertigte komplette Kellerräume aus Kunststoff, die nur noch eingegraben werden, bis zum traditionellen, gemauerten Keller in Form eines Ziegelgewölbes. Für Letzteres muss in jedem Fall ein Fachmann hinzugezogen werden.

An der Vorderseite des Kellers befindet sich die abschließbare Türe. Planen Sie so, dass sie durch diese auch mit dem Schubkarren bequem hindurchfahren können, um beispielsweise Obstkisten hineinzubringen. Meist wird der Eingang jedoch unterhalb des eigentlichen Bodenniveaus liegen und Stufen zu ihm herabführen. Im Idealfall kann der Gewölbekeller in einen Hang getrieben und dann ebenerdig begangen werden.

Das Prinzip ist immer das gleiche: Eine dicke Erdschicht über dem Raum verhindert ein Aufwärmen im Sommer und ein Zufrieren im Winter. So ist nahezu das ganze Jahr über eine konstante Temperatur und Luftfeuchtigkeit gewährleistet. Der Boden im Raum besteht idealerweise aus gestampftem Lehm, kann aber auch einen Belag aus Ziegelsteinen oder Steinplatten haben.

Um Schimmelbildung zu unterbinden, wurden Gewölbekeller früher mit rein mineralischem Sumpfkalk gekalkt, der eine stark desinfizierende Wirkung besitzt.

Das Prinzip des Erdkellers

Aus Ziegelsteinen errichtete Erdkeller in Gewölbeform haben gleich mehrere Vorteile. Erst einmal das Baumaterial: Ziegel wirken positiv auf das Raumklima, da sie Temperaturen sehr gut speichern und so für Temperaturträgheit im Raum sorgen. Deshalb ist auch ein Wohnhaus aus Ziegelsteinen im Sommer tagsüber angenehm kühl und in der kühlen Nacht wärmend.

Hinzu kommt die Bauform: Im Gewölbe gibt es keinen Lüftungsstau in Ecken und Kanten. Die Luft kann frei zirkulieren. Da warme Luft nach oben steigt, wird die Entlüftung immer im höchsten Scheitelpunkt des Raumes vorgesehen. Automatisch sucht sich die leichtere, warme aufsteigende Luft ihren Weg nach draußen. Durch den Kamineffekt wird im Gegenzug frische kühle Luft durch seitliche Lüftungsschlitze nachgezogen. Abhängig von den örtlichen Gegebenheiten funktioniert dieses Prinzip ganz von allein auf natürliche Weise.

Gemüse in Erdmieten lagern

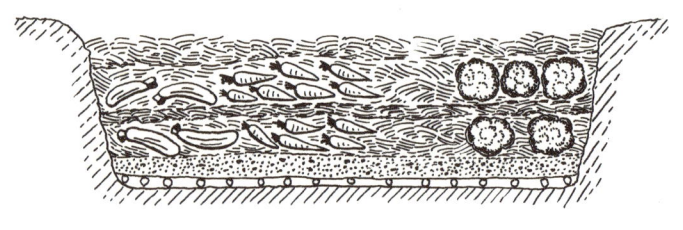

Erdmieten sind geradezu ideal zur Einlagerung größerer Mengen an Wurzelgemüsen. Sie lassen sich in jedem Garten anlegen. Heben Sie die benötigte Fläche ca. zwei Spatenstiche tief aus und legen Sie zum Schutz gegen Mäuse feinmaschigen Draht auf den Grund der Grube. Den Boden legt man mit Sand oder Kies aus, darauf wird eine dünne Schicht Laub oder Stroh gestreut, auf die man eine Lage frisch geerntetes Gemüse legt, darauf kommt wieder eine Lage Stroh und Laub usw. Waschen muss man das Erntegut nicht, eine dünne Erdschicht hemmt die Verdunstung, und das Gemüse bleibt länger knackig. Außerdem fault gewaschenes Gemüse schneller. Das Laub entfernt man nicht vollständig, einige Herzblätter werden an den Wurzeln belassen.

Zwischen jede Schicht kommt wieder Laub oder Stroh, ganz zuoberst

kommt auf die Strohschicht eine dicke Erdschicht, allerdings mit etwas Sand vermischt, damit er nicht vernässt und klumpt. Eine Handvoll Stroh ragt heraus zur Entlüftung. Durch das Stroh unter der Erdschicht bleibt diese locker, friert nicht fest, und man kommt selbst bei strengem Frost leicht ans Gemüse. Auf diese Art kann man Möhren, Kartoffeln, Sellerie, Rettich, Rote Bete oder Wurzelpetersilie, aber auch Obst lagern und frisch halten. Lauch lagert man nicht wie das Wurzelgemüse. Er wird eingeschlagen, kommt also senkrecht direkt in die blanke, sandige Erde. Welke Blätter entfernt man nicht, und auch die Wurzeln bleiben dran. Sonst würde der Lauch über den Winter austrocknen.

Bei Mäusegefahr ringsum legen Sie am besten einen Maschendraht an, dessen Enden wie bei einem Schneckenzaun nach außen umgebogen werden. Bei Regen alles mit einer Plane oder Folie zusätzlich abdecken.

Der ideale Platz für eine solche Erdmiete ist in Hausnähe und im Schatten.

Lagern in Erdfässern

Sollen nur kleine Mengen eingelagert werden, reicht es, einen Behälter in den Boden einzugraben, beispielsweise einen Plastikeimer mit Deckel. In diesen wird in der Mitte ein Loch gebohrt, in das man senkrecht einen Schlauch befestigt, der später etwa 15 cm über die Grubenabdeckung hinausragt und dem Gasaustausch dient. Damit es nicht hineinregnet, wird am oberen Ende ein Draht in den Schlauch hineingesteckt und wie ein Spazierstock umgebogen. Der Draht sorgt dafür, dass die Krümmung erhalten bleibt. Solche Eimer eignen sich beispielsweise zur Aufbewahrung von Möhren und anderen Wurzelgemüsesorten.

Lagern im leeren Hochbeet

Eine Variante der Erdmiete ist das leer geräumte Hochbeet oder ein Frühbeetkasten. Beide eignen sich ideal zum Einlagern von Wurzelgemüse wie

Pastinaken, Sellerie, Möhren oder Petersilienwurzeln. Auch empfindliche Schwarzwurzeln finden dort einen Platz und halten sich mehrere Wochen. Konventionell im Kühlschrank gelagert, würden sie nach wenigen Tagen ihren Biss verlieren, weich und schwammig werden. Die Schwarzwurzeln legt man einzeln nebeneinander, robusteres Wurzelgemüse darf ruhig geschichtet werden. Dabei geht man vor wie bei der Erdmiete beschrieben.

Im Frühjahr, wenn die Vorräte aufgebraucht sind, werden die Beete dann wieder mit Erde befüllt und neu bepflanzt.

Lagern in Sandkisten

Besonders Wurzelgemüse und Möhren lassen sich gut in Behältern lagern, die mit feuchtem Sand gefüllt sind. Am einfachsten geht das in einer Wanne oder Holzkiste: Dabei werden die Möhren schräg in den Sand gesteckt, sodass nur das Grüne, vor allem die Herzblättchen, herausragen, damit die Wurzel nicht austrocknet oder schimmelt. Bei Temperaturen um die 3 °C und einer Luftfeuchtigkeit von ca. 90 Prozent behalten Möhren auf diese Weise lange ihre knackige Frische.

> **Tipp**
> Für alle Methoden der Lagerung und Haltbarmachung gilt: Nach etwa einem Jahr sollten die Vorräte verbraucht sein und durch neue ersetzt werden. Denn je länger Vorräte lagern, umso mehr Inhaltsstoffe gehen verloren.

Kartoffeln lagern

Frisch geerntete Kartoffeln aus dem eigenen Garten müssen vor der endgültigen Lagerung für etwa zwei Wochen in einem dunklen Raum nachtrocknen, damit die Schalen aushärten können. Danach lagert man sie in einem dunklen, kühlen und frostfreien Raum. Licht und Wärme lassen Kartoffeln vergrünen

und fördern das frühzeitige Keimen. Dabei bildet sich das giftige Solanin.

Für die Lagerung von Kartoffeln eignen sich spezielle Kartoffelkisten, die unten eine Schütte besitzen, aus der sie einzeln entnommen werden können. Sie rutschen dann immer wieder nach. Auf diese Art ersparen Sie sich die sonst notwendige Kontrolle der besonders gefährdeten unteren Vorratsschicht. Sicherheitshalber eine Decke, alte Zeitungen oder einen Kartoffelsack als Lichtschutz über die Kiste ausbreiten.

Beschädigte Kartoffeln lagert man zunächst separat in einem wärmeren Raum ein, die höheren Temperaturen fördern das Verkorken der Wunden. Ausgeheilte Kartoffeln können dann wieder normal im kühlen Lagerraum gelagert werden.

Größere Mengen an Kartoffeln lagert man in Erdmieten oder Erdkellern. Sie vertragen kurzzeitig Temperaturen bis zu –6 °C.

Das Wichtigste ist lediglich, dass Kartoffeln dunkel gelagert werden. Auch kleinere Mengen sollte man in der Küche nicht länger bei Licht liegen lassen. Licht und Wärme fördern zudem das frühzeitige Keimen, wodurch sie ungenießbar werden.

Kartoffeln nicht in der Nähe von Äpfeln oder Gemüse lagern!

Wie viel Kartoffeln?

Kartoffeln werden in den Monaten Oktober/November eingelagert. Bei normalem Verbrauch rechnet man pro Person etwa 50 kg als Wintervorrat.

Obst lagern

Niedrige Temperatur und hohe Luftfeuchte, das sind die wichtigsten Anforderungen an ein Obstlager. In Kellern, Felsenkellern oder Garagen herrschen relativ konstante Temperaturen von maximal 10 °C, manchmal aber auch nur 6 °C. Im Erwerbsanbau werden zur Apfellagerung Temperaturen von 1 bis

> **Tipps zur Lagerung von Obst**
> - Lagerobst behutsam pflücken und Verletzungen vermeiden. Madige oder kranke Früchte sofort verarbeiten oder verzehren.
> - Zum Lagern eignet sich grundsätzlich alles festfleischige Obst. Bewahren Sie Obst nach Sorten getrennt auf.
> - Die ideale Lagertemperatur beträgt 3 bis 6° Celsius, die Luftfeuchte sollte um die 90 Prozent liegen. Angefeuchtete Ziegelsteine oder Wasserschalen in trockenen Räumen verbessern das Raumklima.
> - Kontrollieren Sie wöchentlich und entfernen Sie faulende Früchte. Lüften Sie regelmäßig!
> - Obst und Gemüse immer getrennt lagern.

5 °C empfohlen, somit sind die Bedingungen im Keller für die Lagerung fast ideal. Die Luftfeuchte sinkt dabei nie unter 90 Prozent, ist meist sogar höher.

Für die Lagerung von Obst eignen sich nur Früchte, die unbeschädigt sind. Grundsätzlich kann nur festfleischiges Obst mit harter Schale wie Äpfel oder manche Birnen länger aufbewahrt werden. Madige, kranke und abgefallene Früchte werden sofort verbraucht.

Bewahren Sie Obst nach Sorten getrennt auf. Am besten für die Lagerung geeignet sind Äpfel. Sie halten besonders lange, wenn sie einlagig auf saubere Holzregale oder in mit Holzwolle ausgelegte Obstkisten gelegt werden. Der Stiel zeigt dabei nach oben. Auch hier regelmäßig kontrollieren und Äpfel mit Faulstellen sofort entfernen.

Kühl gelagert halten Äpfel über Monate. Kleine Mengen lassen sich gut in Klarsichtbeuteln aufbewahren, in die Sie vorher mit einer Stricknadel Luftlöcher stechen.

Die Lagerfähigkeit hängt stark von der Apfelsorte ab: Typische Winteräpfel wie »Boskoop« halten sich unter guten Lagerbedingungen bis zum Februar, Sommeräpfel wie z. B. der Klarapfel eignen sich nur für den sofortigen Verzehr.

Gemüse lagern

Kohlarten, Lauch, Sellerie, Endivien und Zuckerhut erntet man mit Wurzeln und stellt sie aufrecht in einen flachen Behälter, dessen Boden mit feuchter Erde bedeckt ist. So bleibt alles deutlich länger frisch als ohne Wurzeln. Vorher rollt man die Köpfe und Rüben einzeln in Zeitungspapier ein, ohne sie zu pressen, so wird zusätzlich die Verdunstung von Wasser reduziert. Auf diese Art können auch Salate länger frisch gehalten werden. Statt der Zeitung kann man auch feuchte Küchenrolle verwenden.

Frische Zwiebeln aus dem Garten müssen erst einmal an einem vor Feuchtigkeit geschützten Ort etwa zwei Wochen nachtrocknen. Man kann sie dann zu Zöpfen flechten und aufhängen oder einlagig in Kisten lagern und möglichst kühl aufbewahren. Zwiebeln vertragen kurzzeitig Frost.

> **Tipp**
>
> Sauerkraut, Salzgurken und andere leicht gärende Vorräte sollten möglichst nicht in der Nähe von Kartoffeln, Obst oder Frischgemüse lagern.

Gemüse lagern und frisch halten

Gemüseart	Lagerungsmöglichkeit
Aubergine	Im Gemüsefach des Kühlschranks und im Erdkeller einige Tage haltbar.
Blumenkohl	Lagerung bedingt möglich, mit Wurzeln kopfunter in kühlem, dunklen Raum.
Brokkoli	Nach der Ernte rasch verarbeiten.
Chinakohl	Mit Wurzeln ausgraben, in Zeitungspapier wickeln und in einer Wanne bei 4 bis 5 °C aufbewahren.
Grünkohl	In feuchtes Papier einschlagen, er bleibt im Kühlschrank und Erdkeller einige Tage frisch.
Gurke	Im Gemüsefach des Kühlschranks einige Tage haltbar.

Gemüseart	Lagerungsmöglichkeit
Knollenfenchel	Mit Wurzeln ausgraben, äußere Blätter entfernen und in einer Kiste mit feuchtem Sand einschlagen und bei 3 bis 5 °C aufbewahren.
Knollensellerie	Lagenweise in eine Kiste mit feuchtem Sand einschlagen.
Kohlrabi	Beblätterte Knollen sind an einem kühlen, dunklen Ort 8 bis 14 Tage haltbar.
Kopfkohl	Auf Holzregal in kühlem Raum oder in Erdmiete lagern.
Kürbis	Bei 10 bis 12 °C lange haltbar.
Möhren	Lagenweise in eine Kiste mit feuchtem Sand einschlagen.
Pak Choi	Mit Wurzeln ausgraben, in Zeitungspapier wickeln und in einer Wanne bei 4 bis 5 °C aufbewahren.
Paprika	Im Gemüsefach des Kühlschranks oder im Erdkeller einige Tage haltbar.
Radieschen	An einem kühlen Ort in Sand einschlagen.
Rettich	An einem kühlen Ort in Sand einschlagen.
Rosenkohl	Mit Wurzeln gerodete Pflanzen im Frühbeet einschlagen.
Spargel	In feuchtes Küchenpapier oder in ein feuchtes Tuch gewickelt bleibt er im Kühlschrank einige Tage frisch.
Zucchini	Im Gemüsefach des Kühlschranks und im Keller einige Tage haltbar.
Zwiebeln	Zöpfe binden und in einem kühlen Raum aufhängen.

Getreide lagern

Getreide in Form von Körnern ist gelagert länger haltbar als gemahlenes, Sie brauchen lediglich eine Getreidemühle, um bei Bedarf zu mahlen. Ideale Behälter für die Lagerung größerer Mengen Getreide sind lebensmittelechte Tonnen mit Deckel aus Kunststoff. Da sie regelmäßig geöffnet werden, um vom Inhalt zu entnehmen, ist für eine ständige Belüftung gesorgt. Es ist auch empfehlenswert, das Getreide regelmäßig zu bewegen, es also durchzurühren.

Frisch geerntetes Getreide aus dem eigenen Anbau muss, bevor es gelagert werden kann, auf einem Holzboden flach ausgebreitet für 2 bis 3 Wochen

getrocknet werden. Während der ersten Woche die Körner regelmäßig umschaufeln und wenden.

Vor dem Einlagern empfehle ich, die Körner auf den Befall mit Mutterkornpilzen zu kontrollieren, befallene sind sofort auszusortieren. Verunreinigungen mit Mutterkorn können lebensgefährlich sein. Man erkennt Mutterkornpilze sofort, da es sich um ein längliches, bananenförmiges schwarzes Gebilde handelt, das deutlich größer ist als die Getreidekörner.

Und natürlich immer auch darauf achten, dass keine Tierchen mit in den Vorratsbehälter wandern.

Weizen:
Weizen enthält neben den Kohlenhydraten kostbares pflanzliches Eiweiß sowie ungesättigte Fettsäuren und die lebensnotwendigen Fermente und Vitalstoffe. Bei richtiger Lagerung mit einem Feuchtigkeitsgehalt unter 12 Prozent ist Weizen beinahe ewig lager- und keimfähig, sofern Feuchtigkeit und Temperatur stimmen. Dann kann Weizen über Zeiträume von 15 bis 20 Jahren eingelagert werden.

Gerste:
Mit einem Eiweißgehalt zwischen 12 bis 15 Prozent ist Gerste ein hervorragender Lieferant von Aminosäuren auch für den menschlichen Organismus. Gerste ist bei richtiger Lagerung problemlos über 10 Jahre lagerfähig.

Hafer:
Hafer sollte als Nackthafer eingelagert werden. Nackthafer hat einen im Vergleich mit anderen Sorten einen höheren Gehalt an hochwertigen Ölen und Fermentstoffen. Mit einem Eiweißgehalt von 14 bis 20 Prozent ist er ebenso ein hervorragender Lieferant von Aminosäuren. Hafer ist 3 bis 5 Jahre lagerfähig.

Reis:
Mit einem Anteil von etwas über 75 Prozent an Kohlenhydraten ist Reis ein sehr guter Energielieferant. Trotz seines relativ geringen Eiweißgehalts von 7 bis 8 Prozent ist er reich an Mineralien. Die Haltbarkeit von braunem Vollkornreis ist auf 2 bis 4 Jahre begrenzt. Weißer Reis ist zusätzlich poliert und eignet sich mit einer Haltbarkeit von 10 bis 12 Jahren besser für die langfristige Lagerung.

Roggen:
Roggen ist reich an der Aminosäure Lysin, und den in ihm enthaltenen hohen Mengen an Pentosanen wird eine krebsvorbeugende Wirkung zugeschrieben. Er ist vier bis sechs Jahre lagerfähig und eignet sich für die Bevorratung bestens.

Hülsenfrüchte lagern

Der Begriff Hülsenfrüchte umfasst eine Gruppe von Lebensmitteln, dazu zählen u. a. Erbsen, Bohnen, Linsen, Kichererbsen, Ginster, Klee, Lupinen, Wicken und Sojabohnen sowie die Erdnuss. Sie enthalten jede Menge wasserlösliche Ballast- und Mineralstoffe wie Magnesium, Kalium und Eisen sowie Eiweiß. Besonders Letzteres macht sie zu einem unverzichtbaren Lebensmittel, speziell für Vegetarier, die kein tierisches Eiweiß mit der Nahrung zu sich nehmen.

Hülsenfrüchte eignen sich ideal zur Bevorratung, in getrockneter Form sind sie sehr lange haltbar. Getrocknete Hülsenfrüchte werden in einem gut verschlossenen Behälter an einem kühlen, trockenen und lichtgeschützten Ort aufbewahrt. Ganze, ungeschälte Samen sind ohne Qualitätseinbußen ein Jahr und länger haltbar. Geschälte Hülsenfrüchte halten sich nur etwa sechs Monate. Zu lange und zu warm gelagerte Hülsenfrüchte verlieren ihre Farbe und werden runzlig, was wiederum die Garzeit deutlich verlängert. Auch der Geschmack leidet, sie riechen und schmecken dann muffig.

Walnüsse

Walnüsse sind maximal ein Jahr ohne Qualitätsverlust haltbar – unter optimalen Lagerbedingungen und wenn sie zuvor in der Schale gut abtrocknen konnten. Dazu werden sie nach dem Aufsammeln ganz kurz unter Wasser gehalten – damit kein Wasser in die Nuss kommt – und danach in der Sonne getrocknet. Sie müssen dann noch etwa 5 Wochen an einem gut belüfteten,

warmen Ort trocknen, damit sie im Lager nicht schimmeln. Dabei nicht vergessen, sie öfter zu wenden. Sollte man die Walnüsse nicht im Freien trocknen können, so kann man sie bei einer Temperatur zwischen 18 und 24 °C im Raum trocknen. Über 25 °C sollte die Temperatur aber nicht steigen, da die Walnuss sonst ranzig und ungenießbar wird.

Die Lagerung erfolgt an einem kühlen, trockenen und luftigen Ort im Dunkeln, z. B. im Keller. Dort behalten sie in der Schale ihren Geschmack und ihren Nährstoffgehalt. Geschälte Walnüsse nehmen schnell kräftige Gerüche an, sodass der Geschmack durch andere Lebensmittel in der Nähe beeinträchtigt wird. Es empfiehlt sich nicht, Walnüsse in der Schale oder die Kerne gemeinsam mit Fisch, Käse, Knoblauch, Zwiebeln oder Äpfeln zu lagern. Eine Möglichkeit ist aber, sie luftdicht einzuschweißen oder einzufrieren.

Und noch etwas: An der Spitze der Schale von Walnüssen befindet sich eine winzige Öffnung, groß genug für die Larven der Lebensmittelmotten, die es sich dann im Inneren bequem machen und auf den erlösenden Nussknacker warten. Die Nüsse also nie offen lagern, sondern aufgehängt in einem Stoffbeutel oder Leinensack.

Werden Nüsse falsch gelagert, also zu warm oder zu feucht, können sie schnell ranzig werden oder schimmeln. Wenn sie ranzig sind, beeinträchtigt das lediglich den Geschmack, es ist aber nicht weiter gefährlich. Ob eine Nuss ranzig ist, erkennt man am Geruch und am Geschmack. Sobald eine Nuss also komisch riecht oder schmeckt, weg damit.

Schimmeln die Nüsse, können sich dagegen gesundheitsschädliche Stoffe bilden, die auch durch Backen oder Braten nicht zerstört werden. Das geschieht nicht bei einmaligem Verzehr, aber in der Summe kann es zu einer Schädigung der Leber kommen.

Im Gefrierfach sind Nüsse gut ein Jahr haltbar.

Haselnüsse

Haselnüsse müssen nach der Ernte 1 bis 2 Wochen an einem luftigen Ort getrocknet werden, wobei man sie öfter wendet. Sie sind danach 2 bis 3 Monate lagerfähig. Man kann sie auch knacken und die Nusskerne einfrieren, um sie länger haltbar zu machen.

Esskastanien

Im Kühlschrank sind Maronen etwa 10 Tage lagerfähig. In Plastiktüten verpackt, schimmeln sie rasch, man kann sie auch schälen und einfrieren. Eine gute Konservierungsmethode ist das Dörren. Getrocknete Esskastanien können zu Mehl vermahlen werden, mit dem man auch backen kann. Da sie glutenfrei sind, eignet sich dieses Mehl besonders gut für Menschen mit Zöliakie.

Geeignete Vorratsgefäße und -behälter

Wie bereits erwähnt, eignen sich für die Einlagerung von Getreide spezielle Kunststofffässer, da die Lagerung größerer Mengen sinnvoll ist. Von vielen Lebensmitteln reichen aber kleinere Mengen, und dafür steht eine große Auswahl an Dosen und Boxen zur Verfügung.

Ich bevorzuge generell für die Einlagerung von Gewürzen, Flocken, Trockenfrüchten etc. Einweckgläser, die mithilfe eines Gummis luftdicht verschlossen werden können. Diese gibt es inzwischen in allen Größen, sie sind nicht immer ganz billig, aber die Anschaffung macht sich bezahlt. Diese Gläser haben nämlich den großen Vorteil, dass der Inhalt für die Larven der Lebensmittelmotten nicht erreichbar ist. Gläser mit einem einfachen Schraubdeckel stellen für sie dagegen kein großes Hindernis dar. Die Weibchen legen die Eier nämlich unter den Rand des Deckels ab, und die schlüpfenden, winzig kleinen Larven kriechen einfach über das Gewinde in das Glas, wo sie sich über den Inhalt hermachen.

Flaschen und Boxen aus Kunststoff sind günstiger im Preis, und es gibt verschiedene Systeme stapelbarer Boxen, die den Raum ideal ausnutzen – doch dürfen diese nur in garantiert mäusefreien Räumen verwendet werden. Ich habe sogar schon erlebt, dass Mäuse den Deckel von stabilen Gewürzdosen durchgenagt haben, in denen sich Chilipulver befand. Mit anderen Worten: Hungrige Mäuse schrecken vor nichts zurück.

Dosen aus Metall mit fest verschließbarem Deckel eignen sich ebenfalls gut

zum Aufbewahren von Nudeln oder Mehl in der Originalverpackung, hier haben Mäuse erst gar keine Chance. Vergessen Sie nur nicht, solche Dosen regelmäßig zu lüften, sollten Sie längere Zeit nichts entnommen haben.

Kühlen ohne Kühlschrank

Noch in den 50er-Jahren des letzten Jahrhunderts gehörten Kühlschränke nicht selbstverständlich zur Kücheneinrichtung, sie waren ein begehrter Luxusartikel. Die Menschheit ist also den größten Teil ihrer Geschichte ohne einen solchen ausgekommen und hat sich auf andere Weise beholfen. Es lohnt sich, diese alten Haushaltstechniken einmal genauer anzusehen, sollte der Strom unerwartet einmal nicht mehr aus der Leitung kommen:

- Butter und Fette kühlte man in sogenannten Butterkühlern. Dazu stellte man eine Glasschüssel in ein mit Wasser gefülltes Tongefäß. Durch das im porösen Ton verdunstende Wasser wird Kühle erzeugt.

Kühlschrank im Eigenbau

Für die Sommermonate kann man sich einfach einen Kühlschrank bauen, der sogar bei größter Hitze hervorragend funktioniert. Das Prinzip beruht wieder auf der Verdunstungskälte, das heißt, sobald Wasser verdunstet, entzieht es die dafür notwendige Energie seiner Umgebung.

Bauen Sie aus Dachlatten einen Rahmen für eine Kiste, die Unterseite ist geschlossen, die fünf anderen Seiten bleiben offen. Bespannen Sie nun die Seitenwände, die Rückwand und die Oberseite mit einem Hasendraht. In der Kiste bringen Sie entweder eine Querleiste für Haken an, an denen das zu kühlende Gut aufgehängt wird, oder aber Sie planen richtige Roste ein. Stellen Sie dort Ihre Lebensmittel hinein und breiten Sie ein feuchtes Tuch über die Kiste. Alles, was Sie tun müssen, ist dafür zu sorgen, dass das Tuch nicht trocken wird. Bequem ist es, wenn Sie die gesamte Kühlbox in eine größere, mit Wasser gefüllte Wanne stellen und das Tuch ins Wasser reicht. So müssen Sie dann nur ab und zu Wasser nachfüllen.

- Milchflaschen und auch Bier können kühl gehalten werden, indem man sie in ein feuchtes Tuch (Salz) wickelt und in Zugluft stellt.
- Auch in feuchte Tücher gehüllte Thermosflaschen halten Getränke lange kühl.
- Fleisch und Wurst kann man kühlen, indem man sie in einen Tontopf legt, der wiederum in ein größeres Gefäß gestellt wird, das mit Wasser gefüllt ist. Über den inneren legt man ein feuchtes Tuch, das bis ins Wasser reicht.

> **Faustregel zur Lagerung von Grundnahrungsmitteln**
> - so trocken wie möglich
> - bei möglichst niedrigen Temperaturen
> - so wenig Kontakt mit Sauerstoff wie möglich
> - geschützt vor Sonnenlicht
>   - in luft- und wasserdichten Behältnissen

Was gehört in den Notvorrat

Ängstliche Gemüter und solche, die täglich mit dem Schlimmsten rechnen, fühlen sich wohler, wenn sie Vorräte im Haus wissen, die ihnen mindestens für einige Monate ein Überleben sichern. Dies hat nun nichts mit Selbstversorgung zu tun, doch möchte ich das Thema nicht ganz unter den Tisch fallen lassen, da es hier zumindest Überschneidungen gibt. Schon ein Stromausfall, Überschwemmungen oder ein starker Sturm können zu Versorgungsengpässen und dem Zusammenbruch der Infrastruktur führen, Ereignisse, die ja nun auch bei uns nicht mehr selten sind. Notvorräte sind also in jedem Fall sinnvoll. Besonders in abgelegenen ländlichen Lagen ist es wichtig, bestimmte Dinge im Haus ständig vorrätig zu haben. Was genau das sein kann, muss natürlich jeder für sich selbst entscheiden. Dies gilt besonders für die vorgesehenen Mengen.

Nach allgemeinen Empfehlungen gehören folgende Dinge in den Notvorrat:

Notwendige Utensilien:
- Einweg-Feuerzeuge oder ein Benzin-Feuerzeug, Streichhölzer werden zu schnell feucht
- Batterien
- Taschenlampen und ein Akku-Scheinwerfer mit Ladestation
- Haushaltskerzen
- Toilettenpapier
- Schnüre, Nägel, Sägeblätter, Holzschrauben, Klebeband
- Erste-Hilfe-Kasten, Pflaster, Dreieck-Tücher, wichtige Medikamente
- Gasflasche für den Kochherd, Holzvorräte

Konserven:
Das »Verfallsdatum« einer Konserve bedeutet nicht, dass mit dem Ablauf der Inhalt schlecht wird. Es handelt sich vielmehr um ein Garantiedatum, bis zu dem der Hersteller die Verantwortung übernimmt. Konserven guter Qualität können auch nach Jahren noch genießbar sein.

Lagern Sie auf keinen Fall Dosensuppen ein, Trockensuppen sind jedoch brauchbar. Wurst- und Fischkonserven in Dosen sind gut haltbar und nahrhaft. Das gilt auch für Gemüse in Dosen oder Gläsern. Letzteres sollte man vor Licht schützen und bedenken, dass Glas zerbrechlich ist.

Auf traditionelle Weise Eingemachtes aus eigener Produktion ist immer zu empfehlen, aber unbedingt auf die richtige Verarbeitung achten.

Lebensmittel:
Bevorzugt werden Lebensmittel eingelagert, die lange haltbar sind oder eingemacht wurden. Tiefkühlkost scheidet aus, da bei einem längeren Stromausfall alles verderben würde.
- Getrocknete ungeschälte Hülsenfrüchte sind haltbar, nahrhaft und proteinreich.
- Reis und Getreide sind haltbar, solange sie trocken bleiben.
- Hafer und Haferflocken sind haltbar und ein guter Energie-Spender.
- Mehl hält sich zwar lange, doch es empfiehlt sich, das Getreide erst bei Bedarf zu mahlen.
- Trockenobst und Nüsse
- Honig hält sich über Jahrzehnte und ist ein guter Energiespender.

Durchschnittlicher Verbrauch von zwei Erwachsenen in 14 Tagen

Was	Menge	Haltbarkeit
Trockenvorräte		
Knäckebrot	2000 g	12 Monate
Zwieback	500 g	12 Monate
Haferflocken	1000 g	6–12 Monate
Teigwaren	1000 g	12 Monate
Reis	500 g	2 Jahre
Hülsenfrüchte	1000 g	12 Monate
Zucker	100 g	unbegrenzt
Fette und Öle		
Speiseöl	½ l	6–12 Monate
Streichfett	500 g	6–12 Monate
Ghee	500 g	6–12 Monate
Konserven		
Fleischkonserven	2400 g	6–12 Monate
Wurstkonserven	2000 g	6–12 Monate
Fischkonserven	800 g	6–12 Monate
Gemüsekonserven	3000 g	6–12 Monate
Sauerkonserven	500 g	6–12 Monate
Obstkonserven	3000 g	6–12 Monate
Getränke		
Mineralwasser	40 l	6–12 Monate
Fruchtsäfte	6 l	6–12 Monate
Sonstiges		
Honig	900 g	unbegrenzt
Konfitüre	900 g	12 Monate
Kaffee	nach Bedarf	12 Monate
Tee	nach Bedarf	36 Monate
Schokolade	nach Bedarf	6 Monate
Nüsse	nach Bedarf	2–4 Monate
Mandeln	nach Bedarf	2–4 Monate
Rosinen	nach Bedarf	2–4 Monate

- Auch Zucker ist im Prinzip unbegrenzt haltbar, wenn er trocken gelagert wird. Ideal sind Zuckerwürfel, man kann dann immer so viel entnehmen, wie benötigt wird, und muss keine Kilo-Packung anbrechen.
- Pflanzenöl wird irgendwann »ranzig«, ist jedoch auch dann essbar, schmeckt nur etwas streng; Ghee – geklärte Butter – ist dagegen jahrelang haltbar.
- Gewürze sind meist lange haltbar, verlieren aber mit der Zeit an Geschmack.
- Salz ist besonders wichtig, zumal es auch zum Einpökeln verwendet werden kann. Es ist empfehlenswert, einige Säcke Meersalz und Steinsalz zu kaufen und trocken einzulagern.
- Besonders wichtig: Trinkwasser nicht vergessen, idealerweise in Glasflaschen abgefüllt.
- Trocken und dunkel gelagert, lassen sich Nudeln über einen längeren Zeitraum aufbewahren. Am besten laufend verbrauchen und immer wieder ergänzen. Dies gilt auch für andere Lebensmittel wie geräucherter Schinken oder Hartkäse.

10 Selbstversorgung für Genießer

In diesem Kapitel beschreibe ich die Herstellung der wichtigsten Lebens- und Genussmittel. Aus Platzgründen muss ich mich natürlich auf die grundlegenden Techniken der Herstellung beschränken, jedes einzelne Thema wäre ein Buch für sich, würde man alle Nuancen, Varianten und Finessen erläutern. Ich empfehle jedem, der sich mit einem der Themen intensiver beschäftigen möchte, beispielsweise der Herstellung von Käse, einfach zu beginnen und zu experimentieren. Wie beim Kochen stellt sich mit der Zeit eine Routine ein, und das fertige Produkt vervollkommnet sich. Am Schluss schüttelt man es gewissermaßen aus dem Ärmel und kann vielleicht sogar darüber nachdenken, dieses auch für Tauschgeschäfte einzusetzen oder gar zu verkaufen. Also viel Spaß beim Ausprobieren und Entdecken neuer kulinarischer Welten!

Milch und Milchprodukte

Milch ist ein vielseitiges Nahrungsmittel und Grundlage für etliche, unverzichtbare Lebensmittel. Idealerweise hält man eine eigene Milchkuh (siehe dazu Seite 247ff.), sonst muss Milch zugekauft werden. Ich empfehle den Gang zum nächsten Bauern, der auch Rohmilch verkauft. Handelsübliche

Milch ist pasteurisiert, so ist es vom Gesetzgeber vorgeschrieben. Beim Pasteurisieren wird die Milch für ca. 15 bis 30 Sekunden auf 72 bis 75 °C oder vier Sekunden lang auf mindestens 85 °C erhitzt. Diese von dem französischen Arzt Louis Pasteur entwickelte Methode macht die Milch länger haltbar. Außerdem sollen damit eventuell in ihr vorkommende unerwünschte Mikroorganismen unschädlich gemacht werden. Durch das kurze Erhitzen wird das Milcheiweiß etwas denaturiert, die Vitamine bleiben jedoch nahezu völlig erhalten.

Für die Weiterverarbeitung zu Quark oder Käse kann jede Milch, am besten aber Rohmilch oder Vorzugsmilch verwendet werden.

Butter – die traditionelle Methode

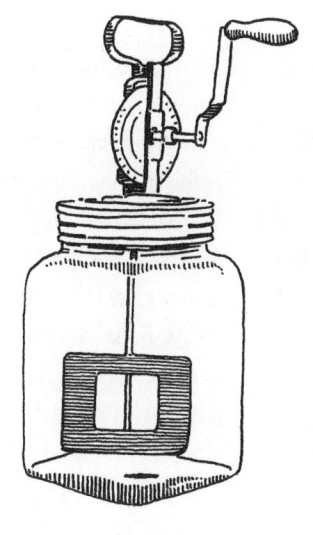

Für die Herstellung eigener Butter braucht man in erster Linie zweierlei: Rahm und Muskelschmalz. Ersteren erhält man auf einfache Art und Weise. Man lässt die Milch einige Zeit ruhig bei Zimmertemperatur stehen und schöpft den sich dabei bildenden Rahm, im Volksmund auch Sahne genannt, mit einem Schöpflöffel ab. Der Rahm wird etwa zwei Tage bei etwa 20 °C aufbewahrt, in dieser Zeit reift er, das heißt, Milchsäurebakterien bauen einen Teil des Milchzuckers ab, es entsteht Milchsäure. Als Starter dazu dient etwas Buttermilch. Bei der Herstellung von Butter, aber auch von anderen Milchprodukten muss streng auf Hygiene geachtet werden.

Nun füllt man den Rahm in ein Butterfass und betätigt die Kurbel, und zwar so lange, bis sich die ersten kleinen Klümpchen bilden, die Butter koaguliert. Wenn die Butter fertig ist, bilden sich kleine, weiße Klumpen. Dann wird die verbliebene Buttermilch abgegossen und die Butter mit kaltem Wasser vermengt, ausgepresst und so lange gewaschen, bis alle Buttermilchreste vollständig herausgedrückt sind. Zum Schluss die Butter salzen, formen und in ein Fett abstoßendes Papier packen.

Wer es einmal probieren möchte – es dauert zwar seine Zeit und den einen oder anderen Rückschlag muss man meist einstecken. Aber auch hier gilt: Butter aus eigener Herstellung lässt die Brust vor Stolz schwellen und ist einfach lecker.

Butter haltbar machen

Butter wird ranzig, weil die in ihr enthaltenen Eiweißstoffe sich mit der Zeit zersetzen. Was liegt also näher, als diese zu entfernen. Diesen Prozess nennt man »Butter klären«, das Ergebnis ist Butterschmalz oder wie es in Indien genannt wird: Ghee.

Durch das Kochen der Butter werden ihr Wasser, Milcheiweiß und Milchzucker entzogen. Bei der traditionellen Herstellung wird sie so lange erhitzt, bis das ausgefällte Eiweiß leicht zu bräunen beginnt. Hierbei entstehen Aromastoffe, die ihr einen leicht nussartigen Geschmack verleihen. Ghee ist nahezu unbegrenzt haltbar und wird mit der Zeit sogar immer besser.

Man verwendet es zum Braten, Dünsten, Kochen und Frittieren. Zum Schluss an die noch warmen Speisen gegeben, verleiht es indischen Spezialitäten erst ihr typisches Aroma. Es macht das Essen bekömmlicher, intensiviert den Geschmack und bewahrt beim Dünsten die Vitamine der Nahrungsmittel.

Ghee ist außerdem ein sehr gesundes Fett und eine leicht verdauliche Alternative zu Butter oder Öl. Es wird vom Darm mühelos aufgenommen, ist nahrhaft und lässt sich hoch erhitzen, ohne seine Qualität zu mindern. Ghee hat einen hohen Anteil an ein- und mehrfach ungesättigten Fettsäuren. Damit ist es ein natürlicher Radikalfänger und Zellschutz. Untersuchungen zufolge wirkt sich Ghee positiv auf den Cholesterinspiegel aus, wenn es Bestandteil der täglichen Ernährung ist.

So wird's gemacht: Die Herstellung von Ghee ist ganz einfach. Achten Sie lediglich auf die Qualität der Butter, am besten verwenden Sie Sauerrahmbutter aus regionaler Herstellung.

Das Wichtigste bei der Zubereitung ist, dass Sie die Butter nicht zu sehr erhitzen und darauf achten, dass die geschmolzene Butter nicht dunkel wird und verbrennt. Mit der Zeit entwickeln Sie hierfür ein gutes Fingerspitzengefühl.

Sie benötigen:
- 1 bis 2 kg frische ungesalzene Butter
- einen Topf
- einen Schaumlöffel
- ein dünnes Baumwolltuch
- ein verschließbares Glas
- 40 bis 60 Minuten Zeit
- Lassen Sie die in kleine Stücke geschnittene Butter in einem schweren Topf bei mittlerer Hitze schmelzen und erhitzen Sie bis zum Siedepunkt. Durch das Kochen verdampft der Wasseranteil, und Eiweißstoffe werden ausgefällt.
- Sobald sich auf der Oberfläche weißer Schaum zeigt, reduzieren Sie die Hitze und köcheln bei geringer Wärmezufuhr ohne Deckel weiter, sodass nichts anbrennt.
- Entfernen Sie von Zeit zu Zeit den aufschwimmenden Schaum mit einem Schaumlöffel oder einem feinen Teesieb.
- Wenn der Bodensatz zu bräunen beginnt, kein Schaum mehr ausflockt und die Butterschmelze klar und gelb bis leicht orange wird, nehmen Sie den Topf von der Flamme.
- Nun das Ghee etwas abkühlen lassen und über das Baumwolltuch in das Vorratsgefäß gießen. Ideal geeignet sind Einweckgläser, da das flüssige Ghee noch sehr heiß ist.
- Nun lassen Sie das Ghee abkühlen, bis es wieder fest ist, und verschließen das Gefäß. Sie können Ghee im Kühlschrank aufbewahren, aber auch ungekühlt kann es über ein Jahr aufbewahrt werden.

Joghurt ansetzen

Bei der Herstellung von Joghurt bedienen wir uns wieder unserer kleinen Helfer, in diesem Fall handelt es sich um Mikroorganismen namens *Streptococcus thermophilus* und *Lactobacillus bulgaris*. Sie verwandeln Milchzucker, also Lactose, in Milchsäure. Bei der Vermehrung der Bakterien steigt der Gehalt an Milchsäure so lange, bis das Milcheiweiß gerinnt und ausflockt. Aus diesem Grund schmeckt natürlicher, guter Joghurt auch leicht säuerlich.

So wird's gemacht: Ausgangssubstanz für die Joghurtherstellung ist Milch, wobei man fast jede Milch verwenden kann. Die Milch wird kurzfristig bis kurz unter den Siedepunkt erhitzt, sodass unerwünschte Keime absterben, dann wird sie im Wasserbad auf etwa 37 Grad abgekühlt und etwas Joghurt untergerührt. Für einen Liter Milch verwendet man dazu etwa 2 EL fertigen Naturjoghurt. Natürlich hängen der Geschmack und die Qualität des Joghurts von den eingesetzten Bakterienstämmen ab, unter Kennern und Feinschmeckern werden sie gerne getauscht, denn ein qualitativ guter Joghurt als Ausgangskultur bringt überzeugende Ergebnisse.

Die Milch-Joghurt-Mischung wird nun in kleine, sterile Gläser gefüllt, die für 2 bis 3 Tage etwa bei Körpertemperatur aufgestellt werden. Bei dieser Temperatur fühlen sich die Mikroorganismen am wohlsten. In dieser Zeit dürfen die Gläser nicht bewegt werden. Das Kunststück ist es, für die Zeit der Joghurtbereitung die Temperatur konstant warm zu halten. Es ist möglich, das warme Gemisch in Thermoskannen zu füllen, diese halten die Temperatur ausreichend lang. Größere Mengen kann man auch in eine mit Styropor ausgekleidete Kiste oder in Stroh packen.

Der Joghurt ist fertig, wenn er cremig-fest ist, eben so, wie Joghurt sein soll. Für den Ansatz des nächsten Joghurts verwendet man wieder etwas vom selbst hergestellten als Starter.

Tipp
Hat man einmal zu viel Joghurt bereitet, kann man ihn über Nacht in einem Leinenbeutel aufhängen und abtropfen lassen – am nächsten Tag ist es dann feinster Quark.

Käse aus eigener Herstellung

Käse ist eines der Lebensmittel, das mich in Begeisterung versetzt, nicht nur wegen des Geschmacks, sondern vielmehr aufgrund der ungeheuren Vielfalt. Immer wieder stehe ich staunend vor den Käsetheken – regionale Spezialitäten, Weichkäse, Hartkäse, unerschöpflich ist der Erfindungsreichtum. Und dabei ist Käse, streng genommen, nichts anderes als verdorbene Milch, wie er von vielen Asiaten nur naserümpfend zur Kenntnis genommen wird. Käse ist sicherlich auch kein leicht zu verdauendes Lebensmittel. Aber für uns Europäer ist Käse nun einmal ein fester Bestandteil der Esskultur.

Die kommerzielle Herstellung von Käse unterliegt vielen Vorschriften, und die EU überbietet sich geradezu darin, es den Käsereien nicht so leicht zu machen. Die Käseküchen blitzen wie ein steriler Operationssaal im Krankenhaus, alles ist penibel und sauber zu halten, und viele regionale Sorten sind vom Markt verschwunden, weil sie sich beim besten Willen in keine EU-Norm pressen lassen wollten. Was liegt also näher, als auf dieses traditionelle Verfahren der Milchkonservierung zurückzukommen und einen eigenen Hauskäse zu produzieren.

Käse hat zudem den Vorteil, dass er sich lange lagern lässt und der Geschmack von Hartkäse sich im Laufe der Zeit sogar verbessert.

Wie stelle ich Käse her?

Wie bereits angedeutet, ist Käse im Prinzip nichts anderes als sauer gewordene Milch. Dabei trennen sich die festen Bestandteile wie Eiweiß, Fett und Milchzucker von den flüssigen. Bei der Herstellung von Käse wird dieser Vorgang lediglich beschleunigt und kontrolliert.

Als Erstes wird die Milch gereinigt und pasteurisiert, außer man will einen Rohmilchkäse herstellen. Je nachdem, welcher Fettgehalt gewünscht ist, vermischt man die Milch mit Magermilch oder Rahm. Diesem Gemisch wird nun Milchsäure oder Lab oder eine Mischung aus beiden zugegeben. Lab ist ein Enzym, das aus dem Magen von Kälbern stammt und das die Milch zum Gerinnen bringt. Diesen Vorgang bezeichnet man als Dicklegung, sie dauert zwischen 30 Minuten und mehreren Stunden.

Wenn die Masse fest genug ist, wird sie mit einer Käseharfe in Stücke geschnitten, dabei setzt sich die Molke ab. Je mehr Molke sich abscheidet, umso härter wird der fertige Käse sein.

Der Käsebruch wird nun in Formen gefüllt und die restliche Molke durch Pressen und Wenden entfernt. Im Anschluss daran folgt eine Reifezeit in speziellen Räumen, meist Kellern. Je nachdem, welche Sorte Käse gewünscht ist, müssen die Käselaibe regelmäßig gebürstet, gewaschen, gesalzen oder

gewendet werden. Diese Zeit des Veredelns und Verfeinerns kann bis zu einem Jahr oder länger dauern. In dieser Zeit kann auch Edelschimmel dafür sorgen, dass er eine spezielle Geschmacksnote erhält. Erst dann werden die Käselaibe in Salzlake gebadet, um schädliche Bakterien fernzuhalten und die Bildung von Rinde zu fördern.

Hart- oder Weichkäse?

Die professionelle Herstellung von Käse verlangt Erfahrung und Fingerspitzengefühl. Besonders gelagerter Hartkäse wird aus Milch unterschiedlicher Herkunft gemischt, was die Qualität deutlich verbessert. Auch der Zeitpunkt des Melkens spielt eine Rolle, und natürlich wird auch der Geschmack davon beeinflusst, ob die Kuh auf einer Bergwiese geweidet hat oder an einem Strohballen knabberte oder Silo-Futter gefressen hat.

Weich- oder Frischkäse ist für den sofortigen Verzehr bestimmt, in der Praxis unterscheidet sich die Herstellung lediglich darin, wie lange der Käse gepresst wird und wie hoch der Molkeanteil ist. Molke gilt übrigens als Zaubertrank für alle, die abnehmen möchten.

Vorab: Bei der Käsestellung muss peinlichst auf Hygiene und Sauberkeit geachtet werden, da einige wenige Keime das Ergebnis zunichtemachen können. Alle Gerätschaften abkochen und auch den Arbeitsplatz sauber halten.

Schritt 1:
5 Liter unpasteurisierte Kuhmilch werden auf etwa 32 °C erwärmt und dann der Starter (z. B. Buttermilch) eingerührt. Alles 30 min auf konstanter Temperatur halten.

Schritt 2:
Nun das in abgekochtem Wasser aufgelöste Lab hinzugeben (in Tablettenform erhältlich). Lab kann aus Kälbermägen stammen, wird aber auch mikrobiologisch hergestellt. Alle 10 Minuten die Oberfläche durchrühren, bis ein Widerstand spürbar ist – es hat sich Quark gebildet. Den Topf nun 45 Minuten in einen warmen Raum stellen, bis er fest ist.

Schritt 3:
Den festen Quark im Topf in Stücke schneiden und alles mit der Molke vermischen, noch einmal vorsichtig erwärmen. Wenn der Quark beim Reiben zwischen den Fingern leicht zerbröselt, gibt man ihn in ein sterilisiertes Käsetuch (oder eine Windel) und hängt ihn für die Nacht über einer Schüssel auf, am Morgen ist er entwässert.

Schritt 4 a:
Wenn Sie einen Weichkäse herstellen wollen, würzen Sie die Masse nach Belieben und formen Sie diese. Man kann ihn auch noch für einige Stunden in die Käsepresse geben und wie unten beschrieben weiterbehandeln.

Schritt 4 b:
Für die Herstellung von Hartkäse wird die Quarkmasse gesalzen und in eine Käsepresse gefüllt. Dort bleibt sie unter hohem Druck für etwa 8 Stunden, dann wird alles in ein frisches, sauberes Tuch geschlagen und noch einmal 24 Stunden gepresst. Anschließend lässt man den Käse etwa vier bis sechs Wochen reifen. Wenn man den Käse öfter aus der Presse nimmt und wendet, erhält er eine schönere, gleichmäßige Rinde.

Am Ende legt man den Käse in ein lauwarmes Salzbad (125 g Salz auf 500 ml Wasser), wendet ihn mehrmals, nimmt ihn heraus und lässt alles gut abtropfen.

Am Schluss den Käse in einen geschlossenen Behälter lagern lassen, wenn er offen steht, trocknet er nur aus. Während der Lagerzeit regelmäßig kontrollieren, sollten sich an der Oberfläche schwarze Flecken bilden, den Käse sofort reinigen und nochmals in Salzlake baden.

Tipp
Die Quarkmasse für Weichkäse kann beliebig gewürzt oder verfeinert werden, so kann man durch Zugabe von Kräutern einen eigenen Kräuterkäse herstellen. Oder Pfeffer, Paprika und Knoblauch zugeben – einfach mal mutig sein und ausprobieren, was schmeckt. Und vergessen Sie nicht, Buch zu führen über den Ausgang der Experimente. So kommt im Laufe der Zeit eine schöne Sammlung an Rezepten zusammen, mit denen sich vielleicht sogar Geld verdienen lässt.

Käse für Veganer – einfach und genial

Käse für Veganer, ja, richtig gelesen. Gläubige Hindus und auch Veganer essen keinen Käse, da sie von der Annahme ausgehen, dass die Kälber ihren Magen nicht freiwillig hergegeben haben, um daraus das Lab-Enzym zu gewinnen. Sprich: Sie würden nie etwas verzehren, wofür zuvor ein Tier sein Leben hat geben müssen.

So ist es kein Zufall, dass man in Indien eine Methode der Frischkäsezubereitung anwendet, die einfach und genial ist. Der so gewonnene Käse wird Paneer genannt und gebraten zu Gemüsegerichten oder in Currys serviert.

Und so wird's gemacht: Eine beliebige Menge Vollmilch wird vorsichtig zum Kochen gebracht. Sobald die Milch zu sieden begonnen hat, gibt man den Saft einer grünen Limone hinzu (je nach Größe ½–1 pro Liter). Augenblicklich trennen sich die festen Bestandteile von der Molke. Alles zusammen wird nach dem Abkühlen über ein Tuch und dann von Hand kräftig ausgedrückt. Die Käsemasse über Nacht im Kühlschrank liegen lassen, am nächsten Tag ist sie schnittfest und kann wie oben beschrieben gebraten, warm oder einfach so verzehrt werden. Auch diesen Käse kann man durch Zusatz von Gewürzen, Knoblauch oder Kräutern geschmacklich in jede gewünschte Richtung bringen.

Die Ausbeute an Käse hängt sehr von der Qualität der Milch ab.

Essig selbst herstellen

Essig ist im Haushalt unverzichtbar. Ein guter Weinessig ist die wichtigste Zutat für Senf, Chutneys, Relish, Ketchup, sauer eingelegtes Gemüse oder Eier und passend für Salate, Hülsenfrüchte, saure Soßen und vieles mehr. Man kann ihn aber auch zum Lösen von Kalk ebenso wie zum Fensterputzen und Reinigen verwenden. Und spätestens hier sträuben sich dem Essigkenner die Nackenhaare – denn Essig ist nicht Essig. Die Vielfalt an Qualität und Geschmacksnuancen ist der des Weines vergleichbar, von Spitzenprodukten wie dem legendären »Aceto balsamico« ganz zu schweigen. Dieser wird Jahrzehnte in Holzfässern gelagert, bis er seinen unvergleichlichen Geschmack entwickelt hat.

Wichtig beim Essig ist, aus welcher Ausgangssubstanz er hergestellt wurde. Benötigt wird eine alkoholische Flüssigkeit, wie etwa Wein, Sherry, Bier oder Schnaps. Aber Vorsicht: Je höher der Alkoholgehalt der Ausgangssubstanz, umso saurer wird der Essig. Deshalb empfiehlt es sich, die Ausgangsflüssigkeit mit etwas Wasser zu verdünnen. Empfohlen wird die Verdünnung des Ansatzes auf 6 Prozent Alkoholgehalt.

Was geschieht nun mit dem Alkohol? Wieder einmal haben wir es mit Mikroorganismen zu tun, die auf natürliche Art das gewünschte Lebensmittel produzieren. In diesem Fall handelt es sich um Essigsäurebakterien. Und diese ernähren sich nun einmal vom Alkohol, den sie mithilfe von Sauerstoff zu Essigsäure umwandeln. Und das ist auch schon das ganze Geheimnis der Essigherstellung.

So wird's gemacht: Man befüllt ein bauchiges Gefäß aus Glas oder Steingut (kein Metallgefäß verwenden!) mit Wein so hoch auf, dass er bis zur breitesten Stelle des Gefäßes reicht. Nun brauchen wir Essigsäurebakterien, doch woher nehmen? Ganz einfach, wir besorgen uns eine sogenannte Essigmutter. Dies ist die glibbrige Haut, die sich auf älterem, abgestandenen Essig bildet. Sie darf natürlich nicht vergammelt riechen. Diese Essigmutter ist nichts anderes als eine Kolonie von Essigsäurebakterien. Sie wird zunächst unter Wasser abgespült und dann einfach in das Gefäß gegeben und untergestoßen, damit sie nicht die ganze Oberfläche bedeckt und genügend Sauerstoff in die Flüssigkeit kommen kann.

Das Gefäß wird nun mit Küchenkrepp oder Watte locker verschlossen und an einen warmen Ort gestellt, z. B. auf den Kühlschrank. Der Rest erledigt sich von selbst. Guter Essig braucht zur Reifung ein paar Monate Zeit. Während dieser Zeit bilden sich Trübstoffe, die irgendwann zu Boden sinken und über einen Kaffeefilter abgegossen werden können. Je länger er dann gelagert wird, umso besser wird er. Essig ist nahezu unbegrenzt haltbar.

Manchmal ist Schimmelbefall ein Problem. Dieser entsteht, wenn die Flaschen verschmutzt waren, durch eine freiliegende Essigmutter oder wenn der Ansatz aus irgendwelchen Gründen nicht genügend Sauerstoff bekommt. Manchmal beginnt durch Restzucker im Wein noch einmal eine alkoholische Gärung. Die entstehenden Hefereste am Gefäßrand verursachen

ebenfalls Schimmel. Falls der Ansatz schimmelt, kann man ihn nur noch wegwerfen. Danach die Flasche gründlich reinigen, mit kochendem Wasser desinfizieren und von vorne beginnen.

> **Für die Feinschmecker**
>
> Essig kann geschmacklich beliebig verfeinert werden. Mit Kräutern versetzt, erhält man nach wenigen Wochen des Ziehenlassens einen Estragonessig, Knoblauchessig oder Basilikumessig, der jedem Salat seine besondere Note verleiht. Und natürlich schmeckt Essig aus Portwein feiner als solcher, der aus billigstem Fuselwein hergestellt wurde.

Senf selbst gemacht

Essig ist auch eine wichtige Zutat für die Herstellung von Senf. Senfsaat kennt jeder aus Gurkengläsern oder als Gewürz in der Küche. Dass sie auch die Hauptzutat für die Herstellung von Senf ist, lässt ihr Name ahnen. Hierfür werden hauptsächlich drei Pflanzenarten verwendet: *Sinapis alba* (gelbe Saat), *Brassica nigra* (schwarze Saat), *Brassica juneca* (braune Saat). Sie können diese problemlos im Garten anbauen, Senf ist nämlich eine Gründüngerpflanze, die also nebenbei noch etwas für die Verbesserung des Bodens tut. Säen Sie Senf einfach auf großen, brachliegenden Flächen aus.

Gelbe Senfsaat ist eher mildwürzig, die beiden anderen deutlich schärfer und kräftiger im Geschmack. Durch das Mischen in unterschiedlichen Anteilen kann so die Schärfe des Senfs beeinflusst und gesteuert werden.

Eigenen Senf herzustellen ist nicht schwierig, beginnen Sie aber erst einmal mit kleineren Mengen. Senf ist zwar lange haltbar, verliert aber mit der Zeit an Aroma. Und so gehen Sie vor, wenn Sie beim nächsten Essen mit Freunden Ihren eigenen Senf dazugeben wollen:

So wird's gemacht – das Grundrezept:
- Mahlen Sie 100 g gelbe Senfkörner portionsweise in einer Mühle, der Inhalt darf sich dabei aber nicht erwärmen, da sonst wertvolle Aromastoffe verloren gehen.

- Vermischen Sie das Senfmehl mit 80 ml Wasser und 50 ml Weinessig (5-prozentig).
- Geben Sie 10 g Salz und 20 g Zucker dazu.
- Alles gut mischen, bis es eine dicke, homogene Masse ist.
- Den Senf in ein Glas füllen und zwei Tage stehen lassen, damit er sein volles Aroma entfalten kann.

Senf-Variationen

Das Grundrezept können Sie beliebig abwandeln, Anregungen dazu finden Sie in Dijon, der Senfhauptstadt Frankreichs. Hier ist von Curry-Senf über Himbeer-Senf und Estragon-Senf bis hin zu Senf mit grünem Pfeffer alles zu finden. Sie können Kräuter, beispielsweise Estragon, unter die Senfrohmasse mischen, aber auch Knoblauch, Chili, Meerrettich, Kümmel oder sogar Himbeeren. Der beliebte süße Senf, den man in Bayern zur Weißwurst reicht, besteht aus einem Gemisch aus braunen und gelben Senfkörnern, dem entsprechend viel Zucker und Gewürze zugegeben werden. Typisch wird er, wenn Sie die Senfkörner beim Zerkleinern etwas gröber lassen.

Senf ist bei uns hauptsächlich als Gewürz zu Gegrilltem und zu Leberkäse oder Würsten bekannt, man kann ihn aber auch vielseitig in der Küche verwenden. Sie können Senf in verschiedene Soßen geben und mitkochen, er passt hervorragend zu Schweinefleisch, Huhn, aber auch zu Fisch und Meeresfrüchten. Außerdem würzt er Salatsoßen und macht generell schweres Essen leichter verdaulich.

Dijon-Senf

Dijon-Senf besteht aus brauner oder schwarzer Senfsaat. Diese wird nicht gemahlen, sondern man lässt sie in Wasser oder Essig aufquellen. Dann wird das Ganze zu einer Maische zermahlen, die eine Reifezeit durchläuft und so ihren typischen, feinen Geschmack erhält.

Wein aus eigener Herstellung

Ein Gläschen Wein am Feierabend ist Sinnbild für den entspannenden Abschluss des Tages, und was kann zufriedener stimmen, als eine Flasche Wein aus eigener Herstellung zu entkorken.

Sie müssen keine Wissenschaft daraus machen, das überlassen wir den Profi-Winzern. Unser Ziel ist es, sich auf die grundlegenden Vorgänge und Prozesse zu konzentrieren, an deren Ende ein trinkbarer Wein steht. Die Weinbereitung selbst ist im Prinzip seit alters die gleiche geblieben: Beeren werden in einer Presse zerquetscht und die so gewonnene Maische entsaftet (abgekeltert). Der dabei austretende Saft wird vergoren, ein Prozess, der von Hefen in Gang gebracht wird, die in der Regel von Natur aus an Beeren und Früchten vorkommen. Dabei wird der Zucker zu Alkohol. Je höher der Alkoholgehalt des Weines, umso geringer ist seine Restsüße. Der so entstandene Jungwein wird nach der Klärung in Lagerfässer gefüllt und gärt unter Luftabschluss nach. Je langsamer die Gärung, desto besser der Wein. Im Anschluss daran wird er abgefüllt und gelagert, erst jetzt entwickelt sich das Bukett, das gute Weine auszeichnet. Für den Hausgebrauch werden wir aber keine Weinfässer benötigen, sondern den geklärten Jungwein direkt in Flaschen füllen und so reifen lassen.

Und so wird's gemacht: Am Beispiel eines Weins aus Trauben soll der Prozess der Weinbereitung erklärt werden. Auch hier gilt: Probieren geht über studieren! Natürlich ist das Thema hochkomplex, es erfordert einiges an Fingerspitzengefühl und auch Erfahrung, um einen ausgewogenen, harmonischen Wein herzustellen. Umso verblüffender ist es, wie überzeugend das Resultat sein kann, wenn man sich auch nur einfacher Mittel bedient, wie im Folgenden beschrieben.

Saft gewinnen

Zunächst müssen die Trauben ausgepresst werden. Im einfachsten Fall geschieht das mit nackten (sauberen) Füßen in einem Bottich, was allerdings dem persönlichen Geschmack überlassen bleibt. Hygienischer und effektiver sind Saft- oder Obstpressen. Letztere lohnen in der Anschaffung, wenn Sie regelmäßig größere Mengen Wein herstellen wollen, sie können natürlich auch zur Gewinnung von beispielsweise Apfelsaft verwendet werden.

Füllen Sie die Trauben in die Presse und fangen Sie den Saft in einer sterilisierten Schüssel auf, Sauberkeit und Hygiene sind auch bei der Weinbereitung ein absolutes Muss!

Die Gärung starten

Füllen Sie den Presssaft in einen sauberen Gärballon, das ist ein großes, bauchiges Glasgefäß mit einem speziellen Aufsatz. Dieser Ballon wird zu etwa drei Vierteln befüllt, nicht mehr, sonst besteht die Gefahr, dass der Inhalt während der Gärung überschäumt.

Damit der Saft vergären kann, ist Weinhefe erforderlich. Diese wandelt Zucker unter Hilfe von verschiedenen Enzymen in Alkohol um, wobei Kohlendioxid als Nebenprodukt anfällt. Von Natur aus haben Trauben zwar Hefen auf der Oberfläche ihrer Beeren, doch ist es besser, die Weinhefe zu kaufen. Geben Sie etwas davon in einen Krug mit süßem, warmen (22 bis 24 °C) Traubensaft und stellen Sie ihn an einen warmen Platz. Dieser Ansatz dient später als Starter.

Der Gärballon mit dem Presssaft muss ebenfalls in einem temperierten, etwa 24 °C warmen Raum gestellt werden. Wenn der Inhalt Raumtemperatur angenommen hat, geben Sie den Traubensaft mit der darin gelösten Hefe hinzu, damit ist der Gärvorgang eingeleitet, und die Hefepilze können ihre Arbeit aufnehmen. Je nach Zuckergehalt der Trauben muss Zucker ergänzt werden. Trockene Weine haben einen geringen Restzuckergehalt, Dessertweine einen hohen. Haben die Trauben nur wenig Sonne bekommen, rechnet man je nach gewünschtem Ergebnis mit 1 bis 3 kg Zucker pro 50 l. Der Ballon wird nun mit einem Gärverschluss verschlossen. Dieser ermöglicht es, dass Gärgase austreten können, und verhindert gleichzeitig, dass Luft hineingelangt. Auch die lästigen Fruchtfliegen und Bakterien können nicht an den Inhalt gelangen und diesen in Essig verwandeln.

Die Gärphase

Für eine optimale Gärung ist eine konstante Temperatur wichtig, wobei das Temperaturoptimum im Bereich von 23 bis 25 °C liegt. Bei Temperaturen über 27 °C sterben die Hefen ab, unter 21 °C stellen sie ihre Aktivität ein.

Die ersten sichtbaren Zeichen der Gärung setzen nach 1 bis 2 Tagen ein, im Inneren beginnt es, mächtig zu schäumen. Nach etwa 2 bis 3 Wochen ist der Gärprozess beendet, die Hefepilze können sich nun nicht weiter vermehren, da entweder kein Zucker mehr zur Verfügung steht, oder sie an dem selbst produzierten Alkohol zugrunde gehen. Sie erkennen das daran, dass nun keine Bläschen mehr aufsteigen.

Die Klärung

Das Ergebnis der ersten Gärung ist eine recht trübe Angelegenheit. Warten Sie, bis sich die Trübstoffe mehr oder weniger abgesetzt haben, und ziehen Sie den Überstand mithilfe eines Plastikschlauchs ab in einen anderen sauberen Ballon. Hängen Sie dazu das Ende eines Schlauchs in die Flüssigkeit, saugen sie kurz an und halten Sie das andere Ende in den tiefer stehenden Ballon, die Flüssigkeit läuft nun von allein über den Schlauch in das neue Gefäß, der Hefebodensatz bleibt dabei im alten Ballon.

Verschließen Sie den frisch befüllten Ballon wieder mit einem Gärrohr. Es darf so wenig wie möglich Luft an den Inhalt des Ballons dringen, deswegen können Sie ihn bis zum Rand oder knapp darunter befüllen. Sollten noch Gärprozesse ablaufen, können die dabei entstehenden Gase über das Gärrohr entweichen. Den Ballon stellt man bei einer Raumtemperatur von etwa 16 °C auf. Dieser Vorgang muss alle drei bis vier Wochen wiederholt werden, bis der Wein klar bleibt.

Abfüllen

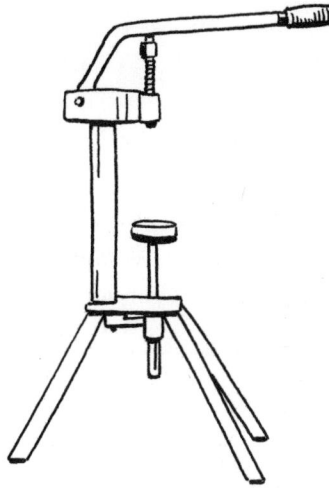

Bleibt der Wein klar, kann er in saubere, sterilisierte Flaschen abgefüllt werden. Dies ist nach etwa sechs Monaten der Fall. Dann besteht auch nicht mehr die Gefahr der Nachgärung in den Flaschen. Das Abfüllen geschieht wieder mithilfe eines Schlauchs, der am Ende mit einer Klemme verschlossen werden kann. Das erleichtert das Austauschen der Flaschen. Mithilfe eines Korkgerätes werden die Flaschen nun verkorkt. Lagern Sie die Flaschen liegend, es darf keine Luft eindringen, weil der Inhalt sonst verderben würde. Wein muss mindestens ein Jahr lagern, um seinen Geschmack reifen zu lassen.

Rot- oder Weißwein?

Ob ein Wein rot oder weiß ist, hat nichts mit der Farbe der Trauben zu tun. Der Unterschied liegt in der Zubereitung: Für Weißwein wird lediglich der Traubensaft vergoren, bei Rotwein vergärt man die ausgepressten Beeren – den Trester – mit. Die Pressrückstände können übrigens auch an Schweine oder Rinder verfüttert werden, allerdings nicht in großen Mengen.

Weinvariationen

Wein kann man aus Trauben, aber auch aus anderen Früchten, aus Honig, Gemüse, Kräutern und sogar Blüten herstellen. Das Prinzip ist dabei immer das gleiche. Es gilt nur zu beachten, dass für den Prozess der Gärung auch Säure benötigt wird, die nicht in allen Ausgangssubstanzen ausreichend vorhanden ist, wie etwa bei Honig oder in Blüten. In diesem Fall muss Zitronensäure aus der Apotheke oder Zitronensaft zugesetzt werden.

Geben Sie die für den Geschmack gewünschte Ausgangssubstanz – das können Blüten, Kräuter, Erbsen, Bohnen oder anderes sein – in Wasser und kochen Sie alles simmernd zwischen 15 und 30 min. Dann rühren Sie Zucker und Zitronensäure ein, lassen den Ansatz abkühlen bis auf 24 °C, geben einen Löffel Reinzuchthefe hinzu und schütten die Flüssigkeit über ein feinmaschiges Sieb in den Gärballon, setzen den Gärverschluss auf und stellen es bei entsprechender Temperatur auf.

Wichtig ist immer die Einhaltung der Hygienevorschriften, um zu verhindern, dass unerwünschte Hefen an den Gäransatz gelangen und alles verderben. Dringen Essigbakterien ein, wird das Resultat nicht Wein, sondern ein mehr oder weniger guter Essig sein.

Bier brauen

Bevor Sie Ihren Keller in eine kleine Hausbrauerei umwandeln, sollten Sie wissen, dass in Deutschland das Brauen von Bier steuerpflichtig ist. Denn Bier ist nach dem Benzin die volkswirtschaftlich wohl bedeutendste energiespendende Flüssigkeit. Bis zu 200 Liter im Jahr dürfen Sie steuerfrei brauen, danach schlägt der Fiskus zu, wobei es sich um Cent-Beträge pro Liter handelt. Aus diesem Grund müssen Sie aber ein Braubuch führen, in dem alle Aktivitäten und die Mengen dokumentiert werden.

Für das Brauen von Bier gilt das Gleiche wie schon beim Wein: Nur die Profis können, was die Profis können, aber für den Hausgebrauch geht es auch mit überschaubaren Mitteln und mit normalem Aufwand. Wer auf Nummer sicher gehen möchte, kann im Handel sogenannte Bierbrau-Kits erwerben, Starter-Sets mit allen benötigten Utensilien samt Anleitung.

Im Folgenden finden Sie alle wesentlichen Informationen und Arbeitsschritte, die nötig sind, um Bier für den Hausgebrauch zu brauen. Sollten Sie Ihre Leidenschaft für Bier aus dem eigenen Keller entdecken und tiefer in die Materie einsteigen wollen, können Sie diese Kenntnisse auf Bierbrau-Seminaren oder mit Fachliteratur beliebig vertiefen.

Die Zutaten für das Brauen von Bier: Die wichtigsten Zutaten für das Brauen von Bier kennt zumindest in Bayern jedes Kind: Wasser, Hopfen und Malz – Gott erhalt's! Natürlich brauchen wir auch noch fleißige Helfer, Hefe, aber mehr sollte es nicht sein – so schreibt es das Reinheitsgebot vor.

Hopfen

Hauptanbaugebiet für Hopfen ist Bayern, Bierbrauer aus der ganzen Welt schätzen die Qualität der dort produzierten, nicht ganz leicht zu kultivierenden Zutat und kaufen daher in Deutschland ein. Weltweit gibt es nur wenige Gebiete, in denen Hopfen so optimal gedeiht und zu solcher Güte heranreift.

Hopfen *(Humulus lupulus)* gehört zur Familie der Hanfgewächse *(Cannabaceae)*, was vielleicht die enorme Beliebtheit des Gerstensaftes erklärt. Für das Bierbrauen benötigt man die Blütenzapfen der weiblichen Pflanzen, im gewerblichen Anbau wachsen auf den Feldern daher nur weibliche Pflanzen. Eine Befruchtung durch den männlichen Pollen verringert den Ertrag und verkürzt das Erntefenster.

Grundsätzlich unterscheiden Hopfenbauern zwischen Aromahopfen und Bitterhopfen. Die aromatischen Sorten enthalten mehr ätherische Öle und Polyphenole, die wichtig für das Aroma im Bier sind. Die Bitterstoffe der zweiten Hopfengruppe verleihen dem Bier seinen charakteristischen, bitteren Geschmack und verbessern die Haltbarkeit.

Neben den im Gewerbeanbau verwendeten Sorten gibt es aber auch einige Gartensorten, die aus der Wildform hervorgegangen sind und die nahezu an allen feuchten Standorten mit viel Mist oder Kompost wachsen. Der Hopfen ist schnellwüchsig und begrünt zügig Lauben, Pergolen oder Wände. Er benötigt dazu jedoch eine Rankhilfe, wie z. B. senkrechte oder leicht geneigt

Hopfen in der Küche

Zwar wenig bekannt, aber durchaus delikat sind die Triebspitzen des Hopfens. Man verwendet die jungen Triebe und gart sie in Salzwasser, ähnlich dem Spargel. Dieses Gemüse ist mit seinem leicht bitteren Geschmack und seiner Außergewöhnlichkeit ein Höhepunkt jeder Speisenfolge, gleich, ob es als Beilage oder als Vorspeise gereicht wird.

gespannte, stabile Drähte. Rechnen Sie je Wurzelstock drei bis vier Kletterdrähte – hat Hopfen einmal Fuß gefasst, wächst er sehr rasch und ungestüm.

Geerntet werden die Blüten, die sorgfältig getrocknet werden, und in Leinensäckchen aufbewahrt werden können.

Malz

Als Malz bezeichnet man zur Keimung gebrachtes Getreide, in diesem Fall Gerste. Dazu lässt man die Gerste in lauwarmem Wasser vorquellen und dann in Keimkästen oder auf einem sauberen Untergrund ausgebreitet bei einer Temperatur von um die 18 °C keimen. Während dieser Zeit muss sie mehrfach mit lauwarmem Wasser besprengt werden. Sind die Gerstenkörner gekeimt und hat der Keim etwa die Länge des Korns erreicht, ist der Grünmalz fertig. Dieser Prozess wird als Mälzen bezeichnet. In dieser Zeit bauen Enzyme im Inneren der Gerstenkörner Stärke zu Glucose ab, die später zu Alkohol vergoren wird.

Als Nächstes wird der Grünmalz bei Temperaturen um die 50 °C getrocknet, um die weitere Keimung zu unterbinden und das Korn haltbar zu machen, dies kann im Backofen erfolgen – das Malz ist fertig. Länge, Temperatur und Intensität des Dörr- bzw. Röstvorgangs beeinflussen den Geschmack und die Farbe des späteren Bieres.

Das Malz wird vor dem eigentlichen Brauvorgang noch geschrotet, in diesem Zustand sollte es dann innerhalb weniger Wochen weiterverarbeitet werden.

Bier brauen

Erfahrung, Fingerspitzengefühl und die Qualität aller Zutaten sind entscheidend für das Endprodukt. Dies gilt mehr als für alles andere auch für das Bier, bedenkt man, wie viele verschiedene Sorten es allein in Deutschland gibt und dass nie ein gültiges Rezept gegeben werden kann. Das bedeutet aber auch, dass der Spielraum ungeheuer groß ist und Fehler verziehen werden. Also, Ärmel hochkrempeln und ab in den Keller.

So wird's gemacht: Auch wenn die eigentlichen Vorgänge komplexer sind, kann man die wesentlichen Schritte beim Bierbrauen wie folgt zusammenfassen: Der Brauer macht die Würze, die Hefe macht das Bier.

Um Würze herzustellen, kocht man den geschroteten Malz oder löslichen Malzextrakt in Wasser auf und lässt alles etwa eine Stunde köcheln. Wird geschroteter Malz verwendet, kann man das Gefäß abgedeckt über Nacht stehen lassen und am nächsten Tag die Flüssigkeit abheben und umfüllen.

- Geben Sie den Hopfen in einen Stoffbeutel und kochen Sie ihn etwa eine Stunde in der Würze. Beim Erhitzen darauf achten, dass die Bierwürze nicht überkocht. Regelmäßig umrühren, damit der Hopfen seinen Geschmack voll entfalten kann. Den Hopfensack sofort nach dem Kochen herausnehmen. Die Würze ist nun fertig.
- Ist die Würze auf 25 °C bis 28 °C abgekühlt, wird sie abgehoben und umgefüllt, am Grund des Gefäßes hat sich Eiweiß abgesetzt, dieses darf dabei nicht aufgewirbelt werden. Also vorsichtig umfüllen. Beim Abkühlen der Würze auf peinlichste Sauberkeit achten und nur sterilisierte Geräte verwenden. Die Gefahr einer Kontamination mit unerwünschten Mikroorganismen ist besonders im Körpertemperaturbereich groß. Mithilfe eines Hydrometers bestimmt man nun die Dichte der abgekühlten Würze, die Anfangsdichte. Sie sollte zwischen 1050 und 1100 liegen.
- Ist die richtige Temperatur erreicht, gibt man die Bierhefe dazu, und die Gärung kann beginnen. Je nach Biersorte, die man brauen möchte, benötigt man eine bestimmte Hefeart.

Obergärig oder untergärig

Der Unterschied liegt in der verwendeten Hefe und der Temperatur: Bei der obergärigen Brauweise erfolgt die Gärung bei Temperaturen zwischen 15 und 20 °C. Obergärige Hefe steigt nach dem Gärprozess nach oben und wird dann abgeschöpft. Untergärige Hefe benötigt Temperaturen zwischen 4 und 9 °C und setzt sich nach der Gärung am Boden des Gärgefäßes ab. Dies war früher nur in Gegenden möglich, die den ganzen Winter über viel Natur-Eis zur Verfügung hatten. Mit der Erfindung der Kältemaschine im Jahr 1873 begann der Siegeszug des untergärigen Bieres.

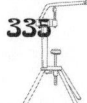

- Nach etwa zehn Tagen, abgedeckt an einem warmen Ort, ist die Gärung beendet, und wir bestimmen erneut die Dichte, den Endwert. Bei schweren Bieren liegt sie nun zwischen 1010 und 1015, bei Leichtbier zwischen 1000 und 1005. Der Alkoholgehalt wird mit einem Alkoholometer gemessen.
- Das Bier wird in ein sauberes Gefäß umgefüllt. Nun wird noch Zucker für eine Nachgärung zugesetzt. Hierfür gibt es Tabellen, denen man die benötigte Menge entnehmen kann, aber man sollte auf keinen Fall zu viel dazugeben. Der Zucker ist dafür verantwortlich, dass die Flasche beim Öffnen sprudelt und schäumt.
- Das fertige Bier kann nun in Flaschen abgefüllt werden.

Wursten

Wenn etwas Vertrauenssache ist, dann der Kauf von Würsten. Das liegt daran, dass nicht mehr sichtbar ist, was alles durch den Fleischwolf gedreht wurde und dass oft auch Teile verarbeitet werden, für die man sonst keine Verwendung hat, z. B. von den Knochen geschabtes Fleisch. Mit anderen Worten: Keiner weiß eigentlich genau, was alles in die Wurstpelle gewandert ist und ob statt Resten vielleicht sogar Abfall verwurstet wurde.

Was liegt also näher, als eigene Würste herzustellen. Getrocknet und geräuchert sind sie für Selbstversorger interessant, da man sie so für eine lange Zeit aufbewahren kann. Außerdem kann man das Wurstbrät auch in Gläser füllen und einkochen – ideal zur Bevorratung!

Die Füllung macht's

Man unterscheidet zwischen Würsten, die für den sofortigen Verzehr gekocht oder gebraten serviert werden, und Dauerwürsten, die durch Räuchern und Trocknen oder Pökeln haltbar gemacht werden. Als Grundlage dient meist

Schweine- und Rindfleisch, in der ursprünglichen italienischen Salami wird auch Esel- und Maultierfleisch verarbeitet. Selbstverständlich kann auch Geflügelfleisch verarbeitet oder können Fleischsorten kombiniert werden. Die meisten Würste bestehen zur Hälfte aus magerem und zur anderen Hälfte aus fettigem Fleisch, wie Bauchspeck oder Schulterspeck. Der hohe Fettgehalt sorgt für den guten Geschmack. Klassische Gewürze für die Wurst sind Majoran, Kümmel, Salz, Pfeffer, Paprika oder Thymian, abgeschmeckt werden kann mit Essig, Rotwein oder anderem Hochprozentigen.

Die Herstellung von Wurst ist denkbar einfach: Das Fleisch wird durch einen Fleischwolf gedreht, mit Kräutern und Gewürzen vermischt und anschließend in Naturdärme gefüllt und in der gewünschten Länge abgedreht. Naturdärme kann man beim Metzger kaufen. Zum Befüllen der Därme dient eine Wurstmaschine, ein Trichter mit breiter Öffnung leistet aber auch gute Dienste.

Wurst, Wurst, Wurst ...

Die Vielfalt an Würsten ist riesig, und so rühmt sich auch jede Region ihrer eigenen Wurstspezialitäten. Berühmt ist die Münchner Weißwurst, eine Brühwurst. Sie enthält ungepökeltes Kalbfleisch – daher die weiße Farbe –, Speck und Gewürze wie Muskatblüte, Zitrone und auch Kräuter.

Landjäger bestehen aus Schweine- und Rindfleisch sowie Rückenspeck. Sie werden mit Pökelsalz, Pfeffer, Kümmel, Senfkörnern und Zucker gewürzt, in Därme gefüllt und zwischen zwei Brettern leicht gepresst, so erhalten sie ihre typische Form. Anschließend räuchert man sie kalt.

Um Leberwurst herzustellen, wird zunächst Schweinebauch gekocht und mit der heiß überbrühten Leber und geschmorten Zwiebeln durch den Fleischwolf gedreht. Als Gewürze kommen Salz, Pfeffer, Majoran und Thymian hinzu – je nach Geschmack auch Muskat und andere Kräuter. Nach dem Abfüllen in Därme wird Leberwurst etwa eine Stunde gekocht.

Um Mortadella herzustellen, benötigt man mageren Vorderschinken vom Schwein und mageres Rindfleisch. Das Fleisch wird über Nacht in Pökellake aufbewahrt, im Fleischwolf fein gemahlen und mit Fleischbrühe, Salz, Pfeffer und Piment gewürzt. Hinzu kommen Pistazien und fetter Speck, der in Würfel

geschnitten wird. Die Masse füllt man in einen Rinderdarm. Ist die Wurst trocken, wird sie eine Stunde schonend gekocht und dann 2 bis 3 Tage geräuchert.

Blutwurst besteht, wie der Name sagt, aus gewürztem Blut, hinzu kommen gewürfelter Speck, gewürfeltes und frisch gepökeltes Magerfleisch sowie gekochte, mit Zwiebeln gewolfte Schweineschwarte. Speck und Fleisch werden gekocht, mit der Schwartenmasse vermischt und dann abkühlen gelassen. Nun kommt das vorgewärmte Blut hinzu, und alles wird mit Pfeffer, Zimt, Piment, Kümmel, Nelken und Majoran gewürzt. Die Masse in Därme füllen und 1 Stunde bei etwa 85 °C brühen, dann wird die Wurst für wenige Stunden kalt geräuchert.

Salami ist eine Spezialität, die besonders in Italien beliebt ist. Sie besteht aus grob zerkleinertem Schweine- und Rindfleisch sowie Speck. Hinzu kommen Gewürze wie Knoblauch, Peperoni und Salpeter. Das Besondere an Salami ist, dass der Fleischmasse eine Starterkultur mit Milchsäurebakterien zugegeben wird. Durch die während der mehrwöchigen Reifezeit einsetzende Fermentation erhält Salami erst ihren typischen Geschmack. Gleichzeitig wächst auf der Oberfläche ein grauweißer Naturschimmelbelag. Erst nach dieser Reifezeit wird Salami mehrere Wochen an der Luft getrocknet.

Brot backen

Brot in jeder Form ist eine wichtige Grundlage unserer Ernährung, und immer mehr Menschen schwören auf ihr eigenes, selbst gebackenes Brot. Sicher, Bäcker bieten ein reichhaltiges Angebot, doch immer häufiger handelt es sich um industriell in großem Maßstab produzierte Ware, die zusätzlich mit Aromastoffen und Substanzen behandelt ist, die z. B. eine knusprige Kruste garantieren sollen.

Nicht nur für Selbstversorger ist es eine befriedigende Tätigkeit, sein eigenes Brot zu backen, und schnell wird man sein Lieblingsrezept für das Hausbrot gefunden haben, auch hier macht die Übung den Meister. Das Backen auf Vorrat lässt sich problemlos in die Wochenroutine integrieren und geht dann irgendwann wie von allein.

Mahlen Sie Ihr Mehl nach Bedarf selbst, eine Getreidemühle darf daher

in keinem Haushalt fehlen. Selbst gemahlenes Mehl ist gesünder und es schmeckt auch besser. Je feiner es gemahlen wird, umso besser geht der Teig danach auf. Zum Brotbacken besonders geeignet sind Dinkel-, Roggen- und Weizenmehl.

Der Backofen

Am besten kann man Brot in einem traditionellen Holzofen backen, den Sie selbst bauen können. Dieser wird mit Holz befeuert, auf diese Weise ist man nicht von Strom und anderen Energiequellen abhängig. Über Jahrhunderte wurde das Brot auf diese Art gebacken, heute sieht man solche Öfen in Pizzerien, da nur in der Hitze des Holzfeuers gebacken die Pizza so schmeckt, wie sie schmecken soll. Mit der Zeit werden Sie über ausreichend Erfahrung verfügen, was die Temperaturführung angeht. Das Prinzip ist einfach: Im Ofen wird ein Holzfeuer geschürt, man lässt es herunterbrennen, schiebt die Asche beiseite und legt die geformten Teiglaibe hinein. Je höher die Anfangs-Backtemperatur, desto knuspriger die Brotkrume. Und im Holzofen sinkt die Temperatur automatisch genau so, dass das Innere des Brotes gut durchgebacken wird, ohne dass die Kruste verbrennt.

Sie können in einem solchen Ofen gleichzeitig mehrere Brote auf Vorrat backen. Brot bewahrt man in einem trockenen, gut durchlüfteten Raum auf. Ein Spritzer Essig im Teig macht es haltbarer.

Einfacher geht es nicht

Die einfachste Methode, ein Brot herzustellen, ist, Mehl mit Wasser zu verkneten, bis ein geschmeidiger Teig entsteht, der nicht mehr an den Fingern klebt. Das Wasser wird dazu schluckweise zugegeben. Der Teig wird in kleine Portionen geteilt, mit einem Nudelholz oder einer Flasche zu dünnen Fladen ausgerollt und trocken in einer Pfanne gebacken. Wer mag, kann noch Salz hinzugeben. In Indien bezeichnet man diese Fladenbrote als

Chapati, aber auch in anderen Ländern sind derartige Brote Grundnahrungsmittel. Einfacher geht es wirklich nicht.

Verwendet man weißes Weizenmehl, kann man auch Nudeln aus diesem Teig machen. Er wird dann dünn ausgerollt und in Streifen geschnitten. Diese hängt man zum Trocknen über einen Besenstiel oder legt sie bei niedriger Temperatur in den Backofen. Wenn Sie richtig trocken sind, können Sie in der bekannten Weise zubereitet werden.

Hefeteig

Hefe vergärt Stärke, dabei entsteht Kohlendioxid, das den Brotteig aufgehen lässt und ihn luftig und locker macht. Alles, was man tun muss, ist, dafür zu sorgen, dass die Hefe sich optimal entwickeln kann. Das Mehl wird in eine Schüssel gesiebt und in der Mitte eine Mulde geformt. Dort hinein bröselt man die Hefe und mischt sie mit lauwarmem Wasser und etwas Zucker. Dann die Schüssel zugedeckt an einen zugfreien, warmen Platz stellen. Das Wichtigste ist, dass der Teig keine Zugluft bekommt. Den Vorteig nach einiger Zeit mit dem restlichen Mehl unter Zugabe von warmem Wasser gut durchkneten, bis er nicht mehr klebt, erneut gehen lassen und noch einmal kneten. Vor dem Backen den Teig auf dem Backblech noch einmal gehen lassen und im vorgeheizten Backofen bei 225 °C backen. Hefebrote gelingen besser, wenn man eine Schale mit Wasser in den Backofen stellt oder das Brot von Zeit zu Zeit besprüht.

Abweichend von dem Grundrezept kann Pflanzenöl und Salz zugegeben werden (Pizzateig), statt Wasser Milch (Dampfnudeln), und für spezielles Hefegebäck verwendet man auch noch Eier (z. B. für einen Hefezopf etc.).

Sauerteigbrot

Sauerteig ist neben Hefe ein anderes Mittel zur Lockerung und Säuerung von Teig. Er entsteht aus einem Gemisch von Mehl und Wasser unter Einwirkung von Wärme und bestimmten Mikroorganismen, die sich im Mehl und in der Luft befinden. Das sind Hefen sowie Essig- und Milchsäurebakterien. Diese Organismen gehen im Sauerteig eine Symbiose ein und benötigen nach ein paar Tagen weitere Nahrungszufuhr in Form von Mehl und Wasser. Sie müssen Ihren Sauerteig also füttern! Sauerteigkulturen können sich voneinander in Geschmack und Aktivität unterscheiden. Das hängt von den beteiligten Mikroorganismen ab, die sich vor allem an der Schale des Getreidekorns befinden, aber auch in der Luft. Sauerteigbrote schmecken also in jeder Region und in jedem Land verschieden.

Sauerteigbrot zu backen ist etwas aufwendiger, aber lohnend. Es ist besonders wohlschmeckend und gesund, da durch die Arbeit der Mikroorganismen viele Stoffe aufgeschlossen werden, die dann vom Körper leichter aufgenommen werden können. Ein weiterer Vorteil ist, dass Sauerteigbrote länger haltbar sind als beispielsweise Hefebrote. Besonders für Roggenbrote ist die Säuerung zu empfehlen, da sie dann lockerer und erst backfähig werden.

Sauerteig lässt sich im Kühlschrank problemlos aufbewahren. Er verfällt dort in einen Ruhezustand. Wenn man dann mit ihm backen will, kann man ihn durch Zufuhr von Mehl, Wasser und Wärme wieder backfertig machen.

Der Sauerteigstarter

Rühren Sie 100 g Roggenmehl mit Wasser zu einem dickflüssigen Teig und stellen Sie alles für einen Tag abgedeckt an einen warmen Ort. Optimal sind Temperaturen zwischen 25 und 30 °C. Die Temperatur beeinflusst den Geschmack des Sauerteigs: Niedrige Temperaturen begünstigen die Vermehrung der Essigbakterien (der Teig wird saurer), höhere die der Milchsäurebakterien (der Teig wird milder). Damit der Prozess etwas schneller verläuft, kann man auch noch ein wenig Joghurt oder Honig hinzufügen.

Dann wieder 100 g Mehl und eine entsprechende Menge Wasser zugeben, gut einrühren und erneut etwa 24 Stunden stehen lassen. Sie fahren damit so lange fort, bis eine etwa faustgroße Menge beisammen ist. Backfertig ist der Ansatz, wenn sich an der Oberfläche Schaum gebildet hat, und er

säuerlich riecht. Da es sich um eine Spontangärung handelt und die hierfür notwendigen Bakterien aus der Umgebungsluft stammen, ist die Qualität des Brotes schwankend.

Sauerteigbrot backen

Der Sauerteigansatz wird am Backtag mit Mehl und allen anderen Zutaten vermischt, bis ein fester Teig entstanden ist, dann wird er gebacken. Der Teig muss gut geknetet werden und über Nacht ruhen, er hat eine Backzeit von über einer Stunde. Es ist also zeitaufwendiger, ein Brot mit Sauerteig selbst zu backen, vor allem, wenn man den Sauerteigstarter auch noch selbst herstellen muss. Dafür muss Sauerteig nicht lange geknetet werden. Vor dem Backen nehmen Sie etwas von dem Teig beiseite und bewahren es auf als Starter für die nächste Backaktion.

11 Energie- und Wasserversorgung

Eine Motivation für die Versorgung mit Lebensmitteln aus eigener Produktion ist die Kontrolle über die Qualität und Herkunft der Nahrung. In puncto Energie- und Wasserversorgung steht neben ökologischen Fragen aber auch der Aspekt des Sparens im Vordergrund. Bei der Recherche für dieses Buch stieß ich auf etliche geniale Ideen, mit denen sich der Energiebedarf und damit die Kosten für einen Haushalt reduzieren ließen, weltweit findet man zahlreiche Beispiele für Projekte, die als beispielhaft gelten können und nachahmenswert sind – sofern dies im Rahmen unserer Gesetzgebung möglich ist.

Dass nicht erneuerbare fossile Energien verschwendet werden und bestes Trinkwasser dazu dient, die Toilette zu spülen, sollte uns zum ernsthaften Umdenken anregen. Von Treibhauseffekt und Klimawandel gar nicht zu reden. Und dabei gäbe es so viele Alternativen in Form hoch entwickelter Technologien, aber auch ganz verblüffend einfache Verfahren, die deutlich den Energie- und Wasserverbrauch reduzieren helfen.

Selbstversorgung mit Wasser

Der Pro-Kopf-Verbrauch an Wasser liegt in Deutschland pro Tag bei etwa 130 l. Lediglich 5 Liter davon benötigen wir, um Speisen und Getränke zuzubereiten. Bleiben 125 Liter, über deren weitere Verwendung man sich einmal Gedanken machen sollte.

Regenwasser nutzen

In der Regel sind alle Haushalte an eine kommunale Wasserversorgung angeschlossen. Das ist deshalb sinnvoll, da wir die Garantie haben, dass unser Trinkwasser hygienisch einwandfrei ist und die Ausbreitung von Krankheiten und Seuchen unterbunden wird. Sinnlos dagegen ist es, mit diesem Wasser die Toilette zu spülen, zu waschen, zu putzen und zu duschen oder gar den Rasen zu sprengen. Aus diesem Grund sollte eine Regentonne in keinem Garten fehlen, sodass das gesammelte Wasser direkt verwendet werden kann, um die Pflanzen zu gießen.

Besser ist eine unterirdisch angelegte, geschlossene Zisterne, in der das vom Hausdach ablaufende Wasser aufgefangen wird. Das Fassungsvolumen richtet sich nach dem Wasserverbrauch und der Dachfläche, die zur Verfügung steht. Bei der Planung ist auch zu berücksichtigen, dass eine Zisterne in regenreichen Zeiten Vorrat sammelt für regenarme Perioden. Das Speichervolumen sollte daher etwa 50 Prozent über dem errechneten Bedarf liegen. Die Menge sollte dann auch in wasserärmeren Zeiten für einen normalen Haushalt mit Waschmaschine, Dusche und Toilette reichen.

Das Regenwasser wird über einen Filter, der grobe Schmutzpartikel zurückhält, in die Zisterne geleitet und später mithilfe einer Pumpe entnommen. Es kann als Spülwasser für die Toilette, zum Waschen von Wäsche, für die Dusche und auch zum Putzen verwendet werden. Im Idealfall ist die Zisterne an einen separaten Wasserkreislauf für Gebrauchswasser angeschlossen. In Absprache mit Ihrem Wasserversorger ist es in allen Bundesländern zulässig, Regenwasser für die Garten- und teilweise auch für die Hausbewässerung zu verwenden. Klären Sie vor Beginn der Arbeiten mögliche Auflagen, Abgaben und Genehmigungen.

Eine Zisterne muss für den Fall längerer Regenfälle einen Überlauf haben, wobei zu klären ist, ob das Wasser in die Kanalisation geleitet werden darf. Dies ist meist vertraglich geregelt, da für Abwasser und auch Regenwasser, welches von versiegelten Flächen in die Kanalisation geleitet wird, Gebühren zu zahlen sind. Alternativ kann das Wasser einfach in den Garten geleitet werden.

Je nach Größe muss die Zisterne alle 3 bis 5 Jahre gereinigt und feines Sediment, das sich am Grund absetzt hat, abgesaugt werden. Ideal ist eine ausreichend große Öffnung, die es erlaubt, die Zisterne zu begehen. Die Zisterne muss aber auf alle Fälle so verschlossen sein, dass Kinder nicht verunglücken und hineinfallen können.

Grundwasser nutzen

Wer sich für die Bohrung eines Brunnens und damit für die Nutzung von Grundwasser entschließt, muss grundsätzlich bei der zuständigen Behörde eine Genehmigung einholen. Je nach Bundesland sind jedoch die Bedingungen für den Bau eines Grundwasserbrunnens unterschiedlich geregelt. In einigen Regionen genügt es, die Anlage eines Brunnens vor dem eigentlichen Bohrbeginn zu melden, andere Ämter wiederum geben ihre Erlaubnis erst, wenn ein entsprechendes Gutachten vorliegt. Das heißt, dass man sich vor dem Start des Brunnenbaus zunächst über die zuständige Stadt- oder Gemeindeverwaltung oder Wasserbehörde informieren muss, welche Unterlagen und Bescheinigungen zur Genehmigung notwendig sind. Einzelheiten dazu finden sich im Wasserhaushaltsgesetz.

Die zuständige Behörde kann ebenfalls detaillierte Auskunft darüber erteilen, in welcher Tiefe Grundwasser ansteht, welche Qualität es hat und wozu es verwendet werden kann, in der Regel darf es nur für den Gebrauch im Garten eingesetzt werden. Möchte man sein Brunnenwasser auch als Trinkwasser nutzen, müssen zusätzliche Auflagen hinsichtlich der Wasserqualität und -hygiene beachtet werden. Eine jährliche Überprüfung der Wasserqualität durch das Gesundheitsamt oder ein privates Institut ist hierbei obligatorisch.

Sehr viel einfacher ist die Genehmigung für einen Brunnen, der ausschließlich für Brauchwasserzwecke, wie die Gartenbewässerung oder die Toilettenspülung ausgelegt ist. Auch die Installation einer Brunnenanlage für Brauchwasser muss bestimmten Vorschriften entsprechen; das heißt, eine Systemtrennung vom Brauch- zum Trinkwasser muss gewährt sein.

Nur so ist eine mögliche Verunreinigung des Leitungswassernetzes auszuschließen. Das Bohren des Brunnens sollte man immer einem Fachbetrieb überlassen: Er kennt die regionalen Auflagen genau, weiß, welche Formalitäten zu erledigen sind, und kann sämtliche Behördengänge und Genehmigungsverfahren übernehmen.

Man kann das aus dem Brunnen nach oben beförderte Wasser in unterirdischen Zisternen speichern oder auch direkt in Speichertanks im Haus pumpen, beispielsweise auf dem Dachboden. Die Pumpen hierfür laufen mit Gleichstrom und lassen sich daher mit Wind- oder Sonnenenergie betreiben.

Quell- und Flusswasser nutzen

Die wenigsten werden das Glück haben, über eine eigene Quelle auf dem Grundstück zu verfügen. Wer die eigene Quelle nutzen möchte, ist ebenfalls verpflichtet, dies den Behörden anzuzeigen. Das örtliche Gesundheitsamt wird die Quellfassung prüfen und so ausschließen, dass hygienische Probleme auftreten.

Für Oberflächengewässer gilt ebenfalls, dass Entnahme- und Einleitungsrechte geprüft bzw. beantragt werden müssen. Die Regelungen finden sich im Wasserhaushaltsgesetz, das von Bundesland zu Bundesland unterschiedlich sein kann.

Auch hier gilt, dass dieses Wasser regelmäßig vom Umwelthygieneamt getestet werden muss, sollte es als Trinkwasser verwendet werden.

Abwasser entsorgen

Wasser gewinnen ist das eine, die Entsorgung das andere. In der Regel werden Gebühren für Gebrauchswasser erhoben, man zahlt also zweimal für das Wasser: um es einzukaufen und um es wieder loszuwerden.

Auf einem Hof oder wenn ein ausreichend großes Grundstück vorhanden ist, ist der Betrieb einer Schilfkläranlage ideal. Das Prinzip ist einfach: Das

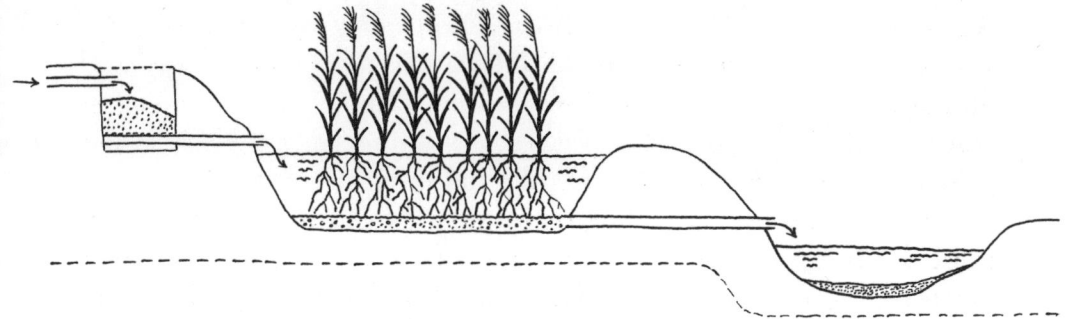

Abwasser wird zunächst in Kammern gesammelt, wo sich feste Bestandteile absetzen können. Von dort aus wird es in ein Sand- und Kiesbett geleitet, wo es versickert, dabei werden feinere Partikel herausgefiltert. Auf den Sand- bzw. Kieselkörnern bildet sich mit der Zeit ein Bakterienfilm, der organische Stoffe abbaut. Das Schilf selbst hat nur wenig Anteil an der Reinigung des Abwassers, es bildet vielmehr einen Schutz vor Witterung und hält den Sandkörper durchlässig und locker. Weitere Pflanzen, die sich eignen, sind Rohrkolben, Binsen, Kalmus oder Seggen. Pro Hausbewohner benötigt man etwa 4 m² Fläche. Das geklärte Wasser kann man entweder versickern lassen oder in einen Schönungsteich leiten.

Auch eine Schilfkläranlage muss von der Behörde abgenommen werden, da jeder Haushalt eine Nachweispflicht für sein Abwasser hat. Es sind auch Fälle bekannt, in denen Gemeinden den Betrieb ablehnen und dadurch erzwingen wollen, dass man sich an die öffentliche Kanalisation anschließt – was erheblich mehr Kosten verursacht.

Es versteht sich von selbst, dass beim Betrieb einer Schilfkläranlage keine giftigen Stoffe oder Haushaltschemikalien in den Abfluss gekippt werden dürfen. Dafür gibt es genügend umweltverträgliche Produkte, auf die man ausweichen kann, beispielsweise Waschnüsse für die Waschmaschine, Essig als Universalreiniger, Natron für verstopfte Abflüsse und zur Reinigung stark verschmutzter Flächen und 100-prozentig biologisch abbaubares Spülmittel. Zum Reinigen der Toilette verwendet man eine Mischung aus Zitronensaft und Natron.

Wasser sparen

Wasser ist eine wertvolle Ressource, die zudem nicht unbegrenzt zur Verfügung steht, außerdem kostet die Aufbereitung von Trinkwasser Zeit und Energie. Aus diesem Grund ist ein verantwortungsvoller Umgang mit Wasser oberste Pflicht.

Am Anfang steht das eigene Verhalten, und die Devise lautet: Weniger Wasser verbrauchen. Beim Duschen benötigt man deutlich weniger Wasser als bei einem Vollbad. Und die Dusche während des Einseifens abstellen spart noch einmal ordentlich. Dies wird oft nicht gemacht, weil anschließend die Wassertemperatur neu einreguliert werden muss. Hierfür gibt es einen Schieber, der schnell in der Dusche oberhalb der Mischbatterie installiert ist und mit dessen Hilfe das Wasser abgestellt werden kann, ohne dass sich etwas an deren Einstellung ändert.

Ein weiterer Trick ist es, Duschköpfe und Wasserhähne mit Luftsprudler zu verwenden. Sie vermitteln einem das Gefühl eines vollen Wasserstrahls bei deutlich weniger Wasserverbrauch.

Ein weiterer Wasserfresser ist die Spülung der Toilette. Mit Spartasten kann man den Wasserbedarf dosieren. Ganz ohne Spülwasser kommt dagegen eine Komposttoilette aus. Statt mit Wasser nachzuspülen, wird einfach eine Handvoll Sägespäne hineingeworfen.

So funktioniert eine Komposttoilette

Eine Komposttoilette hat zwei Kammern, eine ist in Gebrauch und in der zweiten kompostiert der Inhalt. Sobald die eine Kammer, die in Gebrauch ist, voll ist, kann die andere geleert werden und der Inhalt als Kompost ausgebracht werden. Ist der Rotteprozess gut verlaufen, ist dies hygienisch einwandfrei.

Damit eine Komposttoilette funktioniert, muss zunächst der Urin separiert werden, dies geschieht über eine Rinne, in der er aufgefangen und in ein Fass geleitet wird, das mit Stroh gefüllt ist. Sitzen ist also obligatorisch! Der Inhalt dieses Fasses kann später ebenfalls auf den Kompost.

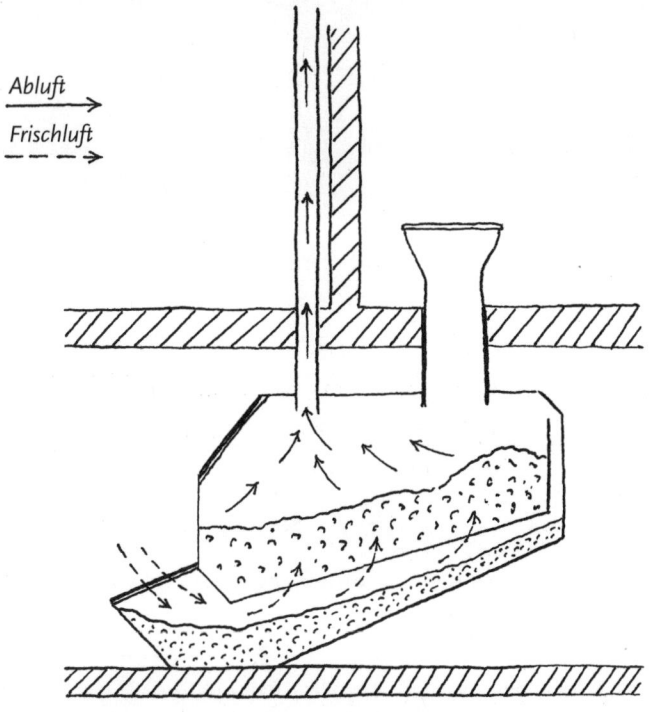

Auf den Boden der Kammer oder des Behälters kommt zu Beginn eine Schicht frischer Humus, am besten Waldboden vermischt mit halb verrottetem Laub. Die Fäkalien fallen direkt in die Kompostbehälter, die sich unter den Toilettensitzen befinden. Er wird dann durch verschiedenste Bodenorganismen in mehreren Stufen zu Kompost zersetzt. Für eine optimale Rotte sollte täglich kohlenstoffreiches Strukturmaterial wie Strauchschnitt, Rindenmulch oder Holzhackschnitzel zugegeben werden. Die für den Rotteprozess notwendige Sauerstoffzufuhr wird über ein Be- und Entlüftungssystem gewährleistet. Ein Ventilator saugt über Bodenöffnungen am Kompostbehälter Frischluft durch den Rottebehälter und gibt die Abluft über einen Schornstein ab. Dabei werden auch eventuell auftretende Gerüche gleich mit abgesaugt.

Komposttoiletten funktionieren übrigens auch im Winter, im Sommer können Fliegen ein Problem werden, dies ist mit entsprechenden Vorrichtungen zu vermeiden. Aus dem Grund sollte der Deckel immer geschlossen sein.

Selbstversorgung mit Strom

Sie wollen in Sachen Strom und Energie unabhängiger werden und Ihre Strom- und Gasrechnung deutlich senken, um das gesparte Geld für andere Dinge zur Verfügung zu haben? Hier bieten sich viele Möglichkeiten an, auch wenn es nicht ganz ohne das öffentliche Stromnetz gehen wird.

Strom sparen

Im ersten Schritt gilt es erst einmal, konkret Strom zu sparen. Dies beginnt mit der kritischen Sichtung der vorhandenen Elektrogeräte und dem Aussortieren solcher, die vielleicht doch nicht notwendig oder veraltet sind. Letzteres lohnt sich besonders bei Kühlschränken.

> ### Energieverbrauch berechnen
> Um den Energieverbrauch eines Gerätes zu berechnen, multiplizieren Sie die Anzahl der Stunden, die es in Betrieb ist, mit seiner Leistung in Kilowatt (1 Kilowatt = 1000 Watt).
> Die Einheit ist die Kilowattstunde (KWh). Beispiel: Eine 100-W-Glühbirne, die 5 Stunden lang brennt, verbraucht 0,5 KWh. Ein Elektroherd mit 3 KW, der zwei Stunden eingeschaltet ist, verbraucht 6 KWh.

Auch im Stand-by Modus verbrauchen Geräte Strom, bei einem Farbfernseher oder CD-Player macht das schon allein 32,– €/Jahr, ein Computer mit Röhrenbildschirm bringt es auf über 40,– €.

Strom sparen im Alltag

In der Küche und beim Kochen:
- Bei Elektroherden lässt sich viel Strom sparen, wenn Sie rechtzeitig abschalten und mit der Restwärme fertig kochen oder backen.
- Mit einem passenden Deckel auf dem Topf lässt sich die Garzeit deutlich verkürzen.
- Elektrobacköfen müssen nicht vorgeheizt werden.
- Kühlschränke und Gefriertruhen sind mit die größten Stromverbraucher im Haushalt. Regelmäßig abtauen ist zwingend, um das Bilden einer Eisschicht zu verhindern. Die Kühlschranktüre nur öffnen, wenn nötig, und nicht zu lange offen stehen lassen.
- Ein Erdkeller kann einen Kühlschrank ganz überflüssig machen.
- Wer auf einen Geschirrspüler nicht verzichten kann, sollte das Geschirr nicht von Hand vorspülen und das Gerät erst anstellen, wenn es voll beladen ist. Das entsprechende Waschprogramm sorgfältig nach Verschmutzungsgrad und Geschirrart auswählen.
- Im Wasserkocher lässt sich das benötigte heiße Wasser energiesparender zubereiten als im Kochtopf oder im Kessel auf der Herdplatte.
- Kochen auf dem Holzfeuer während der Heizsaison reduziert die Stromkosten deutlich. In einem Topf oder Teekessel kann dann auch ständig warmes Wasser bereitgehalten werden.
- Auch für das Kochen kann man Sonnenenergie einsetzen (siehe weiter unten).
- Eingefroren werden sollten nur abgekühlte und gut verpackte Speisen.
- Den Kühlschrank nicht neben Wärmequellen wie Heizung, Herd, Geschirrspüler oder Waschmaschine stellen. Der beste Standort für einen Gefrierschrank ist ein kühler, trockener und gut belüfteter Raum.

Im Haus:
- Alle Geräte ausschalten, statt sie im Stand-by-Modus zu belassen.
- Eine Schreibtischlampe am Arbeitsplatz genügt, der Rest des Raumes muss nicht beleuchtet sein.
- Flachbildschirme verbrauchen nur halb so viel Energie wie Röhrenmonitore.

- Bei modernen Computer-Monitoren sind Bildschirmschoner unnötig. Sie verbrauchen mehr Strom, als wenn der Monitor in den Ruhezustand versetzt oder bei Inaktivität einfach abgeblendet wird. Weiterhin lässt sich Strom durch die Regelung der Helligkeit des Monitors sparen. Statt 30 Watt bei voller Helligkeit, lässt sich dieser Wert an Plätzen ohne direkte Sonneneinstrahlung auf 20 Watt reduzieren.
- Eine normale Glühlampe leuchtet etwa 1000 Stunden, Energiesparlampen dagegen 8000 Stunden bei geringerem Stromverbrauch.
- Mit dem Stromverbrauch eines Plasma-Fernsehers lassen sich sechs Kühlschränke gleichzeitig betreiben.
- Beim Waschen in der Waschmaschine reichen 60 °C für normal verschmutzte Wäsche völlig aus. Waschen Sie nur mit einer vollen Maschine. Außerdem sollten Sparprogramme aktiviert werden.
- Ein Trockenraum für die Wäsche statt Wäschetrockner ist gut für den Geldbeutel – und auch für die Wäsche.
- Ladegeräte immer vom Netz trennen (Handy, Rasierer, elektrische Zahnbürste, Akkuladegerät etc.).

Wie gut ist mein Kühlschrank isoliert?

Haben Sie schon mal die Isolation Ihrer Kühlgeräte getestet? Wenn nicht, es gibt einen einfachen Trick: Legen Sie ein Buch auf den Kühlschrank und warten Sie einige Stunden. Ist das Buch dann kalt, sollten Sie etwas an der Isolation verändern oder gleich ein neues Gerät kaufen.

Kochen in der Kochkiste

Auch mit einer Kochkiste lässt sich Strom sparen. Das ist eine innen gut mit Styropor isolierte, verschließbare Kiste, in die ein Topf gestellt werden kann. Die Kochkiste eignet sich gut für die Zubereitung von Eintopfgerichten, Gulasch, Schmorbraten, Kartoffeln und Reis. Die Speisen werden zunächst auf dem Herd ganz normal aufgekocht und dann in die Kochkiste gestellt, wo sie weitergaren. Es brennt nichts an, allerdings müssen Sie mindestens die doppelte Zeit einplanen als auf dem Herd.

Strom aus Sonnenenergie

Sonnenenergie steht uns nahezu unbegrenzt zur Verfügung und kann auf verschiedene Weise genutzt werden. Wir können mithilfe der Sonne Strom erzeugen, Wasser erwärmen und sogar kochen.

Durch technische Neuerungen hat sich die Rentabilität und Leistungsfähigkeit von Photovoltaik-Anlagen deutlich gesteigert. Auf einer relativ kleinen Dachfläche kann ausreichend Strom produziert werden, um einen Haushalt zu entlasten oder im Idealfall den Strombedarf komplett zu decken.

Das Leistungsvermögen einer solchen Anlage hängt ab von der Lage, der Dachneigung und der maximalen Sonneneinstrahlung. Aber auch bei bedecktem Himmel wird Strom erzeugt. Ideal ist eine Ausrichtung des Daches nach Süden bei einer mittleren Neigung von 40 Grad. Hierbei ist zu berücksichtigen, dass die Fläche auch bei niedriger Sonneneinstrahlung im Winter direktes Sonnenlicht erhält.

In einer Photovoltaik-Anlage wird Gleichstrom erzeugt, mit dem beispielsweise Pumpen direkt betrieben werden können. In der Regel wird die Anlage an das öffentliche Stromnetz angeschlossen. Um den Strom ins Netz einzuspeisen, wird ein Umrichter benötigt, der den Gleichstrom in Wechselstrom umwandelt. Außerdem sind zwei Stromzähler zu installieren: einer für erzeugten Strom, ein zweiter für den verbrauchten. Das bedeutet, Ihr Strom wird in das Stromnetz eingespeist und entsprechend vom Netzbetreiber vergütet. Umgekehrt beziehen Sie weiterhin Strom von Ihrem Stromversorger. Das »Erneuerbare-Energie-Gesetz« (EEG) schreibt vor, dass die Netzbetreiber eine Abnahmepflicht haben. Für Strom aus Photovoltaik-Anlagen war ab 2002 eine Vergütung in Höhe von 0,48 € pro Kilowattstunde zu zahlen. Die Tarife für Strom aus anderen Quellen wie Wind- oder Wasserenergie sind unterschiedlich geregelt. Dieser Betrag liegt über dem Preis, der beim Zukauf von Strom vom gleichen Netzbetreiber zu entrichten ist. Daher kann eine Photovoltaik-Anlage durchaus lukrativ sein, zumal die Beträge für 20 Jahre gesichert sind. Als Besitzer eines Nullenergiehauses oder Plusenergiehauses können Sie so den Eigenbedarf decken und haben unter idealen Bedingungen sogar noch einen Gewinn übrig.

Stromerzeugung ist ein Gewerbe, im privaten Fall ein Nebengewerbe, und Verluste können Sie steuerlich mit dem Einkommen verrechnen. Mittlerweile gilt sogar die heimische Solaranlage auf dem Dach als Gewerbe. So bekommt man die Mehrwertsteuer zurück und kann auch hier die Verluste absetzen.

Vor Inbetriebnahme einer Photovoltaikanlage ist zu prüfen, ob eine behördliche Genehmigung notwendig ist. Manche Kommunen gewähren eine finanzielle Unterstützung.

Warmwasser mit Sonnenenergie

Solarthermie ist die einfachste Art, die Energie der Sonne direkt nutzbar zu machen und auf ein anderes Medium zu übertragen. Hierbei wird kein Strom erzeugt, die Sonnenwärme wird direkt dazu verwendet, um Wasser zu erwärmen.

Im einfachsten Fall genügt hierfür ein etwa 100 m langer schwarzer Kunststoffschlauch, der in Schleifen auf ein Flachdach gelegt und durch den Wasser gepumpt wird. Ohne Speichervorrichtung kann so tagsüber Warmwasser für die Dusche genutzt werden, der Wasservorrat reicht für etwa 15 min Duschen, die Aufheizzeit beträgt etwa eine halbe Stunde.

In der Regel werden Sonnenkollektoren auf dem Dach installiert, die nach Süden ausgerichtet werden. Das sind innen schwarz gestrichene Kästen, die mit einer Glasscheibe abgedeckt sind. In den Kästen verlaufen schwarze Rohrleitungen oder Schläuche, in denen sich das durchfließende Wasser erwärmen kann. Das heiße Wasser wird in einem gut isolierten Wasserreservoir gespeichert. Auf diese Art kann Warmwasser für den ganzen Haushalt erzeugt werden, speziell für Dusche und Bad, was die Stromkosten wieder deutlich senkt.

Auch hier ist zu beachten, dass unter bestimmten Umständen das Installieren von Sonnenkollektoren auf dem Dach genehmigungspflichtig ist, beispielsweise wenn das Haus unter Denkmalschutz steht.

Kochen mit Solarenergie

Auch zum Kochen kann man Solarenergie verwenden. Ein Solarkocher ist im Prinzip ein Parabolspiegel, in dessen Brennpunkt das Kochgeschirr platziert wird. Besonders in Entwicklungsländern ist diese Methode des Kochens segensreich, da oft nicht einmal Brennholz zur Verfügung steht.

Beim Solarkocher sind einige Dinge zu beachten. Verwenden Sie nur massive, schwarze Gusstöpfe, die Hitzeentwicklung kann beträchtlich sein. Während der Kochzeit sollte gewährleistet sein, dass der Solarkocher nicht plötzlich im Schatten steht. Dies ist besonders bei Gerichten mit langer Garzeit eine Herausforderung, sodass der Solarkocher während der Kochzeit etwa alle 20 min neu ausgerichtet werden sollte.

Ein weiterer Unterschied zum konventionellen Kochen ist, dass beim Kochen mit Solarenergie die Hitze im Topf erst aufgebaut werden muss. Aus diesem Grund werden die Speisen in kleine Stücke geschnitten, und während der Garzeit sollte der Deckel des Topfes möglichst nicht öfter als einmal pro Stunde geöffnet werden.

Solarputz

Die Heizkosten lassen sich noch einmal beträchtlich senken, wenn Sie die Außenwände Ihres Hauses mit Solarputz versehen. Mikrofeine Keramik-Hohlkugeln im Inneren des Solarputzes sorgen dafür, dass im Sommer einströmende Hitze vom Haus ferngehalten wird – während sie im Winter dem Mauerwerk die benötigte Wärme zuführen. Die Wirkung der mikrofeinen Keramik-Hohlkugeln hängt davon ab, in welchem Winkel die Sonnenstrahlen auf das Gebäude treffen. Wenn im Sommer die Sonne hoch steht, treffen die Sonnenstrahlen in einem steilen Winkel auf das Gebäude, das Sonnenlicht wird vom Mauerwerk reflektiert. Im Winter, wenn die Sonne tief steht, läuft es umgekehrt: Dann absorbieren die Kügelchen die einströmende Wärme und führen sie dem Mauerwerk zu. Auf diese Weise wird ein ausgeglichener Temperatur- und damit mittelbar auch Feuchtigkeitshaushalt im Gebäude gewährleistet.

Strom aus Windkraft

Das Erzeugen von Windenergie unterliegt vielen Faktoren, vor allem brauchen Sie ein passendes, hoch gelegenes Grundstück und natürlich Wind.

Entscheidend ist auch die durchschnittliche Windgeschwindigkeit und Windrichtung in Ihrer Region. Hindernisse am Boden führen zu Verwirbelungen und Turbulenzen, was für eine Windturbine ungünstig ist.

Ein einzelnes Windrad im Garten, oder wie es als Bausatz für den Balkon erhältlich ist, reicht leider nicht aus, um den eigenen Strombedarf auch nur annähernd zu decken. Die Stromausbeute ist eher gering, und das Ganze darf getrost als Hobby bezeichnet werden. Will man die so erzeugte Energie in irgendeiner Form nutzen, muss man sie zudem in Akkus speichern, was einige technische Kenntnisse voraussetzt.

Interessanter sind Gemeinschaftsinitiativen und die Möglichkeit, in sogenannte Windparks zu investieren. Auch hier werden zudem viele Förderprogramme angeboten, und es locken Steuervorteile. Das Gleiche gilt auch für Wasserkraftwerke.

Heizen

Die Heizungstechnologie hat in den letzten Jahren enorme Fortschritte gemacht. In Verbindung mit modernsten Isolationsmaterialien sind zahlreiche Systeme im Handel, die eine deutliche Reduzierung der Heizkosten ermöglichen. Für welches man sich letztendlich entscheidet, hängt nicht zuletzt von den örtlichen Gegebenheiten ab. Steht das Haus auf felsigem Grund, scheidet beispielsweise eine Erdwärmepumpe aus. Am besten ist es, sich in puncto Heizungstechnologie gut beraten zu lassen, bevor man viel Geld investiert und das Ergebnis einen nicht zufriedenstellt.

Stehen Sie am Anfang Ihrer Planung und planen Sie den Bau eines Hauses, sind zukunftsweisende Hausmodelle wie das Plusenergiehaus in Erwägung zu ziehen. Mit diesem Haustyp sind Sie in Bezug auf die Energieversorgung nicht nur autonom, Plusenergiehäuser produzieren mehr Energie, als seine Bewohner verbrauchen können, und der Überschuss an Solarstrom kann an das öffentliche Netz abgegeben werden (siehe auch Seite 353).

Die meisten werden jedoch darüber nachdenken, in einem bestehenden Haus die Heizungsanlage zu optimieren oder zu ersetzen. Hier bieten sich folgende interessante Möglichkeiten.

Wärme aus dem Grundwasser

Energetisch betrachtet, ist Grundwasser die beste Wärmequelle, denn Grundwasser hat das ganze Jahr über eine annähernd gleichbleibende Temperatur von 8 bis 10 °C. Damit ist es auch im Winter möglich, einen optimalen Wärmeentzug zu gewährleisten. Die sogenannten Wasser/Wasser-Wärmepumpen erreichen daher einen hohen Wirkungsgrad.

Aus einem Saugbrunnen wird das Grundwasser mithilfe einer Tauchpumpe zur Wärmepumpe gefördert. Dort wird das Grundwasser abgekühlt und die daraus gewonnene Energie der Heizung zugeführt. Danach gelangt das Grundwasser über einen Schluckbrunnen wieder in den Boden zurück. Die Förder- und Schluckbrunnen zur Erschließung des Grundwassers sind genehmigungspflichtig.

Luftwärmepumpen

Mit dem Begriff »Luftwärmepumpe« bezeichnet man verschiedene Systeme. Zum einen sind dies Luft-Wasser-Wärmepumpen, die der Umgebungsluft über ein Medium Wärme entziehen und damit Heizungswasser erwärmen. Luft-Luft-Wärmepumpen entziehen der Umgebungsluft Wärme, die direkt in ein Luftheizungssystem eingespeist wird. Insbesondere Fußbodenheizungen, die mit niedrigen Vorlauftemperaturen auskommen, können mit einer Luftwärmepumpe kostengünstig betrieben werden.

Heizungen, die auf dem Prinzip beruhen, der Luft Wärme zu entziehen, klingen verlockend, haben aber auch einige Nachteile. Das Wirkungsprinzip ist das eines Kühlschrankes, nur umgekehrt. Nachteil: Ausgerechnet in der Jahreszeit, in der am meisten Wärme benötigt wird, ist am wenigsten davon in der Umgebungsluft vorhanden. Hinzu kommt, dass die Geräte recht laut sind und einen nicht unbeträchtlichen Stromverbrauch haben.

Erdwärme

In Verbindung mit Wärmepumpen wird natürliche, in der Erde gespeicherte Wärmeenergie zum Heizen von Gebäuden sowie zur Warmwasserbereitung genutzt. Die laufenden Kosten bei einer Erdwärmeheizung sind geringer als bei einer Gas- oder Ölheizung, sie liegen insgesamt 50 bis 70 Prozent niedriger. Die Umweltverträglichkeit beim Heizen mit einer Erdwärmeheizung sollte bei der Entscheidung für diese Technologie nicht außer Acht gelassen werden. Sie arbeitet umweltfreundlich, und es entstehen keine Abgase. Bei der Heizleistung macht die Erdwärmeheizung keinen Heizleistungsunterschied zu herkömmlichen Heizungen.

Einziger Nachteil: Eine Erdwärmeheizung ist in der Anschaffung deutlich teurer als eine gebräuchliche Heizung. Ein großer Teil der Anfangsinvestition setzt sich zusammen aus den Kosten für die Erdarbeiten und die Erdsonden. Als Lebensdauer kann man bei den Erdsonden jedoch von rund 100 Jahren ausgehen, die Wärmepumpen sind praktisch wartungsfrei zu betreiben.

Abwärme aus dem Komposthaufen

Beim Kompostieren organischer Abfälle entsteht Wärme: Im Inneren eines Komposthaufens können Temperaturen bis zu 70 °C herrschen. Auch diese Wärme lässt sich nutzen. In einem Wasserschlauch, der spiralförmig im Komposthaufen liegt, kann beispielsweise Wasser erwärmt werden, das zum Duschen dient. Der Komposthaufen braucht dazu aber eine gewisse Größe, 10 m³ sind das Minimum. Außerdem ist darauf zu achten, dass nicht zu viel Wärme auf einmal entzogen wird, sonst kommt der Rotteprozess zum Stillstand.

Auch die Abwärme eines Misthaufens kann auf diese Art sinnvoll genutzt werden.

Energie aus Biogas

Biogas entsteht beim anaeroben Abbau von organischen Substanzen, also unter Ausschluss von Sauerstoff. Dabei spielt es keine Rolle, ob Sie Lebensmittelreste aus Supermärkten oder gastronomischen Betrieben, Dung oder pflanzliche Abfälle aus der eigenen Landwirtschaft verwenden. In einem abgeschlossenen Faulbehälter werden alle organischen Abfälle in Biogas umgewandelt, das in einem Gasometer aufgefangen und gesammelt wird. Das Endprodukt im Faulbehälter kann später als Ersatz für Kompost verwendet werden.

Biogas kann direkt zum Betreiben eines Küchenherdes genutzt werden, man kann damit aber auch einen Stromgenerator betreiben oder direkt Wärme erzeugen. Bevor es ins Haus geleitet wird, passiert es eine Vorrichtung, die verhindert, dass Flammen zurückschlagen können und den Gastank explodieren lassen. Eine Kuh produziert pro Tag etwa 10 bis 20 kg Mist. Daraus können 1 bis 2 Kubikmeter Biogas hergestellt werden. Die Biomasse, die eine Kuh in einem Jahr erzeugt, entspricht der Energie von etwa 300 Liter Heizöl.

Bioreaktoren

Der Franzose Jean Pain hat ein System entwickelt, mit dessen Hilfe er Biogas und Wärme gleichzeitig erzeugt und nutzt. Ausgangssubstanz ist dabei Unterholz, das beim Reinigen und Auslichten der Wälder anfällt und normalerweise liegen bleibt oder verbrannt wird. Mithilfe eines selbst konstruierten Häckslers wird das Holz zunächst in mehreren Durchgängen fein geschreddert. Das geschredderte Holz wird nun kreisförmig um einen zentralen Zylinder, den Gärraum, geschichtet. Jede Lage wird mit Wasser benetzt und festgestampft, ein im Holz verlegtes Kunststoffrohr dient später der Erwärmung von Wasser. So wird schichtweise verfahren, bis die Höhe der Gärkammer erreicht und der Bioreaktor fertig ist. Der Gärraum selbst wird mit Kompost befüllt.

Mit 40 t Häckselgut erzeugt er so für 18 Monate 60 °C heißes Wasser und Biogas, das eine Menge von 5000 Liter Heizöl ersetzt. Dies ist wesentlich mehr Energie, als man gewinnen würde, wenn man das gerodete Holz einfach verbrennt.

Heizen mit Gas und Öl

Eine Ölheizung scheidet für Selbstversorger aus, da man immer auf den Zukauf des fossilen Energieträgers angewiesen sein wird. Eine Gasheizung stellt nur dann eine interessante Option dar, wenn man mit selbst erzeugtem Biogas heizen kann.

Heizen mit Holz

Holzheizungen sind die ideale Alternative zu Gas und Öl und vor allem für Waldbesitzer interessant, doch auch zugekauftes Holz ist immer noch billiger als andere Brennstoffe.

Brennholz selbst zu schlagen ist keine leichte Arbeit, und bevor ein Stück Holz in den Ofen wandert, haben Sie es mindestens fünf bis sechs Mal in Händen gehalten. Beachten Sie unbedingt die Sicherheitsvorschriften im Umgang mit Kettensägen. Ich empfehle, dringend einen Kurs zu absolvieren, wie ihn manchmal Forstämter anbieten. Auch die richtige Kleidung inklusive Schuhwerk mit Stahlkappen sind ein Muss, wenn Sie Waldarbeiten selbst ausführen wollen.

Langfristig lohnt sich die Anschaffung eines Holzspalters, außerdem schont er den Rücken. Auch hier sind die Sicherheitsvorschriften zu beachten, z. B. muss man beim Holzspalten immer eine Schutzbrille tragen.

Das Hacken von Holz erfolgt mit einer scharfen Axt. Mit deren Hilfe zerlegen Sie es in handgerechte Stücke oder machen daraus dünne Holzscheite zum Anfeuern. Fassen Sie dabei das zu hackende Holzscheit nicht mit den Händen an, sondern halten Sie es mit einem anderen Holzstück in Position und schlagen dann mit der Axt zu. Profis schlagen die Axt in das Holzscheit, drehen alles um und schlagen dann den Rücken der Axt auf den Hackstock, die Schwerkraft spaltet das Holzscheit, und die Teile fallen zu Boden, ohne durch die Luft zu wirbeln.

Brennholz muss mindestens zwei Jahre getrocknet werden. Gelagert wird es an einem luftigen, vor Niederschlägen geschützten Platz. Größere, sogenannte Holzlegen bedeckt man mit einer Plane, sodass von oben kein Wasser einsickern kann. Schlagregen von einer Seite stellt dagegen kein Problem dar und trocknet schnell wieder ab. Auch sollte das Holz keinen direkten Kontakt zum Erdreich haben, sondern auf quer liegenden Stämmen oder Balken gelagert werden. Idealerweise wird das zum Heizen bestimmte Holz in einem luftigen Schuppen oder in einer Holzlege mit Dach gelagert. Wenn

Holzart	Brennwert KWh/Raummeter
Eiche	2200
Buche	2100
Robinie (falsche Akazie)	2100
Esche	2100
Kastanie	2000
Ahorn	1900
Birke	1900
Platane	1900
Ulme	1900
Kirsche	1800
Lärche	1700
Kiefer	1700
Douglasie	1700
Erle	1500
Linde	1500
Fichte	1500
Tanne	1400
Weide	1400
Pappel	1200

Holz feucht wird, bietet es den idealen Nährboden für Pilze, die es zersetzen und zum Verrotten bringen.

Wenn das Holz in den Ofen wandert, sollte es immer gut abgetrocknet sein, um Probleme mit der Ruß- und Teerbildung im Kamin zu vermeiden.

Holz ist nicht gleich Holz. Eichenholz liefert beim Verbrennen mehr Wärmeenergie als die gleiche Menge Tannenholz – die Werte können Sie der Tabelle entnehmen. Für einen normalen Heizungsbetrieb sind für ein Haus für einen Winter etwa 30 Raummeter (Ster) einzuplanen.

Holzheizungen

Kaminöfen eignen sich hervorragend zum Beheizen einzelner Räume, besonders während der Übergangszeit im Herbst oder Frühjahr. Moderne Kaminöfen haben einen Wirkungsgrad von 80 Prozent, im Gegensatz zu offenen Kaminen, bei denen ein Großteil der Wärmeenergie durch den Schornstein verschwindet und nicht an den Raum abgegeben wird.

Auf unserem Hof heizen wir über einen zentralen Holzofen in der Küche, von dem aus heißes Wasser in einen großen Pufferspeicher geleitet wird. Von diesem aus wird das Heizungswasser über ein unter Putz liegendes Rohrleitungssystem durch das Haus gepumpt. Der Vorteil ist, dass hierbei auch die Wände und vor allem der Sockelbereich erwärmt werden, was eine Barriere für Feuchtigkeit schafft, besonders wichtig bei einem Gebäude mit Bruchsteinmauerwerk. In Verbindung mit einer Solaranlage kann auf diese Weise immer temperiertes Wasser im Haus zirkulieren und eine Grundwärme im Haus gehalten werden.

Ein Holzvergaser ist ein zentraler Heizkessel, der im Idealfall nur einmal am Tag mit Holz befüllt werden muss. Durch eine ausgeklügelte Luftführung ist der Wirkungsgrad mit 93 Prozent hervorragend. Das Holz wird sauber verbrannt, die Ascherückstände sind minimal, und die Wartung ist problemlos.

Komfortabler als das Heizen mit Holzscheiten ist eine Häckselheizung. Mancherorts kann man große, mobile Häcksler direkt zum Hof bestellen und sämtliche über das Jahr angefallenen Holzabfälle, speziell Reisig und Unterholz, häckseln lassen, die dann in einem Tank gelagert werden. Von dort aus werden sie in den Brennofen befördert, was automatisch geschieht und im Prinzip funktioniert wie eine Öl-Zentralheizung.

Auch Holzpelletheizungen funktionieren auf diese Art, doch ist man hier auf den Zukauf der Pellets angewiesen, die zurzeit immer teurer werden, aber im Gegensatz zu Häckselholz von gleichbleibender Qualität sind.

> ### Flächenheizungen
>
> Um eine kontinuierliche Grundtemperatur im Haus zu gewährleisten, sind Flächenheizungen eine interessante Alternative. Dabei handelt es sich um Rohrleitungssysteme, die großflächig an der Wand unter Putz angebracht sind. Konventionelle Heizkörper erübrigen sich, die komplette Wandfläche dient als Heizung. Dieses System ist sehr effektiv in Verbindung mit einer entsprechenden Außenisolation.
>
> Bedacht werden muss, dass bei dieser Art der Heizung die Wände nicht mit Schränken verstellt werden sollten. Auch das Einschlagen von Nägeln in der Wand kann nur mithilfe einer speziellen Folie erfolgen, die auf die Wand aufgelegt den Verlauf der Rohrleitungen anzeigt.

Abfall vermeiden – verwerten – entsorgen

In Deutschland wird das Vermeiden von Abfall leider nicht honoriert, da die Müllgebühren fix sind und sich danach berechnen, wie viele Mitglieder ein Haushalt hat. Anders in benachbarten Ländern wie der Schweiz, wo man durchaus selbst bestimmen kann, was an Gebühren zu entrichten ist, und wo der bewusste Umgang mit Abfall honoriert wird.

Es sollte trotzdem selbstverständlich sein, Abfall zu trennen und zu recyceln, was immer geht. Am einfachsten ist es, darauf zu achten, so wenig Müll zu produzieren wie möglich. Aus Gründen des Umweltschutzes sind Kunststoffe am kritischsten zu bewerten, meist in Form von Verpackungen, aber auch synthetische Textilien verrotten nicht und müssen deshalb verbrannt werden oder jahrzehntelang in Mülldeponien überdauern.

Beispiele zum Vermeiden von Müll

Beim Einkauf
- Grundsätzlich nur Mehrwegflaschen und -verpackungen verwenden.
- Kaufen Sie generell abfallarm ein und vermeiden Sie überflüssige Verpackungen, diese machen in der Regel den Großteil des Hausmülls aus; kaufen Sie lieber frische Ware und unverpacktes Obst und Gemüse, z. B. auf dem Wochenmarkt.
- Verwenden Sie beim Einkaufen eigene Taschen oder Körbe und keine Einkaufstüten aus Plastik.
- Geben Sie Glaskonserven den Vorzug, so vermeiden Sie leere Blechdosen und auch leere Tuben.
- Kaufen Sie nur Qualitätsprodukte, Materialien und Geräte mit langer Haltbarkeit und in guter Verarbeitungsqualität, das gilt auch für Möbel, bei denen Holz immer Spanplatten vorzuziehen ist.
- Kaufen Sie nur Kleidung aus Naturfasern. Abgelegte Kleidung kann verschenkt oder gespendet werden.

Im täglichen Leben
- Sämtliche Garten- und Küchenabfälle wandern auf den Kompost.
- Ausrangierte Dinge verschenken statt wegwerfen, auch ein kleiner Trödelmarkt hilft beim Entsorgen.
- Geräte und anderes erst versuchen zu reparieren, statt sie gleich wegzuwerfen.
- Nur kaufen, was wirklich dringend benötigt wird. Geräte, die nur selten gebraucht werden, kann man auch ausleihen.
- Hunde- und Katzenfutter müssen nicht aus der Dose sein und sind beim Metzger oft sogar billiger.
- Sollten Sie etwas benötigen, ist dies vielleicht auch gebraucht erhältlich, so sparen Sie wieder Verpackungsmüll.
- Waschmittelkonzentrate sind ergiebiger und weniger verpackungsintensiv.
- Stoffwindeln sparen Geld und schonen die Umwelt.
- 10 Stofftaschentücher ersetzen 10 000 Papiertaschentücher, im Ernst!

Beispiele für die Wiederverwertung von »Abfall«:
- Pappkartons können zum Mulchen von Beeten verwendet werden.
- Leere Kunststoffflaschen, denen man den Boden abschneidet und die man über Jungpflanzen stülpt, dienen als Schneckenschutz und Mini-Treibhaus.
- Kaufen Sie nur Glaskonserven mit Schraubdeckel, die Gläser verwenden Sie später, um Marmelade oder Gelee darin abzufüllen.
- Joghurtbecher kann man wunderbar zur Anzucht von Jungpflanzen benutzen, sofern ein Loch im Boden ist; auch leere Konservendosen kann man bepflanzen.
- Aus Wachsresten gießen wir wieder neue Kerzen.
- Aus Altpapier kann man Briketts herstellen, die zum Anzünden des Ofens dienen.
- In Eierkartons lassen sich junge Pflanzen heranziehen, später wandern die ausgedienten Kartons auf den Kompost.
- Aus alten Autoreifen kann man kleine Hochbeete machen, in die man z. B. Kartoffeln pflanzt.
- Leere Glasflaschen lassen sich auch als Baumaterial verwenden, es gibt Beispiele von Häusern, deren Wände aus leeren Flaschen bestehen.
- Aus alten Lumpen oder Zeitungspapier lässt sich wieder Papier herstellen.
- Aus Pappmaché, ebenfalls aus altem Zeitungspapier gemacht, kann man lustige Figuren und Kunstobjekte basteln.

Wer weitere Anregungen sucht, sollte sich einmal ansehen, mit welcher Kreativität indische Kinder aus Abfall die wunderschönsten Spielzeuge basteln, die »toys from trash«.

Überschüsse vermarkten

Im Idealfall bleibt nach dem Anlegen von Vorräten für die Familie noch genügend übrig, was man weiter verkaufen oder auch tauschen kann. Eine Gelegenheit dazu sind Stadtmärkte. Generell hat jede Gemeinde und jede Stadt eine eigene Marktordnung, in der genau geregelt ist, welche Märkte wann und wo stattfinden und was alles verkauft werden darf. Eine Genehmigung (kostenpflichtig) zur Errichtung eines Standes erhält man auf dem Marktamt der jeweiligen Stadt.

Da ein solcher Marktstand zeit- und kostenintensiv ist, lohnt es bisweilen mehr, seine Überschüsse direkt an den Betreiber eines solchen zu verkaufen oder regionale Geschäfte oder Restaurants zu beliefern, sodass man größere Mengen auf einmal absetzen kann und nicht den ganzen Tag auf dem Markt stehen muss. Diese Umsätze aus landwirtschaftlicher Produktion sind in der Regel nicht gewerbesteuerpflichtig, solange Sie keine Fremdgüter dazukaufen. Das Gleiche gilt auch, wenn Sie sich mit dem Gedanken tragen, einen Hofladen zu eröffnen. Die Gesetzgebung ist hier sehr detailliert und kompliziert. Es lohnt sich daher immer, rechtzeitig einen Steuerberater zu konsultieren, um unangenehme Überraschungen zu vermeiden.

Anhang

Die Hitliste für den Selbstversorger:

Gemüse und Kräuter im Garten

	Top-Pflanzen	Ergänzend
Salat	Kopfsalat Pflücksalat Feldsalat	Endivien Rucola Asia-Salate
Blattgemüse	Spinat Mangold	Chicorée
Kohlgemüse	Weißkohl Wirsing Kohlrabi Blumenkohl	Chinakohl Pak Choi Rotkohl Brokkoli
Hülsenfrüchte	Erbsen Stangenbohnen Buschbohnen Dicke Bohnen	Feuerbohnen

	Top-Pflanzen	Ergänzend
Zwiebeln und Lauch	Zwiebeln Porree Knoblauch	Frühlingszwiebeln Schalotten Bärlauch
Wurzel- und Sprossgemüse	Möhren Knollensellerie Radieschen Spargel Fenchel	Rote Bete Mairübchen Pastinake Schwarzwurzel Staudensellerie
Fruchtgemüse	Tomaten Paprika Zucchini Kürbis	Gurken Artischocken
Kartoffeln	frühe und späte Sorten	
Kräuter	Petersilie Schnittlauch Thymian Salbei Oregano Rosmarin Estragon Basilikum Liebstöckel Dill Majoran	Ysop Borretsch Kerbel Koriander Brunnenkresse Pimpinelle

Teekräuter

Name	Verwendete Pflanzenteile	Verwendung des Tees
Andorn (*Marrubium vulgare*)	Blätter und Blüten nach der Blüte	Gallenleiden, Darmerkrankungen, Husten, Hildegardmedizin
Drachenkopf (*Dracocephalum moldavica*)	Triebspitzen und Blätter	Magen-Leber-Gallen-Leiden, bei Nervosität

Name	Verwendete Pflanzenteile	Verwendung des Tees
Eibisch (*Althaea officinalis*)	Wurzeln, Blätter und Blüten	Entzündungen der oberen Atemwege
Eisenkraut (*Verbena officinalis*)	Blätter und Blüten	Angina, Halsschmerzen, Husten, Erschöpfungszustände, Wechseljahrbeschwerden
Engelwurz (*Angelica archangelica*)	Wurzeln und Früchte	bei nervösen Magenbeschwerden (nicht für Schwangere)
Goldmelisse (*Monarda didyma*)	Blüten	für aromatische Tees und als Schmuckdroge
Johanniskraut (*Hypericum perforatum*)	Blätter und Blüten	bei nervösen Leiden und Depressionen
Kamille (*Matricaria recutita*)	voll erblühte Blütenköpfchen	Entzündungen der Harnwege, Entzündungen im Rachenraum
Römische Kamille (*Chamaemelum nobile*)	Blütenköpfchen	Verdauungsstörungen, Kopf- und Gliederschmerzen
Kornblume (*Centaurea cyanus*)	getrocknete Randblüten	Verdauungsstörungen, Magenbeschwerden
Lavendel (*Lavandula angustiflia*)	Blüten	bei Schlafstörungen
Teemalve (*Malva sylvestris* var *mauretanica*)	Blüten und Blätter	reizlindernder Hustentee, färbt den Tee
Ringelblume (*Calendula officinalis*)	Blüten	Schmuckdroge
Stockrose (*Althaea rosea* var. *nigra*)	Blüten	stark färbend, mit etwas Zitrone kippt die Farbe in Hellrot

Würzkräuter

Name	Lebensform	Pflanzenteil	Verwendung
Anis *(Pimpinella anisum)*	einjährig	Früchte	zum Würzen von Brot und Mehlspeisen
Basilikum *(Ocimum basilicum)*	einjährig	frische Blätter	Tomatensalate und italienische Gerichte, Pesto
Bergbohnenkraut *(Satureja montana)*	ausdauernd	Blätter frisch oder getrocknet	Bohnen-, Kartoffelgerichte, Fleischgerichte
Sommer-Bohnenkraut *(Satureja hortensis)*	einjährig	Blätter frisch oder getrocknet	Bohnen-, Kartoffelgerichte, Fleischgerichte
Borretsch *(Borago officinalis)*	einjährig	frische Blätter	Gurken, Einlegegurken, Soßen
Brotklee *(Trigonella caerulae)*	einjährig	getrocknetes, gemahlenes Kraut mit Blüte	Brotgewürz (typisch für Vintschgauer Weckerln)
Dill *(Anethum graveolens)*	einjährig	frische Blätter	Suppen, Soßen, Gemüsegerichte
Eberraute *(Artemisia abrotanum)*	ausdauernd	getrocknetes Kraut	Braten, Wildgerichte, Gulasch
Estragon *(Artemsia dracunculus)*	ausdauernd	frische Triebspitzen und Blätter	Soßen, Salate, Einlegegewürz
Gewürzfenchel *(Foeniculum vulgare)*	ausdauernd	unreife und reife Früchte	unreif als Einlegegewürz, reif als Brotgewürz

Name	Lebensform	Pflanzenteil	Verwendung
Kerbel *(Anthriscus cerefolium)*	ausdauernd	frische Blätter	Kerbelsoße, Suppen, Salate oder auf ein Butterbrot
Koriander *(Coriandrum sativum)*	ausdauernd	Blätter und Früchte	Blätter für asiatische Speisen, Früchte als Brotgewürz
Kren *(Amoracia rusticana)*	ausdauernd	Wurzel und junge Blätter	Beilage zu Fleischgerichten, Soßen, Blätter für Salate
Kümmel *(Carum carvi)*	zweijährig	Früchte	Brotgewürz, Sauerkraut, Suppen, Eintöpfe
Liebstöckel *(Levisticum officinale)*	ausdauernd	frische Blätter, Stängel, getrocknete Wurzeln, Früchte	Suppengewürz, Einlegegewürz
Majoran *(Majorana hortensis)*	einjährig	frisch und getrocknet, Blüten, Knospen, Blätter	Fleisch-, Kartoffelgerichte, Suppen, Soßen
Mohn *(Papaver somniferum)*	einjährig	Samen	Gebäck und Mehlspeisen
Oregano *(Origanum vulgare ssp.)*	ausdauernd	Blätter zu Blühbeginn	Pizza, italienische Gerichte
Petersilie *(Petroselinum crispum)*	zweijährig	frische Blätter	Gemüse, Kartoffeln, Pilzgerichte, Suppen etc.
Rosmarin *(Rosmarinus officinalis)*	ausdauernd	frische oder getrocknete Blätter	Pilzgerichte, italienische und französische Küche, Lamm, Wild, Fischgerichte

Name	Lebensform	Pflanzenteil	Verwendung
Salbei *(Salvia officinalis)*	ausdauernd	frische und getrocknete Blätter	italienische, griechische Küche, Fisch-, Fleischgerichte
Schnittlauch *(Allium schoen-oprasum)*	ausdauernd	frische Blätter	Suppen, Soßen oder auf ein Butterbrot
Süßdolde *(Myrrhis odorata)*	ausdauernd	frische Blätter, Früchte	Mehlspeisen, Eiscreme, Kompott
Thymian *(Thymus vulgaris)*	ausdauernd	frische oder getrocknete Blätter, Triebspitzen	Suppen, Gemüse, Salate, Fleischgerichte
Weinraute *(Ruta graveolens)*	ausdauernd	frische und getrocknete Blätter	sparsam verwenden für Wild und Lamm, Grappagewürz
Winterheckenzwiebel *(Allium fistulosum)*	ausdauernd	frische Röhren	Salat, Suppen, Brotbelag
Ysop *(Hyssopus officinalis)*	ausdauernd	frische Blätter	Bohnen, Kartoffel-, Gemüsegerichte

Verarbeitung von Kräutern

Kräuter zum Einfrieren

Petersilie, Basilikum, Estragon, Schnittlauch.

Kräuter zum Kandieren

Blätter von Melisse, Pfefferminze, Salbei, Blüten von Borretsch, Gänseblümchen, Stiefmütterchen, Veilchen, Blütenstände von Lavendel, Thymian.

Kräuter zum Einsalzen

Bohnenkraut, Dill, Estragon, Liebstöckel, Majoran, Petersilie.

Kräuter für Butter

Variante 1: Basilikum, Dill, Estragon, Kerbel, Kresse, Liebstöckel, Petersilie, Pimpinelle, Ringelblumenblütenblätter, Schnittlauch.

Variante 2: Koriander, Lavendel, Lorbeer, Majoran, Melisse, Oregano, Pfefferminze, Rosmarin, Salbei, Thymian.

Kräuter für Speiseessig

Basilikum, Bohnenkraut, Dill, Eberraute, Estragon, Fenchel, Holunderblüten, Kapuzinerkresse, Kerbel, Lavendel, Liebstöckel, Lorbeer, Majoran, Melisse, Oregano, Pfefferminze, Pimpinelle, Rosmarin, Salbei, Schnittlauch, Thymian, Veilchen, Ysop.

Kräuter für Speiseöle

Basilikum, Bohnenkraut, Dill, Dost, Eberraute, Fenchel, Kamille, Kapuzinerkresseblüten, Kerbel, Liebstöckel, Lorbeer, Majoran, Melisse, Petersilie, Pfefferminze, Rosmarin, Salbei, Schnittlauchblüten, Thymian, Thymianblüten, Veilchenblüten.

Kräuter für Honig

Anissamen, Fenchelsamen, Koriander, Lavendelblüten, Löwenzahnblüten, Majoran, Minze, Quendel, Rosmarin, Salbei, Spitzwegerich, Thymian, Veilchenblüten.

Ernten in Natur und Garten rund ums Jahr

Erntekalender für den Januar

Pflanze	Verwendete Teile	Gesundheit	Küche
Feldsalat	Blätter		Salat
Winterendivie	Blätter		Salat
Gartenkresse	Blätter		Salat
Fichte	Nadeln	Erkältung	
Mistel	Blätter	Blutdruck, Kreislauf	
Tanne	Nadeln	Haut, Erkältung	

Erntekalender für den Februar

Pflanze	Verwendete Teile	Gesundheit	Küche
Brunnenkresse	Blätter	Frühjahrskur	Salat, Suppe
Feldsalat	Blätter		Salat
Gänseblümchen	Blätter	Stoffwechsel	Salat
Gartenkresse	Blätter	Frühjahrskur	Salat
Holunder	Rinde	Stoffwechsel	
Klette	Wurzeln	Stoffwechsel	
Löwenzahn	Wurzeln	blutreinigend	Kaffee-Ersatz, Gemüse
Mistel	Blätter	Kreislauf, Stoffwechsel	
Nachtkerze	Wurzeln		Salat, Gemüse

Erntekalender für den März

Pflanze	Verwendete Teile	Gesundheit	Küche
Ampfer	Wurzel	Haut, Verdauung	
Bärlauch	Blätter	Frühjahrskur	Frischkost
Beinwell	Wurzel	Haut	
Berberitze	Wurzel	entwässernd	
Brennnessel	Junge Triebe	Frühjahrskur	Gemüse, Suppe
Brunnenkresse	Blätter	Haut, Frühjahrskur	Salat, Suppe
Eberwurz	Wurzel	harntreibend	
Eiche	Rinde	Hämorrhoiden	
Feldsalat	Blätter		Salat
Fichte	Nadeln	Erkältung	Beize
Frauenmantel	Junge Blätter		Tee
Gänsefingerkraut	Wurzeln	Durchfall, Blutungen	
Geißfuß	Blätter	Frühjahrskur	Salat, Gemüse
Hirtentäschelkraut	Junge Blätter	Blutungen	Salat, Gemüse
Holunder	Rinde	Stoffwechsel	
Huflattich	Blüten	Husten	
Kalmus	Wurzel	Verdauung	Gewürz, Magenbitter
Kiefer	Nadeln	Durchblutung, Hautreizung	
Kleine Pimpinelle	Junge Blätter	blutstillend	Salat, Gemüse, Würze
Klette	Wurzel	Haut, Haare	
Löwenzahn	Junge Blätter	Stoffwechsel	Salat, Gemüse
Lungenkraut	Blühendes Kraut	Erkältungen, Husten	

Pflanze	Verwendete Teile	Gesundheit	Küche
Mistel	Blätter	Kreislauf, Stoffwechsel	
Petersilie	Wurzel		Gemüse
Quecke	Wurzel	Frühjahrskur	Tee
Schlehen	Blüten	Frühjahrskur	
Seifenkraut	Wurzel	Husten, Frühjahrskur	
Wegerich	Blätter	Erkältungen, Haut	Salat, Gemüse
Wiesenschaumkraut	Blätter, Triebe	Frühjahrskur	Salat

Erntekalender für den April

Pflanze	Verwendete Teile	Gesundheit	Küche
Ampfer	Wurzel	Haut, Verdauung	
Bärlauch	Blätter	Frühjahrskur	Frischkost
Beinwell	Wurzel/Triebe	Haut	
Berberitze	Wurzel	entwässernd	
Brennnessel	Junge Blätter	Frühjahrskur	Gemüse, Suppe
Brunnenkresse	Blätter	Haut, Frühjahrskur	Salat, Suppe
Eberwurz	Wurzel	harntreibend	
Eiche	Rinde	Hämorrhoiden	
Feldsalat	Blätter		Salat
Fichte	Nadeln	Erkältung	Beize
Frauenmantel	Junge Blätter		Tee
Gänseblümchen	Blüten	Frühjahrskur	Salat
Gänsefingerkraut	Wurzeln	Durchfall, Blutungen	
Geißfuß	Blätter	Frühjahrskur	Salat, Gemüse

Pflanze	Verwendete Teile	Gesundheit	Küche
Geißfuß	Blätter	Frühjahrskur	Salat, Gemüse
Hirtentäschelkraut	Junge Blätter	Blutungen	Salat, Gemüse
Holunder	Rinde	Stoffwechsel	
Huflattich	Blätter	Husten	
Kalmus	Wurzel	Verdauung	Gewürz, Magenbitter
Kiefer	Nadeln	Durchblutung, Hautreizung	
Kleine Pimpinelle	Junge Blätter	blutstillend	Salat, Gemüse, Würze
Klette	Wurzel	Haut, Haare	
Löwenzahn	Junge Blätter	Stoffwechsel	Salat, Gemüse
Lungenkraut	Blühendes Kraut	Erkältungen, Husten	
Mistel	Blätter	Kreislauf, Stoffwechsel	
Pastinake	Blätter	Stoffwechsel	Gemüse
Petersilie	Wurzel		Gemüse
Quecke	Wurzel	Frühjahrskur	Tee
Schlehen	Blüten	Frühjahrskur	
Seifenkraut	Wurzel	Husten, Frühjahrskur	
Wegerich	Blätter	Erkältungen, Haut	Salat, Gemüse
Wiesenschaumkraut	Blätter, Triebe	Frühjahrskur	Salat

Erntekalender für den Mai

Pflanze	Verwendete Teile	Gesundheit	Küche
Ackerschachtelhalm	Triebe	Haut, Bindegewebe	Tee
Bachbunge	Blätter	blutreinigend	Salat

Pflanze	Verwendete Teile	Gesundheit	Küche
Bärlauch	Blätter	blutreinigend	Salat, Suppe, Soße
Bibernelle	Wurzeln	Verdauung	Gemüse
Ehrenpreis	Blühendes Kraut	blutreinigend	
Esche	Blätter	abführend	
Fieberklee	Blätter		Magenbitter
Frauenmantel	Blätter	Frauenleiden	Tee
Gänsefingerkraut	Blätter	Durchfall	Gemüse
Himbeere	Blätter		Tee
Hirtentäschelkraut	Blätter		Salat
Huflattich	Blätter	Husten	
Kamille	Blüten	Entzündungen, Haut, Verdauung	
Knoblauchsrauke	Triebe	blutreinigend	Gemüse
Löffelkraut	Blätter	harntreibend	Salat
Löwenzahn	Blüten/Blätter	Stoffwechsel	Salat, Wein, Gemüse
Mädesüß	Blätter	Blutungen	Salat
Malve	Blätter		Suppe
Pastinake	Blätter		Gemüse
Portulak	Blätter		Salat/Gemüse
Preiselbeere	Früchte		Saft, Marmelade
Sauerampfer	Blätter		Salat, Suppe
Schafgarbe	Blätter		Salat
Taubnessel	Blätter		Gemüse
Vogelknöterich	Blätter		Gemüse
Vogelmiere	Triebe	Haut	Salat
Waldmeister	Kraut		Bowle
Wegerich	Blätter	Erkältungen, Wunden	Salat
Weißdorn	Blüten	Herz, Kreislauf	
Wiesenschaumkraut	Triebe		Salat

Erntekalender für den Juni

Pflanze	Verwendete Teile	Gesundheit	Küche
Bachbunge	Blätter	blutreinigend	Salat
Beinwell	Blätter	Wunden, Haut	Tee
Bergbohnenkraut	Kraut		Gewürz
Borretsch	Blätter, Blüten	blutreinigend	Salat, Gewürz
Dill	Kraut	Verdauung	Gewürz, Salat
Eberraute	Blätter	appetitanregend, Magenbeschwerden	Gewürz
Estragon	Blätter	verdauungsfördernd	Gewürz
Frauenmantel	Blühendes Kraut	Menstruationsbeschwerden	
Holunder	Blüten	Erkältung, Fieber, Magenbeschwerden	Hollerkücherl, Sirup, Saft
Johanniskraut	Blüten, Kraut	Beruhigung, Entspannung, Menstruations- und Wechseljahrbeschwerden	Tee
Kamille	Blüten	Haut, Erkältung	Tee
Kerbel	Blätter	verdauungsanregend, blutreinigend	Gewürz, Salat, Suppe
Kümmel	Samen	Verdauung, Blähungen	Gewürz
Liebstöckel	Blätter	harntreibend, verdauungsfördernd	Gewürz
Linde	Blüten	Husten, schweißtreibend	Tee

Pflanze	Verwendete Teile	Gesundheit	Küche
Löwenzahn	Blüten, Blätter	Stoffwechsel	Salat, Gemüse
Minze	Blätter	Verdauung	Getränk, Gewürz
Oregano	Kraut	Durchfall, Blähungen	Gewürz
Petersilie	Blätter	blutreinigend	Gewürz, Suppe
Pfefferminze	Blüten, Kraut	Erkältung, Kopfschmerzen	Tee
Preiselbeere	Früchte		Marmelade, Saft
Quendel	Kraut	krampflösend, beruhigend	Gewürz
Rainfarn	Blüten	Menstruationsbeschwerden	Likör, Gewürz für Wurst
Ringelblume	Blüten	Wunden, Haut, Entzündungen, Magen- und Darmerkrankungen	Salate, Suppen
Rosmarin	Blätter	verdauungs- und durchblutungsfördernd	Gewürz
Salbei	Blätter	Halsschmerzen, verdauungsfördernd	Gewürz, Suppe
Schafgarbe	Kraut	verdauungsfördernd, entkrampfend	Brotbelag, Salat, Gemüse
Schnittlauch	Blätter	verdauungsfördernd, blutdrucksenkend	Salat, Suppe, Gewürz
Thymian	Kraut	verdauungsfördernd, Blähungen, Rachenentzündungen	Gewürz

Pflanze	Verwendete Teile	Gesundheit	Küche
Wermut	Blätter	Verdauung, Galle	Gewürz, Magenbitter
Ysop	Kraut	verdauungsfördernd, Halsschmerzen	Gewürz
Zitronenmelisse	Kraut	beruhigend, bei Schlafstörungen	Salate, Suppen, Gewürz

Erntekalender für den Juli

Pflanze	Verwendete Teile	Küche	Konservierung
Basilikum	Blätter	Nur kurz erwärmen	Einfrieren, einlegen in Öl
Beifuß	Blütenrispen	Mitgaren	Trocknen
Bohnenkraut	Blätter	Mitkochen, sehr intensiv	Trocknen, einfrieren
Borretsch	Blüten, Blätter	Nicht erhitzen, nur kurz erwärmen	Einfrieren, trocknen
Dill	Blätter	Nicht mitgaren	Einfrieren
Estragon	Blätter	Leicht erwärmen	Trocknen, einfrieren
Kerbel	Blätter	Gegen Ende der Garzeit zugeben	Frisch verbrauchen
Koriander	Blätter	Vor dem Servieren zugeben	Einfrieren
Liebstöckel	Blätter	Verträgt Hitze	Trocknen
Majoran	Blätter	Vorsichtig dosieren, mitgaren	Trocknen
Minze	Blätter, Blütenspitzen	Mitgaren, nicht mit anderen Kräutern kombinieren	Trocknen, einfrieren

Pflanze	Verwendete Teile	Küche	Konservierung
Oregano	Blätter	15 Minuten vor Ende der Garzeit zugeben	Trocknen
Petersilie	Blätter, Wurzel	Krause Petersilie nicht mitkochen, glatte Petersilie verträgt Hitze	Trocknen, einfrieren
Rosmarin	Blätter, Blüte	Mitkochen oder braten	Trocknen
Salbei	Blätter	Mitgaren, anbraten	Trocknen
Schnittlauch	Blätter, Blüte	Nicht erhitzen	Einfrieren
Thymian	Blätter	Mitkochen	Trocknen
Ysop	Blätter	Frisch verwenden	Einfrieren
Zitronenmelisse	Blätter	Frisch verwenden	Einfrieren

Erntekalender für den August

Pflanze	Verwendete Teile	Gesundheit	Küche
Bachbunge	Blätter/Triebe	blutreinigend	Salat
Basilikum	Blätter	beruhigend, krampflösend	Gewürz
Beifuß	Blätter/Triebe	Verdauung	Gewürz
Berberitze	Früchte	Rheuma, Gicht, blutreinigend	Saft, Gelee
Brombeere	Früchte	Durchfall, Magenbeschwerden	Kompott, Saft, Obst
Dill	Blätter	verdauungsfördernd	Gewürz, Salat
Estragon	Blätter	verdauungsfördernd	Gewürz

Pflanze	Verwendete Teile	Gesundheit	Küche
Frauenmantel	Blätter	Menstruationsbeschwerden	Tee
Heidelbeere	Früchte	Durchfallerkrankungen	Saft, Kompott
Himbeere	Früchte, Blätter	Halsweh	Gelee, Marmelade
Holunder	Beere	Vitaminlieferant	Saft, Gelee, Wein
Kamille	Kraut, Blüten	Entzündung, Verdauung	Tee, Salbe
Kapuzinerkresse	Blüten, Blätter	appetitfördernd, keimtötend	Salat, Soße, Suppe
Kerbel	Blätter	verdauungsanregend, blutreinigend	Gewürz
Königskerze	Blüten	Erkältung, Halsweh	Tee
Kornelkirsche	Früchte		Saft, Gelee
Majoran	Blätter	verdauungsfördernd, krampflösend	Gewürz
Malve	Blüte	Erkältung	Tee
Moosbeere	Früchte		Konfitüre, Obst
Pfefferminze	Blätter	Erkältung, Kopfschmerzen	Tee, Gewürz
Pimpinelle	Blätter	blutreinigend, verdauungsfördernd	Gewürz, Salat
Portulak	Blätter	Sodbrennen, Magenschmerzen	Gewürz, Salat, Suppen
Preiselbeere	Früchte	Vitaminlieferant	Dessert, Saft
Ringelblumen	Blüten	Wunden, Haut, Entzündungen, Magen- und Darmerkrankungen	Tee, Salbe

Pflanze	Verwendete Teile	Gesundheit	Küche
Salbei	Blätter	Halsschmerzen, verdauungsfördernd	Tee, gewürz
Sanddorn	Früchte	Vitaminlieferant	Saft, Marmelade
Sauerampfer	Blätter	blutreinigend, verdauungsfördernd	Gemüse, Suppe, Salat
Schafgarbe	Blühendes Kraut	Stoffwechsel	
Senf	Samen	stoffwechsel- und verdauungsanregend	Gewürz
Thymian	Blätter	verdauungsfördernd, blutdrucksenkend	Gewürz, Tee
Vogelmiere	Kraut	Erkältungen	Salat
Wegerich	Blätter	Wunden, Haut	Salat, Gewürz
Wermut	Kraut	Verdauung	Gewürz
Ysop	Blätter, Blüten	verdauungsfördernd, Halsschmerzen	Gewürz, Tee
Zitronenmelisse	Blätter	beruhigend, bei Schlafstörungen	Salat, Suppe, Gewürz

Erntekalender für den September

Pflanze	Verwendete Teile	Gesundheit	Küche
Alant	Wurzel	magenstärkend, Husten, Bronchitis	Süßspeise, Magenbitter
Ampfer	Wurzeln	Verstopfung	
Baldrian	Wurzel	Beruhigung, Entspannung	Tee
Beinwell	Wurzel	Verletzungen, Haut	

Pflanze	Verwendete Teile	Gesundheit	Küche
Bergbohnenkraut	Blätter	magenstärkend	Gewürz
Bibernelle	Wurzel	Halsentzündungen	Tee
Borretsch	Blätter	blutreinigend, harntreibend	Gewürz, Suppen, Soßen
Brunnenkresse	Blätter	blutreinigend	Salat
Eberraute	Blätter	Magen und Verdauung, appetitanregend	Gewürz
Fenchel	Same	verdauungsfördernd, Blähungen	Gewürz
Hagebutte	Früchte	Vitamine, blutreinigend	Wein, Marmelade
Hirtentäschel	Kraut	blutstillend	
Holunder	Beeren	Erkältung, Fieber, Magenbeschwerden	Mus, Saft, Tee
Hopfen	Blüten	beruhigend, harntreibend	Bier
Kalmus	Wurzel	Verdauung, Zahnfleisch	Gewürz, Magenbitter
Kapuzinerkresse	Kraut	appetitfördernd, keimtötend	Salat, Soßen, Suppe
Lavendel	Blüten	beruhigend, krampflösend	Gewürz
Pastinak	Wurzeln	Verdauung, harntreibend	Gewürz
Pfefferminze	Kraut	Erkältung, Kopfschmerzen	Tee, Gewürz
Quecke	Wurzeln	blutreinigend	
Quendel	Kraut	harntreibend, Blähungen	Gewürz

Pflanze	Verwendete Teile	Gesundheit	Küche
Ringelblume	Blüten		Salate, Suppen
Rosmarin	Blätter	verdauungsfördernd, durchblutungsfördernd	Gewürz
Sanddorn	Früchte	Vitamin C	Saft, Marmelade
Schafgarbe	Kraut	Wunden, Geschwüre	
Thymian	Kraut	verdauungsfördernd, blutdrucksenkend	Gewürz, Tee
Wacholder	Beeren	harntreibend, blutreinigend	Gewürz
Weißdorn	Früchte	Herz, Blutdruck	
Wermut	Kraut	Verdauung	Gewürz
Ysop	Kraut	verdauungsfördernd, Halsschmerzen	Gewürz, Tee

Erntekalender für den Oktober

Pflanze	Verwendete Teile	Gesundheit	Küche
Baldrian	Wurzel	beruhigend	Tee, Schnaps
Beinwell	Wurzel	Verletzungen	
Brombeere	Früchte		Saft, Gelee, Obst
Brunnenkresse	Blätter	Stoffwechsel	Salat
Engelwurz	Wurzel		Schnaps
Gänseblümchen	Blätter	Stoffwechsel	Salat, Gemüse
Hagebutte	Früchte	blutreinigend	Tee, Marmelade, Gelee
Kalmus	Wurzelstock	Verdauung	Gewürz, Magenbitter

Pflanze	Verwendete Teile	Gesundheit	Küche
Kornelkirsche	Früchte		Saft, Gelee, Kompott
Löwenzahn	Wurzeln	Stoffwechsel, Verdauung	
Pastinake	Wurzeln		Gewürz
Quecke	Wurzeln	blutreinigend	Tee
Sanddorn	Früchte	Erkältung	Saft, Marmelade
Schlehe	Früchte		Saft, Likör, Kompott
Seifenkraut	Wurzel	Husten	
Wacholder	Beeren	harntreibend	Gewürz
Wegwarte	Wurzel	Verdauung	
Weide	Rinde	Fieber, Durchfall	

Erntekalender für den November

Pflanze	Verwendete Teile	Gesundheit	Küche
Beinwell	Wurzeln	Verletzungen	
Berberitze	Rinde/Wurzel		Gelee, Saft
Brunnenkresse	Blätter	Stoffwechsel	Salat
Feldsalat	Blätter		Salat
Gänseblümchen	Blätter		Salat
Holunder	Rinde	Stoffwechsel	
Klette	Wurzel	Stoffwechsel	
Kreuzdorn	Früchte	abführend	
Mistel	Blätter	Stoffwechsel, Blutdruck	
Pastinake	Wurzeln	Verdauung	
Seifenkraut	Wurzel	Husten	
Wacholder	Beeren	verdauungsfördernd	Gewürz, Schnaps
Wegwarte	Wurzel	Verdauung	Tee

Erntekalender für den Dezember

Pflanze	Verwendete Teile	Gesundheit	Küche
Gänseblümchen	Blätter	Stoffwechsel	Salat
Kiefer	Nadeln	Durchblutung, Erkältung	
Mistel	Blätter	Blutdruck, Kreislauf, Stoffwechsel	
Petersilie	Kraut	blutreinigend	Gewürz, Suppe, Salat
Tanne	Nadeln	Durchblutung, Erkältung	

Begriffe und gärtnerische Grundlagen

Ableger: Tochterpflanzen, die durch das Abtrennen von der Mutterpflanze gewonnen werden. Dabei kann es sich um Triebe handeln, die beim Kontakt mit dem Erdboden Wurzeln bilden, oder um Pflanzen, die durch ober- oder unterirdische Ausläufer vermehrt werden. An den bewurzelten Stellen treiben neue Sprosse aus, die bei ausreichender Größe als eigenständige Jungpflanzen abgetrennt und verpflanzt werden können. Bei Ablegern handelt es sich um eine vegetative (ungeschlechtliche) Form der Vermehrung. Die dadurch erzeugten Nachkommen sind Klone der Mutterpflanze.

Auflaufen: Auflaufen ist ein gärtnerischer Fachbegriff und bedeutet, dass der Same keimt und das Pflänzchen sichtbar wird.

Ausgeizen: Die Verzweigungen in den Blattachseln von Tomaten werden regelmäßig abgezwickt, man nennt das »Ausgeizen«. Auf diese Art wird verhindert, dass die Pflanzen zu viel Kraft in die Laubbildung stecken, was letztlich dem Fruchtansatz zugutekommt.

Entspitzen: Dieser Ausdruck bezeichnet das Abschneiden oder Auskneifen bzw. Ausbrechen von Triebspitzen oder Spitzenknospen, um die Pflanzen zur Verzweigung anzuregen und einen buschigeren Wuchs oder die Fruchtbildung zu fördern. Das Entspitzen wird vor allem bei der Anzucht von Jungpflanzen, Sommerblumen, Kübelpflanzen und einigen Gehölzen praktiziert und auch als Pinzieren bezeichnet.

Gründüngung: Maßnahme zur Bodenverbesserung, bei der blattreiche, oft tief wurzelnde Pflanzen ausgesät und später in den Boden eingearbeitet werden. Die verrottenden Pflanzenbestandteile werden von Bodenorganismen in fruchtbaren Humus umgewandelt. Dadurch verbessert sich die Bodenstruktur. Je nach Gründüngungspflanze werden auch tiefere Bodenschichten aufgeschlossen. Auf freien Flächen schützt eine Gründüngung vor Bodenerosion und unterdrückt das Aufkommen von Unkräutern. Typische Grün-

düngungspflanzen sind Blaue Lupine *(Lupinus angustifolius)*, Luzerne *(Medicago sativa)*, Bienenfreund *(Phacelia tanacetifolia)*, Ölrettich *(Raphanus sativus)* und Gelbsenf *(Sinapis alba)*.

Humus: Gesamtheit der abgestorbenen organischen Substanzen im und auf dem Boden, die mehr oder weniger stark zersetzt sind. Gebildet wird Humus durch biochemische Aktivität der Bodenorganismen wie Regenwürmer, Asseln und Bakterien, die totes pflanzliches und tierisches Material in Humusstoffe umwandeln. Dies ähnelt dem Vorgang des Kompostierens, geschieht vor allem in der oberen Bodenschicht (bis 30 cm Tiefe) und hat großen Einfluss auf die Bodenfruchtbarkeit und Bodeneigenschaften (z. B. Wasser- und Nährstoffspeicherung, Erwärmung und Durchlüftung), obwohl normaler Gartenboden nur einen Anteil von 2 bis 4 Prozent Humus hat. Zum Aufbau und zur Pflege der Humusschicht im Boden eignen sich die Versorgung mit Kompost, Aussaat und Einarbeitung von Gründüngung sowie das Mulchen.

Mulchen: Das Abdecken der Bodenoberfläche zwischen einzelnen Pflanzen mit organischem, allmählich verrottendem Material, z. B. Rasenschnitt, Stroh, Holzhäcksel, welkem Laub, halbreifem Kompost oder abgeernteter Gründüngung. Zum Mulchen können auch Kunststofffolien, Kies oder Vliese verwendet werden. Das Mulchen fördert die Aktivität von Mikroorganismen im Boden und damit die Bodenfruchtbarkeit. Außerdem unterdrückt es das Aufkommen von Unkräutern und verhindert die Austrocknung der oberen Bodenschicht durch Wind und Sonne sowie eine Verschlämmung oder Erosion durch Regenwasser. Mulch dient als Isolationsschicht zur Temperierung des Bodens. Nachteile können verstärkter Wühlmaus- und Schneckenbefall sein.

Nährstoffe: Im Boden enthaltene mineralische Stoffe, die für das Wachsen, Blühen und Fruchten der Pflanzen lebensnotwendig sind und über die Pflanzenwurzeln aufgenommen werden. Hauptnährstoffe sind Stickstoff (N), Phosphor (P), Kalium (K), Schwefel (S), Magnesium (Mg) und Kalzium (Ca). Ergänzt werden die Hauptnährstoffe durch Spurenelemente, z. B. Kupfer (Cu), Eisen (Fe), Zink (Zn), Bor (B), Mangan (Mn) und Molybdän (Mo). Alle Substanzen kommen in Reinform meist weder in der Natur noch in Düngemitteln, sondern nur in verschiedenen Verbindungen vor.

Nützlinge: Wild lebende Tiere, die im Garten als Gegenspieler von pflanzenschädigenden Organismen auftreten. Zu den Nützlingen zählen Säugetiere wie Fledermäuse, Igel, Spitzmäuse und Maulwürfe, Vögel, Kriechtiere und Lurche wie Blindschleichen, Eidechsen, Frösche und Kröten, Spinnentiere wie Raubmilben und Netze bauende Spinnen sowie zahlreiche Insekten, z. B. Marienkäfer, Flor- und Schwebfliegen, Laufkäfer, Ohrwürmer, Schlupfwespen und Wanzen. Neben den natürlichen Feinden oder Fraßfeinden von Schädlingen gehören auch Bestäuber wie Bienen und Hummeln sowie Regenwürmer zur Verbesserung der Bodenstruktur zu den Nützlingen.

Pikieren: Vereinzeln von Jungpflanzen, die z.B. nach der Aussaat dicht an dicht stehen. Ziel ist es, jeder einzelnen Pflanze genügend Licht und Wurzelraum und damit optimale Entwicklungsbedingungen zu verschaffen. Pikiert wird entweder in kleine Töpfe oder in Anzuchtschalen. Als Werkzeug wird ein sogenanntes Pikierholz verwendet, ein bleistiftdünnes, leicht angespitztes Holzstäbchen.

Rhizom: Rhizome wachsen unter der Erde, sind aber keine Wurzeln. Aus einem Rhizom sprießen Triebe und Blätter.

Teilung: Einfache Methode der vegetativen Vermehrung, bei der man den Wurzelballen einer Pflanze der Länge nach in mehrere Stücke zerteilt. Jedes dieser Teilstücke muss mindestens eine austriebsfähige Knospe und einige kräftige, möglichst intakte Wurzeln besitzen und kann gleich nach der Teilung wieder eingepflanzt werden. Diese Art der Vermehrung wird vor allem bei Stauden eingesetzt und dient auch der Verjüngung einzelner Pflanzen. Auch bei Gräsern, Farnen, vielen Zwiebel- und Knollenpflanzen, mehrjährigen Kräutern und Gemüsepflanzen sowie einigen Gehölzen ist eine Teilung möglich. Jede aus einer Teilung entspringende Tochterpflanze ist ein Klon der Mutterpflanze mit genau denselben Eigenschaften.

Umgraben: Spatentiefes Abstechen und Umwenden von Erdschollen. Früher als unerlässliche Form der Bodenbearbeitung zur Lockerung des Erdreichs im Herbst oder Frühjahr angesehen. Im Herbst umgegrabene Böden werden durch die sogenannte Frostgare fein zerkrümelt und Bodenschädlinge werden dezimiert. Heute wird oft auf das Umgraben verzichtet, um die Bodenflora und -fauna nicht in Unordnung zu bringen. Stattdessen wird der Boden

schonend mit Grabegabel, Sauzahn oder anderen Bodenbearbeitungswerkzeugen gelockert bzw. belüftet. Empfehlenswert ist das Umgraben jedoch dann, wenn Beete auf ehemaligen Wiesengrundstücken neu angelegt werden, wenn sehr schwere, tonhaltige Böden mit Humus und Sandgaben verbessert werden sollen, wenn Beete stark von Wurzelunkräutern durchsetzt sind oder Kulturen übermäßig stark von Schädlingen heimgesucht werden.

Vegetationszeit: Auch Vegetationsperiode genannt. Zeitspanne im Leben der Pflanzen, in der sie sich weiterentwickeln, wachsen, Blüten und Früchte bilden. Die rhythmisch wiederkehrenden Wachstumsphasen werden maßgeblich durch die Sonne, in anderen Regionen der Welt aber auch durch die Verfügbarkeit von Wasser beeinflusst. Die Zeit, in der kein Wachstum stattfindet, nennt man Vegetationsruhe. In unseren Breiten ist das meist der Winter.

Verziehen: Als Verziehen bezeichnet man das Ausdünnen zu dicht gesäter Pflanzenreihen, beispielsweise Salat. Dabei werden zu dicht stehende Pflanzen entfernt, damit die restlichen ausreichend Raum haben, um sich zu entwickeln.

Vorkultur Begriff mit zwei Bedeutungen:
1) Früh im Jahr gesäte oder gepflanzte, relativ kurzlebige Arten, die auf dem Gemüsebeet angebaut werden, auf dem danach im Rahmen der Kulturfolge eine andere Art kultiviert wird. Solche Vorkulturen eignen sich für frühe Gemüse wie Radieschen oder Spinat und auch zur Gründüngung.
2) Vorziehen von Pflanzen aus Samen unter geschützten Bedingungen, z. B. auf der Fensterbank oder im Gewächshaus. Ermöglicht eine rasche Entwicklung, besonders bei empfindlichen Gewächsen, und bietet einen Zeitvorsprung gegenüber der Aussaat und Anzucht im Freiland. Häufig bei Gemüse und einjährigen Sommerblumen angewendet.

Literatur

- Arnold, Annette; Reibetanz, René: Alles für die Ziege – Handbuch für die artgerechte Haltung. Pala, Darmstadt 2007
- Bell, Graham: Der Permakultur-Garten – Anbau in Harmonie mit der Natur. Pala, Darmstadt 2010
- ders.: Permakultur praktisch – Schritte zum Aufbau einer sich selbst erhaltenden Welt. Pala, Darmstadt 2006
- Brown, Lynda: Natürlich hausgemacht! – Traditionelle Techniken des Konservierens neu entdeckt. Dorling Kindersley, München 2011
- Dick & James: Das große Buch der Selbstversorgung. Dorling Kindersley, München 2011
- Eder, Barbara (Hrsg.): Biogas-Praxis: Grundlagen, Planung, Anlagenbau, Beispiele, Wirtschaftlichkeit, Ökobuch, Staufen 2007
- Feldkamp, Herbert: Räuchern und Pökeln – Die traditionelle Konservierung von Fisch, Fleisch und Wurst neu entdeckt. Südwest-Verlag, München 2004
- Frölich, Kai; Kopte Susanne: Alte Nutztierrassen. Cadmos, Schwarzenbek 2010
- Funke, Wolfgang, Berger, Frank von: Der simplify Gartendoktor – Pflanzenkrankheiten und Schädlinge wirkungsvoll und schonend bekämpfen. VNR Verlag für die Deutsche Wirtschaft, Bonn 2010
- Gans, Heinz K.: Rund ums Jahr konservieren – Alles über die perfekte Vorratshaltung. Ulmer, Stuttgart 2010
- Gareis, Daniela: Geflügel artgerecht halten und naturheilkundlich behandeln. Tredition, Hamburg 2009
- Gerlach, Hans: Marmeladen & Gelees – Glück im Glas – die Lust am Selbermachen. Gräfe & Unzer, München 2010
- Grandt, Marion und Michael: Das Handbuch der Selbstversorgung – Überleben in der Krise. Kopp Verlag, Rottenburg 2010
- Heiney, Paul: Das Kosmos-Buch vom Landleben: Tiere halten, Obst, Gemüse und Kräuter anbauen. Franckh-Kosmos, Stuttgart 2004
- ders.: Der Traum vom Landleben – Altbewährtes neu entdeckt – Selbstversorgung leichtgemacht. Dorling Kindersley, München 2011
- Holzer, Sepp: Der Agrar-Rebell. Stocker, Graz 2002

- Janson, Arthur: Auf 300 qm Gemüseland den Bedarf eines Haushalts ziehen. Ökobuch, Staufen 2010
- Klock Peter & Monika: Trendpflanzen – Stevia, Goji, Indianerbanane. Cadmos, Schwarzenbek 2011
- Kreuter, Marie Luise: Der Biogarten. BLV, München 2009
- dies.: Kräuter – naturgemäß anbauen, ernten und genießen. BLV, München 1993
- dies.: Pflanzenschutz im Biogarten. BLV, München 2003
- Kuhlmann, Nicole: Selbst Solaranlagen installieren – Schritt für Schritt richtig gemacht. Compact, München 2009
- Kühnemann, Helmut: Schafe. Ulmer, Stuttgart 2007
- Maier, Ernst. H.; Bachmann, Daniel, O.: Der Rinderflüsterer. Kosmos, Stuttgart 2009
- Markham, Brett L.: Mini-Farming – Autark auf 1000 Quadratmetern. Kopp Verlag, 2011
- Oellrich, Horst: Handbuch für Selbstversorger. Books on Demand (Kindle E-Book) 2011
- Ortner, Marlies: Essbare Pflanzen aus dem Hausgarten. Ökobuch, Staufen 2011
- Peitz, Leopold; Peitz, Beate: Hühner. Ulmer, Stuttgart 2006
- Pingel, Heinz: Enten und Gänse. Ulmer, Stuttgart 2008
- Pinske, Jörn: Gewächshäuser – Technik und Nutzung. BLV, München, 2009
- ders.: Kleingewächshaus und Frühbeet. Cadmos, Schwarzenbek 2011
- Quaschning, Volker: Regenerative Energiesysteme. Hanser, München 2009
- Radziewsky, Elke von: Der Selbstversorger-Garten. BLV, München 2011
- Rust, Hildegard: Praktische Vorratshaltung zu Hause – Gefrieren, haltbarmachen, lagern. Knürr, München 2007
- Sambraus, Hans Hinrich: Farbatlas seltene Nutztiere – 240 gefährdete Rassen aus aller Welt, Ulmer, Stuttgart 2010
- Schartl, Angelika: Wein aus dem Garten – Expertenrat aus erster Hand. Kosmos, Stuttgart 2010
- Schmidt, Horst: Handbuch Rassen- und Ziergeflügel, BD 1 (Puten, Perlhühner, Gänse und Enten. Ulmer, Stuttgart 1996

- Seymour, John: Das neue Buch vom Leben auf dem Lande. Dorling Kindersley, München 2010
- ders.: Selbstversorgung aus dem Garten. Urania, Freiburg 2011
- ders.: Vergessene Haushaltstechniken. Urania, Freiburg 2011
- ders.: Vergessene Künste. Urania, Freiburg 2009
- Stern, Alice: Tiere halten hinterm Haus – Geflügel, Kaninchen, Schafe, Ziegen, Esel. Kosmos, Stuttgart 2011
- Unterweger, Wolf-Dietmar & Ursula: Das Hühnerbuch – Praxisanleitung zur Haltung glücklicher Hühner. Stocker, Graz 2002
- Walther, Gerd: Ökohäuser für Energiesparer. Blottner, Taunusstein 2008
- Wenzel, Stefanie; Funke Wolfgang: Das Kräuterjahr – Gesund und schön mit der Kraft der Natur. Heyne, München, 2005
- Whitefield, Patrick: Permakultur kurz & bündig – Schritte in eine ökologische Zukunft. OLV Organischer Landbau, Kevelaer 2007
- Wiertz, Stefan: Räuchern – Aromatisieren und konservieren – mit Rezepten zum Heißräuchern für zu Hause. Südwest Verlag, München 2011
- Zschocke, Anne Katharina: Die erstaunlichen Kräfte der Effektiven Mikroorganismen – EM – Gesundheit, Haushalt, Garten, Wasser. Droemer Knaur, München 2011

Register

A
Abfall 363ff.
- Müllvermeidung 364f.
Acker-Schachtelhalm 229f.
Aloe, Echte 227
Äpfel 168f.
- Erträge 168
Apfelbeeren 188
Aprikosen 173f.
- Erträge 174
Arnika 334
Artischocke 157f.
Aubergine 158
Aussaat 47ff.
- im Freiland 52
- im Frühbeet 54
- Methoden 52f.
Aussaaterde, herstellen 51
Aussaatkalender 117ff.
Austernpilze 197

B
Balkon 28
Bärlauch 91ff.
Basilikum 214
Beeren 178ff. → auch Obst
- ernten 293f.
- trocknen 273
Beetformen 68ff.
- Hochbeet 68ff.
- Hügelbeet 71ff.
- Kraterbeet 72f.
Bienenhaltung 258f.
- ausleihen 258f.
- Blumen 259
Bier 332ff.
- brauen 332f., 334ff.
- Hopfen 333f.
- Malz 333
Birnen 169
- Erträge 170
Blumenkohl 129
Boden 32ff.
- Arten 35

- Behandlung 33ff.
- chemische Zusammensetzung 32f.
- Fingerprobe 36
- Qualität 32
- Schlämmprobe 35f.
- Staunässe 36
- umgraben 34

Bodenabdeckung 84ff.
Bohnenkraut 215
Borretsch 215
Braunkappen 197
Brennnessel 93f.
Brokkoli 130
Brombeere 95f.
Brombeeren 179
- Erträge 179

Brot 338ff.
- Backofen 339
- Hefeteig 340
- Herstellung 339f.f
- Sauerteig 340f.
- Sauerteigbrot 342
- Sauerteigstarter 341f.

Buschbohnen 135
Butter 317ff.
- haltbar machen 318f.
- herstellen 317

C

Champignons 198
Chicorée 122
Chinakohl 130f.

D

Dicke Bohnen 136
Dill 216
Dinkel 201

Dörren → Trocknen
Düngemittel 42ff.
Düngen 42ff.
- im Winter 47

E

Eberesche 96f.
Eichengallentinte 231
Eier in Würzessig 288
Eigenverbrauch 21f.
Einwecken 263ff.
- Fleisch 264f.
- Gemüse 266f.
- Methode 264
- Obst 265f.

Endiviensalat 123f.
Energieversorgung 343ff. → auch Wasserversorgung; Stromversorgung; Heizen
Enten → Federvieh
Erbsen 136f.
Erdbeeren 179f.
Erdkeller 298ff.
- Bau 299
- Prinzip 299f.
- Überlegungen 298

Erntekalender 375ff.
Ernten 291ff.
- Obst und Beeren 293f.
- Vorratshaltung 294
- Zeitpunkt 292f.

Essig 324ff.
Esskastanien 206
- Erträge 206
- lagern 310

Estragon 216

F

Färberdistel 231f.
Färberpflanzen 231f.
Färberwaid 232
Federvieh 250ff.
- Auslauf 251
- Brut 252f.
- Enten 253f.
- Fütterung 251f.
- Gänse 253f.
- Hahn 252
- Hühnerstall 250
- Rassen 253
- Weidehaltung 255
Feigen 189f.
Feldsalat 123
Fenchel 143, 216f.
Fermentieren → Vergären
- Chutney 287
- Eier in Würzessig 288
- Essig 286
- für Feinschmecker 285
- Ketchup 288
- Kräuteressig 287
- Sauergemüse 285
- Sauerkraut 284f.
Feuerbohnen 137
Folien 84f.
Folientunnel 85f.
Fruchtgemüse 156ff.
Fruchtwechsel 67f.
Frühbeet 78ff.
- Eigenbau 81
- Nutzung 82
Frühlingszwiebeln 139

G

Gänse → Federvieh
Gänseblümchen 97f.
Garten 20f., 27ff.
- Größe 27f.
- Grundlagen 31ff.
- Werkzeug 54ff.
Gartenarbeit, Zubehör 58
Garten-Ringelblume 228
Gartenwerkzeug 54ff.
- Bodenbearbeitung 55f.
- fegen 57
- Kombisysteme 59
- Maschinen 58f.
- pflanzen 56
- Pflege 59f.
- Qualität 54
- säen 56f.
- schneiden 57
Gelee 263
Gemüse
- Arten und Sorten 115
- Einkochzeiten 267
- einwecken 266f.
- Erdmiete 300
- Hitliste 367ff.
- Inhaltsstoffe 113
- konservieren 278
- lagern 305f.
- Saatgut, biologisches 115f.
- trocknen 270
- Zubereitung 113
Gemüseanbau 107ff.
- Gründe für 107f.
- Kombinationen 111f.
- Nitrat 108f.
- Planung 109ff.

- trocknen 271f.
- Vorteile 108
- Wechselanbau
Gemüsesorten 126ff.
Genussmittel 316ff.
Gerste 202
Getreide 200ff.
- lagern 306ff.
Gewächshaus 78f.
- Kalthaus 79
- Warmhaus 79
Gewürze 211ff.
Goji-Beeren 190f.
Grundlagen, gärtnerische 389ff.
Gründüngung 43f.
- geeignete Pflanzen 44
Grünkohl 131
Grünspargel 198f.
Gülle 47
Gurken 159

H
Haltbarmachung → Konservieren
Haselnüsse 207
- Erträge 207
- lagern 309
Hausgarten 28f.
Hausschlachtung 235
Heidelbeeren 180f.
- Erträge 180
Heizen 356ff.
- Abwärme aus Komposthaufen 358
- Biogas 359
- Bioreaktoren 359f.
- Erdwärme 358
- Flächenheizungen 363

- Gas/Öl 360
- Holz 360ff.
- Holzheizungen 362f.
- Luft-Wärme-Pumpen 257
Himbeeren 181f.
- Erträge 182
Hochbeet 68ff.
- bepflanzen 70
- füllen 69f.
- lagern 301f.
Hof 29f.
Holunder 182f.
Holzasche 46
Hügelbeet 71ff.
- bepflanzen 72
Hühner → Federvieh
Hülsenfrüchte 134ff.
- lagern 308
Hybrid-Saatgut 48
Hybridzucht 116

I
Indianerbabane → Papau

J
Joghurt 319f.
Johannisbeeren 183
- Erträge 184
Johanniskraut 224f.

K
Kaki 191
Kalender, phänologischer 30f.
Kamille 225
Kaninchen 255ff.
- Haltung 256
- Freilauf 257

- Fütterung 256f.
Kapstachelbeeren 192
Kartoffeln 152ff.
- Bodenvorbereitung 153
- düngen 154
- ernten 155
- lagern 302f.
- pflanzen 153
- Sorten 154
Käse 320ff.
- für Veganer 324
- Hart-/Weichkäse 322f.
- herstellen 320f.
Kerbel 217
Kernobst 167ff.
Kirschen 174ff.
- Erträge 175
Kiwi 192f.
Kleintiermist 46
Klimawandel 114f.
Knoblauch 140
Knoblauchsrauke 98f.
Knollensellerie 144
Kohlgewächse 128ff.
Kohlrabi 132
Kompost 37
- Abwärme 358
- Behälter 38
- kompostierbar 39
- Miete 38
- nicht kompostierbar 40
- Rotte 39
- Schnellkomposter 41
- Standort 37
- Verwendung 41f.
- Wurmkompost 40f.
Komposttoilette 348f.

Konservieren 260ff.
- Dörren → dort
- Eier 278f.
- Einwecken → dort
- Fermentieren siehe Vergären
- in Öl 289ff.
- Kräuteröl 289f.
- Marmelade/Konfitüre kochen 261
- mit Hitze 260ff.
- mit Zucker 260ff.
- Pesto 290
- Pökeln → dort
- Räuchern → dort
- Tiefgefrieren 267ff.
- Trocknen → dort
- Vergären s→ dort
Kopfsalat 124f.
Koriander 217f.
Kräuter 211ff.
- als Haushaltshelfer 229f.
- einsalzen 277f.
- für Butter 373
- für die Gesundheit 224ff.
- für die Küche 213ff.
- für die Schönheit 227f.
- für Honig 374
- für Speiseessig 374
- für Speiseöle 374
- Hitliste 367ff.
- konservieren 277
- Küchenkräuter 213ff.
- trocknen 270
- Umgang mit 221
- zum Einfrieren 373
- zum Einsalzen 373
- zum Kandieren 373
Kräutergarten

- anlegen 211f.
Kräuterspirale 212f.
Kühlen 311f.
Kühlschrank, Eigenbau 311
Kümmel 218
Kürbis 159f.

L
Lagern 291ff.
- außerhalb des Hauses 297ff.
- Erdfässer 301
- Erdkeller siehe dort
- Erdmieten 300f.
- Esskastanien 309
- Gemüse 305f.
- Getreide 306ff.
- Grundnahrungsmittel 312
- Haselnüsse 309
- Hochbeet 301f.
- Hülsenfrüchte 308
- im Haus 294ff.
- Kartoffeln 302f.
- Kontrolle 295f.
- Lagerraum 296f.
- Lüften 295f.
- Obst 303f.
- Raumklima 297
- Sandkisten 302
- Vorratsgefäße 310f.
- Walnüsse 308f.
Lauchgewächse 138ff.
Lavendel 228f.
Leben, einfaches 22ff.
Liebstöckel 218f.
Löwenzahn 99ff.

M
Mairübchen 144f.
Mais 202
Majoran 219
Mandeln 208f.
- Erträge 209
Mangold 126f.
Meerrettich 145f.
Milch/Milchprodukte 316ff.
Mischkultur 65ff.
- Prinzip 66
- Salat 66
Mispeln 170f.
Mist 46f.
Mistbeetkasten 83f.
- bepflanzen 84
- packen 83
Mittelzehrer 67
Möhren 146

N
Nachtkerze 228
Naturschutzvorschriften 90f.
Notvorrat 312ff.
Nüsse, Nussartige 205ff.
Nützlinge 64f.

O
Obst 165ff.
- Einkochzeiten 266
- einwecken 265f.
- ernten 293f.
- lagern 303f.
- trocknen 271f.
Obstgarten 165ff.
- Konzeption 165f.
- Zeitplan 166f.

Ökosysteme, natürliche 74
Oregano 219

P
Pak Choi 132
Papau 193f.
Paprika 160f.
Pastinaken 147
Permakultur 73ff.
- Aquakultur 77f.
- Pflanzen 75f.
- Praxis 74f.
- Tiere 76f.
Petersilie 220
Pfefferminze 225f.
Pfirsiche 177f.
- Erträge 178
Pflanzbedarf 30
Pflanzen, gesunde 61
Pflanzenbrühen 63f.
Pflanzenjauchen 45, 63f.
Pflanzenschutz 60ff.
- Diagnose 62f.
- integrierter 62
- Kräuter 64
Pflaumen 176
- Erträge 177
Pflücksalat 125
Pilze 195ff.
Pökeln 273ff.
- Fisch 276
- Fleisch 274f.
- Nitritpökelsalz 274
- Salzheringe 276f.
- Trockenpökeln 275f.
Porree 140f.
Preiselbeeren 184

Q
Quitten 171f.

R
Radieschen 147
Räuchern 279ff.
- Fleisch 282f.
- Heißräuchern 280
- Kalträuchern 279f.
- Räucherofen 280f.
- Tipps 281f.
- Warmräuchern 280
- Wurst 282
Reis 203
Rettich 148
Rhabarber 161f.
Rinder 247ff.
- Argumente für 247f.
- Haltung 247ff.
- Rassen 249
- Stall 248
Roggen 203f.
Rosenkohl 133
Rosmarin 220f.
Rote Bete 149
Rotkohl 134

S
Salatanbau → Gemüseanbau
Salatsorten 122ff.
Salbei 221f.
Samen
- Ansprüche 53
- ernten 49f.
- Keimprobe 50
Sanddorn 184f.
Sauerampfer 102f., 222

Schädlingsbekämpfung 105
Schafe 235ff.
- Bock 237f.
- Gründe für 236f.
- Haltung 235ff.
- Rassen 238f.
Schalotten 139
Schnittlauch 222
Schraubgläser 262
Schwachzehrer 67
Schwarzwurzeln 149f.
Schweine 242ff.
- Allesfresser 244f.
- Freilaufhaltung 243f.
- Haltung 242
- Krankheiten 245f.
- Rassen 246f.
- Stall 242f.
Seifenkraut 230
Selbstversorgung 18f.
Senf 326f.
- Dijon-Senf 327
- Variationen 327
Shiitake-Pilze 199
Sirup 263
Soleier 278
Sonderkulturen 195ff.
Sonnenenergie 353ff.
- kochen 354f.
- Solarputz 355
- Warmwasser 354
Spargel 199f.
- Erträge 200
Speierling 172f.
Spinat 127
Spitzwegerich 103f.
Stachelbeeren 185f.

- Erträge 186
Stangenbohnen 137f.
Starkzehrer 67
Staudensellerie 150
Steckrübe 151
Steinobst 173ff.
Stromversorgung 350ff.
- Energieverbrauch berechnen 350
- Kochkiste 352
- Kühlschrankisolierung 352
- Selbstversorgung mit Strom 350ff.
- Sonnenenergie 353ff. → auch dort
- Strom sparen 350ff.
- Windkraft 355f.

T
Tafeltrauben 186f.
- Erträge 187
Terrasse 28
Thymian 33
Tierhaltung 233ff.
- Auswahl 233f.
- Checkliste 234
Tomaten 162ff.
Topinambur 151f.
Trocknen 270ff.
- Kräuter 270f.
- Obst 271f.
- Gemüse 271f.
- Solardörrschrank 272f.
- mit Folie 273

U
Überschüsse vermarkten 365f.

V
Verantwortung 17f.

Vergären 283ff.
Vermehrung 47ff.
Vielfalt, genetische 48f.
Vlies 85
Vorkultur 51f.

W
Waldmeister 104ff.
Walnüsse 209f.
- Erträge 210
- lagern 308f.
Wasserversorgung 343ff.
- Abwasserentsorgung 346f.
- Grundwasser 345f.
- Komposttoilette 348
- Quell- /Flusswasser 346
- Regenwasser 344f.
- Selbstversorgung 344ff.
- Wasser sparen 348
Wein 328ff.
- Abfüllen 331
- Gärphase 330
- Gärung 329
- Klärung 330
- Saftgewinnung 328f.
- Variationen 331f.
Weißkohl 134
Weizen 204
Wermut 223
Wildpflanzen 87ff.
- in der Ernährung 88
- sammeln 89f.
Wirsing 134
Wursten 336ff.
- Füllung 336f.
- Wurstarten 337f.
Wurzelgemüse 142ff.

Z
Ziegen 239ff.
- hüten 241
- Rassen 241f.
- Stallhaltung 240f.
Zitronenmelisse 226f.
Zucchini 164
Zuckerhutsalat 125f.
Zuckermais 205
Zwergobst 28
Zwiebelgewächse 138ff.
Zwiebeln 141

»Ein optimistisches Gegenstück zu all den apokalyptischen Prophezeiungen«

Tom Brooks, BBC World

Der Bestsellerautor und Journalist Daniel Pinchbeck begibt sich auf die Suche nach einem neuen Denken, das archaische Weisheit mit moderner Wissenschaft vereint. Denn das Jahr 2012 wird keinen Zusammenbruch unserer Gesellschaft einläuten, wie apokalyptische Prophezeiungen proklamieren, sondern die Geburt einer globalen nachhaltigen Kultur: Zusammenhalt statt Wettbewerb. Das Wertschätzen von Geist und Seele wird den nutzlosen Materialismus ablösen, der unsere Welt an den Rand des Abgrunds getrieben hat. Dass das Wissen und Know-how für den Wandel im Geistigen sowie ganz pragmatisch u. a. in Städtebau, Landwirtschaft, Energieversorgung und Mobilität bereits vorhanden sind, zeigt Daniel Pinchbeck im Gespräch mit wissenschaftlichen wie spirituellen Vordenkern, Architekten, Ökonomen, Erfindern, Öko-Unternehmern und Prominenten wie Sting oder David Lynch.

Mehr über unsere Bücher:
www.scorpio-verlag.de

DVD, 80 Minuten
19,95 € (D)
ISBN 978-3-942166-29-4